P9-DDZ-169

Sangre oscura

CHRISTINE FEEHAN

SANGRE OSCURA

ARGENTINA – CHILE – COLOMBIA – ESPAÑA
ESTADOS UNIDOS – MÉXICO – PERÚ – URUGUAY – VENEZUELA

Título original: *Dark Blood – A Carpathian Novel*
Editor original: Berkley Books, The Berkley Publishing Group, Penguin Group (USA) Inc., New York
Traducción: Encarna Quijada

1.ª edición Noviembre 2015

Aribau, 142, pral. – 08036 Barcelona
www.titania.org
atencion@titania.org

ISBN: 978-84-16327-02-7
E-ISBN: 978-84-9944-916-6
Depósito legal: B-19.559-2015

Fotocomposición: Ediciones Urano, S.A.U.
Impreso por: Romanyà-Valls, S.A. – Verdaguer, 1 – 08786 Capellades (Barcelona)

Impreso en España – *Printed in Spain*

Para mi hermana de corazón, Anita.
Gracias por formar parte de mi vida.
Quizá no tenemos los mismos padres, pero eso nunca
ha sido obstáculo para este amor tan fiero y esta lealtad
tan grande que sentimos la una por la otra.
Sí, hemos perdido a mamá y a papá, pero tenemos
a nuestra familia y siempre seremos fuertes,
mientras nos tengamos la una a la otra.

A mis lectores

Asegúrate de visitar christinefeehan.com/members/ para registrarte en mi lista *privada* para el anuncio del libro y descárgate el ebook *gratuito Dark Desserts*. Únete a mi comunidad y consigue noticias de primera mano, participa en los debates sobre los libros, haz preguntas y chatea conmigo. Por favor, considérate libre de escribirme a Christine@christinefeehan.com. Estaré encantada de saber de ti.

Agradecimientos

Muchas gracias a mi hermana Anita Toste, que siempre contesta a mi llamada y se divierte tanto conmigo escribiendo hechizos de bruja.

Tengo que expresar públicamente mi agradecimiento a C.L. Wilson, Sheila English, Susan Edwards y Kathie Firzlaff, que siempre tienen a bien incluirme en nuestras sesiones de escritura estructurada. Lo hemos bordado, ¿verdad?

Como siempre, gracias a Brian Feehan y Domini Stottsberry. Trabajaron largas horas para ayudarme con todo tipo de cosas, desde sesiones de tormentas de ideas e investigación a revisiones. No tengo palabras para expresar la gratitud y el amor que siento por ellos. ¡Muchas gracias a los dos!

Un agradecimiento especial al doctor Christopher Tong, que destaca en todo cuanto hace, desde escribir canciones a crear lenguajes. Pero por encima de esto, debo decir que tiene el espíritu de un ser extraordinario, un espíritu que me gustaría poder plasmar en las páginas de un libro para que todos lo vieran. ¡Todos saldríamos ganando!

Por último, aunque no por ello menos importante, gracias a mi editora, Cindy Hwang, por creer en mí cuando le dije que tenía una idea para un libro difícil… ¡que acabó siendo tres! Me da libertad para escribir como yo necesito hacerlo. Y, por supuesto, al departamento de producción de Berkeley, que durante los últimos tres años ha creído en mí lo bastante para esperar cuando no recibían los libros a tiempo. Os aprecio a todos mucho más de lo que podría expresar con palabras.

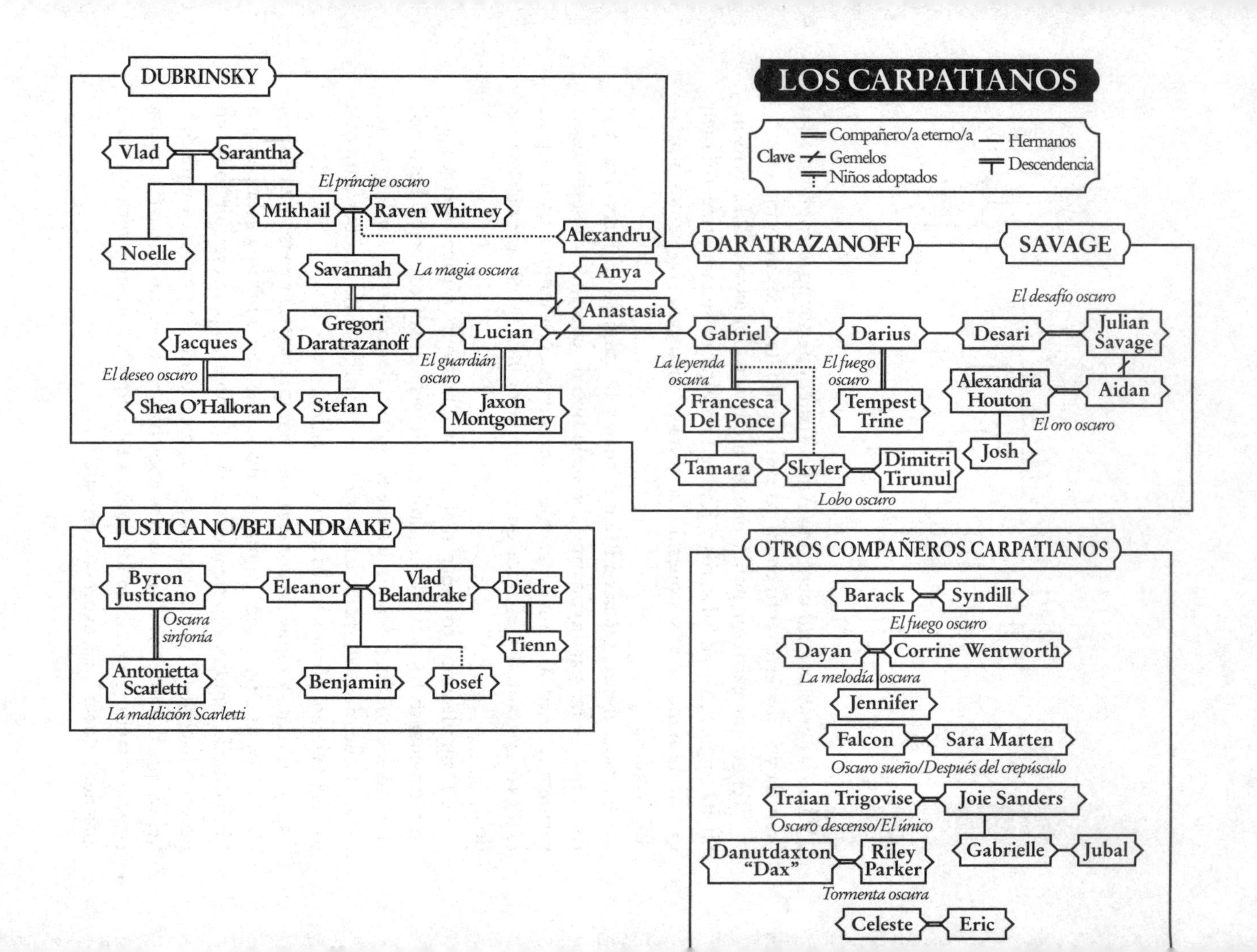
LOS CARPATIANOS
Clave
Compañero/a eterno/a
Gemelos
Niños adoptados
Hermanos
Descendencia
DUBRINSKY
Vlad
Sarantha
El príncipe oscuro
Mikhail
Raven Whitney
Noelle
Alexandru
Savannah
La magia oscura
Anya
Anastasia
Gregori Daratrazanoff
Lucian
Jacques
El guardián oscuro
El deseo oscuro
Shea O'Halloran
Stefan
Jaxon Montgomery
DARATRAZANOFF
SAVAGE
El desafío oscuro
Gabriel
Darius
Desari
Julian Savage
La leyenda oscura
El fuego oscuro
Alexandria Houton
Aidan
Francesca Del Ponce
Tempest Trine
El oro oscuro
Josh
Tamara
Skyler
Dimitri Tirunul
Lobo oscuro
JUSTICANO/BELANDRAKE
Byron Justicano
Eleanor
Vlad Belandrake
Diedre
Oscura sinfonía
Tienn
Antonietta Scarletti
Benjamin
Josef
La maldición Scarletti
OTROS COMPAÑEROS CARPATIANOS
Barack
Syndill
El fuego oscuro
Dayan
Corrine Wentworth
La melodía oscura
Jennifer
Falcon
Sara Marten
Oscuro sueño/Después del crepúsculo
Traian Trigovise
Joie Sanders
Oscuro descenso/El único
Danutdaxton "Dax"
Riley Parker
Gabrielle
Jubal
Tormenta oscura
Celeste
Eric

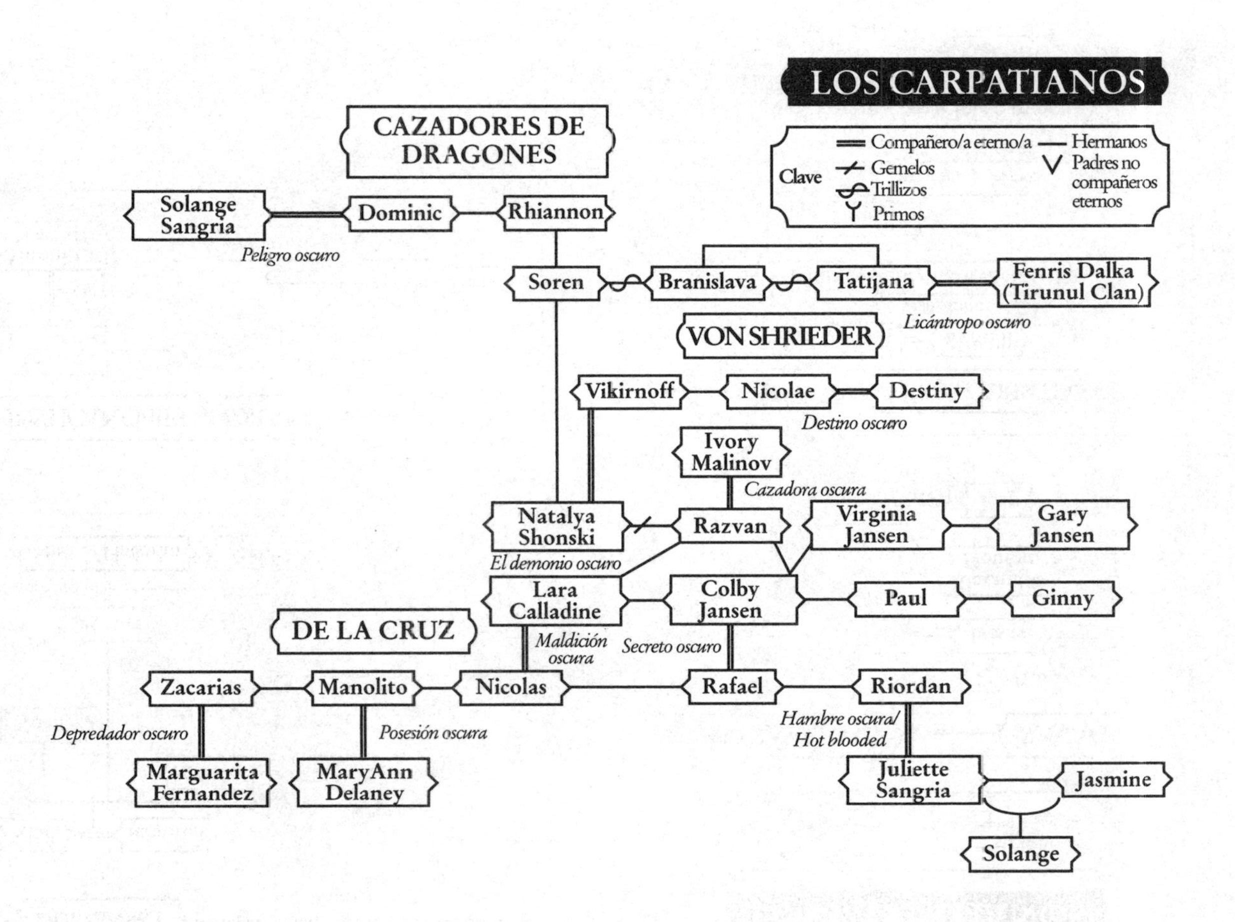
LOS CARPATIANOS
Clave
Compañero/a eterno/a
Gemelos
Trillizos
Primos
Hermanos
Padres no compañeros eternos
CAZADORES DE DRAGONES
Solange Sangria
Dominic
Rhiannon
Peligro oscuro
Soren
Branislava
Tatijana
Fenris Dalka (Tirunul Clan)
Licántropo oscuro
VON SHRIEDER
Vikirnoff
Nicolae
Destiny
Destino oscuro
Ivory Malinov
Cazadora oscura
Natalya Shonski
Razvan
Virginia Jansen
Gary Jansen
El demonio oscuro
Lara Calladine
Colby Jansen
Paul
Ginny
DE LA CRUZ
Maldición oscura
Secreto oscuro
Zacarias
Manolito
Nicolas
Rafael
Riordan
Depredador oscuro
Posesión oscura
Hambre oscura/ Hot blooded
Marguarita Fernandez
MaryAnn Delaney
Juliette Sangria
Jasmine
Solange

Capítulo 1

Lo primero que notó fue el sonido. Una especie de latido bajo y regular que retumbaba cada vez más fuerte. Zev Hunter notaba la vibración de ese latir rítmico por todo su cuerpo. Dolía. Cada latido por separado parecía resonar por su carne y sus huesos, reverberaba por su piel y sus células, y lo sacudía con tanta fuerza que tenía la sensación de que se iba a romper.

No se movió. Solo el hecho de abrir los ojos y tratar de adivinar qué era aquella llamada insistente y perturbadora, o por qué no desaparecía, hubiera sido un esfuerzo excesivo. Si abría los ojos tendría que moverse, y eso le dolería una barbaridad. Si se quedaba muy quieto, podía mantener el dolor a raya, aunque se sentía como si estuviera flotando en un mar de agonía.

Durante mucho rato permaneció tumbado, mientras su mente se perdía en un lugar lleno de paz. Ahora sabía cómo llegar, conocía el camino a aquel pequeño oasis en un mundo de dolor atroz. Encontró el estanque fresco y amplio de aguas azules y seductoras. El viento rozaba la superficie y formaba ondas juguetonas. A su alrededor, el bosque era exuberante y verde, los árboles altos, los troncos gruesos. El goteo de una discreta cascada que descendía entre las rocas hasta el estanque resultaba relajante.

Zev esperó, conteniendo la respiración. Cuando estaba allí, ella siempre acudía y salía al claro moviéndose lentamente entre los árboles. Ataviada con un vestido largo y una capa de terciopelo azul, con la capucha echada sobre sus largos cabellos, de manera que solo podía atisbar algún detalle de su rostro. El vestido se ceñía a su cuerpo, sus grandes pechos, la cintura estrecha; el corsé realzaba cada curva. Las faldas caían sobre sus caderas hasta el suelo.

Era la mujer más hermosa que había visto nunca. Un cuerpo grácil y fluido, una criatura etérea y esquiva que siempre lo llamaba con su sonrisa suave y un leve gesto de la mano. Y él deseaba seguirla al bosque —era licántropo, y el lobo que vivía en su interior prefería el bosque a los espacios abiertos—, pero no podía moverse, ni siquiera por ella.

Por eso se quedaba donde estaba, empapándose de ella. No era un hombre con facilidad de palabra, y es por ello que no decía nada. Ella jamás se acercaba, jamás salvaba la distancia que los separaba, pero de alguna manera eso no importaba. Estaba allí. No estaba solo. Y cuando la tenía cerca, el dolor se aliviaba.

Sin embargo, esta vez algo perturbó su remanso de paz. Aquel latido atronador lo encontró, y era tan fuerte que el suelo se elevó y volvió a descender con un sonido ominoso y preocupante. Las ondas volvieron a recorrer la superficie del agua, extendiéndose desde el centro hacia fuera, pero esta vez Zev supo que no era el viento. El latido palpitaba en las entrañas de la tierra, y no lo sacudía solo a él, lo sacudía todo.

Los árboles lo sentían. Zev oía la savia que corría por los troncos y las ramas. Las hojas se agitaban con frenesí, como en respuesta a aquella llamada profunda y atronadora. El sonido del agua se hizo más intenso, ya no era el chapoteo suave de unas gotas entre las rocas, no era un flujo constante, sino un chorro que se nutría con el mismo reflujo que la savia de los árboles. Como venas y arterias que fluían a su alrededor bajo la tierra, abriéndose paso hasta cada criatura viviente.

Ahora lo oyes.

Por primera vez, ella le habló. Su voz era suave y melodiosa, y no la llevaba el viento, sino el aliento. Un instante estaba del otro lado del pequeño estanque, y al siguiente la tenía arrodillándose entre la hierba alta, inclinándose sobre él, cada vez más cerca, y su boca casi rozaba sus labios.

Zev notó un sabor a canela. Especia. Miel. Todo en un mismo aliento. ¿O era la piel? Sus sentidos de licántropo, normalmente tan agudos para los olores, parecían embotados. Las pestañas de la mujer eran increíblemente largas y oscuras, y enmarcaban unos ojos de color esmeralda. Esmeralda de verdad. Unos ojos tan verdes que resultaban sorprendentes. Él había visto antes esos ojos. Imposible confundirlos. La curva de su boca era la fantasía de cualquier hombre, unos labios carnosos y de un rojo natural.

Aquel sonido atronador no cesaba, como un latido insistente y regular. Zev lo sentía por su espalda y por sus piernas, no le dejaba en paz. A través de su piel, podía seguir el curso del agua que corría bajo su cuerpo, llevando consigo nutrientes tan necesarios para la vida.

Puedes sentirlo, ¿verdad?, insistió ella con suavidad.

Zev no podía apartar la mirada. Sus ojos estaban cautivos. No era de esos que permiten que nada ni nadie los atrape. Obligó a su cabeza a trabajar y asintió... un movimiento que supo que le iba a costar muy caro. Zev esperaba que el dolor lo sacudiría pero, con la excepción de una ligera punzada en el cuello y las sienes que desapareció enseguida, la esperada agonía no llegó.

¿Qué es?

Frunció el ceño, tratando de concentrarse. Aquel sonido continuaba, sin pausa, tan regular, tan intenso y rítmico que hubiera jurado que era un corazón, y sin embargo era demasiado intenso y demasiado fuerte. Aún así, era como un latido que le llamaba igual que llamaba a los árboles y la hierba, como si todos fueran parte de un todo. Los árboles. La hierba. El agua. La mujer. Y él.

Tú ya sabes qué es.

Zev no quería decirlo. Si pronunciaba las palabras, tendría que volver a enfrentarse a su vida. Una existencia fría e insoportablemente solitaria de sangre y muerte. Él era un cazador de élite, daba muerte a las manadas de renegados —licántropos convertidos en hombres lobo que cazaban hombres— y era muy bueno.

Dime, hän ku pesäk kaikak, *¿qué es lo que oyes?*

Las notas melodiosas de la voz de la mujer penetraron por sus poros y se extendieron por su cuerpo. Y Zev notó cómo aquel sonido musical envolvía su corazón y se colaba en sus huesos. Notaba el aliento de la mujer en su rostro, cálido y suave, y fresco, como la más leve de las brisas, acariciando su piel templada. Sus pulmones parecían seguir el ritmo de los de ella, como si estuviera respirando por él, no solo con él.

Hän ku pesäk kaikak. ¿Dónde había oído aquello antes? La mujer lo decía como si esperara que entendiera lo que estaba diciendo, pero estaba en un idioma que ciertamente no conocía... y conocía muchos.

El sonido se oía más fuerte, más cerca, como si estuviera rodeado por todas partes de tambores que marcaban el ritmo, pero él sabía que no era eso. Aquel latido venía de debajo, y le llamaba.

Era imposible no hacer caso, por más que quisiera. Ahora sabía que no pararía, nunca, a menos que contestara a la llamada.

Es el latido de la misma tierra.

Ella sonrió y sus ojos parecieron adoptar el aspecto multifacético de las gemas con las que había visto adornarse a las mujeres, solo que mil veces más brillante.

Y asintió, moviendo la cabeza muy despacio. *Por fin vuelves a estar realmente con nosotros. La Madre Tierra te llama. Has sido convocado al consejo de los guerreros. Es un gran honor.*

Los susurros se movían por su mente como jirones de niebla. No conseguía retener ninguna palabra, pero a su alrededor oía voces masculinas que se elevaban y callaban, como si hubiera mucha gente. Una intensa sensación de calor lo golpeó. Calor de verdad. Asfixiante. Ardiente. Sus pulmones se negaban a trabajar, a absorber el aire tan necesario. Cuando trató de abrir los ojos, no pasó nada. Estaba encerrado en su mente, lejos de lo que sea que estaba pasando en su cuerpo.

La mujer se inclinó más cerca, y sus labios rozaron los de él. El corazón de Zev dio un vuelco. Apenas le había rozado, ligera como una pluma, pero aquella era la sensación más íntima que había experimentado en su vida. Era un boca exquisita. Perfecta. Una fantasía. Los labios de ella volvieron a moverse, suaves y cálidos, fundiéndose con él. Y notó su aliento en la boca, una bocanada suave y ligera de aire limpio y fresco. De nuevo notó aquel sabor. Canela. Especia. Miel.

Respira, Zev. Eres a la vez licántropo y carpatiano, y puedes respirar donde quieras cuando tú quieras. Respira.

Él no era un *sange rau.*

No, sange rau, *no. Tú eres un* hän ku pesäk kaikak. *Eres un guardián.*

El aliento que ella había insuflado en él seguía moviéndose por su cuerpo. Zev casi podía seguir sus pasos, como si aquel precioso aire fuera una corriente de blancura que se abría paso por una maraña, hasta que llenó sus pulmones. Sí, pudo sentir que el aliento de la mujer entraba en sus pulmones y los llenaba.

Esto no es un sueño ¿verdad?

Ella sonrió. Un hombre podría matar por aquella sonrisa.

No, Zev, no estás soñando. Estás en la cueva sagrada de los guerreros. La Madre Tierra ha convocado a los antiguos guerreros para que sean testigos de tu renacimiento.

Zev no entendía de lo que estaba hablando, pero empezaba a atar cabos. *Sange rau* era una combinación entre la sangre de un lobo solitario y la de un vampiro. *Hän ku pesäk kaikak* era la combinación de sangre de licántropo y carpatiano. No estaba muy seguro de lo que era la cueva de los guerreros, o dónde estaba, pero no le acababa de gustar lo del «renacimiento».

¿Por qué no puedo moverme?

Estás volviendo a la vida. Has estado un tiempo apartado de nosotros.

No de ti.

Ella había estado con él mientras permanecía atrapado en aquel lugar oscuro de dolor y locura. Si una cosa sabía con absoluta certeza, es que ella había estado allí. Y no podía avanzar porque no había sido capaz de dejarla.

Zev recordaba su voz, suave y suplicante. *Quédate, quédate conmigo.* Y esa voz los había encerrado a los dos en un mar de agonía que no parecía tener fin.

Tiene fin. Estás despertando.

Sí, tal vez estaba despertando, pero el dolor seguía ahí. Zev se permitió un momento para asimilarlo. La mujer tenía razón. El dolor estaba remitiendo a un nivel tolerable, pero aquel calor que lo envolvía estaba quemando su cuerpo. Sin el aire que ella le había dado, habría estado asfixiándose, ahogándose, desesperado.

Piensa en la temperatura corporal que deseas. Eres carpatiano. Abraza aquello que eres.

La voz no cambiaba. La mujer no parecía impacientarse por su incapacidad de comprender. Antes, cuando estaba más lejos, no le había parecido distante, simplemente, esperaba. Ahora era distinto, era como si esperara algo de él.

¡Qué demonios! Si la mujer decía que pensara en una temperatura distinta a la que le estaba quemando vivo, eso podía hacerlo. Eligió una temperatura normal y la retuvo en su mente. Ella le estaba hablando sin palabras, telepáticamente, así que seguramente vería que había hecho lo que le decía.

Al momento el calor abrasador desapareció. Zev trató de respirar. El calor inundó sus pulmones, pero también había aire. Él la conocía. Solo había una mujer que pudiera hablarle como ella lo hacía. De mente a mente. Ahora sabía quién era. ¿Cómo podía haberla olvidado?

Branislava.

¿Cómo había acabado atrapada con él en un lugar tan terrible? Y rezó una pequeña oración dando gracias por no haberla dejado allí. Era ella quien había susurrado. *Quédate. Quédate conmigo.* Tendría que haber reconocido su voz, una voz dulce y melodiosa que llevaba grabada en sus huesos.

Me has reconocido. Ella volvió a sonreírle y Zev notó sus dedos rozar su mandíbula y subir a su frente para apartar unos cabellos que le caían sobre el rostro.

Aquel contacto le produjo placer, no dolor. Una pequeña descarga le bajó de la frente al vientre, haciendo que tensara los músculos. Y la corriente siguió bajando e hizo brotar el fuego en su entrepierna. Si, podía sentir algo aparte de dolor, ¿no era de esperar que ese algo fuera deseo?

Ahora le parecía impensable no haber sabido en todo momento quién era. Era ella. La única. La mujer. Zev había conocido a muchas mujeres, por supuesto. Había vivido demasiado para que pudiera ser de otro modo. Era un cazador, un cazador de élite, y nunca se quedaba mucho tiempo en un mismo lugar. No establecía vínculos con nadie. Las mujeres no le dejaban sin aliento ni le hechizaban. No pensaba en ellas noche y día. No ocupaban sus fantasías. No quería a ninguna para sí.

Hasta que la conoció a ella. Branislava. Ella no era licántropa. No hablaba mucho. Tenía el aspecto de un ángel y se movía como una tentación. Su voz era como el canto de una sirena. Aquel día, ella le había mirado con aquellos ojos tan atípicos, le sonrió con su boca perfecta, y aquello despertó en él toda suerte de fantasías eróticas. Y cuando bailaron aquella única vez, un momento inolvidable, el cuerpo de ella parecía encajar en el suyo, fundirse en el suyo, y quedó grabado allí hasta el fin de los tiempos, en su piel, en su carne.

Todas y cada una de las normas que se había impuesto a sí mismo en relación con las mujeres en sus largos años de vida se rompieron con ella. Ella le dejó sin aliento, le hechizó. Pensaba en ella noche y día. Ocupaba sus fantasías. La deseaba en todos los sentidos posibles. Su cuerpo, su corazón, su mente. Su alma. La quería para sí.

¿Cómo has llegado aquí? ¿A este lugar?

Le asustaba pensar que de alguna forma la hubiera arrastrado a aquel mar de agonía porque estaba enamorado de ella. ¿Podía hacer eso un hombre? ¿Querer a una mujer hasta tal punto que cuando moría se la llevara consigo? La idea le aterraba. Él había vivido honorablemente, al menos lo había intentado, y jamás había hecho daño a ninguna mujer que no fuera una renegada asesina. La posibilidad de haber arrastrado a Branislava con él al infierno le resultaba de lo más perturbadora.

Elegí venir contigo, contestó ella como si aquello fuera lo más normal del mundo. *Nuestros espíritus están unidos. Nuestros destinos están entrelazados.*

No lo entiendo.

Te estabas muriendo. Y no había otro modo de salvarte. Eres alguien precioso para todos nosotros, un hombre de honor y destreza.

Zev frunció el ceño. Aquello no tenía sentido. Él no tenía familia. Tenía su manada, pero dos de sus miembros, amigos durante tantos y tantos años, le habían traicionado y habían tratado de matarle. Y ahora tenía la sangre mezclada y entre los suyos eran pocos los que le hubieran aceptado.

¿Todos nosotros?, repitió. *¿Y eso quién es?*

¿No les oyes llamarte?

Zev se quedó muy quieto, ajustando su agudo sentido del oído para oír más allá del latido de la tierra, del agua que fluía por debajo, tratando de llegar a las voces distantes. Voces masculinas. Que parecían rodearle. Algunos salmodiaban en algún antiguo lenguaje, otros entonaban cantos guturales como hacían antaño los monjes. Cada palabra, cada nota vibraba por todo su cuerpo, igual que hiciera antes el latido de la tierra.

Lo llamaban, igual que le llamaba la tierra. Era la hora. No podía seguir buscando excusas, y parece que tampoco pensaban dejar que siguiera donde estaba. Se obligó a abrir los ojos.

Estaba bajo tierra, en una cueva. Se dio cuenta enseguida. A su alrededor notaba calor y humedad, aunque no se sentía acalorado. Más bien lo veía, veía las ondas de calor que reverberaban por aquella cámara inmensa.

Grandes estalactitas colgaban del techo alto. Eran formaciones enormes, como grandes hileras de dientes de diferentes tamaños. Del suelo subían estalagmitas con amplias bases. Los colores se enroscaban en las columnas, desde el suelo hasta los extremos puntiagudos. El suelo estaba desgastado por siglos de pies.

Zev supo que estaba muy por debajo de la tierra. La cámara, aunque era inmensa, le parecía hueca. Y él yacía en el interior de la propia tierra, con el cuerpo cubierto de marga rica y negra. Los minerales salpicaban el manto de tierra que lo cubría. Había cientos de velas encendidas en las paredes que iluminaban la caverna y arrojaban luces parpadeantes sobre las estalagmitas, haciendo que aquellos colores apagados cobraran vida.

Su corazón empezó a latir desbocado. No sabía dónde estaba, ni cómo había llegado allí. Volvió la cabeza y al instante su cuerpo se serenó. Ella estaba allí, sentada a su lado. Branislava. Realmente, era tan hermosa como la recordaba. Su piel era clara e inmaculada. Las pestañas largas, los labios tan perfectos como en su sueño. Solo las ropas eran distintas.

Tenía miedo de hablar, temía que si lo hacía se desvanecería. Tenía un aire más etéreo que nunca, como una criatura del pasado, no parecía en modo alguno hecha para vivir en el mismo mundo en que él. Los cantos aumentaron de volumen y Zev estiró el brazo para tomar su mano y enlazar sus dedos con fuerza con los de ella, y entonces volvió la cabeza para buscar el origen —orígenes— de la llamada.

En la caverna había varios hombres, todos ellos guerreros, y en sus rostros podía verse el rastro de demasiadas batallas. Zev se sentía a gusto entre ellos, se sentía parte de ellos, como si en aquella cámara sagrada todos fueran de una misma hermandad. Conocía sus rostros, aunque a la mayoría no los había visto en su vida, pero sabía la clase de hombres que eran.

Entre ellos vio a cuatro hombres a los que conocía bien, aunque se sentía como si hiciera cien años que no los veía. Fenris Dalka estaba allí. Era de esperar. Fen era su amigo, si es que alguien como él podía tener amigos. A su lado estaba Dimitri Tirunul, el hermano de Fen, y tampoco eso era extraño. Los hermanos estaban muy unidos. Si tenían apellidos diferentes era solo porque Fen había adoptado el apellido de un licántropo para sentirse más integrado durante los años que pasó con ellos.

Había dos figuras junto a otro agujero donde un hombre yacía mirando a su alrededor igual que hacía él. Aquel hombre, que estaba en lo que bien podía ser una tumba abierta, se veía pálido y cansado, como si acabara de pasar por el infierno y hubiera salido por el otro lado. Zev se preguntó ociosamente si él tendría el mismo aspecto. Tardó unos instantes en reconocerlo, era Gary Jansen. Gary era humano, y había pasado entre una manada de lobos para llegar hasta él durante una batalla particularmente cruenta. Se alegró de verlo con vida.

Conocía a Gregori Daratrazanoff. Gregori nunca estaba muy lejos de su príncipe, y en aquellos momentos no se apartaba del lado de aquel hombre, que estaba intentando incorporarse. Gregori se inclinó enseguida y ayudó a Gary a sentarse con delicadeza. El otro hombre que había junto a la «tumba» tenía el mismo aspecto que Gregori. Debía de ser también un Daratrazanoff.

Al otro lado, a cierta distancia de Gregori, estaban dos de los hermanos De La Cruz a los que conocía, Zacarías y Manolito, que habían participado con él en una suerte de batalla. Los hechos seguían siendo un tanto confusos. Había un tercer hombre entre ellos.

En el centro de la caverna había varias columnas más pequeñas hechas con cristales que formaban un círculo en torno a una columna rojo sangre con lo que parecía una punta muy afilada. Junto a ella estaba Mikhail Dubrinsky, príncipe del pueblo carpatiano. Hablaba en voz muy baja, pero su voz se extendía por la estancia con gran autoridad.

Mikhail hablaba en un idioma antiguo con palabras rituales destinadas a invocar a sus ancestros.

—*Veri isäakank... veri ekäakank.*

Para su sorpresa y asombro, Zev descubrió que entendía las palabras. Sangre de nuestros padres..., sangre de nuestros hermanos. Sabía que aquello era la traducción literal, pero aquel era un idioma muy antiguo, no el idioma de los licántropos. A lo largo de los siglos había oído hablar la lengua de los carpatianos, pero no era normal que entendiera las palabras con tanta claridad.

—*Veri olen elid.*

La sangre es vida. A Zev el aliento se le atascó en la garganta. Podía entenderlo. Él hablaba muchos idiomas, pero aquel era un idioma tan antiguo que no hubiera podido aprenderlo. ¿Cómo es posible que lo entendiera? Nada de todo aquello tenía sentido, y sin embargo ya no se sentía la cabeza tan espesa.

Branislava le oprimió la mano con fuerza. Él volvió la cabeza y la miró. Era tan hermosa que le dejaba sin aliento. Sus ojos estaban clavados en él, y sentía que penetraban muy adentro. Demasiado. Ya la tenía bien grabada en la mente. Y se estaba acercando demasiado a su corazón.

—*Andak veri-elidet Karpatiiakank, és wäke-sarna ku meke arwa-arvo, irgalom, hän ku agba, és wäke kutni, ku manaak verival* —siguió diciendo Mikhail.

Su voz poderosa resonaba por la estancia, cruda y elemental, y atrajo de nuevo su atención.

Zev entendió las palabras. Ofrecemos esta vida a nuestro pueblo con un juramento de sangre en aras del honor, la clemencia, la integridad y la fortaleza.

¿Qué significaba? Aquello era un ritual, y aunque no sabía qué estaba pasando exactamente, se sentía parte de la ceremonia. La presencia de Fen y Dimitri le tranquilizaba. Cuanto más tiempo llevaba despierto, más despejada se sentía la mente. Los dos tenían la sangre mezclada, aunque habían nacido siendo carpatianos puros.

Mikhail dejó caer su palma sobre la punta afilada de la columna rojo oscuro. Al punto los cristales pasaron del rojo oscuro al carmesí, como si la sangre de Mikhail les hubiera hecho cobrar vida.

—*Verink sokta; verink kaŋa terád.*

La voz de Mikhail se elevó poderosa.

Zev vio chispas que iluminaban el lugar. Torció el gesto al oír aquellas palabras. Nuestra sangre es una sola y te invoca. Estaba mezclando su sangre con la de alguien poderoso, eso era evidente por la forma en que las columnas empezaron a cobrar vida. Algunas lanzaban destellos de color, aunque todavía eran bastante apagados.

—*Akasz énak ku kaŋa és juttasz kuntatak it.*

De nuevo Zev tradujo en su mente lo que oía, mientras las columnas empezaban a retumbar. Escucha nuestras plegarias y únete a nosotros. Por toda la estancia las columnas se sacudieron, y los cristales multicolores se iluminaban, arrojaban brillantes colores sobre el techo y las paredes. Los colores eran tan deslumbrantes que Zev tuvo que proteger sus sensibles ojos.

Carmesí, esmeralda, un bello zafiro, los colores adoptaron la extraña forma de una aurora boreal. El zumbido se hizo más fuerte y Zev se dio cuenta de que cada uno adoptaba un tono distinto, un matiz diferente, perfecto para su oído. Hasta ese instante no se había dado cuenta, pero las columnas parecían tótems con los rostros de guerreros grabados en el mineral, y cobraron vida, con aquellos colores que les daban mayor expresividad y carácter.

Entonces dejó escapar el aliento lentamente. Aquellos guerreros llevaban muertos mucho tiempo. Estaba en una cueva de muertos, y Mikhail estaba invocando a aquellos antiguos guerreros con algún extraño propósito. Tenía la desagradable sensación de que ese propósito le incluía a él.

—*Ete tekaik, sayeak ekäakanket. Čač3katlanak med, kutenken hank ekäakank tasa.*

Zev tragó audiblemente cuando tradujo en su cabeza. Hemos traído ante ti a nuestros hermanos, no nacidos como tales, pero hermanos al fin.

Había nacido siendo licántropo y había servido a su pueblo durante largos años como cazador de élite viajando por el mundo en busca de lobos renegados que mataban a humanos. Era uno de los pocos licántropos que podían cazar en solitario y se sentía lo bastante seguro y confiado para hacerlo. A pesar de ello, seguía siendo un licántropo y siempre tendría la necesidad de formar parte de la manada.

Los de su estirpe despreciaban a los que tenían la sangre mezclada. Poco importaba que su sangre se hubiera mezclado por servir a los suyos. Le habían herido en cientos de batallas y había perdido demasiada sangre. Los guerreros carpatianos habían acudido en su ayuda en más de una ocasión, como sucedió aquella última vez.

Zev levantó la mirada y se encontró a Fen a un lado y a Dimitri al otro. Los hermanos De La Cruz estaban a un lado y a otro del extraño.

Gregori y su hermano estaban cada uno a un lado de Gary, que en aquellos momentos se estaba poniendo en pie con la ayuda de Gregori. Zev respiró hondo. Él no sería el único hombre que estuviera sentado mientras todos los demás estaban en pie. Se pondría en pie o moriría en el intento.

Entonces soltó su tabla de salvación y al momento le entró el pánico... otra cosa impensable en un hombre como él. No quería que ella desapareciera. Sus ojos la buscaron. *No me dejes.*

Ella le dedicó una sonrisa con la que cualquier hombre habría podido vivir de fantasías por el resto de sus días. *Estamos unidos, Zev. Donde tú vayas, voy yo. Solo los ancestros pueden deshacer el entramado entre los espíritus.*

¿Y todo esto es por eso? Porque, de ser así, no estaba muy seguro de querer continuar.

Ni siquiera el príncipe puede pedirte algo así. Solo yo. O tú.

Ella le dio la información, pero Zev tenía la sensación de que lo había hecho algo a desgana. Y le pareció bien. No estaba preparado para renunciar al vínculo que le unía a ella todavía.

Fen, no llevo nada puesto y quiero levantarme. No pienso quedarme estirado en esta tumba como una criatura. Por primera vez era consciente de que estaba totalmente desnudo, y Branislava había estado a su lado en todo momento, sosteniendo su mano... ni siquiera cuando su cuerpo había vuelto a la vida se había apartado de él.

Al momento ya estaba limpio y ataviado con unos pantalones cómodos y una camisa de un blanco inmaculado. Trató de incorporarse. Fen y Dimitri lo sujetaron a la vez, e impidieron así que cayera de bruces y se pusiera en evidencia. Sus piernas parecían de goma, se negaban a obedecerle y a hacer su trabajo. Para un licántropo aquello era de lo más embarazoso, pero para un cazador de élite era totalmente humillante.

Mikhail lo miró y le dedicó un gesto de asentimiento, o quizá solo era el alivio de verle con vida. Zev aún no estaba muy seguro de sentirse aliviado.

—Aka sarnamad, en Karpatiiakak. Sayeak kontaket ŋamaŋak tekaiked. Tajnak aka-arvonk és arwa-arvonk.

Escuchadme, grandes guerreros. Traemos a estos hombres ante vosotros, todos ellos guerreros, merecedores de nuestro respeto y honor. Zev tradujo las palabras dos veces, solo para asegurarse de que estaba interpretando correctamente la conversación del príncipe con los antiguos guerreros.

Gary, que estaba en pie entre los hermanos Daratrazanoff, cuadró los hombros como si sintiera unos ojos puestos sobre él. Zev estaba convencido de que, de alguna manera, aquellos espíritus de los muertos los estaban observando, y quizá estaban evaluando su valor. Los colores remolineaban formando diferentes tonos, y las notas se unieron como si los antiguos guerreros estuvieran preguntando al príncipe.

—Gregori és Darius katak Daratrazanoffak. Kontak ŋamaŋak sarnanak hän agba nókunta ekäankal, Gary Jansen, hän ku olenot küm, kutenken olen it Karpatii. Hän pohoopa kuš Karpatiikuntanak, partiolenaka és kontaka. Sayeak hänet ete tekaik.

Gregori y Darius, de la gran casa de los Daratrazanoff, proclaman su afinidad con nuestro hermano, Gary Jansen, quien fuera humano, y ahora es uno de nosotros. Ha servido a nuestro pueblo incansablemente, en sus investigaciones y en la batalla. Lo traemos a vuestra presencia.

Zev sabía que además de luchar junto a los carpatianos, Gary había trabajado mucho por ellos, y había vivido entre ellos durante largos años. Era evidente que todos los carpatianos que había allí sentían un profundo respeto por él, al igual que él. Gary había luchado con valentía y de modo totalmente desinteresado.

—Zacarias és Manolito katak De la Cruzak, kätkä enä wäkeva kontak. Kontak ŋamaŋak sarnanak hän agba nókunta ekäankal, Luiz Silva, hän ku olenot jaquár, kutenken olen it Karpatii. Luiz mänet en elidaket, kor3nat elidaket avio päläfertiilakjakak. Sayeak hänet ete tekaik.

Zacarías y Manolito, de la casa De La Cruz, dos de nuestros guerreros más poderosos, proclaman su afinidad con nuestro hermano, Luiz Silva, antaño jaguar, ahora carpatiano. Luiz salvó la vida de dos de sus compañeras eternas. Lo traemos ante vosotros.

Zev no sabía nada de Luiz, pero no podía sino admirar a cualquier hombre a quien Zacarías de la Cruz quisiera reclamar como hermano. Zacarías no era precisamente conocido por su bondad. Luiz sin duda debía de ser un gran guerrero para codearse con aquella familia de carpatianos.

—Fen és Dimitri arwa-arvodkatak Tirunulak sarnanak hän agba nókunta ekäankal, Zev Hunter, hän ku olenot Susiküm, kutenken olen it Karpatii. Torot päläpälä Karpatiikuntankal és piwtät és piwtä mekeni sarna kunta jotkan Susikümkunta és Karpatiikunta. Sayeak hänet ete tekaik.

Fen y Dimitri de la noble casa de Tirunul proclaman su afinidad con nuestro hermano Zev Hunter, antaño licántropo, ahora carpatiano. Ha luchado codo con codo con nuestra gente y ha tratado de conseguir una alianza entre licántropos y carpatianos. Es de sangre mestiza, como aquellos que proclaman su afinidad con él. Le traemos ante vosotros.

Imposible confundir aquellas palabras. Mikhail había pronunciado su nombre y había dicho que Fen y Dimitri lo reclamaban como hermano. Sin duda tenía suficiente sangre de los dos en su interior para considerarlos sus hermanos.

El zumbido aumentó de volumen, y Mikhail asintió varias veces antes de volverse hacia Gary.

—¿Es tu deseo convertirte en hermano de pleno derecho?

Gary asintió con el gesto sin vacilar. Zev estaba convencido de que, al igual que él, a Gary no le habían preparado para aquello. La respuesta tenía que salir de tu interior en el preciso instante en que llegara la pregunta. No había preparativos. Y no sabía qué respuesta brotaría de su interior.

Gregori y Darius, con Gary entre los dos, se acercaron a la columna de cristal, que en aquellos momentos era de un rojo apagado. Gregori dejó caer su mano con la palma hacia abajo sobre la punta afilada de la formación, haciendo con ello que su sangre se derramara sobre la del príncipe.

—Coloca tu mano sobre la piedra sagrada de sangre y deja que tu sangre se mezcle con la de los ancestros y con la de tus hermanos —le indicó Mikhail.

Gary se adelantó lentamente, siguiendo el mismo camino que tantos guerreros habían seguido antes que él. Colocó su mano sobre la punta afilada y dejó caer la palma. Su sangre se derramó sobre la columna de cristal y se mezcló con la de Gregori.

Darius se acercó por detrás con el mismo paso silencioso y mortífero de su hermano, y cuando Gary se apartó, colocó su mano sobre la punta de la piedra de sangre y dejó que su sangre se mezclara con la de Mikhail, Gregori, Gary y los antiguos guerreros que hubo antes que ellos.

El zumbido se hizo más intenso, llenaba la estancia. Los colores remolineaban, adoptando ahora diferentes tonos de azul, verde y púrpura.

Gary profirió un ligero respingo y calló, sin dejar de asentir, como si pudiera oír algo que Zev no oía. Unos minutos después, retrocedió y lanzó una ojeada al príncipe.

—Está hecho —afirmó Mikhail—. Que así sea.

El zumbido cesó, todas aquellas hermosas notas que creaban una melodía de palabras que solo el príncipe podía entender. En la sala se hizo el silencio. Zev podía oír su corazón latiendo a toda prisa. Respiró hondo y dejó escapar el aire. La tensión y la sensación de anticipación iban en aumento.

—Luiz, ¿es tu deseo convertirte en hermano de pleno derecho? —preguntó Mikhail.

Zev miró con atención a Zacarías y Manolito. Los hermanos De La Cruz eran ciertamente infames. Adoptar a su familia como propia era una auténtica temeridad. Y solo un hombre fuerte y seguro habría aceptado tal cosa.

Luiz inclinó la cabeza y se acercó a la piedra de sangre de cristal por su propio pie, con Zacarías y Manolito detrás. Era evidente que Luiz no había resultado herido. Físicamente estaba bien, y se movía con la fluidez de un felino salvaje.

Zacarías hirió su palma primero, y dejó que su sangre se mezclara con la de los antiguos guerreros. Al punto empezaron los zumbidos, una llamada baja de salutación, reconocimiento y honor. Los colores remolineaban por la estancia como si los ancestros conocieran a Zacarías y su reputación legendaria. Parecía como si estuvieran saludando a un viejo amigo. Zev no tenía ninguna duda de que los antiguos guerreros estaban rindiendo homenaje a aquel hombre. Seguramente muchos le habían conocido.

Cuando el zumbido cesó, Luiz se acercó a la piedra e hirió su palma, y su sangre se mezcló con la del mayor de los hermanos. Manolito se acercó después e hizo otro tanto, de modo que la sangre de los tres se mezcló con la de los antiguos guerreros.

El zumbido de aprobación volvió a empezar, y las grandes columnas de estalagmitas y estalactitas se tiñeron de bandas de colores: blanco, amarillo y rojo.

Luiz permanecía en silencio, muy quieto, igual que había hecho Gary antes que él y, al igual que este, él también asintió con el gesto en varias ocasiones, como si estuviera escuchando. Miró a Zacarías y Manolito y sonrió por primera vez.

—Está hecho —musitó Mikhail en un tono bajo y poderoso que pareció llenar la estancia—. Que así sea.

Zev se notaba la boca seca. Su corazón empezó a latir con fuerza. Notaba la tensión acumularse muy abajo, en su vientre, formando grandes nudos sin que él pudiera evitarlo. Allí había aceptación… pero siempre cabía la posibilidad de que le rechazaran. Él no había nacido siendo carpatiano, pero Fen y Dimitri le ofrecían mucho más que eso… ellos respondían por él. Le llamaban hermano. Si aquellos antiguos guerreros le aceptaban, sería realmente licántropo y carpatiano. Volvería a tener su manada. Tendría un lugar al que pertenecer.

La atmósfera en la gran cámara era sombría. La elocuencia de los guerreros muertos tiempo ha se desvaneció lentamente y Zev supo que había llegado el momento. No tenía ni idea de lo que haría cuando le preguntaran. Ni idea. Ni siquiera sabía si sus piernas podrían llevarle hasta allí, y no estaba dispuesto a aceptar que lo llevaran a cuestas hasta la piedra de sangre.

—Zev, ¿es tu deseo convertirte en hermano de pleno derecho? —preguntó Mikhail.

Él notó el peso de todas las miradas. Miradas de guerreros. Buenos hombres que conocían la batalla. Hombres a los que respetaba. Sus pies querían moverse. Quería ser parte de aquello. Físicamente aún estaba muy débil. ¿Y si decidían que no estaba a la altura?

No eres débil, Zev. No hay nada débil en ti.

La voz de Branislava se movió por su interior como un soplo de aire fresco. No se había dado cuenta de que estaba conteniendo la respiración hasta que ella le habló de un modo tan íntimo. Dejó escapar el aire, se mentalizó e hizo su primer movimiento. Fen y Dimitri se quedaron cerca, no solo para acompañarle hasta la piedra de sangre, sino para asegurarse de que no caía de bruces. Y a pesar de todo, estaba decidido a no dejar que eso pasara.

Con cada paso que daba sobre aquel gastado suelo de piedra, parecía absorber a todos los que habían vivido antes que él. Su sabiduría. Su técnica en la batalla. Su gran determinación y su sentido del honor y el deber. Notaba que la información iba acumulándose en su cabeza, pero no era capaz de procesarla. Era un regalo asombroso, y sin embargo no podía acceder a aquellos datos, y en su mente eso hizo más real la posibilidad de que lo rechazaran. Tenía la sensación de que había estado antes en aquella cámara sagrada, en algún lugar, en algún momento, hacía mucho. Cuanto más tiempo pasaba allí, más familiar le resultaba.

Se acercó a la columna, sintiendo que su corazón se aceleraba más y más. De aquella piedra de sangre emanaba un poder crudo y descarnado. La formación palpitaba, y con cada pulsación se formaban nuevas franjas de color, en diferentes tonos de rojo, por la sangre que había pertenecido a todos los grandes guerreros que habían abandonado el mundo de los carpatianos y que sin embargo, a través del príncipe, podían seguir ayudando a su pueblo. Mikhail entendía sus voces a través de aquellas notas perfectamente acompasadas.

Fen dejó caer la palma sobre la punta de la estalagmita. Su sangre se escurrió sobre la piedra sagrada. Los colores cambiaron al instante, burbujeando con un intenso púrpura sobre el rojo oscuro. Retrocedió para permitir que Zev se acercara a la columna.

No pensaba prolongar aquello. O le aceptaban o no. No podía recordar ni una sola vez en su vida en que le hubiera importado lo que los demás pensaran de él, pero allí, en la cámara sagrada de los guerreros, se dio cuenta de que importaba mucho más de lo que hubiera querido. Dejó caer la palma sobre la punta afilada para que atravesara su carne y su sangre fluyera sobre la de Fen, para que se mezclara con la de la persona que iba a convertirse en su hermano y la de los grandes guerreros del pasado.

Su alma se distendió para ir al encuentro de los que fueron antes que él. Se sintió rodeado, arropado por toda aquella camaradería, aceptación, pertenencia. La comunidad que así lo aceptaba se remontaba muy atrás en el tiempo, los guerreros de antaño lo saludaban. Y en el proceso, el flujo de información que pasaba por su mente, adhiriéndose a sus recuerdos, le pareció a la vez abrumador y asombroso.

Él era un hombre a quien jamás se le escapaba ningún detalle de cuanto le rodeaba. Era una de las cosas que le habían permitido convertirse en un guerrero de élite. Ahora, todo le parecía más nítido, más vívido. El corazón de cada uno de los guerreros que había allí, los antiguos y los de ahora, latía al compás del corazón de la tierra. La sangre corría por sus venas, igual que la sangre de los ancestros corría por el cristal y el agua corría por la tierra.

Dimitri dejó caer su palma sobre el cristal y al momento Zev sintió que sus sangres se mezclaban, que su nueva relación de parentesco era más profunda que su amistad. Su historia y la de ellos se convirtieron en una misma historia que se remontaba a los tiempos antiguos. La información se acumulaba, se amontonaba en su mente a un ritmo acelerado. Y con ella llegó la responsabilidad de los que eran como él.

El zumbido se hizo más fuerte, ahora podía reconocer el significado de aquellas notas: aprobación, aceptación sin reservas. Los colores remolineaban y formaban franjas por la cámara. Los antiguos guerreros le reconocían, reconocían su linaje, no solo el linaje de Fen y Dimitri, que lo reclamaban como hermano, sino también el suyo, que no era nacido de una unión del todo licántropa.

Bur tule ekämet kuntamak. Las voces de los ancestros llenaban su mente de saludos. Bien hallado, hermano. *Eläsz jeläbam ainaak.* Que vivas largo tiempo en la luz.

Zev no sabía que su linaje fuera otra cosa que licántropo puro. Su madre había muerto mucho antes de que pudiera guardar ningún recuerdo de ella. ¿Por qué iban aquellos guerreros a reclamar su parentesco con él a través de su sangre y no la de Fen y Dimitri? Aquello no tenía sentido.

Nuestras vidas están vinculadas por nuestra sangre. Le hablaban mediante su antiguo lenguaje y Zev no tenía ninguna dificultad para traducirlo, como si siempre hubiera sido parte de él y solo hubiera necesitado que aquellos guerreros llenaran un vacío en su mente para que volviera a despertar.

No entiendo. Aquello era poco. Estaba más confundido que nunca.

Todo, incluso nuestro compañero eterno, viene determinado por la sangre que corre por nuestras venas. Tu sangre es sangre oscura. Ahora eres de sangre mestiza, pero sigues siendo uno de los nuestros. Eres kont o sívanak.

Corazón fuerte, corazón de guerrero. Era un tributo, pero aquello no le aclaraba lo que quería saber.

¿Quién era mi madre? Esa era la respuesta que necesitaba conocer. Si ya tenía sangre carpatiana en las venas, ¿cómo es que él no lo sabía?

La madre de tu madre era carpatiana pura. Los licántropos *la mataron por ser una* sange rau. *Su hija, tu madre, fue criada como si fuera* licántropa. *Se apareó con un* licántropo *y te alumbró a ti, un sangre oscura. Eres* kunta.

Familia, entendió Zev. ¿De qué linaje? ¿Cómo? Sabía que estaba tardando mucho más que Gary o Luiz, pero no quería renunciar a aquella fuente de información. Su padre jamás insinuó siquiera que pudiera haber sangre carpatiana en su familia. ¿Lo sabía? ¿Lo sabía su madre? Si su abuela había sido asesinada por los licántropos por su sangre mestiza, nadie hubiera querido confesar nunca que su madre era hija de alguien así. La familia la habría ocultado. Lo más probable es que su padre hubiera abandonado su manada y hubiera buscado otra que le protegiera.

El zumbido empezó a apagarse y Zev se descubrió estirando mentalmente su mente, necesitaba más.

Esperad. ¿Quién era ella?

Está ahí, en tus recuerdos, todo cuanto necesitas, todo cuanto eres. La sangre llama a la sangre, y ahora vuelves a ser puro. El zumbido cesó.

—Está hecho —dijo Mikhail en tono formal—. Que así sea.

Capítulo 2

Fen le dio una palmada en el hombro, lo bastante fuerte para hacerle pestañear.

—Parece que ahora soy tu hermano mayor. Sabía que tarde o temprano saldría algo bueno de haberte conocido. Y ahora tengo otro hermanito al que mandar.

Dimitri gruñó.

—Lo tenemos claro. Ahora no va a dejar de pavonearse. Se va a poner insoportable.

Zev trató de no desplomarse. El estómago le dolía mucho. Por primera vez desde que le habían herido gravemente protegiendo a Arno, uno de los miembros del consejo de los licántropos, bajó la vista convencido de que vería la herida a través de la camisa blanca que Fen le había proporcionado. Se llevó la mano al punto donde sentía como si tuviera un enorme agujero. Casi esperaba notar que la carne hubiera desaparecido a través de la tela.

Las revelaciones de los antiguos guerreros habían sido demasiado, al igual que toda la información que habían traspasado a su mente. Su cuerpo se tambaleaba por el agotamiento. Apenas era capaz de pensar, porque su mente no dejaba de dar vueltas y más vueltas tratando de entender lo que le habían revelado sobre su persona. ¿Lo había soñado? ¿Era real? En aquellos momentos solo el dolor parecía real. Lo demás era de lo más surrealista.

Sus dedos estrujaron el material de la camisa. Miró a su alrededor muy despacio, con tiento, porque en realidad solo deseaba ver a una persona. El aliento se le atascó en la garganta. Notó que su lobo saltaba a un primer plano como si tratara de protegerle. Aún se sentía desorientado, y en su estado no podía procesar la cantidad tan enorme de información que habían imbuido en su mente. Le costaba tenerse en pie, no digamos pensar; la necesitaba a su lado.

—Quizá tendrías que sentarte —sugirió Fen, con tono realmente preocupado—. Me alegra que estés vivo, pero tal vez te hemos hecho volver demasiado pronto —explicó, y miró al hombre que se acercaba desde detrás de Zev.

Desde luego, aquello parecía incuestionable. Aún no estaba del todo curado. A duras penas podía controlar la temperatura de su cuerpo. Y en la voz de Fen había cierto tono de culpabilidad que su sangre mezclada le permitió reconocer enseguida a pesar de lo dispersa que estaba su mente.

—Seguro que había una buena razón para que me despertarais.

Sabía que el príncipe estaba detrás. Mikhail no hacía ningún ruido, pero su energía era inconfundible. Se volvió para recibir al príncipe de los carpatianos.

Mikhail aferró los antebrazos de Zev en el saludo de los guerreros.

—Nos has dado un susto a todos, Zev. No estábamos seguros de que pudieras conseguirlo.

—Yo tampoco —confesó él.

Miró a su alrededor. Necesitaba verla. Tocarla. ¿Dónde estaba?

—Tienes que descansar, Zev —dijo Mikhail.

Como si no lo hubiera deducido ya por sí mismo. *¿Por qué me despertaste?*, preguntó a Fen.

—Dimitri y Fen se sienten más cómodos en el bosque y los dos tienen una casa allí. Podemos amoldarnos a tus preferencias, bosque, montaña o incluso poblado, pero sigues necesitando cuidados, al menos hasta que no estés un poco más fuerte —siguió diciendo Mikhail.

Él solo quería los cuidados de una persona, y esa persona ya no estaba en la sala.

¿Dónde estás?

¿El que hablaba era él? Su tono era posesivo, incluso irritado porque la mujer había tenido el atrevimiento de irse sin su conocimiento. No quería que desapareciera de su vista.

—Gracias, te agradezco que me ofrezcas una casa. Aún estoy algo inestable.

Zev atrapó a Fen con sus ojos de color de acero. Sí, quizá acababa de regresar de entre los muertos, pero siempre había actuado a su antojo, había librado sus propias batallas y era una fuerza con la que valía la pena contar. Tenía que haber otra razón para que le hubieran despertado antes de que estuviera del todo curado además de presentarlo ante los antiguos guerreros para su aprobación.

¿Dónde estás, Branislava?

Soltó la pregunta una segunda vez, exigiendo una respuesta. Y utilizó su tono más autoritario, un tono que no admitía espera.

Tengo que avisar a Tatijana de que estoy viva.

Y lo dijo con la misma voz perfecta y melodiosa, en modo alguno alterada por su estúpido tono dominante e irritado de líder de la manada.

Espérame.

Zev pestañeó ante sus propias palabras. Sonaba como un dictador. No podía evitarlo. Aquello tendría que haber sido una súplica, no una orden. Ella no era parte de su manada, pero estaba acostumbrado a que le obedecieran. Incluso el consejo de los licántropos tomaba su palabra como una ley. Lo que es más, le molestaba especialmente que Branislava no entendiera por qué era tan importante que se quedara a su lado. Él mismo veía que aquello no tenía sentido, pero hasta que lo entendiera, hasta que consiguiera adivinar por qué era tan importante tenerla cerca, no dejaría que se fuera a ningún lado.

Se hizo un pequeño silencio, un distanciamiento, como si ella estuviera en su mente y ahora se hubiera apartado. Su corazón vaciló, y se proyectó, tratando de encontrarla porque no soportaba la idea de separarse de ella. Hasta ese momento había sido consciente de los otros hombres que había en la sala charlando a su alrededor, del chapoteo regular del agua, del chisporroteo de las llamas, pero ahora estaba totalmente concentrado en ella.

Zev le ordenó que volviera, a pesar de sus maneras soberbias y oficiosas. De hecho, hasta contó los latidos de su corazón mientras esperaba la respuesta. De haber estado lo bastante fuerte, habría ido en pos de ella. Sabía que podía seguir su rastro. Pocos eran los que podían despistarle cuando se ponía a seguirlos.

Primero notó su olor, aquella combinación de canela, especias y miel. Cuando estuvo más cerca, aspiró con fuerza y llenó sus pulmones de ella y pudo respirar mejor. Percibió aquella combinación única en su boca, en su lengua, y al instante quiso… no, necesitó más.

Zev volvió la cabeza para mirarla. El impacto fue el mismo que cada vez que la veía. No se había curado del embrujo bajo el que estaba. Mirarla casi le dolía… así de hermosa era.

Gracias. No sé qué me ha dado.

Entonces extendió la mano hacia ella, necesitaba tocarla físicamente. Le resultaba extraño necesitar algo, y menos aún el contacto físico. No hizo caso de las cejas arqueadas de Fen y Dimitri cuando vieron que ella no se movía. La mano de Zev seguía extendida. Esperando. No dijo nada, se limitó a esperar a que ella se decidiera. A *animarla* a que tendiera su mano hacia él.

Branislava colocó su mano sobre la mano de él. Y él cerró los dedos sobre ella. La sentía pequeña y frágil. Al momento todo en él se asentó y se sintió entero. Completo. Esto también le confundía. Siempre se había sentido bien por sí mismo.

—Me gustaría que conozcas a Gary Jansen —dijo Mikhail.

—Le recuerdo —contestó Zev—. Nuestro último encuentro fue durante la lucha contra la manada de renegados que atacaban a las mujeres y los niños. Gary luchó como una *banshee*. Y, de no ser por él, no estoy seguro de que hubiera podido superar aquella batalla.

Mientras Gregori y Gary se acercaban, Mikhail añadió:

—Gregori es como una vieja gallina clueca, siempre pendiente de sus pollos. Ahora que tiene a Gary para distraerse, a lo mejor tengo suerte y no está tan pendiente de mí.

—Pues no, no vas a tener esa suerte —repuso Gregori, en modo alguno afectado por los comentarios de Mikhail.

Estaba claro que eran viejos amigos.

Mikhail se encogió de hombros, y una leve sonrisa iluminó sus ojos oscuros y penetrantes.

—Ya lo suponía. Pero la esperanza nunca se pierde.

Que Zev recordara, era la primera vez que veía al príncipe o a Gregori relajados.

Ahora era consciente de todo, como si su sangre mezclada hubiera afinado sus sentidos, como si tanto el lobo como el carpatiano estuvieran en alerta. El calor de la estancia. El agua. El hecho de que Gary Jansen y Luiz Silva fueran varones libres y estuvieran muy cerca de Branislava. La respiración brotó de sus labios en un gruñido bajo y largo.

Tiró de la mano de ella y la acercó a su lado. *No quiero caer de bruces delante del príncipe.* Una excusa bien pobre, pero fue lo único que se le ocurrió para explicar por qué la necesitaba a su lado.

—Me alegra poder conocerte por fin, Gary —dijo entonces en voz alta, ofreciéndole su mano derecha.

Gary estaba muy pálido, pero se le veía increíblemente en forma para haber sufrido una herida mortal, básicamente la muerte y la conversión.

—Me alegro de que lo hayas conseguido —repuso Gary—. Gregori me ha tenido al corriente de todo lo que pasaba. —Hizo una reverencia ante Branislava y le dedicó una sonrisa—. Es bueno ver que estás por aquí. Estás muy guapa.

Y justo allí, en aquella cueva sagrada, rodeado de perspicaces guerreros, Zev sintió que la ira se enroscaba en su interior como un volcán. Se puso furioso. Unas franjas rojizas se extendieron por la sala, y notó que en su boca sus dientes se alargaban. Trató de contener el cambio, no podía permitir que el lobo que había en él quedara en libertad.

Nunca en su vida había sentido una emoción igual, o tan intensa. Por lo visto la faceta carpatiana de su naturaleza era un tanto difícil de controlar. Tendría que empezar a acostumbrarse... y también su lobo. No estaba muy seguro de que el príncipe y sus guerreros fueran a mostrarse igual de cordiales con un lobo rabioso y feroz.

Lanzó una mirada a Branislava para ver cómo reaccionaba ante el elogio. El hombre se había mostrado sincero, no había nada en sus maneras que hiciera pensar otra cosa, y aún así, a él no le parecía apropiado que otro hombre la elogiara cuando la tenía cogida de la mano. ¿Y lo de la reverencia? Vamos, hombre. Antes Gary era humano, no carpatiano. Aquel despliegue era de lo más ridículo.

Siempre es aceptable y apropiado que un hombre le diga a una mujer que es hermosa. Había apenas un deje de burla en el tono de Branislava.

—Gracias, señor —respondió educadamente a Gary. *Y las reverencias son un gesto muy cortés y siempre se agradecen.*

Fen lo miró arqueando una ceja. *Tu lobo está aflorando.* Y ni siquiera trató de disimular su risa burlona. Nada que ver con el dulce y leve tono de burla que había notado en la voz de Branislava.

Zev le dedicó una mirada furibunda, y se obligó a concentrarse de nuevo en Gary, totalmente decidido a no estar tan pendiente de Branislava.

—¿Cómo has acabado relacionándote con esta pandilla?

—Era su enemigo —confesó Gary—. Presencié el ataque real de un vampiro y me uní a una sociedad que cazaba vampiros... solo que en realidad su objetivo no eran los vampiros. Casi siempre iban a por la gente que no les gustaba. Yo ayudé a escapar a ciertas personas, y resulta que Gregori también estaba allí tratando de ayudarles, aunque en aquel entonces yo no lo sabía. Nos conocimos. Eso fue hace bastantes años. Mi vida era muy distinta entonces. Estaba extremadamente flaco y era tan torpe que me tropezaba conmigo mismo cuando caminaba. Ni en mis sueños más disparatados creía de verdad que pudiera luchar contra un vampiro y vencerle, pero con los años tuve que aprender.

—Pero incluso entonces estabas dispuesto a intentarlo —señaló Gregori—. Nunca te ha faltado el valor.

—Se supone que eres un genio —dijo Mikhail—, y sin embargo has elegido la compañía de Gregori. —Su sonrisa se hizo más amplia—. Y del resto de nosotros.

—Bueno, nunca podré decir que mi vida es triste —comentó con una sonrisa que se apagó enseguida—. Habéis hecho que por fin tenga un propósito.

Gary ya no estaba flaco. Se le veía en forma, fuerte, y tenía el aspecto de un guerrero que ha visto muchas batallas... y seguramente así era. Hasta su conversión, él había sido el hombre de confianza de los carpatianos durante el día, cuando ellos tenían que descansar bajo la tierra.

—Soy Darius. —El hombre que se parecía tanto a Gregori se presentó—. Gregori me ha hablado mucho de ti. Y solo cosas buenas, lo que es muy raro en él.

Zev consiguió sonreír. Notaba el olor a mujer sobre Darius, y supo instintivamente que tenía una compañera. No hizo caso del prurito que notaba sobre la piel.

—Me alegra conocerte.

Definitivamente le habían despertado demasiado pronto. La herida palpitaba de dolor. Y por más que intentaba ahuyentarlo, el dolor siempre volvía.

Zacarías de la Cruz, su hermano Manolito y el recién llegado, Luiz, se unieron al grupo. Luiz tenía la constitución de un jaguar, un hombre recio con músculos fibrosos y una fluidez en el andar que resultaba inconfundible. Al igual que Fen, Dimitri y él, Manolito tenía la sangre mezclada.

Zacarías lo miró de arriba abajo e hizo una reverencia ante Branislava sin decir palabra.

¿Ves?, eso es cortés. Gary podría aprender algunas cosas de este hombre.

La risa suave de Branislava se movió por su mente, pero no contestó.

Zev, acaba ya con las presentaciones, parece que estás a punto de caerte muerto otra vez, le advirtió Fen.

Zev miró a Luiz con un gesto de asentimiento, rechinando los dientes. Sí, realmente se sentía como si estuviera a punto de caerse muerto, pero eso era imposible. Dos hombres libres estaban muy cerca de Branislava, y los dos la miraban como si quisieran iniciar una conversación con ella. ¿Y por qué demonios tenía que ser eso malo? ¿Qué le estaba pasando? Los músculos y las articulaciones le dolían. Notaba un picor en la piel. Se sentía la mandíbula como si se le fuera a romper, y apretaba los dientes tratando de contener la necesidad de transformarse. Su lobo estaba más cerca que nunca de la superficie.

—Me alegra conocerte por fin —dijo Luiz—. He oído hablar de ti, por supuesto.

Él trató de contestar, pero los ojos de Luiz no dejaban de desviarse hacia Branislava, y si le estrechaba la mano o trataba de hablar, lo único que tendría sería a su lobo.

Zacarías se situó discretamente entre Luiz y Zev, casi como si hubiera notado que había un problema. Zev no adoptó ninguna postura, pero definitivamente era una amenaza. En lugar de retroceder, su lobo alfa se levantó con una actitud desafiante que a duras penas pudo contener.

¿Por qué está tu lobo tan cerca?, preguntó Dimitri. *Puedo sentir cómo tratas de contenerlo.* Se acercó a Zev, y se colocó a su lado con gesto protector.

No lo sé, pero quiere salir y busca pelea.

Zev. Gregori incluyó también a Dimitri y a Fen, porque ahora estaban ligados a Zev. Sabía que los tres podían oír. *Tus ojos han cambiado de color y despides un olor peligroso. ¿Debo llevarme al príncipe?*

Zev respiró hondo tratando de controlar al lobo que luchaba por salir. Percibía su entorno por el calor, en franjas de color. Reconoció el corazón de cada una de las personas que había en la sala. Los oía, oía cómo lo llamaban con fuerza.

Gregori, Zev está gravemente herido, recordó Fen. *A duras penas puede tenerse en pie.*

Es peligroso, uno de los hombres más letales que he conocido, y jamás se rinde. Luchará hasta la muerte. Y se llevará con él a tantos como pueda.

Zev hubiera querido tranquilizarlos a todos, pero no estaba seguro de poder pronunciar nada que no fuera un gruñido. Se concentró en su respiración, pero era como si cada bocanada de aire llenara sus pulmones de fuego, y eso aumentaba en él el deseo de transformarse. Mantenía la cabeza gacha, si Gregori o Zacarías podían ver al lobo, los demás guerreros que hubiera cerca también lo verían.

Branislava se acercó a él, casi como si lo protegiera, y se refugió bajo su hombro. Aquel pequeño gesto pareció apaciguar a su lobo lo bastante para que pudiera respirar. Por desgracia, también atrajo instantáneamente las miradas de los hombres que los rodeaban, incluida la de Luiz, que al parecer no podía dejar de mirarla. Un gruñido bajo de amenaza escapó de sus labios antes de que pudiera evitarlo.

Mikhail lo miró y miró a Branislava con aire especulativo.

Sácame de aquí ahora, Fen. No sé qué pasa, pero si este hombre sigue mirándola de ese modo, no podré evitar atacarle. Admitir aquella debilidad sabiendo que Branislava podía oírle fue una de las cosas más difíciles que había hecho nunca.

Fen no vaciló.

—Zev necesita descansar. Ha sido despertado demasiado pronto por necesidad —anunció—. Detesto interrumpir así las presentaciones, pero ahora tiene que irse.

Y señaló la camisa de Zev.

Él siguió su mirada y vio la mancha carmesí que se extendía sobre el material blanco. La cubrió con la mano, y al levantarla vio que estaba cubierta de sangre.

Mikhail asintió y se apartó a un lado. Fen salió delante, y Dimitri lo hizo detrás de Zev y Branislava.

En cuanto estuvieron fuera de la vista de los otros, Fen se detuvo.

—Voy a sacarte de aquí, Zev. No podrás caminar tanto, y en estos momentos tampoco puedes transformarte. —Señaló la sangre—. Es auténtica. Yo no la he puesto ahí. Tu lobo ha estado demasiado cerca de la superficie y tu cuerpo aún no está preparado para cambiar.

—¿Queréis explicarme qué es todo esto? ¿Qué me está pasando? —exigió saber Zev.

Ya había tenido suficientes intrigas, y no le gustaba comportarse de un modo tan extraño.

Deja que te lleven a casa, dijo Branislava. *Yo curaré tu herida.*

Necesito saber qué está pasando. Trató de no soltarlo en un rugido, pero a pesar de sus esfuerzos así es como sonó.

Tengo que curarte esa herida. Ella no vaciló en presencia del lobo. Y utilizó aquella voz melodiosa y suave que habría hecho caer a cualquier hombre de rodillas. Incluso el lobo de Zev pareció responder, y se replegó lo bastante para permitirle hacer lo que ella pedía.

Zev maldijo por lo bajo pero miró a Fen y asintió. Y Fen no le dio tiempo a cambiar de opinión. Lo cogió en brazos y caminó con él a cuestas a través de las cuevas, por las cámaras superiores e inferiores, a una velocidad sorprendente. Las cavernas que descendían a la cámara sagrada eran en realidad una maraña interminable, un laberinto, pero Zev supo instintivamente que si hacía falta podría encontrar el camino de vuelta.

Iban muy rápido, y el traqueteo le provocaba dolor, pero no se quejó: necesitaba encontrar respuestas lo antes posible. Salieron al exterior por una abertura entre rocas, pero cuando miró atrás, vio que la abertura no parecía más que una grieta. Branislava salió tras ellos, y Dimitri los siguió.

¿Hacia dónde, Zev?, preguntó Fen.

Llévame a la casa del bosque. Necesitaba la familiaridad de los árboles y el aire fresco. Era un licántropo, y el bosque siempre sería su primera elección.

La terrible necesidad de transformarse, el lobo furioso que enseñaba los dientes, había remitido, pero ahora quedaba un regusto que era como una bofetada a su orgullo. Había estado a punto de perder el control delante de todo el mundo... y él era un maestro del control. Nunca en todos sus años de vida había estado tan cerca de perder el control. Era un hombre peligroso, un licántropo, y había nacido en una época en la que los licántropos aún cazaban presas. Pero él había conseguido dominar esa ansia. Podía luchar sin una manada. Negociaba la paz entre manadas. La idea de perder el control le resultaba desoladora, casi incomprensible.

Cuando llegaron al bosque lo sintió fresco y limpio. El aroma de los árboles antiguos ayudó a aplacar al lobo. Aspiró con fuerza, llenando sus pulmones con aquellos olores familiares. Era consciente de cada criatura viviente en kilómetros a la redonda. Aquel era su hogar.

La casa era pequeña, una casa de piedra, como tantas otras de la zona. Pero esta estaba en lo más profundo del bosque, lejos de cualquier otra vivienda. Los lobos vivían en aquel territorio, y al momento se sintió unido a ellos. No le sorprendió notar el olor de Dimitri, muy tenue, mezclado con el de su compañera, Skyler. En algún momento de la noche habían estado corriendo con los lobos.

Fen no lo dejó hasta que estuvieron dentro de la casa. Lo depositó sobre la cama, que ya estaba preparada. El olor de Tatijana, la compañera de Fen, y de Skyler estaba por todas partes. Fen había avisado de su llegada y habían preparado la casa. Aún así, era muy significativo que ninguna de las dos estuviera allí.

Branislava le apoyó una mano en el pecho para indicarle que se tumbara. Y él apoyó sus manos sobre las de ella, solo un momento, mientras se echaba hacia atrás. La palma de Branislava estaba sobre su corazón, y aquel contacto pareció atravesarlo.

Sé que hay algo mal en mí, pero jamás te haría daño. De eso estaba seguro. Probablemente era la única cosa que sabía con total seguridad.

En ningún momento he pensado que lo harías.

Branislava retiró las manos de su pecho para sujetarle los bordes de la camisa y la abrió de un tirón. Zev hizo una mueca cuando vio la herida. Era una herida muy fea, y el agujero era mucho más grande de lo que esperaba. Los bordes empezaban a curarse, de dentro hacia fuera, pero aún quedaba mucho por hacer.

Volvió la cabeza y miró a Fen y a Dimitri muy enfadada. Zev se dio cuenta de que estaba furiosa, no con él, sino con ellos. Se volvió de nuevo hacia él, y colocó sus delicadas manos sobre la herida. Él notó calidez, y la calidez se convirtió en calor.

Tienes que descansar bajo la tierra, Zev. Esta herida tiene que sanar.

Necesito saber lo que está pasando. Gregori ha dicho que soy un hombre peligroso, y es cierto. No puedo perder el control. No puedo permitir que mi lobo me arrebate el control cuando quiera.

Branislava suspiró y se sentó a su lado en el lecho. Cuando levantó las manos, no había sangre en ellas, y Zev supo que ya no sangraba.

—Somos compañeros eternos —anunció. Y no parecía muy feliz.

Zev frunció el ceño y se sentó lentamente. Miró a Fen desconcertado, buscando una explicación.

Fen meneó la cabeza y levantó las manos en alto.

—No sé qué ha pasado, Zev. Cuando fuiste gravemente herido, todos luchamos por ti. Nadie quería dejarte ir, pero estabas tan mal, y había tan poco tiempo… —calló y volvió a encoger los hombros.

—He unido mi espíritu al tuyo —confesó Branislava—. Fue lo único que se me ocurrió para evitar que murieras. Sabía que no te irías si tenías que llevarme contigo.

—Dijiste que cualquiera de los dos podía romper esa unión —recordó Zev.

Ella asintió lentamente.

—Es cierto. Pero eso no nos dejará del todo libres. —Se miró las manos—. Lo supe la primera vez que te vi.

—Eso es imposible —dijo Fen—. Ante todo Zev es un licántropo. ¿Cómo puede un licántropo ser compañero eterno de una carpatiana? ¿De una cazadora de dragones?

—No me preguntes el cómo, yo solo sé que es así —replicó Branislava.

—Bien —dijo Zev con suavidad, viendo que ella estaba alterada. Empezaba a interpretar sus maneras—. ¿Y ahora qué?

En aquel momento, lo que los antiguos guerreros le habían dicho sobre la importancia de la sangre empezaba a cobrar sentido. Le habían llamado «sangre oscura», no mestizo de sangre. Era las dos cosas.

El corazón de Branislava latía demasiado deprisa ahora que había confesado que era su compañera eterna. Él la tomó de la mano.

—No tienes por qué temerme. Sea lo que sea que hay entre nosotros, dime lo que quieres hacer. Jamás te obligaré a hacer nada que no desees.

Fen se pasó las manos por el pelo y Dimitri se volvió a mirar por la ventana, a la noche.

El gesto de Zev se volvió más grave.

—Es evidente que me estáis ocultando algo que necesito saber. Hablad.

—Hasta que no la reclames, hasta que no sea totalmente tuya, tendrás que luchar por controlarte. Tu lobo se levantará cada vez que haya un hombre cerca de ella. Crees que ahora eres peligroso, pero espera que pase algo de tiempo y no la tengas a tu lado. Puedes volverte loco. Tienes la sangre mezclada, lo que significa que tanto tu lado lobo como tu lado carpatiano te impulsarán a protegerla —explicó Fen.

—Dimitri no reclamó a Skyler durante años —señaló Branislava—. Tatijana me lo explicó todo.

—Era diferente —dijo Fen. Y dedicó a Branislava una mirada severa—. Muy diferente, y tú lo sabes.

Zev tuvo que contenerse para no saltar sobre Fen y atacarle solo por el tono que había usado y la mirada que le había dedicado a Branislava. Dejó salir el aire muy despacio, obligando a todos sus años de disciplina a acudir en su ayuda.

—No le hagas esto —dijo manteniendo la voz baja—. Nada de todo esto es culpa suya. ¿Cómo iba a saber ninguno de nosotros lo que iba a suceder?

—Te necesitamos ahora —explicó Fen—. Tienes que estar al cien por cien. Esta noche han llegado otros dos miembros del consejo. Y en nuestro poblado hay más licántropos que carpatianos. Tratar de matar a cualquier hombre que se acerque a Branislava no sería muy diplomático.

Branislava pestañeó como si Fen la hubiera golpeado. El instinto protector de las dos especies despertó en Zev como un cohete. Sus dedos se aferraron a la gruesa colcha, ocultando las garras curvas que trataban de salir por los extremos.

—Fen, creo que de momento será mejor que nos dejes a solas. —Zev consiguió pronunciar las palabras sin gruñir—. Necesitamos aclarar esto entre los dos.

Fen suspiró.

—Discúlpame, Branislava. Zev tiene razón, nada de todo esto es culpa tuya. ¿Cómo podíamos saber que pasaría esto?

—Yo lo sabía —confesó Branislava en voz baja—. Lo supe cuando lo vi en el baile. Cuando me cogió en brazos. Lo supe entonces, igual que sé que tendríamos que completar el ritual de emparejamiento.

Zev meneó la cabeza.

—Lo hablaremos y encontraremos una solución. Fen tiene razón. Soy extremadamente letal. Me niego a mentirte sobre eso, pero nadie, y yo menos aún, te va a atar a un hombre al que no quieras.

—El que habla ahora es tu licántropo —dijo Dimitri—, no tu carpatiano.

Branislava trató de sonreír.

—Ya nos he ligado, ¿recuerdas? Nuestros espíritus están unidos. Donde tú vayas, voy yo.

—Pero podemos deshacer ese vículo —le recordó él—. Tú misma lo dijiste. No estás atrapada, porque así es como te sientes, ¿verdad?

Fen y Dimitri se movieron como si se fueran a marchar, pero Branislava sostuvo una mano en alto.

—Necesito saber por qué insististeis en despertarle tan pronto. Es importante para las decisiones que tomemos aquí.

—Zev es la persona en la que el consejo de los licántropos sigue confiando. No sabemos quién es amigo y quién enemigo. Él conoce la política, a los personajes importantes, y estará al tanto de cualquier posible intriga. La alianza ya no es tan importante como averiguar quién es realmente nuestro enemigo. Y Zev es la persona que puede hacer eso.

—Los miembros del consejo son amigos —dijo Zev—. Me he pasado la vida protegiéndoles y haciendo cumplir sus leyes. No puedo cambiar de lado sin más.

Se pasó la mano por el pelo. Un pelo largo y espeso, salvaje, y aunque normalmente lo llevaba sujeto, en aquellos momentos caía suelto alrededor de su rostro.

—Seguirás protegiéndoles. Sabes que hay asesinos que les buscan. Están en peligro, igual que el príncipe. Esperemos que tú resuelvas todo esto y los salves a todos —señaló Fen.

Dimitri asintió.

—En verdad eres nuestro hermano. Nuestra sangre corre por tus venas. Los tres estamos unidos por un lazo de sangre. Jamás habríamos arriesgado tu recuperación de no ser tan urgente la situación.

La mano de Branislava se deslizó hacia la mano de Zev y pasó lentamente las yemas de los dedos sobre sus nudillos, porque los puños aún apretaban con fuerza la colcha.

Zev sintió que buena parte de la tensión se disipaba. Al menos ahora sabía por qué se sentía tan disperso. Quizá le resultaría difícil controlarlo, pero ahora que conocía la razón por la que su lobo estaba tratando de liberarse, estaba convencido de que era lo suficientemente disciplinado para controlar aquella reacción automática cuando había otros hombres cerca de Branislava.

—Seré sincero: no estoy seguro de estar preparado para semejante desafío aún. A duras penas me tengo en pie, ¿cómo voy a proteger a los miembros del consejo? —Detestaba confesar aquello, pero tenía que ser sincero. Si contaban con él, bien podía acabar convirtiéndose en una carga—. Podría conseguir que os maten a todos si no puedo tenerme en pie en una pelea. No podéis estar siempre pendientes de si puedo o no puedo cuidar de mí mismo.

Fen asintió.

—Lo tenemos presente. Mikhail ya dijo que dirías eso. Quiere que consideres la posibilidad de que él y Gregori te curen.

Branislava dio un respingo. Y giró la cabeza bruscamente para mirar a Fen.

—Eso no se puede hacer. Y tú lo sabes. Hasta yo lo sé.

—Por supuesto que se hace. El príncipe es el hombre más poderoso que tenemos.

—Que es el motivo por el que no se puede hacer. Deja que probemos de nuevo. Skyler es una poderosa sanadora. Somos cazadoras de dragones, y Gregori puede ayudarnos.

—Todos lo habéis intentado ya, incluido Gregori —le discutió Fen—. Zev es licántropo, y los licántropos se regeneran muy deprisa. Su sangre está mezclada, y los mestizos se regeneran aún más rápido. Y sin embargo no se cura, tú lo ves lo mismo que nosotros.

—La herida era grave —reconoció Branislava con voz suplicante.

Zev volvió la mano y sujetó la de ella, y se la llevó al corazón.

—No te preocupes, me curaré, siempre me curo.

Ella meneó la cabeza y bajó la vista a su regazo.

Fen volvió a suspirar.

—En realidad, Zev, tendrías que estar muerto. Nadie podría haber superado una herida como esa. Pero al unir vuestros espíritus, ella ha engañado a la muerte, por así decirlo. Sabía que no te irías al otro mundo y la arrastrarías contigo.

Zev se encogió de hombros.

—Me da igual cómo lo haya hecho. En mi opinión, ella ha sido muy valiente al apostar por mí cuando todos pensabais que moriría... que tenía que morir. Estoy aquí. Y estoy vivo.

Sujetó a Branislava por el mentón y la obligó a mirarle a los ojos.

—Haremos esto juntos, descubriremos quién está detrás de todo esto y te prometo que entonces aclararemos las cosas entre nosotros.

—Quizá tendríais que aclarar las cosas *antes* de descubrir quién está detrás de este jaleo —musitó Dimitri por lo bajo.

Zev le dedicó una mirada fulminante.

—No le hagas caso. Lo que hay entre nosotros es solo eso... entre nosotros y nadie más. ¿Lo entiendes?

Branislava asintió, y le dedicó otra media sonrisa que aceleró su corazón.

—Háblame de ese proceso de curación con el príncipe y dime por qué solo lo hacen tan raras ocasiones.

Zev apartó la mirada de Branislava y miró directamente a Fen: no pensaba dejar que cambiara de tema.

—Tanto el uno como el otro pueden sanar como el que más. A Gregori se lo considera uno de los mejores entre los nuestros —explicó Dimitri ante el silencio de su hermano—. Combinar a Gregori y Mikhail es un poco como detonar una bomba nuclear. Si no son precisos, si se equivocan en el más pequeño cálculo, si hacen subir demasiado el calor o...

—Lo entiendo —le interrumpió Zev.

Dio un suspiro y se dio unos toquecitos en el corazón con la mano de Branislava mientras consideraba las diferentes opciones.

No se hace porque se considera demasiado peligroso.

El agujero que tenía en la tripa le dolía, como un recordatorio ineludible de la enorme estaca de madera que se le había clavado ahí cuando una bomba hizo saltar por los aires una mesa. Hubiera preferido no recordarlo, no recordar cómo aquella enorme astilla que era casi tan grande como su puño le había desgarrado el cuerpo.

¿Cuánto tiempo necesitaré para sanar de forma natural en la tierra?

Hubo un breve silencio. Zev volvió la cabeza para mirarla y se llevó las yemas de sus dedos a los labios. Y las raspó suavemente con los dientes mientras esperaba una respuesta.

Los lobos usan mucho la boca, ¿verdad?

Era lo último que habría esperado que dijera. La risa brotó de su interior. Por norma él nunca reía, y le dolió horrores, pero no pudo evitarlo.

Sí, supongo que sí.

La risa hizo que sus ojos verdes brillaran como esmeraldas. *Me gusta ver que tienes sentido del humor.*

—Es que he descubierto que para estar con Fen y Dimitri realmente necesito tomarme las cosas con humor —replicó Zev en voz alta, mirando con las cejas arqueadas a aquellos dos hombres que lo reclamaban como hermano.

—Eres la monda —dijo Fen. Cruzó las manos sobre el pecho y apoyó la cadera contra la pared—. Dime qué harías tú en esta situación. Si lo que quieres es tomarte el tiempo para sanar de forma natural en la tierra, sanarás, sin duda... con el tiempo. Eres un carpatiano, y eres fuerte. Llevaría meses, puede que incluso un año, pero sanarías.

¿Meses? ¿Un año? Branislava había estado bajo la tierra con él. Ella sabía si la herida estaba tardando en curarse o no.

En mi opinión te estás recuperando muy deprisa para tratarse de una herida tan grave, pero Fen tiene razón, tardarías varios meses, seguramente más. No tendrías que haber sobrevivido.

Zev suspiró.

—¿Te pidió Mikhail que me despertaras o fue idea tuya?

Fen pareció incómodo, pero no contestó.

—Durante días, Fen insistió en que no te sacaran de la tierra —dijo Dimitri—. Mikhail y Gregori insistían en que era imperativo. Los dos creen que sin tu conocimiento de los licántropos y el consejo no tenemos ninguna posibilidad de evitar una guerra a gran escala, y menos aún asegurar una alianza.

Zev mordisqueó con suavidad las yemas de los dedos de Branislava mientras consideraba las diferentes opciones. Aquella mujer estaba sentada a su lado, contemplando la idea de cambiar toda su vida para convertirse en la compañera eterna de un completo extraño para evitar así que matara a todos los hombres que se acercaran a ella. El deber. Suspiró. Él se había pasado más de una vida cumpliendo con su deber para con los suyos. ¿Cuándo se iba a acabar aquello? Porque estaba condenadamente cansado.

No eres un completo extraño.

De nuevo aquella leve nota de humor en su voz. Zev se dio cuenta de que rara vez hablaba en voz alta, que prefería hablarle solo a él. La única vez que bailaron, ya notó que otros carpatianos revoloteaban a su alrededor, pero siempre eran ellos los que hablaban. Ella se mostraba tranquila, casi dócil, y sin embargo no era de naturaleza pasiva.

Bajo aquella superficie tranquila y callada, había una mujer fiera y apasionada, como la de cualquiera de los guerreros junto a los que había luchado. Y eso lo sabía porque había visto a su dragón. Fue toda una aparición, allá en lo alto, con sus escamas carmesí con la punta dorada. Él estaba dentro de su mente, y veía su voluntad de hierro, una cualidad que había perfeccionado en las cuevas de hielo donde su padre la había tenido prisionera.

Su corazón golpeó con violencia en su pecho cuando lo asoció por fin. Por supuesto que sentía que ser su compañera sería una forma de prisión. ¿Cómo podía ser de otro modo? Se había pasado la vida soñando con ser libre, pero en cuanto salió a la superficie, casi ese mismo día, le conoció a él y supo que eran compañeros eternos.

—Decid a Mikhail y a Gregori que lo haré —dijo, tomando una decisión.

A su lado, Branislava se puso tensa, pero no dijo nada.

Sabes que no tengo otra alternativa. Si hay una posibilidad de que evite un baño de sangre, debo intentarlo.

Fen se puso derecho, meneó la cabeza. Era evidente que no se sentía mucho más feliz con aquello que Branislava, pero había hecho lo que debía, igual que haría ella, igual que había elegido hacer él.

Zev se encogió de hombros.

—Somos guerreros, Fen. Es lo que hacemos, lo que somos.

Fen asintió.

—Pero están arriesgando tu vida, Zev.

—Si Mikhail se plantea hacer algo así, sabiendo como sabe que Branislava se ha ligado a mí, debe de tener una buena razón. Es nuestro príncipe, y así lo acepté cuando elegí la hermandad. Juré que protegería al consejo y también necesito ayudar a mi pueblo.

Quería tumbarse en el interior de la tierra fresca y no pensar más. Había tomado una decisión.

—Le diré a Mikhail que pida a los ancestros que deshagan la unión de nuestros espíritus —añadió mirando a Branislava—. Es por si algo va mal.

Capítulo 3

De pronto Branislava apartó la mano de Zev y se puso en pie, y tras cruzar la habitación se puso a mirar por la ventana. Irradiaba dolor. Sus largos cabellos presentaban franjas de un intenso rojo sobre los mechones rojo dorado. Zev vio un instante aquellos ojos verdes, que estaban cambiando a azul verdoso como el mar más hondo. Tormentoso. Turbulento.

Y, mientras la veía allí, de pie, de espaldas a él, habría jurado que veía chispas parpadeando alrededor de su cuerpo. Fen y Dimitri retrocedieron y Fen alzó una mano.

Es hora de que nos vayamos. Comunicaremos tu decisión a Mikhail. Si sales con vida de esta, vendremos a buscarte en el siguiente despertar y te llevaremos a la cueva de la sanación.

Dimitri hizo una mueca burlona.

Tienes que aprender mucho sobre las mujeres, Zev. Ella no es la criatura sumisa que pensabas, ¿a que no?

Nunca había pensado en Branislava como sumisa... o al menos no exactamente. Había visto a su fiero dragón y sabía que era una guerrera. Pero sí, es cierto, quizá había sido un tanto arrogante al pensar que era él quien tomaba las decisiones... *todas* las decisiones. Se le daba muy bien tomar decisiones, dar órdenes y hacer que todos las obedecieran.

—Fen, antes de que te vayas... ¿qué es un sangre oscura? ¿Qué significa? —En el instante en que Zev pronunció las palabras, la habitación quedó en silencio. Muy quieta. Incluso los insectos dejaron de zumbar con insistencia. Fen y Dimitri se volvieron muy despacio para mirarle. Branislava se apoyó contra la pared y lo miró fijamente.

—¿Dónde has oído esa expresión? —preguntó Fen mientras caminaba hasta el centro de la habitación.

—En la cámara, cuando los antiguos guerreros me hablaron. ¿Qué significa? —Y frunció el ceño al ver la reacción de todos—. ¿Es algo malo? Mikhail debió de oírlo también.

Fen meneó la cabeza.

—Mikhail los invoca y puede entenderles, pero cuando hablan con alguien que mezcla su sangre con ellos, es privado, es solo entre tú y ellos. ¿Por qué motivo utilizaron esa expresión?

Zev vaciló. Si una cosa no necesitaba eran más malas noticias. Se estaba gestando una guerra, y se esperaba que él la detuviera. Su mujer temía por su vida, y se enfrentaba a la posibilidad de morir la próxima noche. Y lo peor de todo era aquel terrible dolor que lo sacudía cada vez que respiraba.

Branislava se movió, y eso atrajo su atención. Vestía unas ropas modernas, pero muy femeninas. Todo en ella era femenino. El solo hecho de mirarla alivió parte de la tensión de su cuerpo. Era la mujer más hermosa que había visto en su vida. Cuando hablaba, era como música para sus oídos. Cuando se movía, oía el fluir del agua, esa conexión con la misma tierra.

No quería hacerte daño, Branka. Estoy cansado. Estaba tan condenadamente cansado que habría querido tumbarse sin más en la cama y escapar al dolor persistente. *Pero eso no es razón para no pensar antes de hablar.*

Hablaremos sobre la unión de nuestros espíritus cuando estemos solos.

A Zev le maravillaba su capacidad de hablar con tanta dulzura cuando estaba dictaminando una ley. En aquella voz tan musical había una nota de puro acero. Y le dieron ganas de sonreír. Él era un macho alfa y lo habían tratado como tal incluso de pequeño. Eran muy pocas las personas con autoridad que osaban enfrentarse a él, y en cambio, allí estaba aquella pequeña mujer, con piel de porcelana y unos enormes ojos verdes y pestañas delicadas, mirándole con cara de estar hablando muy en serio.

—Zev. Tengo que saberlo —insistió Fen—. ¿Qué te dijeron exactamente?

—Pensé que habías dicho que la conversación con los antiguos guerreros era algo privado.

¿Sabes lo que significa sangre oscura?, le preguntó a Branislava. Si era algo malo, prefería que la noticia se la diera ella y no Fen. Los antiguos

guerreros le habían dado la bienvenida, no le habían rechazado. Si ser un sangre oscura fuera malo no le habrían aceptado como uno de la familia.

Ella apenas negó con la cabeza. *Oí que Xavier hablaba de cazar a un sangre oscura, pero que yo sepa, jamás encontró a ninguno, y nunca he sabido qué era.*

—Maldita sea, Zev, ¿por qué tienes que ser tan testarudo? —exigió Fen—. Somos tus hermanos. Tenemos la sangre mezclada, igual que tú. Sobre nosotros pesa la misma sentencia de muerte que los licántropos imponen cada vez que encuentran a algún mestizo. ¿De verdad piensas que de pronto vamos a cambiar de bando y te vamos a matar por algo de lo que hablaste con los antiguos guerreros?

—Me está regañando —señaló Zev a Dimitri con una sonrisa irónica.

Se habría reído, pero le hubiera dolido más.

—Sí, a veces lo hace. Piensa que está bien porque ahora eres su hermano pequeño —contestó Dimitri también con una mueca. Se encogió de hombros—. Mejor no hagas caso. Hace eso porque cree que así nos intimidará y haremos lo que él quiere.

Zev asintió.

—Ya veo. Supongo que lo mejor es dejar que piense que es él quien manda.

—Si no lo hacemos se enfada. Tú contéstale para que no se ponga peleón. Dentro de unos minutos yo me voy de caza con Skyler. Tenemos nuestros propios lobos. —Se dio la vuelta y se levantó la camisa para que viera el tatuaje de dos lobos que le miraban—. Estamos aprendiendo a cazar vampiros con ellos. Es mucho más divertido que oír a tu hermano mayor dándote sermones.

—Bien —concedió Zev—. Estoy de acuerdo. Preferiría hacer lo que fuera antes que oír un discursito de Fen.

—Vosotros seguid así, par de payasos. Esos lobos no os protegerán de mí, Dimitri, y tú te curarás tarde o temprano, Zev —les amenazó Fen.

—Será temprano —repuso Zev—. Dejaré que Mikhail pruebe; ya veremos qué pasa. No puedo dejarte la diplomacia a ti. —Contó los latidos de su corazón. Cinco—. Los antiguos guerreros me llamaron sangre oscura. —Frunció el ceño—. En aquel momento no lo entendí. Dijeron que ahora soy un mestizo de sangre, pero que antes era un sangre oscura. Quise averiguar por qué lo decían, pero por lo visto pensaban que ya tendría que saberlo.

Fen y Dimitri cruzaron una larga mirada.

—No lo entiendo. Sangre oscura es un linaje. Como los cazadores de dragones. Como Dubrinsky. Los nombres cambian, pero el linaje siempre está ahí. Sangre oscura es el linaje más antiguo que tenemos, y se ha extinguido. Perdimos a nuestra última pareja eterna hace siglos. Llevaban a un hijo con ellos y cuando el príncipe supo de su muerte, mandó guerreros para que intentaran encontrar al pequeño, una niña, pero llegaron a la conclusión de que había muerto a manos del mismo vampiro que degolló a los padres —explicó Fen.

—¿Qué más te dijeron? —preguntó Dimitri.

—Que mi abuela se convirtió en una mestiza y que cuando su manada lo supo la mataron. Tenía una hija, que en aquella época era un bebé. Mi abuelo cogió a la pequeña y desapareció, se unió a otra manada, y la niña, mi madre, fue criada como licántropa. Sé que murió durante el parto.

—Lo único que podría explicar que tu abuela tuviera la sangre mezclada es que fuera carpatiana y se apareara con un licántropo. No había ninguna posibilidad de que se convirtiera en *sange rau*. Las mujeres no se convierten en vampiros —dijo Fen.

—O sea, que es posible que su abuela fuera la hija de los últimos sangre oscura, que todos pensaron que murió cuando asesinaron a los padres. Lo recuerdo bien —dijo Dimitri—. Fue hace mucho tiempo, y lamentamos mucho la pérdida de aquella pareja. Eran... extraordinarios.

—Él era un guerrero que estaba más allá de lo que ninguno de nosotros conocía —añadió Fen—. Todos le admiraban. Era muy fuerte. Con frecuencia se lo denominaba «corazón fuerte» o «corazón de guerrero». Cuando estudiábamos técnicas de batalla, siempre eran sus técnicas, sus estrategias.

—Se convirtieron en una leyenda. Nadie pudo entender que un vampiro los hubiera matado.

—Debió de ser en la época en que los licántropos estaban siendo diezmados por el *sange rau* —se aventuró a decir Zev—. Tuvo que ser entonces si fueron los licántropos los que mataron a mi abuela. ¿Cómo si no iban a saber siquiera lo que era la sangre mezclada?

—Entonces, si una familia de licántropos encontró a un bebé en aquella época...

—O en cualquier época —aclaró Zev—. Los licántropos son buena gente. Si encontraron un bebé, sobre todo si había indicios de que sus padres habían sido asesinados por el *sange rau*, seguro que lo criaron como si fuera suyo. Hasta es posible que creyeran que la niña era de los suyos. Eso significa que ella no sabría nada de compañeros eternos, claro, y si un licántropo la reclamaba y ella se enamoraba de él... —Se interrumpió—. ¿Es posible?

Dimitri asintió.

Por supuesto. Miró a su hermano esperando que confirmara sus palabras y, cuando vio que asentía, siguió hablando—: No es lo mismo, no es el amor y la dedicación exclusiva que sentimos nosotros por nuestros compañeros eternos, pero lo cierto es que algunas mujeres han encontrado la felicidad con hombres que no pertenecen a nuestra sociedad.

—Si unos licántropos encontraron a la niña, se la llevaron y la criaron como licántropa —dijo Fen cada vez con más entusiasmo—, ella difícilmente podía saber por qué era diferente. O quizá no notó nada. Cuando quería ser lobo, podía transformarse y pensar simplemente que eso es lo que hacía todo el mundo.

Zev asintió.

—Esto pasó hace siglos, y en aquella época nadie hablaba nunca del porqué o el cómo. Nada sabían de linajes ni de ADN. Cómo se convirtió en una mestiza de sangre es un misterio, pero si sus padres eran tan diestros en el combate como decís, es probable que ella también lo fuera. Seguramente luchaba y cazaba junto a su marido. Y si la hirieron en algún momento, él tuvo que darle su sangre.

También él empezaba a creer que podían resolver el misterio. Algunos de los antiguos guerreros de la cámara sagrada habían pertenecido al linaje de los sangre oscura, y le reconocían. Conocían la historia de su abuela, y eso significa que de alguna forma había conseguido volver a ellos.

—Dio a luz a una niña —dijo Fen—, y esa niña era tu madre.

—¿Hubo otros hijos? ¿Tenías tíos, tías? —preguntó Dimitri con tono esperanzado.

—Mi padre nunca mencionó ninguno, pero era un hombre muy reservado. Dudo que supiera nada de la familia de mi madre. Yo le preguntaba y él se encogía de hombros y me decía que mi madre no hablaba de su familia... nunca. —Zev se encogió de hombros—. Sinceramente, yo pensaba que a lo mejor la familia de mi madre se había convertido en renegada y mis padres estaban demasiado avergonzados para hablar de ello.

—Si realmente eres un sangre oscura —dijo Fen—, Mikhail debe saberlo.

—Eso explicaría por qué Branislava es su compañera eterna —añadió Dimitri—. Su sangre la llamaba. Su alma es la otra mitad de la de él.

Al menos, en el mundo de los carpatianos, podría ofrecer a Branislava algo más que la detestable sangre mezclada que los suyos veían en él.

No necesito que seas más de lo que eres. Veo tu corazón. Veo tu carácter. Poco me importa cuál es tu linaje, si acaso lo tienes. Tienes el corazón de un guerrero y una gran capacidad para la bondad. Eres a la vez fiero y compasivo. Dos buenas cualidades. No hay engaño en ti, y eso es algo que admiro profundamente.

El corazón de Zev aleteó complacido ante el cumplido. Nadie le había dicho nunca nada parecido, y menos aún la mujer más bella del mundo. Con solo una sonrisa, podía hacer que su sangre cantara en sus venas, qué no conseguiría con semejante cumplido. Sin duda, era la clase de mujer que podía hacerle caer rendido, y con mucha más facilidad de la que hubiera querido.

Su risa suave acarició la mente de Zev. Y el estómago le dio un vuelco. Adoraba aquella risa.

Estoy empezando a aficionarme a muchas de tus cualidades, Branka. Ahora mismo me resultaría muy difícil volver al vacío de mi vida, sin tu risa y el sonido de tu voz.

No hace falta mucho para hacerte feliz.

Zev sabía reconocer una broma enseguida. Había en ella una alegría secreta que le atraía como un imán. Para un macho alfa como él, la idea de que no se mostrara a otros hombres era un aliciente más. Todo en ella era profundamente femenino, y sin embargo en el fondo sabía que, si conseguía ganarse su amor, era una mujer junto a la que podía caminar, que podía luchar a su lado y pasar por cualquier penuria riendo con él.

Soy tu compañera eterna.

Eso no significa que tengas que amarme. Quiero tu amor, Branislava. Que seas mi compañera eterna es maravilloso, pero para ti ese vínculo significa algo más, y cuando estemos juntos no quiero que sea por obligación.

Hubo un breve silencio. Ella se acercó de nuevo a la cama y se sentó junto a él. O más bien flotó. Zev no habría sabido decir el qué, porque no se apreció ni el más leve movimiento, ni siquiera en el colchón. Puso la mano sobre la suya.

No pidas a Mikhail que haga que los ancestros te liberen de la unión de nuestros espíritus.

Si yo muero...

No dejaré que eso ocurra. Estamos ligados.

—Branislava —y pronunció el nombre en voz alta.

Por mí, Zev. Te lo pido por mí.

Branka, si va mal, te arrastraré conmigo a un lugar del que no sé nada. No sé si podría protegerte.

Esta vez fue Branislava quien tomó la mano de Zev y se la llevó a la mejilla. Y rozó con su piel de satén la palma rugosa de él.

Si va mal, sé que puedo hacerte volver. Eres demasiado fuerte para permitir que nada te lleve sabiendo que estoy ligada a ti. Eso lo sé sin género de duda. A eso se referían los ancestros cuando te llamaron «corazón fuerte» y «corazón de guerrero». Tienes un instinto protector que no había visto nunca. No te detendrás. Es tan fuerte, Zev, que allí donde la mayoría de carpatianos habrían sucumbido, tú no has querido morir. Lo sé. Yo estaba allí.

—Si realmente es cierto que eres un sangre oscura —dijo Dimitri—, es asombroso. Skyler está impaciente por verte, Zev.

—¿Ha superado nuestra enemistad? —preguntó él.

Dimitri le sonrió.

—Con esta mujer nunca se sabe. Ahora tiene lobos, y no le da miedo usarlos.

Zev acunó la mejilla de Branislava con la mano y rozó la línea de su mandíbula con el pulgar en una leve caricia. Jamás había tocado una piel tan suave.

—Si eres tan necio como para afrontar su sentido de la justicia, debes saber que Skyler cree en las represalias.

—Dudo que te guarde rencor —replicó Branislava—. Ha luchado con más empeño que nadie por salvarte. Incluso cuando las balas volaban por todas partes, ella ni siquiera se agachó. Se comportó admirablemente. —Y esbozó una sonrisa fugaz—. Pero claro, es una cazadora de dragones.

Fen rió.

—Lo que te está diciendo es que las cazadoras de dragones son famosas por sus venganzas cuando te propasas con ellas. Harás bien en recordarlo, viejo amigo.

Zev arqueó las cejas.

—¿Olvidas acaso que tu señora es una cazadora de dragones? He probado su fuego cuando se enfada.

Entonces se pasó la mano por el pelo. Tatijana, la hermana de Branislava, había detenido un ataque de los licántropos con su dragón, arrojando fuego sobre ellos para alejarlos del lugar donde los carpatianos heridos se habían refugiado.

Fen parecía un tanto derrotado.

—En realidad no. Ella también tiene ese pequeño defecto de carácter.

Branislava arqueó las cejas indignada, apuntó un dedo hacia Fen y al momento una tromba de agua le cayó sobre la cabeza.

—¿Disculpa? —le preguntó con su voz más dulce.

Fen chilló y se apartó de un salto del chorro helado de agua. El agua se desvaneció misteriosamente, como si nunca hubiera estado allí, y él se quedó donde estaba, chorreando, con las ropas empapadas y el pelo colgando en largos mechones.

Dimitri se rió con disimulo.

—No sé en qué estarías pensando, hermano. —Hizo una profunda y respetuosa reverencia ante Branislava—. Permite que me disculpe por el necio de mi hermano. No hay ningún defecto de carácter en una cazadora de dragones.

Ella inclinó la cabeza levemente, como una princesa ante un lacayo, sin apartar el ojo de su cuñado.

Bien hecho, Branka, bien jugado. Me encanta que seas tan traviesa, la elogió Zev.

—Eso ha estado muy feo, Bronnie —la acusó Fen secándose con un rápido gesto de la mano.

—Lo que ha estado muy feo, hermano mío —replicó ella con complacencia—, es lo que has dicho de mi hermana. —E hizo tamborilear los dedos sobre su pierna—. Tendré que decírselo a Skyler. Al fin y al cabo, ella también es una cazadora de dragones, y lo que has dicho también le afecta.

Fen alzó las dos manos en señal de rendición.

—Y eso que Tatijana dijo que tú eres la de carácter dulce.

—¿Acaso insinúas que se equivoca?

Sus cejas volvían a estar arqueadas.

—Zev, haz algo.

Parecía un tanto desesperado. Zev meneó la cabeza.

—Te has metido en esto tú solito.

Se pasó la mano por la frente y al mirar vio que tenía unas diminutas manchas de sangre. Trató de ahuyentarlas con la mente como había hecho Fen con el agua.

—Estírate —le indicó Branislava—. Fen, ¿podéis tú y Dimitri darle más sangre? Me gustaría que Tatijana y Skyler entren para ayudarme. Lo bajaremos a los dormitorios y le sanaremos allí.

Zev negó con la cabeza.

—Primero tenemos que hablar. Quiero aclarar las cosas entre nosotros.

—Skyler está con Tempest, la compañera de Darius —dijo Dimitri—. Está jugando con su hijo. Es un jovencito muy guapo y muy serio, igual que Darius y Gregori. Le diré que venga.

—Le encantan los niños.

—Teme que, como tenemos la sangre mezclada, no podamos... —dijo Dimitri, y dejó la frase sin acabar, mirando a Zev—. Si tu abuela era carpatiana y se convirtió en una mestiza antes de tener a su hija, que seguramente es lo que pasó, eso significaría...

—Que se pueden tener hijos —terminó de decir Fen con la mirada encendida.

—¿Y cómo podemos saber si eso es lo que pasó? —preguntó Dimitri—. No quiero ni pensar en la posibilidad de que Skyler nunca pueda tener hijos. De una forma u otra, sé que los tendremos. Pero, Zev, si pudiéramos verificar que eres del linaje de los sangre oscura, sabríamos con certeza que es posible.

—¿Y cómo lo vamos a hacer?

Zev, ahora debes descansar.

Zev trató de no sonreír ante el tono ligeramente mandón de su voz. Nadie se había mostrado nunca mandón con él. Para cuando cumplió los doce años, su padre ya había renunciado a tratar de decirle lo que tenía que hacer. Ya se había convertido en el cazador líder de su manada. Y por ella, para ahuyentar esa expresión de preocupación de su rostro, él obedeció, aunque sabía que el hecho de moverse le iba a doler espantosamente. Se echó hacia atrás muy despacio, rechinando los dientes. Su rostro se puso blanco. Notó cómo el color abandonaba sus facciones. De nuevo la sangre manchó su camisa, y un gruñido bajo escapó de su boca.

Maldijo para sí. No se había dado cuenta de lo quieto que estaba. Moverse era una tortura. Branislava le limpió las gotas de sangre del rostro con un paño suave, musitando palabras tranquilizadoras. Zev no acababa de entender lo que decía. Notaba el pulso resonar en sus oídos, y eso ahogaba todo lo demás. Los bordes de su visión se emborronaron.

En estos momentos no estoy muy seguro de cuál es la ventaja de ser licántropo, carpatiano, sangre oscura o mestizo de sangre. Se suponía que tenía que curarme rápido, dijo con tono irónico a Fen y a Dimitri.

Se supone que tienes que utilizar los dones que te han sido dados, lo corrigió Fen, *y quitarte de en medio cuando estalla una bomba. Si te hubieras movido un poco más rápido, habrías escapado, pero no, tenías que ha-*

certe el héroe y conseguir que te derrotaran de la manera más definitiva posible, y con una mesa nada menos.

Zev trató de no reírse. Y cuando lo hizo, un dolor terrible le atravesó la tripa. *Tengo que aprender el truco del agua de mi mujer.*

Branislava le apartó el pelo que le caía sobre los ojos con dedos gráciles.

—Mi hermana y Skyler vienen hacia aquí.

Sus ojos se encontraron. Zev sabía que ella estaba viendo al lobo. *He dicho que quería que habláramos.* Otra vez ese tono. Alfa. Una orden.

No podía permitir que Branislava se saliera siempre con la suya, y menos en aquello. No pensaba meterse bajo la tierra sin aclarar antes algunas cosas con ella. Y menos aún para ir la noche siguiente a probar el tratamiento radical combinado de Mikhail y Gregori que podía matarlo. No era tan idiota. Si a Fen la idea le preocupaba, es que era peligroso. Quizá le tomaba el pelo, pero lo hacía con verdadero afecto y respeto. No era un hombre que expresara abiertamente sus sentimientos, pero lo había aceptado como hermano y era evidente que sentía la necesidad de protegerle.

Branislava se mordió el labio. Sus largos cabellos presentaban bandas de color, aquel rojo turbulento que parecía casi como rubís relucientes cayendo sobre un vino rojo y oscuro. Su cobrizo natural casi desapareció, aunque aún podía adivinarse a través de los colores cambiantes.

Os estaré muy agradecido a ti y las otras si podéis hacer desaparecer este dolor y tratáis de arreglarme esa herida, dijo, *pero esperaré a estar bajo la tierra, hasta que estemos solos y podamos hablar. ¿Puedes entenderlo?*

Apenas.

Y volvió a dedicarle aquella mirada, con los ojos entornados, la que decía que iba en serio, la que una parte secreta de él encontraba divertida. Dios, qué hermosa era. *¿Cómo demonios he tenido la suerte de encontrar a alguien como tú como compañera eterna? Soy uno de los hombres más duros que podrías encontrar y en cambio tú... me desarmas completamente.*

Ella le pasó los dedos por la zona sombreada de su mandíbula. *Eres un hombre encantador, y sé que encontrarás una forma de solucionar el problema muy pronto.*

Aquello era nuevo para él. Nadie le había dicho nunca que era encantador, pero si eso significaba que estaba de acuerdo con él, no pensaba discutírselo. *Bien, entonces esperaremos a estar bajo la tierra.*

La idea de tener toda aquella tierra envolviéndole le regocijaba. Los ricos minerales y la tierra rejuvenecedora le llamaban. Por un momento sus pestañas se cerraron, mientras se imaginaba hundiéndose en la tierra y permitiendo que lo cubriera...

Sus ojos se abrieron, la miraron entrecerrados. *¿Ricos minerales? ¿Tierra rejuvenecedora? Mujer, ¿qué crees que estás haciendo? Soy licántropo, no carpatiano. Yo nunca pensaría en esos términos.*

Su risa suave acarició su mente. *Ha valido la pena intentarlo. Y eres las dos cosas.*

Le daban ganas de besarla. La idea apareció sin más. La estaba mirando, los ojos risueños, los labios carnosos entreabiertos, y lo único que podía pensar era en las ganas que tenía de probarla. Aquella mezcla de miel salvaje y canela.

Zev la había llevado consigo cuando abandonó los montes Cárpatos en dirección a los bosques de Rusia. Ella no lo sabía, por supuesto. Era su secreto, la necesidad de revivir aquel primer instante en que la vio, el momento en que la tomó por primera vez en sus brazos, y volver a recrearlo una y otra vez en su mente. El cuerpo de ella se movió pegado al suyo, y supo que jamás habría otra mujer para él.

Él no sabía nada de compañeras eternas, pero supo reconocerlo en cuanto lo sintió. Ya llevaba mucho tiempo viviendo, y nunca había querido a ninguna mujer como suya... hasta que conoció a Branislava. Había en ella algo misterioso y esquivo. Se había sentido intrigado desde el momento en que la vio, y aquel día, cuando la música paró y tuvo que soltarla, la impresión de su cuerpo quedó para siempre grabada en él.

Siempre me he arrepentido de no haberte besado aquella noche, confesó Branislava.

Zev estuvo a punto de gemir en voz alta. Por supuesto, le estaba leyendo el pensamiento. *Branka, eres demasiado inocente para un hombre como yo. No puedes decirme algo así cuando tenemos compañía. Espera hasta que estemos solos.*

Los dedos de ella volvieron a su pelo, y arrojaron pequeños dardos de fuego por todo su cuerpo... un cuerpo que no hubiera debido sentir nada excepto dolor.

Me gusta que me llames Branka, cuando todos los demás me llaman Bronnie.

Él le sonrió. *Para mí siempre serás Branka.* O mon chaton féroce.

Ella arqueó una ceja. *Puedo ser muy fiera, sí, pero ¿gatita? ¿Y en francés? Porque es francés, ¿verdad? ¿Cuántos idiomas hablas?*

Él le sonrió, disfrutando claramente de aquel momento de complicidad. *Tienes garras. Escupes. Eres mía. Y unos diez, bastante bien, más otros cinco en los que puedo defenderme. Bueno, ahora once, si cuentas el carpatiano.*

Ella levantó los ojos con exasperación, pero no le clavó las garras, ni le escupió, cosa que él tomó como una victoria.

—Parejita, cuando terminéis de flirtear, podrías plantearte contestar a nuestra pregunta —dijo Fen.

—¿Qué pregunta? —le espetó él.

—Sí, ya lo imaginaba. Estás tan concentrado en tu mujer que se te ha fundido el cerebro.

Dimitri profirió un leve ronquido de desprecio.

—Dónde podemos encontrar la importantísima información sobre tu abuela y tu madre, esa es la pregunta. Si Skyler, Bronnie y Tatijana pueden tener hijos si tienen la sangre mezclada como nosotros.

—¿Y por qué iban a tener la sangre mezclada?

Fen gruñó.

—Has perdido la cabeza, hombre lobo. Por completo.

—¿Me acabas de llamar hombre lobo? —exigió Zev—. Pienso levantarme y te voy a dar una patada en el culo.

—Fen. —Era Tatijana, que acababa de entrar en la habitación—. ¿Cómo se te ocurre provocar a Zev en un momento como este? ¿Es que no ves que está enfermo?

Zev gimió exageradamente y se llevó una mano al vientre.

Tatijana le dedicó una mirada furiosa a Fen y corrió junto a Zev. Abrazó a su hermana.

—¿Cómo está? *¿Cómo estás? Estaba tan preocupada.*

—Necesita descansar y volver bajo la tierra —contestó Branislava en voz alta. *Lo sé, Tatijana. Siento haberte preocupado. Se estaba muriendo y tenía que concentrarme en él.*

No te sientas mal. De haberse tratado de Fen, yo habría hecho lo mismo. Me dijiste que era tu compañero eterno y te creí, aunque no entiendo como ha podido suceder.

Zev se las ingenió para proferir otro gemido muy realista, y eso le valió a Fen otra mirada furibunda de las dos mujeres.

—¿Estáis de broma? —protestó él—. ¿Es que no veis que está fingiendo?

Dimitri se burló de su hermano. *Ahora sí que la has liado. Tienes a un héroe que ha dejado el suelo cubierto de sangre y tiene un agujero del tama-*

ño de Texas en la tripa y tú te burlas de su dolor ante las mujeres. Hermanito, tienes mucho que aprender.

—Fen, si no puedes demostrar ni un poco de compasión cuando ves a un hombre a las puertas de la muerte, te sugiero que me esperes fuera —dijo Tatijana—. Lo siento, Zev. No sé qué le ha dado.

—Oh, por Dios —estalló Fen—. Espero que mañana te mueras, porque si no lo haces te juro que pienso llevarte a rastras detrás del cobertizo y te vas a enterar de lo que es un hermano mayor.

Tú solito te estás cavando una tumba, comentó Dimitri, cada vez más divertido.

Antes de que Tatijana pudiera chamuscar el pelo de Fen, cosa que parecía a punto de hacer, entró Skyler muy apresurada. Se arrojó en brazos de Dimitri y le besó.

—Eres asombroso. Asombroso e increíble. Soy muy afortunada por tenerte.

Dimitri dedicó a su hermano mayor una mirada triunfal. *¿Has oído eso? Asombroso e increíble. Es afortunada por tenerme. ¿Qué es lo que ha dicho Tatijana de ti?*

Zev apenas podía contener la risa.

—¿Por qué es tan asombroso Dimitri?

—Me ha dicho que es posible que podamos tener hijos.

Y se inclinó sobre Zev para inspeccionar la herida.

A Zev le pareció muy significativo que Branislava y Tatijana se apartaran para dejarla mirar. Skyler era mucho más joven, pero era la reconocida sanadora.

—¿Por qué te han permitido despertar? —Skyler se dio la vuelta y miró furiosa a Fen—. Te dije que necesitaría pasar al menos dos o tres meses bajo tierra antes de que pudiéramos siquiera empezar a plantearnos que estaba fuera de peligro.

Fen no trató de defenderse, se disculpó.

—Lo sé, Skyler. Lo siento. ¿Puedes hacer algo para ayudarle? Tiene mucho dolor.

Zev sabía que la reacción de Fen era auténtica. Había dejado las bromas a un lado y se concentró por completo en la joven.

—No estoy tan mal, Fen —dijo Zev.

Fen le dedicó una mirada de advertencia. *Ella puede ayudarte. Puede sentir tu dolor, tanto si lo minimizas como si no. Ella te ha salvado la vida.*

Zev lo sabía, desde luego. Quizá era la más joven de las cazadoras de dragones, pero era una mujer con talento, fuerte y decidida. No se había dado cuenta de que podía sentir su dolor. Al momento, hizo un esfuerzo por apartarlo, para que si le tocaba, no le doliera como a él.

Gracias, dijo Dimitri a secas. *Sé que no es fácil hacer eso cuando estás débil.*

Skyler no hizo caso de ninguno de ellos. Se sentó en el suelo, y su espíritu abandonó su cuerpo en la forma de una energía curativa de un blanco candente para entrar en el cuerpo de Zev. Aquel calor le sorprendió. Podía sentir cómo cauterizaba y sellaba las venas y el tejido interno. El dolor disminuyó casi en el mismo instante en que entró en él, y podía oír su voz suave en algún lugar de su mente.

Aquello que está roto y en carne viva, aquello que duele,
que el fuego que traigo lo cure y reclame.
Luz que es vida, fuego que sella,
sellad con vuestro poder cada vena.

Fen se desgarró la muñeca con los dientes y colocó la mano de manera que la sangre cayera sobre la boca de Zev.

—Te la ofrezco libremente, hermano. Toma la que necesites para sobrevivir.

De pronto el cuerpo de Zev parecía hambriento. Hasta ese momento ni siquiera se había dado cuenta. Sabía que Fen y Dimitri habían acudido regularmente a su lugar de reposo para darles a él y a Branislava la sangre que les permitiera sostenerse durante el proceso curativo. No hubiera debido estar tan hambriento, pero podía sentir que cada célula, cada órgano trataba de llegar a aquella infusión de sangre ancestral que daba la vida.

Cuando supo que había tomado suficiente, de forma instintiva pasó la lengua sobre la herida y para su sorpresa, la muñeca de Fen dejó de sangrar y la herida se cerró. Aquel truco le hubiera venido muy bien en algunas ocasiones en el pasado.

—Gracias —dijo—. Aprecio lo que has hecho por mí, Fen.

Tatijana le tendió una mano a Fen.

—Ya sabía que no ibas en serio cuando te has comportado de un modo tan mezquino con él —dijo con suavidad.

Fen se llevó su mano a los labios. *No me gusta esto, mi dama. Tendría que haber buscado otra solución. Si mañana por la noche muriera…*

No. No lo pienses, no lo digas. No dejes salir el pensamiento al universo. Ya lo habíamos hablado. Tú y Dimitri discutisteis con Mikhail y el consejo entero de los guerreros. Creen que no tenemos elección, y si lo que queremos es salvar vidas, quizá tengan razón. El príncipe jamás correría semejante riesgo a menos que creyera que no tenía elección.

Siempre hay elección, dijo Fen. *Por desgracia, ninguno de nosotros ha sabido mirar. La posibilidad de despertar a Zev estaba ahí, y en cuanto la propuesta se hizo, todos dejamos de buscar otras alternativas.* Hablaba con amargura.

Fen. Tatijana susurró su nombre en su mente... envolviéndolo con su calidez y amor. *Es tu amor y el temor por él el que habla. Pero sabes que no tienes razón. Mikhail sin duda consideró esto desde todas las perspectivas posibles antes de decidirse a despertar a Zev.*

Lo sé. Fen se pasó la mano por el rostro. *Tienes razón. Pero mírale. Skyler ha tenido que detener la hemorragia cada vez que lo subíamos hacia la superficie para darle sangre. Y ahora no deja de sangrar.*

Ella está aquí. Y se encargará de todo, le aseguró Tatijana.

Pero mira el precio que tiene que pagar. Fen meneó la cabeza.

—Fen. —Zev pronunció el nombre con voz suave, pero su tono era autoritario—. Es mi decisión. —Notó que los dedos de Branislava se cerraban con fuerza en torno a los suyos—. *Nuestra* decisión —rectificó—. Vosotros habéis expuesto los hechos y los dos estamos dispuestos a correr ese riesgo; queremos ayudar.

—Pero eso no significa que me tenga que gustar —le espetó Fen.

Y dicho esto giró sobre sus talones y se fue.

Dimitri apoyó la mano en el hombro de Zev.

—Ya sabes lo que siente por ti. Y siempre ha sido muy sobreprotector, como estoy seguro que habrás sido tú también.

Zev le sonrió.

—Es diferente cuando lo miras desde el otro lado.

Dimitri se encogió de hombros.

—Yo estoy acostumbrado, y sé que se pone así porque se preocupa por mí. Así que dejo que haga su despliegue y luego me voy y sigo con mis cosas.

Tatijana se inclinó para besar la mejilla de Branislava.

—¿Te veré mañana al despertar?

Branislava asintió.

—Cuida de él.

—Sabes que lo haré.

Skyler volvió a su cuerpo, pálida y temblorosa, tras haber consumido casi toda su energía tratando de sanar el agujero que Zev tenía en el vientre. Dimitri la rodeó enseguida con sus brazos con gesto protector mientras le daba su sangre para que se recuperara.

—¿Estaréis bien solos? —preguntó Dimitri a Branislava.

Ella asintió.

—Si necesitamos algo, llamaré. Gracias, Skyler. Ve a distraerte con tus lobos.

—Antes de que os vayáis —interrumpió Zev—, ¿cómo podemos saber si lo que sospechamos sobre mi abuela y mi madre es cierto?

—Mikhail, por supuesto. Él puede preguntar a los ancestros.

Dimitri levantó la mano y, rodeando con un brazo a Skyler, abandonó la habitación.

Zev trató de incorporarse, pero Branislava lo impidió poniendo una mano sobre su pecho. Entonces capituló, pero no le gustaba quedarse así, no cuando tenían que hablar tan seriamente sobre su relación. Puso su mano sobre la de ella, para retenerla.

—Sé que sientes que tienes que cumplir con tu deber y evitar que me comporte como un lobo entre ovejas, pero, Branka, tengo mucho control, y no hay necesidad de que te sientas atrapada.

—Nuestras almas están unidas. Cuando pronuncies las palabras del ritual de emparejamiento ante mí, quedaremos unidos para toda la eternidad y no habrá vuelta atrás —explicó ella—. Tienes el poder. No sería capaz de dejarte.

Él le acarició el brazo, del dorso de la mano hasta el codo, con gesto tranquilizador.

—*Mon chaton féroce*. No creo en las jaulas. No importa lo mucho que desee tenerte conmigo. Tú tienes que quererlo también. No me conoces, Branka.

Ella asintió.

—Eso pensaba yo también, hasta que pasé un tiempo contigo en tu mente. Eres un buen hombre, pero das un poco de miedo. La idea de estar con alguien tan dominante me intimida. —Y se tocó el pecho por debajo de la ropa—. Digan lo que digan, a los carpatianos les queda cicatriz, si la herida es lo bastante grave y no se cura a tiempo.

Sus pestañas bajaron y apartó la mirada. A Zev el corazón le dio un vuelco. Seguía acariciándole el brazo. No podía abrazarla. No podía ahuyentar sus miedos besándola, ni borrar el hecho de que eran compañeros eternos y ella sabía que estaba atada a él dijera lo que dijera. No acertaba a imaginar cómo debía de sentirse. A pesar de la seguridad de la manada, él siempre había sido muy independiente, incluso de niño. Su naturaleza dominante jamás permitiría que nadie tuviera el control sobre su persona, y sin embargo, aquella mujer que temía el poder que tendría sobre ella, tenía su destino en sus manos. Era una calle de doble sentido.

—Branka —dijo con dulzura. Íntimamente, incluso con ternura, aunque no era consciente de que pudiera sentir aquellas emociones por nadie—. Mírame. Mírame de verdad. He estado en muchas batallas con manadas de renegados. He luchado en solitario demasiadas veces, y me han herido en alguna ocasión. Mi cuerpo es como un mapa de carreteras. No me asustan las cicatrices, ni en mi cuerpo ni en el tuyo. Deja de preocuparte por nuestro futuro en común. Vivamos día a día.

Por un instante, Branislava guardó silencio, luego le sonrió.

—Noche, viviremos noche a noche.

Capítulo 4

Zev despertó oyendo el sonido de la lluvia. Un sonido de la naturaleza. Y se preguntó cómo era posible que lo oyera estando tan por debajo de la tierra, bajo la casa que debía convertirse en su hogar. No quería moverse ni abrir los ojos. Tenía a Branislava en sus brazos, y aquel primer instante de vigilia, con el sonido de la lluvia y el calor del cuerpo de ella acurrucado contra él, era perfecto.

Aspiró el aroma de sus cabellos, aquella suave seda que se derramaba sobre él. Estaban desnudos, piel contra piel, y la reconoció como nunca antes había hecho. Su cuerpo la rodeaba, con actitud protectora, porque incluso cuando dormía profundamente, aquel era su instinto más fuerte. Su pierna estaba sobre la pierna de ella, su mano acunaba su pecho, un monte suave y dulce que subía y bajaba al ritmo de su respiración.

Se dio cuenta de que estaba despierta y, al igual que él, tampoco se movió. Ella tampoco quería estropear aquel instante perfecto. Zev siguió con los ojos cerrados, saboreando la sensación de tenerla en sus brazos. Por debajo, podía sentir el sutil latido de la tierra, que trataba de llegar al agua que caía para alimentar las venas y arterias que la recorrían y nutrían todas las formas de vida. Ellos eran parte del ciclo de la vida.

—Pasé dos años dejando que la tierra me reconfortara —susurró Branislava—. Yací escuchando cómo su corazón me llamaba. El calor que me proporcionó me hizo sentir completa. Tenía tanto frío en la cueva de hielo. Tatijana podía absorber el frío, pero yo no. Aquí, bajo la tierra, me siento completa. Me siento a gusto, segura. Nunca creí que ninguna otra cosa pudiera hacerme sentir de ese modo. —Y se movió, para mirarle por encima del hombro—. Me equivocaba.

Él le rozó la coronilla con los labios.

—Segura no es viva, Branka.

Ella sonrió y volvió a tumbarse, apoyando la cabeza en su brazo.

—No, no lo es. Te oí, la noche que nos conocimos. Sabía que mi compañero eterno estaba cerca por el sonido atronador del corazón de la tierra. La Madre Tierra me despertó, me impulsó a abrazar la vida. Había una cierta insistencia cuando desperté, y lo supe. No pensaba unirme a las celebraciones, aunque sabía que Tatijana me quería allí, pero podía sentir que estabas cerca. Mi alma buscaba la tuya.

Y confesó aquello con su voz suave y musical, acompañada por el sonido de la lluvia. Zev hubiera podido pasarse horas escuchándola, escuchando aquella voz tan suave, aquellas notas perfectas que de alguna forma le llegaban al alma y arropaban su corazón.

—Pero viniste. —Zev restregó el mentón con suavidad contra su cabeza. Sus cabellos se engancharon en la barba incipiente que cubría su mandíbula, uniéndolos igual que ella había unido sus espíritus—. Sabías a lo que te enfrentabas y sin embargo viniste, y bailaste conmigo. Fuiste muy valiente.

—Quería verte, Zev. Quería tocarte y ver cómo me sentía.

—¿Y qué descubriste?

—Que contigo estaría a salvo.

Zev notó la sonrisa en su voz, una leve nota de burla. Gimió, y deslizó la cara contra su cuello, susurrando contra su piel suave. Notó que se ponía tensa, que aspiraba con fuerza. Dio un pequeño mordisco en el hueco suave y dulce entre el cuello y el hombro, lo bastante fuerte para que ella diera un respingo, y luego riera.

—No estás a salvo, mujer.

—Zev, sé que quieres pedir a Mikhail que libere nuestros espíritus antes de que trate de sanarte, pero para mí es importante que no lo hagas. Tatijana y Skyler son cazadoras de dragones. Dominic, el hermano de mi madre, está aquí con su compañera. Es un cazador de dragones. Nuestro linaje es antiguo y fuerte.

Branislava se incorporó en el lecho, desperezándose, y en la oscuridad total de aquel lugar de reposo, las hermosas curvas de su cuerpo eran visibles para él solo a través de su visión nocturna. Ella había abierto la tierra antes de que él despertara, pero la casa que tenían encima les protegía de la lluvia.

No se puso la ropa enseguida, sino que se volvió hacia él, lo justo para que pudiera ver la cicatriz que iba de su pecho izquierdo al derecho. Los dos extremos subían por las suaves curvas. Zev estiró el brazo y siguió con delicadeza la cicatriz, desde la punta de un pecho, bajando al valle y volviendo a subir al otro lado.

—Algún día te enseñaré lo hermoso que es tu cuerpo a mis ojos —le prometió, maldiciéndose por ser tan débil.

Ella aspiró con fuerza, como si acabaran de intercambiar el aire, y volvió a respirar normalmente. Asintió, pareció serenarse, y se puso a trenzarse los cabellos con un hábil gesto de la mano.

—Si algo sucede aquí, los cuatro podemos traerte de vuelta. Skyler tuvo la idea, y habló con Tatijana para saber si es posible. Tatijana lo consultó con Dominic y él le dijo que sí, que es posible. Compartimos el mismo linaje y podemos entrelazar nuestros espíritus.

Él meneó la cabeza.

—No, definitivamente no. Te lo prohíbo. No, Branka. —¿Es que estaba loca? ¿Estaban todos locos? Si moría, no solo se llevaría a Branislava con él, sino a su hermana, a Fen, a Dimitri y a Skyler, y a su tío y su compañera—. No hay más que hablar.

—Zev, si tú mueres no habrá vida para mí. No he sido reclamada. Si decido seguirte, estaré perdida en un mundo del que no sé nada. Y si me quedo aquí, tendré una media vida triste y gris. Es la única manera de saber con certeza que no te perderé.

Zev respiró hondo y el dolor, que había estado buscando una salida, lo golpeó con fuerza, arrebatándole aquella primera bocanada de aire. Recibió el golpe y esperó a que su mente aceptara algo sobre lo que no tenía control.

—Tengo derecho a luchar por mi compañero eterno, y si mi familia decide luchar conmigo, es decisión suya —dijo Branislava con voz suave y desafiante.

Zev se sentó y se imaginó que estaba limpio y fresco, recién salido de la ducha, vestido. Fue más fácil de lo que esperaba.

—No.

Tenía que moverse, tenía que flotar hasta la superficie por sí mismo. Su cuerpo necesitaba un nuevo suministro de sangre, pero Branislava ya le había dado más sangre justo antes de que se durmiera y necesitaría alimentarse también aquella noche.

Branislava lo siguió a la superficie, totalmente vestida. Era una pena.

Zev no quería que aquel momento perfecto terminara con una discusión, pero no pensaba arriesgarse a acabar con todo el linaje de los cazadores de dragones. La generosidad de aquella familia, de Fen, de Dimitri, del tío que no conocía, un extraño para él, le resultaba asombrosa. Su propia gente le hubiera matado, lo habrían sentenciado a la *Moarta de argint* —muerte por plata— o lo habrían perseguido para darle caza porque tenía la sangre mezclada. Pero se habría defendido y habría corrido mucha sangre.

Se movieron por la casa en silencio. Él iba algo por delante, con los dientes apretados, moviéndose con la mayor fluidez posible para no acrecentar el dolor. Yacer entre los minerales de la tierra le había ayudado mucho. Branislava no se apartaba de su lado, pero no decía nada. Y él desconfiaba de su silencio.

Su Branka estaba en casa, y callaba. No era por sumisión o derrota, aquel era su lugar de poder, no de rendición. Había pasado siglos como prisionera, atrapada en las cuevas de hielo en la forma de un dragón, sin poder escapar de la maldad de su propio padre. Y había vivido allí, con Tatijana, en aquel capullo de silencio, pero su mente había absorbido todo cuanto la rodeaba. Cada víctima de su padre, fuera de la especie que fuera, la había ayudado a aprender. Idiomas, cultura, historia, cómo luchar, cómo sobrevivir. Su mente siempre estaba ocupada. Zev estaba convencido de que a pesar del silencio, la mente de Branislava no dejaba de trajinar.

Fen y Dimitri se reunieron con ellos en el exterior de la casa de piedra. El bosque estaba envuelto por el manto negro azulado de la noche. La tormenta fugaz había dejado los árboles cubiertos del destello de las gotas, y allá en lo alto, conforme el viento se llevaba las nubes, las estrellas empezaron a brillar.

—¿Va todo bien? —preguntó Fen.

Branislava asintió.

Zev le dedicó su expresión más fiera e intimidatoria y meneó la cabeza.

—No, ni por asomo. Tiene la disparatada idea de que su familia entera se va a ligar a mí para evitar que algo pueda ir mal. Dimitri, eso incluye a tu Skyler. En realidad, la idea ha sido suya. Lo prohíbo terminantemente.

Y volvió a mirar con expresión furibunda a Branislava para dar más énfasis a sus palabras.

Ella estiró el brazo para tomar la muñeca que Dimitri le ofrecía con un gesto espontáneo. Pero en el cuerpo de Zev, cada músculo se preparó para la acción, movido por una ira candente y rabiosa. La reacción de su lobo fue del todo inesperada, no estaba preparado. Notó el sabor de la sangre caliente en la boca, aspiró el olor de su enemigo, su visión se llenó de bandas de colores.

Basta. La voz de Branislava era suave, pero autoritaria. *Estoy alimentándome de Dimitri, tu hermano. Es algo bueno y natural, y tú debes pensar con la cabeza, no con tu... um... ya sabes. Tienes que dejar al lobito encerrado en la cueva.*

La risa de aquella mujer borboteaba, contagiosa y bonita, y se extendió por su persona como una ola de felicidad. Una vez más, fue su sentido del humor lo que le salvó. Era imposible no reír con ella.

¿Lobito? ¿En serio? Seguramente estoy pensando con mi... um.

El lobo reculó, y Zev se sintió más fuerte por haber conseguido contenerle cuando era tan claramente vulnerable a los celos. Se había negado a reconocer que pudiera sentir algo tan feo y mezquino, y sin embargo ahí estaban, unos celos intensos y acuciantes. Sí, Branislava tenía razón, estaba pensando con su... um. Y volvió a reírse, dando gracias porque ella le hubiera liberado de aquel defecto.

No es un defecto. Estamos ligados. Tu reacción es primaria. Eres un predador, Zev, y muy letal, y son tus instintos los que siempre te han salvado. Tus instintos te empujan a protegerme y a mantener a los otros machos alejados de mí. Es natural.

Zev tomó la muñeca que Fen le ofrecía, y saboreó aquella sustancia llena de vida, que fluyó a sus células hambrientas y sus órganos heridos.

Dimitri está locamente enamorado de su compañera eterna. No creo que repare en ninguna otra mujer. Es más, puedo leer su mente. Y te ve como a una hermana. No es natural.

La risa de ella lo recorrió como una caricia. *Debes saber que hasta que no me reclames con las palabras rituales y ates nuestras almas, esa será seguramente tu reacción. Tu lobito vendrá corriendo como un cavernícola cualquiera, gruñéndole a todo el mundo, incluso a mí.*

Genial. ¿Qué pasaría si algún miembro del consejo de licántropos la miraba con ojos ávidos? Casi gruñó. No, eso tampoco funcionaría. *Mujer, me vas a matar.*

O a salvarte, musitó ella con suavidad.

—No se te ocurra actuar en contra de mi voluntad —le espetó él en voz alta, perdiendo de pronto todo el humor, y permitiendo que su lobo diera a su voz ese tono bajo y acerado del alfa.

Ella se rodeó de silencio. Zev reparó entonces en que Dimitri no había hecho ningún comentario sobre Skyler y su plan disparatado. Y con aquella cara inexpresiva era imposible saber si estaba de acuerdo con la locura de su compañera eterna o no. Dimitri era un hombre muy lógico, y lo que las mujeres proponían no tenía nada de lógico.

—¿Estás preparado? —preguntó Fen algo sombrío.

—Todo lo preparado que puedo estar —contestó, y le lanzó a Branislava otra mirada de advertencia.

Branislava le dedicó una sonrisa enigmática y se elevó en el aire. Y Zev no pudo por menos que admirarse de aquel suave y fluido movimiento. Dio un salto, el salto grácil de una bailarina, y al hacerlo se transformó en un pequeño búho. Todo en ella era fascinante. Todo. Zev adoraba el sonido de su voz, su forma de moverse, su sentido del humor y su vulnerabilidad. En cambio, su testarudez le gustaba menos.

Fen lo cogió en sus brazos fuertes, y eso le hizo sentirse débil. Resultaba un poco humillante que lo llevaran a cuestas arriba y abajo, como si sus heridas fueran tan graves que ni siquiera pudiera caminar por sí mismo.

Tus heridas son así de graves, le recordó Branislava.

¿Qué podía hacer con ella? Si pedía a Mikhail que retirara la unión que ataba sus espíritus, ella se sentiría ofendida de un modo irreparable. Respiró hondo. Tenía que seguir con vida. No tenía elección. Fuera lo que fuese lo que Mikhail y Gregori pensaban hacer para sanar su herida, tenía que ser lo bastante fuerte para sobrevivir… por Branislava. No pensaba arrebatarle la posibilidad de tener una vida.

Se había pasado la vida encerrada, prisionera, y ahora que era libre, estaba decidido a asegurarse de que tendría una vida llena de felicidad. Necesitaba vivir. Zev estaba decidido. No arriesgaría la vida de los otros, pasara lo que pasara, pero Branislava ya estaba ligada a él. Aún no sabía mucho de compañeras eternas, pero si él no podía soportar estar lejos de ella, lo normal era pensar que ella también lo pasaría mal sin él.

Fen lo llevó a otra cueva. Esta era muy distinta a la cámara de los guerreros. Todo allí era relajante, desde los colores de las formaciones que contenía, a las profundas pozas. Una era muy caliente, la otra fresca y atrayente. La cueva era grande, pero ni de lejos tanto como la cámara de los guerreros.

Una gran cantidad de carpatianos estaban en pie alrededor de la zona central. A algunos los reconocía, a otros no. Tatijana, Skyler y Dimitri estaban cerca del círculo donde Mikhail y Gregori le esperaban. A su lado había un hombre muy alto con hombros anchos y cabellos largos y oscuros. Sus ojos eran peculiares, de un verde muy extraño, casi metálico, y cuando te miraban parecían atravesarte. Tenía cicatrices de quemaduras que iban desde el cuello a la cara. Aquel debía de ser el tío de Branislava. A su lado había una mujer bastante más baja, con aspecto de sentirse mucho más a gusto en la jungla salvaje que en una cueva de sanación. Él se sentía exactamente igual.

Mikhail se adelantó para recibirle, y lo aferró por los antebrazos.

—Bien hallado, hermano —dijo—. Tenemos una deuda de gratitud para contigo. No habrá sido una decisión fácil.

Zev sintió que la energía corría por el cuerpo del príncipe casi como si fuera electricidad.

—Si con ello puedo evitar una guerra, no hay otra decisión posible.

—Y aferró los antebrazos del príncipe con la misma fuerza, tratando de transmitir la idea de que estaba listo.

Mikhail asintió en señal de aprobación antes de apartarse para que Gregori lo saludara también.

Para su sorpresa, Gregori lo aferró por los antebrazos y le dedicó el mismo saludo de guerrero.

—Saludo a un hermano y a un amigo —dijo con expresión formal.

Zev devolvió el gesto.

—Hagámoslo de una vez.

Gregori asintió.

—Fen me dice que cree que eres el último de los sangre oscura. Si es así, entonces serás lo bastante fuerte para aguantar lo que sea. Tu linaje es reverenciado por los nuestros. Es legendario.

Zev entendía que Gregori estaba tratando de darle ánimo y apreció el gesto. Ya se había convencido a sí mismo de que podría soportar la energía resultante de combinar la capacidad curativa de aquellos dos hombres. Inclinó la cabeza y retrocedió. Aún tenía una cosa que hacer. No pensaba morir esa noche, pero aún así…

Se volvió y la vio junto a su hermana. Branislava. Estaba derecha, con el mentón alto, pero se la veía pálida. Su hermana la tenía cogida de la mano, y notó un leve temblor en ella. Entonces encomió a su cuerpo a no fallarle. Solo estaba a metro y medio de él, pero era como si estuviera a kilómetros de distancia. Hubiera podido cruzar un río si hacía falta para llegar hasta ella.

Consiguió avanzar erguido, sin dejar traslucir que cada paso sacudía su cuerpo de dolor. Se concentró en ella. Solo ella. Su mujer. Se detuvo justo delante y la tomó de las manos.

Haremos esto juntos, mon chaton féroce. *No te fallaré.*

Ella tragó con dificultad, sin apartar los ojos de él. Asintió repetidamente. Él se inclinó, sin hacer caso del terrible dolor y la sensación de la sangre que resbalaba una vez más por su cuerpo. Necesitaba besarla. La sujetó por el mentón y rozó sus labios con suavidad con los suyos. Bajo su boca, notó que sus labios temblaban, suaves, cálidos, prometedores. Eso fue todo, apenas un leve contacto, y sin embargo bastó para convencerle de que la única razón que tenía para luchar por su vida estaba en ese momento ante él.

La miró durante largo rato, aspirando su aroma, saboreando el adictivo sabor de la canela mezclada con miel, deseando convencerla de que los sacaría de aquello. Cuando ella asintió, Zev sonrió, se dio la vuelta y volvió al lugar donde Mikhail y Gregori esperaban. La sangre empapaba la camisa que antes era de un blanco inmaculado. Pero no hizo caso, igual que los otros. Sencillamente, aquello era una prueba más de que no estaba preparado para investigar quién estaba intentando iniciar una guerra entre licántropos y carpatianos.

Fen y Dimitri le ayudaron a subir al lecho de piedra y una vez allí se tumbó. Esperaba que la superficie fuera dura y rugosa, pero no lo era, y se acomodó sin problemas. No sabía muy bien qué esperar, pero aquellos escasos movimientos le habían agotado. Se sentía tan a gusto que pensó que se dormiría. Notó que las manos de Fen le desabrochaban los botones de la camisa para dejar al descubierto la herida, pero no le miró.

Los dos, Fen y Dimitri, le tocaron el hombro en una especie de saludo, pero ninguno habló. No hizo falta. Zev notaba su afecto, la camaradería que le ofrecían. Por un instante, Tatijana tocó su mente, luego Skyler. Había olvidado lo que era tener una familia. Habían pasado tantos años.

Entonces notó un fuego detrás de los ojos y los cerró. Fue consciente del olor de las velas aromáticas. Había cientos de ellas encendidas en la cueva, con una combinación de fragancias curativas. Mikhail se acercó a la plataforma elevada y Gregori se situó junto a él. Notó su proximidad sin necesidad de verles. La combinación de aquellos dos hombres irradiaba una energía extraordinaria.

Se hizo el silencio en la estancia. Zev sintió un calor abrasador en su vientre y abrió los ojos. Gregori estaba inclinado sobre él con las manos levantadas, con las palmas suspendidas sobre la herida, con una energía candente que no se parecía a nada que hubiera experimentado nunca. Las manos de Gregori estarían a unos treinta centímetros de su cuerpo, pero bien podía haber estado tocándolo con un atizador al rojo.

Los carpatianos que había en la cámara empezaron a cantar, en un lenguaje antiguo, con palabras poderosas. A lo lejos, en el exterior de la cueva de sanación, otros se unieron a los cantos, alzaron sus voces para ayudar a su curación. Había algo reconfortante en el hecho de que una comunidad entera pudiera unirse para intentar salvar a un único miembro de la muerte.

El calor que estaba generando Gregori solo era tan abrasador que no quiso pensar lo que sería cuando Mikhail lo amplificara. En el momento en que se unieran, aquello sería terrible.

Mikhail habló con voz baja y vibrante.

Kaŋam kudejek kuntanak en Karpatiinak és kuntanak en hän ku pesänak. Invoco a generaciones del linaje del príncipe y el linaje del protector.

Los carpatianos de la caverna contestaron.

It kule megem, oma kontak, kaŋak hän ku pusmak. Oídnos ahora, guerreros de antaño, a los sanadores invocamos.

Mikhail aspiró con fuerza y confió en su juicio.

Kaŋam kudejek kuntanak Köd-verinak, kontak és hän ku pusmak päläpälä. Invoco a generaciones de la línea de los sangre oscura, guerreros y sanadores por igual.

A su alrededor, los carpatianos contestaron.

It kule megem, oma kontak, kaŋak hän ku pusmak. Oídnos ahora, guerreros de antaño, a los sanadores invocamos.

Mikhail prosiguió.

Juttanak kuntamet en Karpatiinak és kuntamet en hän ku pesänak és kuntamet Köd-verinak. Une la línea del príncipe con la línea del protector y la línea de los sangre oscura. *It kule megem, oma kontak, kaŋak hän ku pusmak.* Que vengan como una sola persona.

Los presentes en la cámara entonaron.

It kule megem, oma kontak, kaŋak hän ku pusmak. Oídnos ahora, guerreros de antaño, a los sanadores invocamos.

Mikhail colocó sus manos a ambos lados del cuerpo de Gregori.

Päläpälä mekenak tuli ku pusm és katt3nak hän ainaba jamatan ekänkak. Juntos hacemos brotar el fuego de la sanación y lo enviamos al cuerpo de nuestro hermano caído.

El pueblo carpatiano cantó en respuesta.

It kule megem, oma kontak, kaŋak hän ku pusmak. Oídnos ahora, guerreros de antaño, a los sanadores invocamos.

Mikhail añadió una última súplica a los espíritus de sus ancestros.

Andak jamatan ekänkhoz wäke bekit kutni ŋamaŋ takkapet. Dad a nuestro hermano caído la fuerza para superar esta prueba. *Pusmak jakamaka és sayedak hängem wäkeva ainaval, kont o sívanak, és umuš käktäveritkuntaknak.* Sanad sus heridas y devolvedlo con un cuerpo y un corazón fuertes, y con la sabiduría de nuestros linajes combinados.

Los carpatianos respondieron con una última invocación.

It kule megem, oma kontak, kaŋak hän ku pusmak. Oídnos ahora, guerreros de antaño, a los sanadores invocamos.

El cuerpo entero de Mikhail resplandecía de blanco, sus manos eran puro fuego. El fuego saltaba de él a Gregori. El cuerpo de Gregori se puso rígido, y se sacudió violentamente, como si acabara de recibir un golpe. Las llamas se deslizaron por sus brazos y parpadearon por sus dedos. Metió una mano en el agujero de la tripa de Zev.

El cuerpo entero de Zev se sacudió. Oyó aullar al lobo, con un grito lejano de dolor, mientras retrocedía, tratando de huir del fuego. Su lado carpatiano saltó hacia el fuego sanador, mientras que el lobo huyó. Su cuerpo entero sudaba, y estaba cubierto de diminutas gotas de sangre.

Y así, conectado a aquellos dos hombres a través de la sangre de los linajes antiguos, Zev sintió la fuerza como una forma de carga eléctrica. Gregori trataba de controlar toda aquella energía. Mikhail luchaba por reprimir la gran cantidad de energía que irradiaba de su ser. Todos los carpatianos estaban unidos a través de él, y atraía su fuerza y su energía como un imán. Era como si cien soles se hubieran encendido y él los estuviera canalizando a todos.

—Le estáis matando —siseó Fen. Aferró el hombro de Dimitri, y se le pusieron los nudillos blancos—. Es demasiado, parad esto.

Mikhail le lanzó una mirada de reprobación. Fen quiso volverse, pero no pudo. Tatijana lo buscó y puso su mano en la de él tratando de reconfortarlo.

Skyler se recostó contra Dimitri, y lo miró volviendo la cabeza por encima del hombro. Él la rodeó con los brazos, atrayendo su cuerpo al refugio del suyo.

De las manos de Gregori brotaba una luz que se extendió por la sala, tan intensa que muchos tuvieron que volver la cabeza o cerrar los ojos. Varias formaciones de roca estallaron. Él no apartó la mirada de su misión, el terrible agujero en el vientre de Zev, pero empezó a sudar. Sus facciones reflejaban una profunda concentración, mientras dirigía la luz al interior de Zev.

El cuerpo de este se volvió de un brillante rojo, como si la temperatura hubiera subido demasiado y ya no pudiera controlarla. Su pelo estaba mojado, su cuerpo se sacudía y se convulsionaba.

Su mente se apartó del dolor, una agonía como jamás había sentido, su interior se vio obligado a regenerarse, una muerte antinatural y un renacer.

—Lo estás perdiendo —susurró Mikhail—. Es un sangre oscura. Apela a esa parte de él, al guerrero que lleva dentro. Apela al linaje de Tirunul.

Zev oyó las palabras del príncipe como de lejos, pero su voz se perdió entre las voces que lo llamaban desde otro reino.

Notaba la bola de fuego moverse por su interior, limpiándolo, cauterizando y purificando, pero también eso empezaba a parecer distante.

Zev, tienes que luchar.

Era Fen, exigiendo. Apremiando.

Vamos, hermano, es tu hora. No te rindas. Tú puedes vencer a esta cosa.

Reconoció la voz de Dimitri... o eso le pareció. El fuego le consumía, le había dejado sin corazón, sin pulmones, sin mente. Le habían incinerado. Quemado vivo.

Estoy contigo, susurró Branislava. *Donde tú estés, yo estoy.*

Estaba sola, el vínculo que la unía a su espíritu y solo a él estaba intacto. Estaba rodeada por su familia, la gente que habría unido su destino al de ella, pero había hecho lo que él le pedía, había creído lo bastante en su fuerza para volver a arriesgar su vida junto a él.

Zev se aferró con fuerza a ella, mientras su mente se desviaba hacia otro reino. Los vio, vio sus figuras oscuras, altos guerreros con ojos intensos y expresiones fieras. Mujeres, hermosas y valientes, cuyos rostros llevaban grabado el mismo apasionamiento y la misma resolución que sus hombres. Todos tenían un pensamiento, una mente. Se habían unido con un único propósito... curar la terrible herida de su vientre.

Notó en su mente el primer movimiento de algo desconocido... pero a la vez tan familiar. Su sangre se calentó, hirvió, fluyó por sus venas como lava ardiente, líquida. Una sangre fuerte y oscura, que se negó a permitir que el fuego la tomara. Su sangre ya era líquida, y el fuego no podría cambiar eso. Aquella energía candente lo aniquilaba todo a su paso, obligando a su cuerpo a morir o a renacer como un fénix de sus cenizas.

Su sangre se movía valientemente por su cuerpo, decidida a mantenerle con vida, a mantenerse un paso por delante de aquella bola de fuego que lo estaba recorriendo. Llegó a su corazón y salió de él, y recorrió su cuerpo como los ríos subterráneos que nadie ve nunca o de los que nada saben, cuando su corazón quería pararse. Sus pulmones se negaban a funcionar, a buscar aire, tan quemados y doloridos estaban.

Los sangre oscura nunca se rinden. Nunca se dan por vencidos. Luchan hasta el último aliento.

Él no tenía aliento. No había aire, solo aquel fuego destructor que recorría su cuerpo. Ya estaba en el otro reino, rodeado por sus ancestros. Allí podría encontrar a su madre y a su abuela. Podría encontrar a sus bisabuelos, los últimos de su legendario linaje.

Eres el último de tu linaje. Eres un kont o sívanak, *corazón fuerte. Tienes el corazón de un guerrero y no puedes elegir quedarte en este reino de sombras. Te necesitan entre los vivos.*

Esta vez no estaba seguro de quién le hablaba. ¿El príncipe? ¿Gregori? Le parecían tan distantes que casi los había soltado. Sus ancestros entonces. Se sentía confuso, pero él nunca se rendía. Quería la vida, para Branislava y para sí mismo. Su elección sería siempre la vida para ella. Quería una oportunidad para hacerla feliz y pasar una vida con ella.

Es más, él era un guerrero y su pueblo le necesitaba. Realmente era así de simple. Sintió que la fuerza brotaba de muy adentro. La determinación, el propósito. Su gente —las dos especies— le necesitaba, y no pensaba fallarles. Su mujer le había hecho depositario de una fe que aún no se había ganado, y tampoco pensaba fallarle.

Invocó a su lobo, consciente de que mientras estuviera dividido, no podría encontrar el camino de vuelta. Podía afrontar el fuego, abrazarlo incluso, si eso es lo que tenía que hacer para sobrevivir por aquellos que le necesitaban. La crisis que bullía en su interior nada tenía que ver con su capacidad de soportar la energía generada por el príncipe y el sanador —su linaje se encargaba de eso—, era por la división de su sangre mestiza. El carpatiano que había en él se levantó para luchar junto al sanador y el príncipe en la batalla por su vida, pero el lobo no sabía nada de sanaciones y se replegó, gruñendo y debatiéndose, decidido a arrastrarlo con él a algún lugar seguro donde no pudieran encontrarles.

Zev era un macho alfa, y su lobo era dominante entre los suyos. Era fuerte y reactivo, una fuerza con la que contar, y cuando se posicionaba, jamás cedía. Cuanto más tiempo tenían que pasar el príncipe y el sanador enlazados, más intenso era el fuego. El tiempo pasaba. Que la batalla se ganara o se perdiera dependía de él.

Allí, en aquel otro reino, rodeado por los muertos, con el cuerpo consumido por las llamas, buscó su lado licántropo y abrazó a su lobo. No hubo vacilación, no hubo miedo. Su sangre oscura y la sangre de sus hermanos llamaban al lobo. La sangre de licántropos y carpatianos no se mezclaba, eran más bien dos especies diferentes en un mismo cuerpo, con un huésped capaz de aprovechar las cualidades de las dos.

Entonces ordenó a su lobo que se uniera a él, que absorbiera el fuego que ardía en su interior. El lobo gruñó y se puso furioso, merodeando muy cerca de la superficie, amenazando con transformarse, con hacerse con el cuerpo del huésped, deseando cambiar su forma actual a medio hombre, medio lobo para luchar contra aquellos que trataban de matarles con el fuego abrasador.

Pero no podía esperar más, cada vez se adentraba más en aquel otro reino. Las figuras en sombras eran más definidas. Los cánticos de los carpatianos se perdían en la distancia. El calor se hizo más intenso en su cuerpo, no podía controlar el dolor. Su lobo insistía en que la respuesta estaba en adentrarse más en el otro reino, lejos de los dos hombres que manejaban el fuego.

Quédate conmigo, licántropo. Quédate con tu compañera. Te necesito demasiado. Branislava se unió a él, llamando con su dulce voz a través del otro reino. Ella no temía al fuego. Ella abrazó las llamas, las absorbió, se convirtió en ellas.

El lobo se quedó muy quieto, escuchando por un instante aquel sonido musical. Zev lo golpeó al momento. El carpatiano impuso su voluntad, el fuerte corazón del guerrero obligó al lobo a escuchar su palabra. Y se lo llevó consigo a la superficie, de vuelta al fuego ardiente… a Branislava.

Las llamas parecían venir de dentro, y no le dejaban respirar, le despojaban por completo de su capacidad de razonar o de pensar. El lobo casi se escapa, pero en el último momento, Zev consiguió controlar su mente dispersa y plantarse de vuelta en el mundo de los vivos. Unos jadeos, mientras trataba desesperadamente de conseguir aire. Se tragó un grito de dolor, y entonces el fuego había desaparecido y volvía a respirar con normalidad.

Gregori se apartó, tambaleándose por el agotamiento. Trató de sujetar a Mikhail, que se dejó caer de golpe sobre el suelo junto a la plataforma, pero él mismo se desplomó también.

—Está hecho —dijo Mikhail—. Ha sobrevivido. Necesitará sangre.

—Al igual que tú. —Dominic, del linaje de los cazadores de dragones, tío de Tatijana y Branislava, se acuclilló junto al príncipe y extendió la muñeca—. Te la ofrezco libremente.

Zev notó que Branislava lo tomaba de la mano a pesar de que su cuerpo seguía ardiendo. La terrible intensidad del calor había disminuido, y era más tolerable. Sus órganos heridos, sus células, músculos y tejido habían sido forzados a desarrollarse, a regenerarse en unos minutos, cuando bajo tierra le habría costado meses.

Enlazó sus dedos con los de Branislava, satisfecho de poder estar tumbado. *Me siento como si una bomba nuclear hubiera estallado en mi interior. Pensé que si abría los ojos y me miraba el estómago, vería un hongo elevándose en el aire.*

Los dedos de ella se deslizaron por su piel desnuda, sobre el lugar donde antes tenía un agujero. Zev notaba aquellos dedos, tan ligeros y delicados, deslizarse sobre su estómago.

Gracias, Branka, por creer en mí lo bastante para hacer lo que te pedí.

Me ha costado, confesó ella. *Tenía fe en tu fuerza, Zev, pero también sabía que tu lobo recelaba y podía convertirse en un problema.*

Zev frunció el ceño, y sus ojos buscaron su mirada. *Dime.*

Cuando te hirieron, en la sala de reuniones, cuando la bomba estalló y trataste de proteger a Arno, el miembro del consejo, con tu cuerpo y la estaca de la mesa te atravesó el estómago, a tu lobo no le gustó que te invadiéramos. Nuestras sesiones de curación implican entrar en tu cuerpo y curarlo de dentro hacia afuera con energía. Los licántropos se regeneran. Las dos cosas funcionan, pero los carpatianos y los licántropos tienen una forma diferente de enfrentarse a una herida, y tu lobo parecía muy receloso. Tuve que dedicar mucho tiempo a tranquilizarlo.

A su alrededor, en la caverna, ahora todo era movimiento. Zev podía oír los murmullos de las conversaciones. Darius dio sangre a Gregori, y Fen le ofreció su muñeca a él. La aceptó, ansioso de pronto por consumir los ricos nutrientes.

No lo sabía, estaba muy lejos, creo.

No le gustaba la idea de perder el control, y creo que hubiéramos podido perderte entonces, pero Skyler es mujer, y está muy próxima a los lobos. Y tu lobo la aceptó. Tatijana ya te había curado antes y por supuesto también la reconoció y la aceptó. Y yo soy tu compañera eterna, su compañera, y me aceptó. Además, Arno estaba trabajando con él, un miembro del consejo, y eso le tranquilizó.

Zev suspiró y pasó la lengua por los dos agujeritos de la muñeca de Fen para detener el flujo de sangre. Los lobos siempre se levantaban para proteger a su otro lado. *Hubiera debido saber que se levantaría. Es fuer-*

te y rápido, y lucharía hasta la muerte con cualquiera que pensara que podía hacerme daño estando inconsciente. Menos mal que está tan enamorado de ti.

Ella lo miró arqueando una ceja. *¿Él? ¿Solo el lobo?* Y suspiró exageradamente en un gesto de incredulidad.

—¿Puedes sentarte? —preguntó Dimitri.

Zev no lo sabía, pero contuvo la sonrisa para que Branislava no la viera. Le gustaban aquellos pequeños arrebatos de genio. La sensación del fuego en su cuerpo había remitido lentamente. De hecho, ni siquiera se había dado cuenta de que desaparecía mientras hablaba con su compañera eterna.

—Estoy deseando intentarlo.

Dimitri lo rodeó con un brazo. Fen revoloteaba a su alrededor como un padre con su bebé recién nacido. Zev se calló un comentario sarcástico. Branislava se apartó para dejarle sitio, y al momento se hizo el silencio en la sala y todos los ojos se volvieron hacia él.

Mikhail se había puesto en pie. Si acaso era posible que pareciera nervioso... lo parecía. Gregori se acercó, e impidió que Zev se moviera apoyándole una mano en el pecho al tiempo que examinaba la herida.

—Dime cómo te sientes.

Zev se encogió de hombros.

—El fuego se ha apagado y ya puedo respirar con normalidad. No respiraba bien desde la explosión. Me he movido un poco y no me he doblado de dolor, y eso es buena señal, pero reconozco que me siento débil.

Gregori asintió.

—Es normal. Necesitarás sangre varias veces esta noche, y descansar y recuperarte bajo tierra durante el día de mañana. Cuando despiertes, creemos que estarás en plena forma, si tu cuerpo se ha recuperado como esperamos.

—Entonces probemos —dijo Zev.

La sala estaba muy quieta y callada. La expresión inquieta en el rostro normalmente pétreo e inexpresivo de Fen era excesiva. Zev lo miró furioso.

—Deja de mirarme como si fuera uno de tus pollos y tu fueras una gallina clueca. Lo tengo controlado.

—Siempre piensas que lo tienes controlado —le espetó Fen a modo de respuesta—. Nunca había visto a un hombre más propenso a que lo apuñalen, le disparen, corten y destrocen, salvo Dimitri, claro. Es un milagro que no se me haya puesto el pelo blanco.

—Se te ha puesto —dijeron Dimitri y Zev a la vez.

Zev se incorporó con mucho cuidado, esperando sentir dolor, con el fuerte brazo de Dimitri contra su espalda, por si lo necesitaba. Para su total sorpresa, no hubo dolor, ni agonía, ni un pequeño pinchazo, nada. Si acaso, sus músculos parecían más fuertes que nunca.

Le sonrió a Gregori.

—Debería decir que ha funcionado.

—Prefiero comprobarlo antes de que te entusiasmes demasiado. Dame un minuto.

—Tú estás en bastante peor forma que yo —dijo Zev.

—Eres la primera persona que ha sobrevivido.

Eso hizo que la sonrisa se le borrara del rostro.

Gregori y Mikhail se miraron y se echaron a reír.

—Muy graciosos los dos. Voy a buscar a mi mujer y me voy a casa.

No estaba del todo seguro de que no lo hubieran dicho en serio y también un poco eufóricos por el alivio.

Branislava hizo acercarse a su tío.

—Este es Dominic, y su compañera eterna, Solange.

No había duda, Solange luchaba junto al cazador de dragones. Era una guerrera en toda regla.

Zev inclinó la cabeza.

—Os estoy agradecido a los dos por haber venido y por vuestra generosa oferta de ligar vuestros espíritus al mío.

—Está claro que no era necesario. Mikhail me ha dicho que eres el último del linaje de los sangre oscura. Yo conocí a tus bisabuelos. Pocos había tan diestros como ellos.

Acercó a Branislava a su lado. Ahora sabía sin lugar a dudas que los carpatianos tenían razón y pertenecía al linaje de los sangre oscura, pero en aquellos momentos lo único que quería era descansar y poder dedicar un rato a conocer a su mujer.

—Míralo bien, Gregori —dijo Fen—. Tenemos que llevarle a casa.

Capítulo 5

Sentémonos un rato en el porche —sugirió Zev. Acababan de levantarse de su descanso diurno y necesitaba estar un rato con ella—. Podemos charlar aquí.

Aunque no sentía dolor, se notaba extrañamente débil.

Era una hermosa noche. En el bosque la oscuridad era mayor que en terreno abierto, porque los árboles ocultaban en buena parte la luna y las estrellas. A través de la bóveda de ramas, Zev veía algún destello. En algún lugar cercano, un lobo aulló y otro respondió.

—Skyler y Dimitri han salido de caza con sus lobos —dijo Branislava—. Están hambrientos. Lo noto por el sonido de sus aullidos. El macho alfa está siguiendo el rastro de algo grande.

—Pocos son los que pueden captar los diferentes matices —dijo Zev, algo perplejo—. Pero ¿sabes lo que significa realmente el aullido?

Ella asintió.

—Puedo saber lo que dicen por el timbre, por el tono de sus voces. Puedo reconocer a cada uno de los miembros de la manada de lobos que habita en este territorio. También he aprendido a identificar las voces de los cuatro lobos de Skyler y Dimitri.

—Es increíble. Yo soy un lobo y puedo hacerlo, pero no pensé que una persona normal pudiera.

Ella se encogió de hombros y apoyó los pies en la baranda.

—Me encanta la música, Zev. Me encantan los diferentes instrumentos y los sonidos que crean. Me encanta oír las voces cantar en perfecta armonía.

Zev le sonrió.

—Y te encanta bailar.

—Sí. A Tatijana también. Para mí, flotar por la sala de baile en tus brazos fue como la libertad. Me sentí como si estuviéramos volando entre las nubes, muy por encima de la tierra.

—Veo que tendré que aprender a bailar. No me gustaría tropezar con mis propios pies.

Zev alzó el rostro contra la brisa. Delante de la casa, unos ratoncillos correteaban entre los arbustos y llamaron la atención de un búho que estaba posado en silencio más arriba, en un árbol particularmente viejo y grande. Tenía un denso entramado de ramas y agujas que parecían de plata cuando la luna brillaba entre ellas.

—Eso es imposible y tú lo sabes —comentó ella riendo con suavidad—. Te he visto luchar con tu espada y tus cuchillos y eres como un bello bailarín, te deslizas entre tus oponentes de la forma más fluida y grácil que he visto nunca. Incluso Fen admira tu habilidad —agregó.

—Tuve mucha suerte al conocerle. Supo ocultar muy bien que tenía la sangre mezclada. Y se las ingenió para vivir bien, bien un siglo o más entre los licántropos.

—Tatijana me lo dijo.

Branislava se llevó las manos a los cabellos, en un gesto ocioso, pero que hizo que sus pechos se movieran bajo el material del vestido. Ahora que estaban relajados en casa, se había puesto un vestido largo, de otra época. El corsé ceñía sus pechos y sus costillas y la tela marcaba la forma de sus caderas para caer después en línea recta al suelo. La parte de arriba era de encaje blanco, y un paño recorría la pechera del vestido ribeteado por un exuberante material carmesí.

Había vivido bajo la forma de un dragón rojo durante siglos, y no fue ninguna sorpresa descubrir que le gustaba el rojo. A él le parecía extraordinariamente femenina, y prefería los vestidos a los pantalones.

Le gustaba estar allí sentado frente a ella, de noche, mirándola.

—Podrías soltarte el pelo —sugirió.

Sus manos se posaron entre aquella espesa mata de seda cobriza.

—Tengo el pelo demasiado rebelde. Si lo suelto no me queda muy bien —confesó algo apresurada—. No es liso, es ondulado y rizado y liso todo a la vez. Y es tan espeso que poco puedo hacer con él.

—Lo sé muy bien —confesó Zev—. Me encanta tu pelo.

Sobre todo cuando lo llevaba despeinado. Él lo veía como un pelo de alcoba a juego con sus ojos de alcoba. Cuando lo llevaba suelto resultaba sensual y seductora. Si lo llevaba recogido o sujeto en una larga trenza, Zev se moría por retirar las horquillas y dejarlo caer en una cascada, como un salto de agua sobre su espalda. Tal vez a ella no le gustaba aquel pelo tan rebelde, pero a él le atraía de un modo especial.

Branislava se quitó unas horquillas y la mata de seda cayó en torno a su rostro y sobre su espalda en una cascada dorada y roja. Y sacudió la cabeza con una leve sonrisa, como si pensara que Zev estaba un poco loco.

—Aquí lo tienes. Una maraña, ya te lo he dicho.

—Tienes un aspecto increíble. Siempre tienes un aspecto increíble. ¿Qué es lo que te hace más feliz?

—La libertad. —Y no vaciló al decirlo. Se levantó de un salto, extendió los brazos, y giró en círculo—. Tener espacio. Mira cuánto espacio. Puedo volar hasta las nubes o correr por el bosque con los lobos. Puedo irme y entrar en una ciudad. —Se estremeció levemente—. Y no es que quiera, pero podría.

—Me encantaría enseñarte los bosques de Rusia. Allí las ciudades son hermosas. Yo, al igual que tú, tampoco podría vivir en una ciudad, necesito el bosque, pero algunas son realmente extraordinarias. Estuve persiguiendo a tres renegados por Francia, y cuando estaba en París y completé mi misión, visité sus museos y las obras de arte que vi casi superaban mi capacidad de comprensión.

—He visto algunos cuadros en los libros y en los recuerdos de los turistas y de algunos aldeanos —musitó Branislava—, pero ninguno en persona.

—Cuando todo esto termine, viajaremos un poco, si te apetece, y veremos mundo.

—La primera vez que me separé de Tatijana fue cuando se marchó con Fen a buscar a Dimitri —confesó Branislava—. Yo me quedé porque había muchos licántropos aquí y temíamos que habría una guerra a gran escala.

Él la miró con expresión sombría.

—Eres una guerrera.

Ella se encogió de hombros.

—Soy una cazadora de dragones. Si una cosa aprendimos Tatijana y yo en las cuevas de hielo es a luchar. Xavier torturó a guerreros de todas las clases, y todos compartieron información con nosotras con la esperanza de que encontráramos una forma de escapar. A veces era lo único a lo que podíamos aferrarnos, planificar batallas y hablar de posibles escenarios para tener la mente activa. Aún hay muchas cosas que no sé, pero sé luchar si hace falta.

A Zev le parecía tan hermosa, allí bajo la luz de aquellos rayos dispersos de la luna. Sus cabellos caían en torno a su figura, como seda viva, en unas largas ondas que realzaban su cintura pequeña y ceñida. Se movía con fluidez, y podía imaginarla fácilmente como una bailarina, pero la idea de verla en combate, especialmente contra un lobo en forma de licántropo, mitad hombre, mitad lobo, le resultaba un tanto aterradora. Parecía demasiado delicada, con aquella estructura ósea tan menuda y las curvas tan suaves, demasiado femenina para imaginarla blandiendo una espada o un cuchillo.

—Soy bastante diestra con la mayoría de armas. Las modernas son algo más difíciles, porque Xavier rara vez traía humanos. No duraban mucho, ni le divertía especialmente torturarlos. Y su sangre no servía a su propósito, que era ser inmortal.

Branislava rodeó con el brazo una de las columnas de piedra del extremo del porche y dirigió su mirada a la oscuridad de los árboles. Zev notó que la mano le temblaba, mientras los recuerdos de su infancia y su vida volvían. Se incorporó de la silla, poniendo a prueba sus fuerzas. Definitivamente, estaba mucho mejor. Si acaso, se sentía cansado, pero no como si hubiera estado herido o enfermo.

Se acercó y al momento notó el calor que identificaba con ella. Cuando hablaban, siempre parecía tan tranquila, tan serena. Discreta. Pero empezaba a conocerla. Ahora que se fundía tan a menudo con ella, que sus espíritus estaban ligados, era imposible que no viera pequeños destellos de lo que era realmente… que no viera a la persona que protegía de cuantos la rodeaban.

Y los motivos eran tácticos. De pronto, Zev lo comprendió algo perplejo. Era una auténtica guerrera. Aquella mujer fiera y apasionada que siempre tenía oculta estaba lista para la guerra, para el combate, del mismo modo que lo estaba él. Y, en algún lugar secreto de su mente, tenía la esperanza de que, cuando decidiera que estaba lista para ir a él, también lo estaría para hacer el amor.

La rodeó con los brazos desde detrás, cerrando las manos en torno a su cintura, y la pegó contra su cuerpo.

—¿Alguna vez te has sentido segura?

Ella no se apartó, al contrario, se relajó, con la mirada perdida aún en la noche.

—Bajo tierra, cuando nos rescataron. Podía sentir a la Madre Tierra envolviéndome, sosteniéndome en sus brazos, y todo aquel calor tan maravilloso después del frío del hielo. Allí me sentía segura. Me quedé mucho más de lo que hubiera debido, y eso me hizo sentirme como una cobarde.

Branislava volvió la cabeza por encima del hombro, y sus ojos se encontraron.

—Y no lo soy.

—Jamás pensaría semejante cosa.

—En realidad nunca he interactuado con otra gente. En las cuevas de hielo hablábamos con los presos telepáticamente. A veces teníamos que crear un puente para ellos, pero nunca teníamos conversaciones como la que estamos teniendo tú y yo ahora. Tatijana y yo tenemos muchas lagunas en nuestros conocimientos. Tratamos de aprender deprisa, pero cuando lees la información o la tomas de los recuerdos de otros, no siempre interpretas las cosas como han pasado realmente.

Un lobo aulló, esta vez más cerca de la casa. Aquella nota lastimera resonó en la noche. Zev frunció el ceño.

—¿Has oído eso?

Branislava asintió.

—No ha sido ninguno de los lobos de Dimitri y Skyler. Ni pertenece tampoco a la manada de Ivory y Razvan.

—Tampoco es de ninguna de las manadas locales —dijo Zev, apartándola con suavidad a un lado y poniéndola detrás. Se acercó al borde del porche—. Pero está de caza, y está llamando a su compañero.

Su mente buscó a Dimitri. *¿Habéis oído eso? No es ninguno de nuestros vecinos.*

Lo hemos oído. La voz de Dimitri parecía grave.

—Fen, Dimitri, Skyler y yo estamos en una lista de objetivos de los licántropos. Han enviado asesinos para que nos den caza y nos maten.

Zev se volvió a mirar a Branislava por encima del hombro.

La mujer ya no llevaba su elegante vestido. Lo había cambiado por pantalones y botas, y una camiseta bajo un chaleco de cuero. El cinturón le colgaba bajo sobre las caderas, y de él pendían diferentes armas. Estaba lista para la guerra.

Zev nunca había ido de caza con ella en la superficie, y se sentía algo reacio, porque no conocía sus capacidades. En el aire, con su dragón, era certera y diestra, pero el combate cuerpo a cuerpo era algo muy distinto.

Ella lo miró desde debajo de sus largas pestañas.

—Ponme a prueba.

Fue la voz más que la mirada lo que le convenció. Su tono estaba cuajado de determinación, incluso entusiasmo. Bajo aquella belleza discreta, era un predador, y su naturaleza fiera le pedía acción.

—Haré lo que tú me digas —añadió.

—Entonces vamos.

Zev bajó del porche. Por primera vez utilizó sus capacidades como carpatiano para hacerse con sus armas. Su largo abrigo ondeaba en torno a sus tobillos, forrado en su interior de armas hechas en su mayoría por él mismo. Llevaba más armas en el cinturón, y en el interior de las botas. Una espada de plata colgaba de su cintura. Se puso unos guantes finos para evitar que la plata tocara su piel. Era un mestizo de sangre, licántropo y carpatiano, y la plata le quemaba cuando la tocaba.

Iremos a vuestro encuentro, Dimitri. Desde el sur. Ahí es donde he situado la localización del lobo. Haremos un barrido y veremos qué encontramos. Que tus lobos sepan que estamos cazando con ellos.

El lobo no está solo, advirtió Dimitri. *Estaba llamando a un compañero.*

Sí, lo sé. ¿Tienes a Skyler a la vista? La joven compañera eterna de Dimitri le preocupaba de modo especial. Tenía unas capacidades asombrosas, y los licántropos de un misterioso grupo que buscaba la guerra entre las dos especies estaban muy interesados en verla muerta.

Trató de no dar un tono demasiado preocupado a su voz. Los carpatianos eran relativamente nuevos en sus tratos con los licántropos y solían subestimarlos. Los licántropos los evitaban en lo posible, debido a una orden dada por el consejo siglos atrás, y las dos especies no habían interactuado.

Tendrán entrenamiento en el uso militar de armas, sobre todo pistolas, advirtió, incluyendo a Branislava en la conversación. *No olvides que son rápidos y fuertes y que luchan en grupo. Es posible que lo acompañe más de un lobo. El que ves no es el que más te tiene que preocupar.*

Sus palabras iban dirigidas a Dimitri, pero en realidad lo decía por las dos mujeres, aunque ambas se habían enfrentado antes a licántropos. Aún así, estaba preocupado. Dimitri había luchado en manada y contra manadas en varias ocasiones a lo largo de los siglos. Conocía bien a los lobos y sabría cómo enfrentarse a ellos. Él también era mestizo de sangre, un *hän ku pesäk kaikak*, guardián de todos, lo que significa que podía utilizar a la vez los dones de los carpatianos y los licántropos. Era rápido e inteligente, y tremendamente fuerte.

Los licántropos pueden saltar distancias enormes, nunca des por sentado que estás a salvo si te elevas en al aire, añadió sin poder evitarlo, aunque sabía que Branislava había luchado contra manadas de renegados antes.

Branislava lo seguía en silencio. Zev se dio cuenta de que avanzaba siguiendo sus pasos, siguiendo el mismo camino exacto. No se oía ni tan solo el susurro de sus ropas entre las hojas. Ni una ramita, ni una hoja que crujiera bajo sus botas. Como un fantasma que flota en la noche.

Zev había sido educado como licántropo y era licántropo de mente. Conocía el bosque y sabía moverse en silencio, pero Branislava lo dejó perplejo.

Tú me has dado el saber, le dijo ella. *Estoy en tu mente, y tus hábitos están grabados en tu interior. Solo tengo que asimilarlos y estaré lista. Me niego a ser una carga para ti cuando vayamos de caza.*

Zev notaba orgullo en sus palabras. Su nivel de confianza como cazadora era mucho mayor que cuando estaba en un entorno social. Y él sabía por qué. Como prisionera, no había tenido ocasión de aprender las normas que todos adquirían al hacerse mayores. Ella había aprendido las técnicas de lucha de los prisioneros, pero no sabía relacionarse con otras personas.

Su comportamiento tenía sentido. Permanecía en silencio, absorbiendo los conocimientos de aquellos que la rodeaban, y aprendía deprisa. No parecía ser una amenaza para nadie. No dejaba de afinar sus capacidades para el combate. Pero al mismo tiempo, también trataba de aprender cómo comportarse en un plano social.

Por desgracia, había conocido —y reconocido— a su compañero eterno. Le habían herido de muerte y todos sus planes de absorber lentamente la cultura y la sociedad de los carpatianos y los humanos se habían ido al traste en sus esfuerzos por salvarle.

Todos sus sentidos estaban en alerta. Zev podía oír el más leve movimiento, los ratones que se escurrían entre la vegetación, las diferentes criaturas que volvían a sus casas entre la maleza. Los insectos seguían revoloteando, pero ya lo esperaba. Los lobos no alteran el orden natural de la noche. Aún así, se sentía inquieto, y sabía que estarían rodeando a su presa. Aminoró aún más el paso, y avanzó entre los arbustos milímetro a milímetro, recorriendo con la mirada cuanto le rodeaba, arriba, abajo, a los lados, delante.

Dio dos pasos más y notó que una fronda pegada a un gran helecho apenas se movía. Allá en lo alto, el viento agitaba las copas de los árboles, pero no se movía ni una hoja entre los grandes troncos. No había ninguna razón legítima para que el helecho se hubiera movido.

Entonces se detuvo de golpe, y a pesar de ello Branislava no chocó contra él. Cuando miró atrás por encima del hombro, vio que sus ojos estaban clavados en la misma rama. Y se sintió henchido de orgullo. Branislava sabía bien lo que hacía. Sabía qué tenía que buscar.

Zev levantó el puño sin pensar y se agachó entre la vegetación. Ella obedeció su señal silenciosa y se acuclilló casi al mismo tiempo. Ningún sonido, ni un susurro. Era realmente buena, y se descubrió sintiendo por ella el mismo respeto que habría sentido por un leñador.

Los licántropos perciben la energía de los carpatianos cuando utilizan cualquiera de sus dones, advirtió a Branislava.

Él era un mestizo y podía contener su energía. Skyler era la única carpatiana completa a quien conocía que fuera capaz de hacer aquello. Los licántropos no podían sentir su presencia, ni siquiera después de la conversión, y eso que no era una mestiza de sangre como Dimitri.

Estudió el terreno alrededor del helecho. El suelo del bosque era irregular. Las raíces se extendían por la superficie como venas. Por aquí y por allá se veían árboles caídos, podridos y huecos, como si una mano caprichosa los hubiera esparcido por allí. La capa de hojas y agujas de pino tenía centímetros de espesor, había permanecido intacta durante cientos de años… hasta ese momento.

Zev localizó unos brotes retorcidos y maltrechos en la base del helecho. Había cuatro grandes arbustos, y los helechos habían crecido entrelazándose con ellos y sobresalían por todas partes. Apenas podía distinguir la suela de una bota que asomaba entre la vegetación. Tocó el hombro de Branislava y le señaló aquel indicio tan revelador. Ella asintió.

Quédate aquí. Voy a saltar sobre él, pero debes estar atenta a cualquier sonido, si una rama se mece o hay una ondulación en el suelo. Si saben que les estamos siguiendo, esto podría ser una trampa. Confío en que me sabrás guardar las espaldas.

Volvió la cabeza para mirar sus ojos brillantes. No parecía asustada. De hecho, se la veía más tranquila que nunca. Se sentía más tranquila. Confiaba plenamente en sus propias capacidades y a Zev eso le hizo confiar más en ella.

Si algo le sorprendió, fueron las pocas ganas que tenía de dejarla sola. Entre los licántropos, muchas veces eran las mujeres las que tenían que ahuyentar a los renegados de sus aldeas o sus casas cuando les atacaban.

Muchas servían en los ejércitos de sus países, estuvieran donde estuvieran sus manadas. E incluso en su manada de élite, Daciana cazaba junto a él, y jamás había dudado de ella, jamás había vacilado a la hora de dejarla sola.

No le gustaba la idea de perder a Branislava de vista. Esa era la pura verdad. Detestaba la idea de dejarla sola sabiendo que el peligro acechaba. Seguramente el motivo es que era su compañera eterna, y no que dudara de su capacidad para manejarse con lo que pudiera suceder en el bosque.

Un lobo aulló y por el sonido de su voz Zev supo que era un animal. Reconocía su voz. Era *Shadow*, el macho alfa de Dimitri. Otro lobo contestó. La pequeña hembra, *Moonglow*. *Shadow* aulló una segunda vez y en esta ocasión contestó *Sonnet*.

¿Qué dicen?, preguntó Branislava. *Una sola nota no significa nada.*

Había tomado sus palabras muy en serio y su mente seguía un canal muy estrecho para comunicarse, cada palabra brotaba fina y espaciada para que la energía se dispersara casi antes de que Zev pudiera captarla en su mente.

Están contando. Han detectado a cuatro asesinos merodeando por nuestro bosque. Deben de estar buscando a alguien, y apostaría a que se trata de Skyler.

Pues se van a llevar una sorpresa si se acercan ni remotamente a ella. Su tono estaba teñido de satisfacción.

Tenemos a uno muy cerca, diría que están cazando por parejas. Tiene que haber al menos otro por aquí.

Zev se tiró sobre el estómago y se arrastró entre la maleza hacia los tres densos arbustos entre los que se había escondido el licántropo. Cientos de helechos habían brotado entre ellos, de tal modo que sus hojas y las hojas de los arbustos habían formado un refugio natural. El licántropo —Zev lo reconoció como Rollo— pertenecía a una manada subordinada a la manada principal de Randall, un miembro del consejo. La manada principal de Randall era una de las más grandes que él había conocido. Y esa manada principal dirigía a otras tres manadas.

De hecho, había hablado muchas veces con Rollo. Sabía que el hombre tenía compañera, pero no hijos, lo cual no era inusual. Pocos licántropos podían tener hijos aparte de la pareja alfa. Aquel hombre le gustaba. Era un buen cazador. Había servido en el cuerpo de Marines de Estados Unidos. Corría con frecuencia con otro hombre que respondía al nombre de Ivaylo, y por eso estaba convencido de que Ivaylo estaba cerca, cubriendo a Rollo.

Ahora podía oler al licántropo asesino, la inminente agresión, la combinación entre inquietud y entusiasmo que a menudo preceden al combate. La adrenalina que se dispara cuando uno espera para emboscar a alguien.

Zev podía oír el corazón de Rollo latir desbocado, y aquel retumbar que le llamaba. Oía la sangre fluir por sus venas como agua. Su linaje de sangre oscura —y lo reconocía por lo que era— había aflorado a un primer plano. Y sus sentidos, una mezcla de licántropo y carpatiano, eran tan agudos que casi resultaba abrumador. Permaneció tumbado, a pocos centímetros de su presa, dejando que sus sentidos se desplegaran, buscando a Ivaylo, el licántropo que seguramente era el compañero de Rollo.

Sabía que habían servido juntos en el ejército. A los dos hombres les encantaba decir que habían ingresado juntos, habían salido juntos y se habían casado con sus esposas el mismo día en una ceremonia doble. Zev estaba muy quieto, esperando una señal que sabía que llegaría y que le revelaría la posición del segundo licántropo. Para ser un buen cazador se necesitaba sobre todo paciencia, y él tenía mucha. Esperaba que Branislava también.

La tensión iba en aumento. Una diminuta comadreja pasó corriendo sobre su mano, se detuvo y echó a correr en cuatro ocasiones antes de desa parecer entre el pequeño entramado de helechos. Rollo suspiró, con un sonido amortiguado, como si se hubiera cubierto la boca con el brazo.

Un búho se lanzó con rapidez desde lo alto, con las garras extendidas, buscando a la comadreja. El animalillo profirió un chillido agudo de terror. Y justo cuando las garras lo estaban rozando, se escabulló en el interior de una grieta entre dos pequeñas rocas. El búho no capturó a su presa y, con un pequeño sonido de decepción, volvió a elevarse batiendo sus alas. El pájaro se dirigió a un árbol que había a unos metros de los helechos, y estaba a punto de posarse en una rama alta cuando viró bruscamente.

Zev siguió la línea de visión del búho. Tal como esperaba, Ivaylo estaba escondido en lo alto del árbol, cubriendo a su amigo.

¿Le ves?

He sabido que estaba ahí en el momento en que el búho ha preferido no posarse. Branislava guardó silencio un momento, dejó escapar un suspiro y confesó. *He visto el búho cuando se lanzaba a por la comadreja, pero cuando ha cambiado de dirección, tu conclusión estaba en tu cabeza antes de que tuviera tiempo de deducirlo por mí misma. Pero lo hubiera hecho.*

Si queremos llegar hasta Dimitri y Skyler y ayudarles, no podemos dejar que estos dos sigan vivos y nos persigan, lo sabes ¿verdad?

Cazar no era lo mismo que matar. Branislava no era un soldado.

En ese momento, un lobo asomó la cabeza entre los arbustos, a unos metros de Rollo. Branislava aspiró con fuerza. Aquel no era uno de los lobos de la manada de Dimitri y Skyler, lo sabía por su pelaje, pero había otros lobos en la zona, y aquel era muy curioso.

Zev maldijo lentamente por lo bajo. Ahora lo entendía. Los licántropos sabían que Dimitri era un gran amante de los lobos. Conocían su reputación. *Estos dos están escondidos esperando a que los otros empujen a los lobos en esta dirección. Y con eso esperan atraer también a Dimitri y a Skyler.*

Se oyó un disparo. El lobo chilló y saltó en el aire. Cayó con fuerza contra el suelo, jadeando, con los ojos desorbitados por el dolor. Trataba de levantarse, una y otra vez, pero volvía a caer. Cuando el animal vio que no podía caminar, trató de arrastrarse a la seguridad relativa del arbusto.

Una fría sensación de ira se enroscó en el vientre de Zev. *Esto es un sacrilegio,* musitó. *Ningún licántropo hiere deliberadamente a un lobo. Son nuestros hermanos.*

No parece que a estos dos les importe mucho. Recuerda que van a la caza de Dimitri y de Skyler, seguramente también de ti y de Fen. Creo que podría llegar hasta el lobo y detener la hemorragia.

Branislava parecía muy segura. No podía reprocharle su valor. Esperaba que él decidiera. Si acudía en ayuda del lobo, lo cual de por sí ya era peligroso, porque el animal estaba herido y furioso, tendría que eliminar a Ivaylo para protegerla. Y eso dejaría vía libre a Rollo, que estaba a solo unos metros de ella, armado y deseando matar.

Puedo hacerlo, Zev. Quiero hacerlo, insistió. *Tu bisabuela cazó junto a su compañero eterno y yo pienso hacer lo mismo. Algún día tendré que empezar.*

Él asintió, moviendo la cabeza lentamente, y le indicó que se fuera. Branislava no cometió el error de usar sus capacidades carpatianas para convertirse en algo pequeño para poder llegar por tierra hasta el arbusto donde el lobo se escondía. Los dos licántropos habrían captado enseguida el cambio de energía. En vez de eso, usó sus codos y sus pies y retrocedió arrastrándose.

Ni una sola hoja, ni un zarcillo, ni una rama se movió mientras Branislava avanzaba centímetro a centímetro por el túnel que los conejos habían formado con su paso entre la maleza. Era menuda, pero le sorprendió poder usar aquel pasadizo sin descubrirse ante su enemigo, que definitivamente estaba apostado en un lugar elevado para poder ver a cualquiera que asomara la cabeza.

A Zev no le preocupaba si Ivaylo le veía venir o no. El hombre tenía un rifle en las manos y Branislava se estaba acercando a un lobo herido. En cualquier momento estaría cara a cara frente al animal y podía ser el caos.

Entonces utilizó su velocidad de mestizo de sangre y corrió como un borrón imposible de discernir hasta la base del árbol y saltó hacia arriba, y en un único movimiento, le arrancó al hombre el rifle de las manos y lo derribó de la rama con sus garras.

Mientras caían, Zev giró en el aire y utilizó el cuerpo de Ivaylo como escudo para evitar que su compañero le disparara. Sabía que la atención de Rollo estaría puesta en la lucha desesperada entre él e Ivaylo, no en Branislava y el lobo. Los dos hombres cayeron a la vez contra el suelo, Ivaylo de espaldas, y Zev acuclillándose sobre sus pies.

De nuevo utilizó la enorme fuerza de su sangre mezclada para arrastrar a Ivaylo a través de varias capas de vegetación y mantillo con una mano. Con la otra sujetaba una daga de plata, con una forma parecida a un sacacorchos. La clavó con fuerza en el pecho, atravesando el corazón, y salió por el otro lado, de modo que el hombre quedó clavado en el suelo. Se oyó un disparo, luego otro. Rollo disparaba con rapidez, tratando desesperadamente de apartarlo de su compañero. Las balas silbaban contra el suelo a su alrededor. Detrás de él, la corteza del árbol empezó a astillarse por el impacto de los proyectiles.

Zev rodó por el suelo para esconderse. Por un momento vio a Branislava y sintió que el corazón le subía a la boca. Se elevó detrás de Rollo, como un ave de leyenda... como un ave fénix. Sus cabellos, en una larga trenza, se apartaban de su rostro chisporroteando en rojo sangre como en una puesta de sol. Sus ojos habían pasado del esmeralda a un verde con llamas rojizas rugiendo en en centro.

Rollo se puso en pie, con el rifle contra el hombro, el dedo en el gatillo, sin dejar de disparar. Detrás, la diminuta figura de Branislava adoptó un brillo feroz, como si el dragón de fuego que llevaba dentro estuviera deseando salir. Y se elevó de forma amenazadora detrás del licántropo. La luna arrancó un destello de plata de su mano.

Sin embargo, no clavó la estaca en el cuerpo por la espalda como Zev esperaba. Saltó en el aire, por encima de él, y con un rápido movimiento de las piernas le arrancó la pistola de las manos. Y mientras caía, le clavó la daga en el corazón. Sus pies tocaron el suelo, y el hombre se quedó un momento así, tambaleándose, con los ojos muy abiertos, sujetando con las manos la estaca, como si pensara que podría reunir las fuerzas para arrancársela.

Branislava retrocedió. Rollo cayó de rodillas, a sus pies, sujetando todavía la hoja de plata que atravesaba su corazón. Ella alzó la mano y, cuando Zev le lanzó su espada, la cogió al vuelo y bajó el brazo con un movimiento de barrido, utilizando su fuerza carpatiana para cortar la cabeza de una vez. Sin detenerse, volvió a alzar la espada y la arrojó de nuevo a Zev, quien cortó la cabeza de Ivaylo.

—Creo que eso ha sido un poco presuntuoso, *mon chaton féroce*.

Ella le dedicó una sonrisa enigmática.

—Tal vez, pero he hecho mi trabajo. ¿Podrías informar a Dimitri y a Skyler mientras trato de salvar al lobo? He tenido que elegir entre los dos, el lobo o un compañero eterno loco, y ya que Mikhail y Gregori creen que eres tan importante, he supuesto que era mejor salvarte a ti.

Él asintió, y de pronto notó que lo invadía un calor intenso. Cada uno de los pasos de Branislava, incluso con aquel movimiento fluido entre la vegetación, iba acompañado del chisporroteo del fuego. Era como si saltaran chispas de su piel y sus cabellos, aunque en realidad no se oía nada, solo era la ilusión de llamas que ardían de dentro afuera.

Dimitri, hemos abatido a dos aquí. ¿Podéis avanzar hacia nosotros?

Estamos atrapados. No saben que estamos aquí, pero son cuatro, y estamos atrapados en medio. Puedo matarlos uno a uno, pero no sé si quiero dejar sola a Skyler.

Zev entendía perfectamente su dilema. A él no le gustaba dejar sola a Branislava, y ella tenía el conocimiento que le habían dado cientos de soldados durante siglos. Skyler solo tenía diecinueve años, y se había convertido hacía muy poco.

Están utilizando a la manada local de lobos para tratar de haceros salir. Tenemos un lobo herido aquí. Branka está tratando de salvarlo.

Tenemos a nuestros lobos con nosotros. He avisado a la manada local para que no se acercaran, pero tarde o temprano vendrán a investigar. Este es su territorio.

Zev también entendía aquello. Los licántropos serían pacientes. Tenían toda la noche para acosar a Skyler y a Dimitri y a la manada de lobos local. Buscarían un escondite y esperarían. Tarde o temprano la manada regresaría. Los lobos olerían la presencia de rivales en su territorio y querrían echarlos. Y cuando aparecieran, los licántropos los herirían, con la esperanza de hacer salir a Dimitri o a su compañera eterna.

Voy hacia vosotros. No me dispares por error. He notado que puedes ser algo impulsivo cuando cazas.

Debo decir que tu sentido del humor se está volviendo menos licántropo y más carpatiano por momentos.

Zev se descubrió riendo. Era agradable tener una familia. Había olvidado lo que significaba poder vivir momentos como aquel, pequeños momentos compartidos incluso cuando alguien estaba intentando darte caza. Hacía mucho, mucho tiempo que él no tenía familia, a menos que contara a Daciana, Makoce y Lykaon, tres miembros de su manada de caza de élite. Siempre había contado con ellos para que le cubrieran las espaldas, y jamás le habían fallado.

Avanzó hasta Branislava. Estaba acuclillada entre las ramas del arbusto, con una mano en el suave pelaje, la cabeza gacha. Zev suspiró y apoyó una mano en su hombro.

—Lo siento, *cheri,* no podías hacer nada.

Cuánto pesar. Aunque era un animal, el lobo era su hermano, una criatura salvaje y majestuosa que no merecía quedar atrapada en medio de aquella guerra.

Ella volvió la cabeza para mirarle, mientras las lágrimas convertían sus ojos en esmeraldas.

—Entiendo que Ivory sintiera la tentación de salvarlos aunque no debiera.

—Convertir un lobo en carpatiano sería crear una máquina de matar. Ivory había pasado un tiempo con los cachorros antes de convertirlos —advirtió—. Pero es una práctica peligrosa.

Branislava asintió y permitió que la ayudara a ponerse en pie.

—Lo sé muy bien. Y aún así, ha sido una lucha no intentarlo. He visto que estaba muerto, pero la tentación estaba ahí.

—¿Me estás diciendo que probablemente acabaremos con tatuajes de lobos? —preguntó, rodeándola con el brazo y atrayéndola hacia sí para consolarla.

—El tuyo diría «lobito». —Y por un instante se apoyó contra él buscando refugio, mientras se recuperaba—. Yo quiero a todos los lobos corriendo sobre mi piel.

—Señor de los lobos —la corrigió él con aire solemne—. Seré el señor de los lobos y su guardián.

Eso le valió una leve sonrisa y una rápida mirada de exasperación.

Volvió su atención hacia los dos compañeros.

—No podemos incinerarlos sin que los otros licántropos sepan que estamos en el bosque.

—No van a ir a ningún sitio —decretó Zev—. No van a levantarse en forma de zombies ni nada parecido.

—Pues podría pasar. Tatijana me ha hablado del apocalipsis de los zombies.

Él se rió con suavidad.

—Ha estado viendo películas, ¿eh?

Branislava tuvo que confesar la verdad. Asintió, pero lo miró arqueando una ceja.

—Si los licántropos y los carpatianos son reales, los zombies también podrían serlo.

Él rozó con los labios su cabeza.

—Los vampiros crean marionetas. Fen las llama guls, pero si te gusta más las llamaremos zombies.

—Vamos a cazar a los asesinos. Tienen atrapados a Dimitri y a Skyler.

—Dimitri no me parece la clase de hombre que se deja atrapar —replicó Branislava con cierto desdén—. Para cuando lleguemos allí, estoy segura de que ya se habrá ocupado de todo.

Corrieron por el bosque hacia las coordenadas que Dimitri les había indicado. Cuando estaban cerca, aminoraron el paso. A Zev le gustó ver que Branislava lo hacía por iniciativa propia, sin esperar a que él lo dijera.

Con una señal, le indicó que se acercara por abajo. Él fue hacia arriba, se elevó hacia la bóveda arbolada en la forma de una lagartija, trepando por la corteza. Su cuerpo adoptaba la coloración de cuanto le rodeaba y se confundía perfectamente con el entorno. Notaba olor a sangre, y no le sorprendió ver el primer cadáver al pie del grueso tronco de un árbol. La cabeza reposaba sobre el pecho, y una estaca de plata sobresalía del pecho. El brazo del licántropo muerto estaba vuelto hacia arriba, y dejaba ver el pequeño e intrincado círculo de la parte interna de la muñeca. Aquel hombre era miembro del Círculo Sagrado, una secta seudoreligiosa en la que creían muchos de los licántropos.

Buen trabajo. ¿Has localizado a su compañero?

Todavía no. Estoy en ello.

Yo avanzaré en el sentido de las agujas del reloj. Branka va por tierra, buscando en la misma dirección, siguiendo un patrón de cuadrícula.

Skyler seguirá la dirección contraria a Bronnie, dijo Dimitri con tono reacio.

¡Zev!

Era Branislava. Su tono sonaba tembloroso, parecía alterada, y a pesar de ello se mantuvo oculta y Zev no pudo evitar sentirse orgulloso.

La manada de lobos ya vuelve. El macho alfa casi me pisa. He tratado de ahuyentarlo, pero ha olido la sangre.

Zev maldijo por lo bajo. Lo último que necesitaban en aquellos momentos era que se metiera por medio una manada sana y territorial que pudieran utilizar contra ellos.

Trata de avisarles del peligro. Es lo único que podían hacer. Si no hacían caso, sería por decisión de su macho alfa, no de Branislava, aunque sabía que si algo pasaba a los otros lobos se sentiría responsable. Y se preparó mentalmente para la posibilidad de que quisiera salvarlos y él tuviera que decirle que no.

Entonces se desplazó al siguiente árbol a través de las largas ramas del árbol en que estaba. Miró con atención a su alrededor. El aliento se le atragantó. Su corazón saltó de miedo. Podía ver a Skyler, a cierta distancia, tendida sobre la vegetación, cubierta por unos arbustos, pero bien expuesta, de manera que un buen tirador situado en un lugar elevado podía matarla fácilmente.

Skyler, ponte a cubierto, advirtió con brusquedad, sintiendo un escalofrío recorrerle la columna, con el poderoso instinto de protegerla, pero ni siquiera la increíble rapidez con que saltaba de rama en rama podría hacer que llegara a tiempo.

Sonó un disparo y el cuerpo de Skyler se sacudió. Un pequeño géiser rojo saltó de la parte posterior de su cabeza.

Capítulo 6

Zev esperaba sentir su muerte, igual que pasó la primera vez que la mataron los licántropos, todos los carpatianos lo sintieron. Pero lo cierto es que no había nada, solo vacío.

Sonó otro disparo, y un tercero, y las dos balas impactaron en el cuerpo que yacía en el suelo. Era evidente que ya estaba muerta, pero el tirador quería asegurarse. Mientras Zev miraba horrorizado, el cuerpo de Skyler se sacudió, los brazos se extendieron con rigidez, los pies golpearon el suelo. Se levantó, dando sacudidas y tirones, hasta que consiguió ponerse erguida, por los brazos extendidos con rigidez.

Su cuerpo se volvió como si fuera una brújula señalando el camino hacia su asesino. Se lanzó hacia delante. La sangre le corría por el rostro desde el orificio de salida de la bala en la mejilla derecha. Y había más sangre en la parte delantera de su chaleco. Cada paso que daba era laborioso, y su cuerpo se sacudía de un modo aparatoso. Tenía los ojos exageradamente abiertos.

Zev sintió que su estómago se aplacaba. Se pasó una mano por la cara y al hacerlo se llevó el miedo de perder a Skyler y sustituyó aquella intensa emoción por risa. *Skyler vio las películas con Tatijana, ¿verdad?*

Era imposible apartar la mirada de aquel espantoso espectáculo, mientras Skyler seguía con su laborioso trayecto por el bosque hacia el árbol donde el tirador se había ocultado para esperarla. Otra bala le acertó en el ojo izquierdo. Su cabeza se sacudió hacia atrás y permaneció así unos instantes, mientras sus pies se movían con rapidez retrocediendo y tratando de recuperar el equilibrio.

El arbusto que Skyler tenía a su izquierda se abrió y apareció Branislava, con el rostro flácido, la boca abierta, los brazos extendidos ante ella. Se movía con las mismas sacudidas que Skyler, a trompicones. Una parte de su brazo cayó al suelo y en su cara la carne parecía desprendida. No miraba ni a derecha ni a izquierda, se limitó a avanzar en la dirección que Skyler había señalado.

Skyler se puso derecha, aunque su cabeza se ladeaba de manera alarmante cuando reinició la marcha lenta y tambaleante hacia el árbol del licántropo. Ahora Zev podía verlo, levantando la cabeza asustado, poniendo el ojo en la mira, para volver a levantar la cabeza como si no estuviera muy seguro de que no fuera mejor echar a correr.

El tirador se acomodó detrás del rifle y apretó el gatillo, aunque esta vez apuntaba a Branislava. Zev, que vio perfectamente cómo la carne empezaba a desprenderse del cuerpo de su compañera eterna, no podía culpar a aquel hombre. La bala le acertó en el pecho, y su cuerpo se sacudió como si fuera una muñeca de trapo. Dio unos traspiés, mientras una sangre negra salía a borbotones por el orificio de entrada justo encima del corazón, pero se recuperó, balanceándose y sacudiéndose, y echó a andar otra vez.

Cuando ya llegaban al árbol, otro arbusto se abrió y apareció un tercer zombie. Tatijana, que tenía un aspecto aún más terrible que Branislava. El pelo se le caía, e iba dejando a su paso un rastro de mechones rojos. Por lo visto había perdido un pie, y avanzaba con paso inestable pero firme hacia el árbol.

El licántropo decidió retirarse, y recogió su arma a toda prisa. Se puso en pie, pero, aún así, le costaba apartar la mirada de aquella visión improbable pero totalmente real de tres mujeres muertas que avanzaban hacia él. Se volvió para bajar de un salto.

Y en ese momento, la Branislava real hizo llegar la estaca de plata a su sitio, clavándola en su pecho con fuerza carpatiana. Tatijana blandió la espada de plata y rebanó limpiamente la cabeza del tirador, que cayó casi a los pies de las tres zombies. Al momento las tres apariciones se desvanecieron, no eran más que una ilusión que Skyler había proyectado para que el tirador no reparara en las dos mujeres que iban hacia él.

Zev meneó la cabeza. *Buen trabajo, Skyler. Un poco teatral, pero ha funcionado.*

Es mi homenaje a Josef y una pequeña venganza en su nombre para estos asesinos. En su voz no había remordimiento. Josef era su mejor amigo, y los licántropos le habían disparado. Skyler era conocida por no olvidar nunca una afrenta y ser muy vengativa. *A Josef le gustaría mi estilo.* Esta vez el tono era un tanto suficiente.

Dimitri, es imposible controlar a estas cazadoras de dragones, y la tuya podría ser muy bien la cabecilla del grupo, le informó Zev.

Cuatro asesinos muertos y al menos dos aún vivos. El que habían matado Tatijana y Branislava no era el compañero del licántropo que había matado Dimitri. No estaba en posición de poder cubrir al licántropo que había en el árbol. En esos momentos Dimitri se estaba acercando a él.

Zev tenía que concentrarse en encontrar al tirador que se ocultaba en lo alto de alguno de los árboles, con su panorámica privilegiada. Y tenía una idea bastante aproximada de dónde tenía que buscar. Los licántropos cazaban siguiendo siempre un patrón, incluso desde la seguridad que les daba la distancia.

Skyler está un poco chiflada, confesó Dimitri con la risa en la voz. *¿Quién lo iba a decir?*

Tú lo podías decir, contestó ella. *Tú eres el único. Y ahora tengo conmigo a mis tías y a mis lobos. Recuérdalo la próxima vez que decidas contrariarme, Zev.*

Zev oyó la tenue risa de las otras dos mujeres cuando Skyler compartió con ellas aquella falsa amenaza. Había empezado a moverse, utilizando de nuevo las ramas de los árboles para volver atrás y buscar al segundo tirador.

Branka, comprueba su muñeca o su brazo para ver si tiene uno de esos círculos tatuados.

Lo tiene, puedo verlo desde aquí. Es el mismo que tenían los otros dos hombres.

¿Es posible que se tratara de fervor religioso? Lo dudaba. Él había estado en algunas de sus reuniones. Si bien Arno, el líder del consejo al que había protegido a costa casi de su vida, era un orador extraordinario y apasionado, no se excedía en su entusiasmo. Tenía cierto rango en la jerarquía del Círculo Sagrado, creía en sus doctrinas, pero moderaba aquellas creencias con el pensamiento lógico.

Zev localizó al tirador en un abeto, en el hueco entre una rama y el tronco, mucho más arriba que el otro. Había subido en un intento por ver a qué estaba disparando su compañero. Probablemente Skyler solo había proyectado la ilusión para el hombre al que quería cazar. Y el otro licántropo solo habría visto un espacio vacío. No podía saber a qué disparaba su compañero.

El lagarto se desplazó por la rama que unía los dos árboles con pasos lentos y calculados, procurando no llamar la atención. Reconoció el olor de aquel hombre, y sintió que el alma se le caía a los pies.

Damon Declaw era el hermano mayor de Daciana. Durante el pasado siglo habrían comido juntos un millar de veces. Habían reído juntos, habían cazado juntos, e incluso se habían dado sangre el uno al otro cuando las heridas de la batalla así lo aconsejaban.

Daciana amaba a aquel hombre con todo su corazón. Era su referente. Le admiraba. Compartía con él las historias de sus expediciones de caza contra manadas de renegados. Él siempre la había apoyado. Los miembros del núcleo duro del Círculo Sagrado no creían que las mujeres hubieran de llevar armas. Y, sin embargo, Damon nunca había demostrado nada que no fuera orgullo por su hermana.

Zev meneó la cabeza. No tenía ni idea de lo que pretendía. Damon estaba agazapado esperando a un miembro de la manada local de lobos, y eso iba en contra de todo lo que eran como especie. Ellos protegían la vida salvaje, no la utilizaban como cebo. ¿Mataría a Skyler? ¿A Dimitri? ¿A Branislava?

Maldiciendo con desespero por lo bajo, Zev empezó a subir por el tronco. Moviéndose muy despacio, para no llamar la atención, mimetizándose a la perfección con la corteza del árbol. Cuando llegó a la rama y avanzó para situarse detrás de Damon, se dio cuenta de que necesitaba algo que demostrara de modo irrefutable que su amigo, el hermano de Daciana, estaba realmente perdido.

Skyler, ¿puedes proyectar la ilusión de un lobo curioso que sale de entre los arbutos para investigar los cadáveres? No hagas que se acerque demasiado. No quería que Damon reaccionara tratando de proteger los cuerpos de sus compañeros del lobo, sino saber si dispararía al animal para atraer a Skyler y a Dimitri.

Ningún problema. Skyler se había puesto manos a la obra, las bromas habían quedado aparcadas, como si intuyera que Zev se sentía dividido y se compadeciera de él.

Zev sabía que Skyler era una empática, tanto si ella lo sabía como si no, pero en este caso, era mucho más probable que su Branka descubriera antes su dilema porque estaba fundida con él.

Estoy a tu lado sea cual sea el desenlace, susurró Branislava en su mente.

Zev se sintió lleno de calidez y esperanza por el futuro. Quizá no estaba preparada para comprometerse aún, pero lo estaría y quería que él lo supiera.

Este hombre es un amigo. Si le mato, ¿cómo podré mirar a la cara a Daciana?

Si una familia tenía en el mundo de los licántropos, eran Makoce, Lykaon y Daciana. Ella jamás se lo perdonaría si mataba a su hermano. Jamás. Y no la culpaba. Aún así, si Damon rompía de un modo tan flagrante las normas de su sociedad, ¿acaso tenía elección?

Quizá no tendrás que hacerlo, dijo Branislava. *Quizá te dará un motivo para que le permitas vivir.*

Aquella mujer siempre se las arreglaba para decir las palabras justas. En la forma de un lagarto, Zev se situó por encima de la cabeza de Damon y esperó. Unos instantes después, Damon adelantó ligeramente su arma y se inclinó para mirar por la mira. Zev vio al lobo cuando asomaba el morro con cautela desde el arbusto. El animal esperó pacientemente antes de salir a terreno abierto, olfateando el aire, buscando el rastro de sangre y muerte.

Era una bonita hembra, fuerte y musculosa, con un pelaje tricolor. Cuando la luna la iluminó, sus colores brillaron, negro, plata y marrón grisáceo.

No es mía, exclamó Skyler. *Es real.*

Damon vaciló, debatiéndose visiblemente consigo mismo. Zev rezó para que no apretara el gatillo.

Otro lobo apareció, otra hembra. Le enseñó los dientes a la primera. La hembra plateada se volvió para plantar cara a la amenaza.

Se dirige hacia ti, advirtió Dimitri. *El tirador se mueve.*

Otros cuatro lobos aparecieron, gruñendo a las dos hembras. Ninguna prestó atención.

No te impliques, advirtió Zev a Branislava. *La hembra alfa quiere que la más joven abandone la manada y la está presionando. Seguimos teniendo a dos licántropos que intentan dar caza a Skyler y Dimitri. Si te pones en medio podrían tratar de matarte.*

Por encima de los lobos, la bóveda de árboles se agitó suavemente por la brisa. Pero la brisa no llegó al suelo del bosque. Un búho se instaló en una rama, y plegó sus alas en torno a su cuerpo, oculto casi del todo por el follaje. Contempló el espectáculo de abajo. Otros cinco lobos se unieron al círculo que se había formado en torno a las dos hembras.

Damon suspiró y sacudió la cabeza. Era evidente que no quería disparar a los lobos. Se oyó un disparo, y la hembra plateada chilló y saltó en el aire. Los lobos desaparecieron entre la vegetación. Damon renegó y volvió a colocar el rifle en posición. Utilizó la mira telescópica para recorrer la zona, tratando de encontrar un objetivo que no fueran los lobos.

La hembra trató de ponerse a cubierto, aullando de dolor cada vez que intentaba levantarse. Entonces maldijo en voz alta.

—Maldito seas, Vasya, no tenías por qué hacer eso.

Zev contuvo el aliento cuando vio que el arbusto que quedaba más cerca de la hembra herida se movía, apenas unos milímetros, pero no había brisa, no había nada que hubiera podido hacer que las hojas se movieran. Los lobos se habían retirado, pues sabían bien lo que significa el sonido de un arma. Por la forma en que Damon colocó los hombros y sujetó el rifle, supo que él también había captado aquel revelador movimiento.

Una mano de mujer salió muy lentamente del interior del arbusto, y detrás siguió el brazo: era Skyler, que trataba de llegar a la loba para arrastrarla a la seguridad del arbusto.

—Vasya, no lo hagas —susurró Damon casi como si fuera una súplica—. Es una mujer. No aprietes el gatillo.

Zev descendió y se situó junto a Damon, justo detrás, listo para detenerle si era necesario. No podía hacer nada con respecto a Vasya. Miró al lugar desde donde el búho observaba, pero se había ido. Había desplegado las alas y había volado en absoluto silencio. Sus plumas le permitían aquel silencio, pero él estaba convencido de que Dimitri estaba cerca.

Supo que no se equivocaba cuando el chillido agudo de un hombre hizo enmudecer a los insectos. El rifle se disparó simultáneamente, con un sonido estruendoso. Damon maldijo y de nuevo utilizó la mira telescópica para tratar de ver qué le estaba pasando a Vasya.

Zev tenía la vista clavada en Skyler. La segunda bala impactó en la joven loba, y la compañera eterna de Dimitri arrastró el cuerpo ensangrentado del animal al interior del arbusto. Por un momento vio a Branislava, acuclillada muy cerca. Otro lobo, un macho enorme, saltó desde cierta distancia, como si lo hubiera hecho desde una rama en lugar de venir por el suelo. Corrió por el suelo descubierto del bosque, siguiendo un inesperado patrón en zigzag.

Entonces reconoció al macho alfa de Dimitri, *Shadow*. No sabía si estaba tratando de proteger a Skyler, o a la loba herida, pero tampoco importaba. Damon no le disparó. Zev clavó la punta de una daga de plata con fuerza en su espalda. Lo único que tenía que hacer era utilizar su fuerza de mestizo de sangre para penetrar músculo y hueso y llegar al corazón.

—Tira el arma —le aconsejó—. Me conoces. Y sabes que te mataré sin pensarlo. No seas tan estúpido como para cometer ningún error.

Damon se puso tenso, había reconocido su voz. Dejó caer el arma.

—Pensaba que habías muerto.

Zev sintió que el corazón se le encogía. ¿Se lo habría dicho Daciana? ¿Estaba ella vinculada de algún modo a aquella traición? Ella era su familia.

—¿Y por qué pensabas eso?

Lo dijo con voz neutra, no quería dar la impresión de que Damon le había hecho dudar de la lealtad de su hermana.

El hombre se encogió de hombros.

—Llegó la noticia de que los carpatianos habían utilizado una trampa para librarse del consejo. Tú moriste por proteger a uno de ellos. Los licántropos se enfrentaron a ellos, y trataron de sacar al resto de miembros del consejo de su territorio.

—Pon las manos detrás de la cabeza y no te muevas. Lo digo en serio, Damon. ¿Fue Daciana quien te dijo todo eso?

Extendió la mano y cortó el cinturón que llevaba a la cintura, y dejó que cayera con todas las armas sobre la rama. Con la culata del cuchillo lo empujó y dejó que cayera al suelo del bosque.

Un gruñido bajo escapó de sus labios.

—¿Mi hermana? Me dijeron que la habían asesinado.

—¿Trataste de comunicarte con ella?

—Mil veces. Y no hubo respuesta. Intenté contactar también con su compañero, Makoce, pero tampoco hubo respuesta. Nadie contesta.

—Está sana y salva, Damon. Mientras tú y yo hablamos, ella está protegiendo a los miembros del consejo. Una facción de los licántropos, no los carpatianos, atacó el poblado carpatiano y atentó simultáneamente contra las vidas del príncipe y los miembros de nuestro consejo. —Zev estiró el brazo para subirle la manga y dejó al descubierto el tatuaje del Círculo Sagrado—. Todos los que trataron de eliminar al consejo llevan este tatuaje.

—Eso es una idiotez, Zev. Nosotros creemos en la moral y la ética. No asesinamos a los nuestros ni a los de otras especies.

—Y, sin embargo, estás agazapado esperando para matar a una joven mujer que no te ha hecho nada. Estabas esperando para disparar a un lobo y utilizarlo como cebo, porque sabías que ella es demasiado compasiva y acudiría para ayudarle.

La acusación era dura, pero Zev se sentía duro. Le daban ganas de sacudir a Damon hasta que los dientes le bailaran en la boca y luego llevárselo simbólicamente atrás para darle una buena azotaina. ¿Qué le estaba pasando a su gente? Los licántropos eran buenas personas, no fanáticos que mataban sin pensar.

—No iba a disparar a ningún lobo —musitó Damon.

—Pero alguien te dio la orden de que lo hicieras —insistió él—. Era parte de tu misión. Atraer a la mujer utilizando a uno de nuestros lobos salvajes.

Damon suspiró.

—Sé que no tiene sentido, pero alguien tiene que pagar por la muerte de Daciana.

—Ya te lo he dicho, idiota, Daciana no está muerta. Y francamente, si lo estuviera, matando a Skyler tampoco la harías volver. ¿Qué te ha dado para que te unas a esta gente? Tienes un cerebro, ¿por qué no lo usas?

Damon no contestó.

Zev empezaba a cansarse de aquello.

—Si hubieras levantado ese rifle contra el lobo o contra Skyler, te hubiera dejado seco aquí mismo. Y te lo habrías buscado.

Damon apoyó el peso del cuerpo sobre los talones.

—No sé por qué me uní a ellos. —Parecía confuso—. Tienes razón. Esto va en contra de todo lo que creo. No es propio de mí que no compruebe los hechos. Y también va en contra del código del Círculo Sagrado. No aprobamos el uso de la violencia. La autodefensa, sí, pero no el asesinato. No engañamos a la gente para que salga al descubierto y entonces le disparamos. —Bajó los brazos y se volvió hacia Zev—. ¿Qué me está pasando?

—¿Qué parte de «no te muevas» no has entendido? —preguntó Zev con calma.

Damon apoyó las palmas de las manos sobre los muslos.

—No soy una amenaza. Quiero ver a Daciana. Quizá ella podrá decirme qué está pasando.

Su voz sonaba sincera. Zev no sabía qué pensar. Jamás hubiera esperado que Damon paticipara en un asesinato.

Dice la verdad, le dijo Branislava. *Lo noto en su voz.*

Yo también lo noto, pero eso no significa nada, mon chaton féroce.

Por su tono Branislava supo que se sentía dolido. Aquel hombre había sido su amigo..., un buen amigo. Zev se sentía traicionado. No solo por Damon, sino por su especie al completo. Se había pasado la vida cumpliendo con su deber, protegiendo a los suyos y, primero se vuelven contra él, luego lo avergüenzan con sus actos, y ahora encima lo traicionan.

Zev se guiaba por un estricto código de honor. No esperaba mucho a cambio de sus servicios, pero sí exigía lealtad. En una manada la lealtad lo era todo, y de alguna forma, en su mente, aquel hombre era miembro de su manada.

Llévalo ante el consejo. Deja que ellos decidan qué hacer con él, sugirió Branislava. *Si alguno de ellos está detrás de esto, ¿no crees que saldrá en su defensa?*

No necesariamente. Se sentía reacio a llevar a Damon ante el consejo, sobre todo después de lo que había pasado con Dimitri. Los miembros del consejo le juraron que estaba a salvo y bien atendido, cuando en realidad le habían condenado al peor de los destinos: la muerte más cruel que podía sufrir un licántropo o un enemigo. Cierto, Dimitri era un mestizo de sangre, se le consideraba uno de los temibles *sange rau*, una abominación que había estado proscrita durante siglos. Y a pesar de ello, no había muchas personas en las que Zev confiara y, en aquellos momentos, en los licántropos mucho menos.

Branislava suspiró. Dimitri avanzó hacia ellos, tan alto y autoritario. Ella cruzó una larga mirada de culpabilidad con Skyler. Habían salvado a la joven loba, pero a un precio muy alto. Sería por siempre más miembro de la manada de Skyler y Dimitri.

—*Shadow* insistió —dijo Skyler, con las manos hundidas en el pelaje del animal—. Dice que será su hembra.

—¿Y tú no has tenido nada que ver en su elección imagino? —preguntó Dimitri mirando a una y luego a la otra.

—¿Es que hay alguna forma de influir en un lobo alfa? —preguntó a su vez Branislava.

—Si la hay, seguro que vosotras la conocéis. —Dimitri se acuclilló junto al cuerpo de la loba y le pasó las manos por encima—. Está cambiando por dentro.

—Ha estado teniendo convulsiones —explicó Skyler—. Traté de ayudarla, de bloquear el dolor. Es silenciosa y estoica, y trata de superarlo.

Dimitri acariciaba a la loba con delicadeza.

—Nuestra joven *Misty* es muy guapa, eso te lo concedo.

—Es un buen nombre —dijo Skyler.

Shadow se acercó y hocicó a la hembra. La mirada de *Misty* se aferró a la de *Shadow*, y enseguida incluyó a Skyler y Dimitri, como si supiera que todos formaban parte de la misma manada.

—Los cuerpos de los licántropos deben ser incinerados. Los cinco, o seis si Zev decide liquidar también al último —dijo Dimitri—. ¿Crees que podréis vosotras solas?

—Skyler puede quedarse aquí contigo —dijo Branislava—. Sé dónde está cada uno de los cuerpos, puedo hacer el trabajo sola. Skyler tendría que quedarse con *Misty*.

—Hay que recoger las armas de plata —advirtió Dimitri—. Y cuando los cuerpos se incineren, lo mejor es enterrar las cenizas para que nadie pueda encontrarlas.

Branislava asintió.

—Entiendo. Yo lo haré. Zev conoce al último licántropo y está muy preocupado. No sé qué piensa hacer con él.

—Bronnie, si necesitas ayuda, Dimitri puede ocuparse de esto —ofreció Skyler.

—No. He practicado para invocar al rayo y se me da bastante bien.

La realidad es que aún le faltaba algo de práctica. Pero estaba decidida a ser una baza para Zev cuando cazara bandas de renegados y vampiros. No se lo podía imaginar haciendo ninguna otra cosa.

Fen y Dimitri habían explicado la historia de los sangre oscura a Tatijana y a Skyler. Tanto los hombres como las mujeres de aquel linaje eran guerreros extraordinarios. Por lo visto, cada compañero eterno lo era también, como si el alma de un guerrero atrajera al alma fiera de otro guerrero.

Ella era una cazadora de dragones y se enorgullecía de su linaje. La había reclamado un sangre oscura, y no quería ser menos que las otras mujeres que habían pasado por eso antes que ella. Estaría junto a Zev en cada batalla y aprendería a hacer lo que hiciera falta para mantenerse a salvo y asegurarse de que él lo estaba también.

Mon chaton féroce, *no hay ninguna mujer como tú, ninguna que pueda jamás servirme. Y no es solo tu compañero eterno carpatiano quien te lo dice. Te lo dice Zev Hunter, un mestizo de sangre, Tirunul y sangre oscura. Licántropo y carpatiano. Me enamoré de ti mucho antes de saber lo que es una compañera eterna.*

Branislava no pudo evitar el pequeño subidón de alegría que le recorrió las venas. Quería que Zev se enamorara de ella por lo que era, no porque no tenía elección. Y quería enamorarse de él por ser quien era. No quería pasar por la vida sin poder decidir. Quería ser ella misma quien decidiera cuál era su camino. Si se equivocaba, sería solo culpa suya.

Zev lo había complicado todo, pero no podía sentir resentimiento en su corazón. ¿Cómo podía no estar orgullosa de él? ¿Cómo podía mirarle y no sentirse atraída por él? Quizá no quería que pasara, pero cada vez que sus ojos se posaban en ella, su corazón se disparaba. El aliento se le atascaba en la garganta y sentía un calor abrasador por todo el cuerpo. Ella era un dragón de fuego, y el calor y el fuego eran su vida, pero cuando sus venas se llenaban de aquella lava líquida y la notaba encharcándose allá abajo, parecía como si las llamas la fueran a devorar. Se moría de ganas de averiguar qué era aquel fuego.

Llevó flotando el primer cuerpo que encontró hasta el lugar donde estaba el segundo. Aquello era una de las cosas que más miedo le daban. No quería que el bosque estallara en llamas. Las pocas veces que había invocado el rayo, había sido en un claro. Y en dos ocasiones había tenido que invocar a toda prisa a la lluvia para evitar que la hierba y las flores se quemaran.

Respiró hondo y volvió su atención al cielo. Las nubes crecieron como torres, subiendo con rapidez, enroscándose como si estuvieran furiosas. Los rayos restallaban entre ellas, iluminándolas por diferentes puntos mientras buscaban un objetivo. Branislava dejó escapar el aliento y se concentró, tratando de hacerse con el control. Los rayos, poderosos y llenos de energía, sacudían el cielo. Ella luchó contra aquella energía, tratando de domeñarla y atraerla sobre los dos cuerpos.

Fue un logro inmenso. Le dieron ganas de ponerse a dar brincos de alegría. Pero en el instante en que descuidó lo que hacía, el látigo de fuego volvió atrás, hacia el cielo, golpeando con violencia todo cuanto encontró a su paso. Varios árboles empezaron a arder.

De un modo muy poco femenino, maldijo por lo bajo utilizando unas palabras que había oído pronunciar a Zev, y levantó las manos al cielo para llenar los cúmulos de agua. Se concentró para hacer que cayera directamente sobre los árboles que ardían. Al punto el fuego emitió un siseo, parpadeando desafiante por unos instantes, y luego se rindió.

Branislava avivó las llamas que incineraban a los dos tiradores, e hizo que la temperatura subiera hasta que los calcinó. Las cenizas se enfriaron con rapidez, y lo único que quedó fueron las dagas. Tras recoger las armas de plata, abrió la tierra y dejó que las cenizas cayeran bien abajo.

Muy bien, Branka, la elogió Zev.

Fen, que era evidente que estaba siguiendo la conversación, no fue tan amable. *Pues yo pienso volver con una cámara para fotografiar esos árboles con las ramas chamuscadas. Josef tiene una página en Internet donde le gusta colgar los hechizos fallidos y las meteduras de pata importantes. He oído que se puede votar, y la entrada que gana se lleva dinero.*

No te atreverás, dijo Branislava en su tono más desafiante.

Por supuesto que sí.

Tatijana, traidora, musitó Branislava. *A ver si controlas a tu hombre. Tengo que hacer esto dos veces más, y lo que menos falta me hace es que se presente aquí para hacer fotos y pasárselas a Josef.*

Pero ¿yo qué tengo que ver con esto?, preguntó la hermana inocentemente. *Yo solo quería asegurarme de que estabas bien, tenía un ojo puesto en ti como hacemos siempre las dos, y resulta que él estaba...*

Fisgoneando. Eso es lo que hacía, acusó Branislava, tratando de no reírse mientras avanzaba por el bosque buscando los otros dos cuerpos.

Estoy encontrando cosas de lo más interesantes en la mente de mi compañera eterna, se aventuró a decir Fen sin el más mínimo remordimiento. *Esto vale unos pavos.*

Zev escuchó aquella refriega y permitió que el buen humor de todos le animara y aliviara el dolor de aquella traición aunque solo fuera un poquito. Dio un codazo a Damon para indicarle que bajara del árbol. Aquel sería el momento decisivo. Si Damon trataba de escapar o intentaba matarle, significaría que había estado mintiendo. Zev esperaba que no pasara, pero no dudaría en matarle incluso si eso significaba que Daciana fuera su enemiga para el resto de sus días.

Damon se levantó lentamente, con las manos en alto, para que viera que no intentaría coger ningún arma. Conocía a Zev, sabía que era un cazador implacable. Podía ser una máquina de matar si hacía falta. Era rápido y fuerte, y totalmente inflexible. Por eso mismo, no pensaba cometer ningún error.

Saltó al suelo, siempre con las manos en alto, y se aseguró de aterrizar lejos de sus armas. Zev apenas se había movido, pero la daga que llevaba en la mano estaba en posición perfecta para ser arrojada, y él nunca fallaba... o al menos no que Damon supiera. Aterrizó acuclillado y se incorporó lentamente, con los brazos levantados, mostrando las palmas vacías.

Zev cayó a su lado.

—¿Llevas alguna otra arma?

Incluso el gesto de asentimiento que hizo era bajo.

—En la bota, sujeta a la parte posterior.

—Baja las manos, tienes un aspecto penoso —le espetó.

No tenía ni idea de lo que iba a hacer con Damon. No pensaba llevarlo ante el consejo para que le juzgaran por sus actos, no hasta que tuviera ocasión de mirar por sí mismo en su mente.

—Sinceramente, no sé qué demonios estoy haciendo aquí —dijo el licántropo—. No entiendo por qué todo esto me pareció tan lógico. Y entonces, me encuentro subido a un árbol y la loba asoma la cabeza bajo un arbusto y siento que en mí todo se rebela ante la idea de hacerle daño.

—Podría cortarte la cabeza y leer tus recuerdos —ofreció Zev medio en serio.

—Estás muy enfadado conmigo ¿verdad?

—No te imaginas cuánto. Necesito gente en la que pueda confiar. Se está gestando una guerra, y hay asesinos por todas partes. Los licántropos siempre han sido los pacificadores, los protectores, y esta vez casi parece como si fueran ellos los que están buscando la guerra. Confiaba en que tú y Daciana me guardaríais las espaldas mientras yo trataba de solucionar todo esto. Lo último que me esperaba era encontrarte aquí con una pistola tratando de matar a Skyler o a Dimitri.

La mentalidad de macho alfa, de jefe de la manada, se apoderó de él y le impulsó a golpear la parte posterior de la cabeza de Damon lo bastante fuerte para que se tambaleara.

Este se restregó la zona donde le había golpeado con una mueca algo seca.

—Creo que me lo he buscado. ¿Dónde está el resto de mi equipo? —preguntó.

—Están muertos, Damon. ¿Qué esperabas? Si os ponéis a cazar carpatianos en el bosque en plena noche, es evidente que irán a por ti, sobre todo si estás persiguiendo a sus mujeres. Tienes suerte de que sea yo quien te ha encontrado. —Zev le dedicó una mirada furibunda—. Aún me estoy pensando si te mato, aunque solo sea por principios. No te creas que ya te has librado.

Damon se volvió para mirarle.

—¿Están muertos? ¿Todos? No es tan fácil matar a un licántropo.

—Los lobos nos avisaron de que alguien venía de caza. ¿De verdad creíais que los carpatianos se iban a rendir y a permitir que matarais a sus mujeres?

—Deja de decir mujeres. No pensaba matar a ninguna mujer. Ella era el objetivo porque... —y de pronto calló con aire un tanto confuso.

—Ella salvó al hombre al que amaba de la muerte por plata. Le torturaron. Yo le vi. El consejo no le condenó. De hecho —declaró Zev—, la orden era mantenerle con vida mientras trataban de conseguir un acuerdo con los carpatianos en relación con los *sange rau.*

Damon torció el gesto.

—Es cierto. El prisionero...

—Dimitri —le corrigió Zev—. Es un buen hombre. Llámale por su nombre.

—Dimitri es un *sange rau*. Es un mala sangre, un mestizo, un hombre capaz de borrar del mapa a todos los de nuestra especie.

—No es un *sange rau* más de lo que pueda serlo yo. Es un *hän ku pesäk kaikak*, que, por si te interesa saberlo, significa «guardián de todos». Nos protege a todos, licántropos, humanos y carpatianos por igual. Él salvó a Gunnolf y a Convel, y como recompensa ellos actuaron en contra de las órdenes del consejo y convencieron a todos de que había sido condenado a la muerte por plata. De no haber ido Skyler en su busca, estaría muerto, y nosotros estaríamos en guerra con los carpatianos. Si acaso, los licántropos tenéis una deuda de gratitud con esa joven.

Zev a duras penas podía controlar el tono de ira. Estaba furioso con Damon. Los licántropos no se comportaban de ese modo. Se guiaban por un código de honor. Él siempre se había guiado por ese código, y Damon también.

—Vuelve a contarme quién te dijo que yo había muerto.

Damon se restregó las sienes.

—No lo sé. Hubo una reunión. Un servicio. Yo estaba preocupado por Daciana. Había habido problemas en el bosque, en los cuarteles de verano. No conseguía contactar con ella y pensé que podía conseguir alguna noticia. Ya lo sabes, con tanto parloteo esa gente me aburre mortalmente.

—¿Esa gente? —le espetó Zev.

Sobre sus cabezas, las nubes de tormenta chisporroteaban lanzando rayos. El trueno retumbaba y sacudía la tierra. *Branka, estás muy cerca, controla tu poder*, le advirtió. Si no se andaba con cuidado, prendería fuego al bosque entero.

Lo tengo controlado, contestó ella. *No te preocupes.*

Zev suspiró. Cuando una mujer decía que no te preocuparas, es cuando estaba más claro que tenías que preocuparte.

Damon volvió a torcer el gesto, mientras trataba de recordar quién era el orador.

—Siempre está en las reuniones, con Arno y Lupo. Siempre dan algún discurso motivador. Forma parte de la manada de Lupo. ¿Por qué no consigo recordar su nombre?

Lupo Wolfe era uno de los miembros más antiguos del consejo, y había sido aislado para proteger al consejo existente si alguno de los miembros que se habían desplazado se perdía.

Zev notó que Damon volvía a presionarse las sienes con los dedos.

—¿Qué pasa?

—No lo sé. Me siento como si la cabeza se me estuviera partiendo en dos.

—No pienses más en esto —sugirió Zev, porque de pronto sentía ciertas reservas. Había un rastro de sangre, un pequeño hilillo que le salía a Damon de la nariz—. Vamos a buscar a tu hermana. Ella podrá explicarte lo que está pasando. Estará bien tenerte cerca mientras tratamos de aclarar todo esto. Necesitamos ayuda para proteger a los miembros del consejo de nuestra propia gente. No sabemos quién es realmente el enemigo.

Un rayo cayó entre los árboles, un rayo gigante que golpeó el bosque como un látigo. Zev empujó a Damon al suelo justo cuando una de las descargas golpeaba sobre sus cabezas.

Una risa suave borboteó por su cabeza, casi una risita, un sonido que Zev no había oído nunca en boca de Branislava. *Ui, lo siento. Es difícil controlar las descargas de los rayos, ¿a que sí?*

Aquel sonido envolvió su corazón y lo oprimió con fuerza.

Contrólalo. Reduce la intensidad. Tienes demasiada energía, y te harás daño.

No quería confesar que él jamás había tratado de controlar el rayo. Había visto a Fen y a Dimitri hacerlo, pero él era un licántropo. Él no hacía esas cosas. Y se daba perfecta cuenta de lo útil que podía ser, aunque no en manos de una mujer excesivamente entusiasta.

Damon lo derribó a él cuando otra línea chisporroteante restalló sobre sus cabezas, un poco demasiado cerca para que estuvieran seguros. Se le erizaron todos los pelos del cuerpo.

Zev se echó a reír. *¡Mujer! ¡Pero qué haces!*

—Esta tormenta es de locos —comentó Damon.

—Más bien de locas —contestó Zev, y se puso en pie—. Coge tus armas y salgamos de aquí. *Si ya has dejado de jugar.*

Branislava apareció entre los árboles, y avanzó hacia él, con sus largos cabellos recogidos en una trenza que le caía sobre la espalda. Aquella masa sedosa era de un fiero rojo. Sus ojos brillaban como esmeraldas y en su rostro lucía una sonrisa radiante. Sus manos jugaban con el fuego y las llamas saltaban como cintas por el aire mientras bailaba.

Tenía un aire exótico, y era tan hermosa que le dejó sin respiración. Los dos anillos de fuego se enroscaron en torno a su cuerpo y se elevaron, mientras ella movía los mangos, haciéndolos girar a su alrededor, para volver a bajarlos a los lados. Los mangos eran dorados, las llamas atravesaban su cuerpo, y se deslizaron bajo sus pies cuando saltó con delicadeza en el aire y luego se elevó por encima cuando volvió a aterrizar.

Zev estaba anonadado. A su lado, Damon observaba boquiabierto. La suave risa de alegría de Branislava era contagiosa, y los dos le sonrieron.

Los mangos cambiaron de color, y se volvieron de un rojo intenso y naranja, mientras creaba intrincados dibujos en la noche, sin dejar de mover su cuerpo al son de una melodía que solo ella podía oír.

Zev miró la expresión de arrebato de Damon y gruñó por lo bajo mientras sentía que se le formaba un nudo en el estómago.

—Cierra esa boca y deja de mirarla como si te la fueras a comer. Me pertenece.

—Bromeas —contestó el hombre antes de poder censurar sus palabras—. Perdona, es que es tan sexy.

Zev le dio un manotazo, pero esta vez fue lo bastante fuerte para hacerle caer de bruces.

—No tienes que pensar que es sexy.

—No lo pienso. —Damon lo miró furioso desde el suelo, sin poder apartar los ojos de la danza de fuego—. Lo sé. Ahora entiendo que siempre volvieras aquí.

Zev suspiró. No podía culpar a Damon por tener ojos, pero definitivamente, su lobo volvía a reaccionar. Tenía que encontrar un equilibrio. Pero no podía negar que, el hecho de que mientras jugaba con el fuego y bailaba solo le mirara a él ayudaba mucho...; bailaba solo para él.

Se veía que se sentía libre, joven y feliz, algo que él nunca había podido hacer. Y era evidente que le encantaba bailar. Su piel brillaba, como si el fuego que llevaba en su interior ardiera con apasionamiento. No quería estropearle aquel momento. Había tenido tan pocos momentos de felicidad o diversión en su vida, y jugar con los rayos le divertía. Damon pensaba que los mangos eran cariocas de fuego, dos cadenas con las mechas para el combustible en los extremos.

Branislava avanzó bailando hacia él, girando y girando. *Ven a bailar conmigo.*

Zev quería hacerlo, quería formar parte de su diversión. Para él era importante que se tomara todo el tiempo que necesitara para conocerle y que pudieran compartir momentos como aquel, pero era responsable de Damon.

Si realmente está ocultando la verdad y no puedo verlo porque es mi amigo, podría ser peligroso.

Tenemos el rayo. E hizo girar los mangos con energía.

Zev rió. Él no pensaba utilizar ningún mango hecho con un rayo, pero ya improvisaría.

—Quédate aquí un momento, Damon. Ahí donde estás. Y no hagas ninguna tontería. Puede ser muy traviesa con esos mangos de fuego.

Zev avanzó hacia ella bailando, siguiendo su ritmo, haciendo girar la espada en el aire. Podía oír la música en su cabeza, el sonido de tambores que marcaban sus pies. Cuando estaba ya cerca, las llamas saltaron de los mangos a su espada, encendieron la punta y el fuego se extendió por toda la hoja. Zev blandió la hoja mientras seguía acercándose.

La risa de Branislava se unió a la música en su cabeza. Sacó uno de sus muchos cuchillos y lo encedió, y lo arrojó en el aire mientras hacía girar la espada. Disfrutaba de cada movimiento, del baile de sus pies, de los movimientos que trazaban el uno en torno al otro, sin dejar de iluminar la noche con aquella danza de fuego.

En ningún momento perdió de vista a Damon. Por muy bien que lo estuviera pasando, si este daba un paso en falso, aquel cuchillo que tan hermosamente bailaba en el aire, encontraría el camino para clavarse en el corazón de su amigo.

Capítulo 7

¿Qué se supone que tengo que hacer con él, Daciana? —preguntó Zev, señalando a Damon con el pulgar—. Si lo entrego al consejo...

—No puedes hacer eso —le interrumpió ella, dándole a su hermano una patada en las espinillas cuando pasó junto a su silla.

Branislava había arreglado a toda prisa el porche para las visitas. Los asientos eran cómodos, la luz suave. La niebla cubría el bosque y ocultaba los árboles, aislándolos del resto del mundo. Ahora estaba dentro, trajinando, y Zev notaba olor a café. No sabía cómo se las iba a arreglar para prepararlo, pero se estaba tomando su tiempo, de modo que supuso que los dos primeros intentos no le habrían salido muy bien.

—Sabes perfectamente lo que le harían. Pensarán que es un traidor y que está con los que conspiran para matarlos. —Daciana miró al otro lado del porche, a Makoce—. ¿Tú cómo lo ves?

—¿Es que a nadie le interesa saber lo que yo opino? —preguntó Damon.

Daciana le mostró los dientes.

—No, para nada. Tú estáte calladito. ¿Tienes idea de los problemas que has causado? Hemos jurado defender la ley y tú la has violado un millón de veces. Tienes suerte de que Zev no te matara en ese árbol cuando apuntaste al lobo y después a Skyler.

Y le propinó otra patada porque sí.

—Quiero saber quién dio la orden de venir aquí a matar a Skyler y a Dimitri —dijo Makoce—. Si conseguimos esa información, quizá podremos entender lo que está pasando.

Damon se inclinó hacia él.

—La mayoría de miembros del Círculo Sagrado piensan que no debemos tolerar a los *sange rau*. Son el demonio. Destruyen a manadas enteras. Vosotros lo sabéis.

—¿Cuántos han existido realmente desde que nuestra gente encontró al primero? ¿Y tienes idea de quién lo estuvo persiguiendo durante años, quien luchó con él y finalmente lo mató? —preguntó Zev—. ¿Tienen los miembros del Círculo Sagrado la más remota idea de quién mató realmente al *sange rau* que causó tanta muerte y destrucción?

En el extremo más alejado del porche, Fen se agitó algo incómodo. Había permanecido en silencio. Y en aquellos momentos hubiera querido que Tatijana estuviera allí fuera con él y no dentro con su hermana. De vez en cuando notaba su risa rozando los límites de su mente y sabía que las dos cazadoras de dragones estaban escuchando los consejos de Skyler sobre cómo hacer café.

Dimitri y Skyler aún no habían llegado, pero cada vez que tocaba la mente de Tatijana, ella y Branislava estaban charlando con Skyler. La pareja se dirigía hacia la casa, después de haber dejado a la loba recién convertida bajo tierra para su curación. Allí estaría a salvo, reposando en el lecho que los dos compartían cuando dormían el rejuvenecedor sueño de los carpatianos.

—Oí decir que un licántropo llamado Vakasin y su compañero Fenris Dalka le mataron —dijo Damon—. Está escrito en el libro sagrado.

—¿Y dice también en el libro sagrado que cuando Vakasin regresó con su manada se volvieron contra él y le mataron? —preguntó Zev.

—Eso es imposible —negó Damon—. Nunca harían algo así.

—Pues lo hicieron. Vakasin se pasó un par de años siguiendo el rastro del *sange rau*, luchando contra él y sufriendo heridas terribles. Si él necesitaba sangre, su compañero, Fenris Dalka, se la proporcionaba. Y cuando Fen fue herido de gravedad, Vakasin le dio la sangre que necesitaba para seguir con vida.

—Es una práctica común entre compañeros —dijo Damon, visiblemente desconcertado—. Pero eso no explica por qué iba a volverse su manada contra él después de haberse pasado una buena parte de su vida persiguiendo al infame y casi invencible *sange rau*.

—No, a menos que Vakasin fuera licántropo y Fenris carpatiano —dijo Zev con voz baja y poderosa.

—Fenris Dalka es licántropo. Su nombre es Lycan. Lleva años con las manadas. He oído hablar de él, aunque no le conozco.

—Me encontraba los cuerpos moribundos y despedazados de hombres, mujeres y niños —dijo Fen desde las sombras del rincón—. En aquel entonces yo era Fen Tirunul, no Dalka. Era una imagen terrible. Yo pensaba que perseguía al vampiro. Estaba convencido de que era un vampiro, pero mataba a demasiada gente, a su paso dejaba tanta destrucción... Cada vez que conseguía encontrarle, estaba a punto de matarme, y eso a pesar de que yo tenía una gran experiencia y habilidad. Pero él era rápido, y tremendamente fuerte.

Damon se giró, tratando de ver al hombre que hablaba desde el rincón.

—Muchas veces encontré el rastro de Vakasin y vi dónde luchaba y le herían una y otra vez. Él seguía el rastro del no muerto igual que yo, solo que no era un simple vampiro. Al final unimos nuestras fuerzas, con la esperanza de que eso aumentara nuestras posibilidades de matarlo.

—¿Tú? ¿Tú eres Fenris Dalka? —preguntó Damon—. ¿El famoso Fenris Dalka?

—El vampiro al que perseguíamos había utilizado a licántropos para conseguir sangre tantas veces que acabó convirtiéndose en lo que conocéis como *sange rau*, o mala sangre. Es mala sangre, no porque un licántropo mezclara su sangre con un carpatiano, sino porque mezcló su sangre con un vampiro. Los vampiros son enteramente malos. Hay una gran diferencia entre los no muertos y los carpatianos.

Damon abrió la boca para contestar, pero en ese momento Branislava y Tatijana salieron con el café. La mirada de Damon se posó al instante en el rostro de su compañera, que le pasó su tazón caliente.

—No sé si estará muy bueno —confesó ella—. Es el primer café que preparo.

Tatijana le entregó una taza a Daciana.

—El primero no, este será por lo menos el que hace quince, pero nos ha parecido que se podría beber. Sed sinceros, por favor. Es importante que podamos preparar un café decente para nuestros invitados.

—Estoy seguro de que estará bueno —dijo Damon, mirando los ojos esmeralda de Branislava.

Como de costumbre, ella llevaba un vestido largo, y se veía muy femenina, porque la tela se ceñía a sus pechos y realzaba su cintura y sus caderas anchas. Llevaba una cinta trenzada en sus cabellos, y caminó con delicadeza hasta Zev, se sentó en el brazo de su asiento y cruzó las piernas debajo del cuerpo.

Zev le pasó el brazo por la cintura y la acercó a su lado. Su lobo estaba muy cerca de la superficie, mucho más de lo que hubiera deseado. Damon se mostraba demasiado atento con ella, su interés era demasiado evidente. Y el lobo de Zev rondaba, gruñía, arañaba el suelo, suplicando la libertad de poder librar al mundo de un rival.

Branislava se inclinó sobre él, sus labios rozaron su oído. *Hola, mi pequeño lobo. Te he añorado.* Susurró las palabras en su oído, y sin embargo de sus labios no brotó ningún sonido. Solo la oía en su mente.

El cálido aliento de la excitación deslizó sus dedos por su cuerpo. La tensión del lobo se alivió al instante, para ser reemplazada por humor... y satisfacción. Su lobo ya no quería saber nada de Damon, en cambio ella ahora corría el peligro de que la devorara.

Daciana y Makoce tomaron su café agradecidos. Damon dio un sorbo a su taza y casi se atraganta. Y dio la espalda a Branislava, tratando desesperadamente de no escupir aquel bebercio en el porche.

La suave risa de Branislava sonó como algo íntimo en la mente de Zev. *No tendría que haber venido aquí a hacer daño a los lobos, a matar a Dimitri y a Skyler y a preocuparte.*

Mujer mala. Su risa se unió a la de ella. *Tenía que haber imaginado que te vengarías de algún modo.* Su risa se apagó y volvió la cabeza con rapidez para mirarla a los ojos. *No le habrás envenenado ¿verdad?*

Me he sentido tentada, no de matarle, solo de indisponerle un poco, pero me he resistido. Branislava parecía algo arrepentida, incluso miró a Damon con expresión especulativa entornando sus largas pestañas, como si en cualquier momento pudiera cambiar de opinión y aderezar su café con alguno del millón de hechizos que conocía.

Zev quería estar a solas con ella. Lo necesitaba. ¿Cómo iban a hablar, cómo iba a hacerlo para que le conociera mejor? ¿Para que tuviera ocasión de enamorarse de él? Él estaba muy, muy enamorado. Y cada vez que estaban a solas un momento, pasaba algo y les privaba de aquella intimidad.

Tú me estás conociendo mejor, le dijo Branislava. Su brazo se cerró sobre su cuello y le rozó la oreja con los labios, haciendo nuevamente que aquella cálida brisa se extendiera como lava ardiente por sus venas. *Sabes más de mí que ninguna otra persona, después de Tatijana. Yo también empiezo a conocerte, sobre todo a tu lobo. Me gusta mucho. Ve las cosas como yo.*

Pues el lobo no quiere que nunca te refieras a él como lobito en voz alta. Sobre todo en presencia de Fen. O de Dimitri, o de Tatijana y de Skyler, porque si lo haces no me dejarían en paz.

No estaba muy seguro de por qué no se limitaba simplemente a pedirle que no utilizara nunca ese nombre, pero lo cierto es que cuando susurraba lobito de un modo tan íntimo en su cabeza con aquella voz suave y sexy... Zev suspiró. Sí, debía de ser que estaba perdidamente enamorado de ella.

—¿Entiendes lo que Fen te acaba de decir, Damon? —preguntó Daciana con tono apremiante, mirando a su hermano con ojos furiosos. Se le habían puesto casi dorados, una clara señal de que estaba realmente enfadada—. Los carpatianos pueden convertirse en vampiros igual que nosotros podemos convertirnos en renegados. Hay una diferencia, igual que con nosotros.

Damon dejó la taza con cuidado sobre la amplia baranda y apoyó una cadera contra la piedra.

—Sé perfectamente que no es lo mismo un carpatiano que un vampiro.

—Pues utiliza la cabeza —la espetó Zev—. Cuando se redactó el código sagrado, el *sange rau* había masacrado a nuestra gente, había diezmado de manera alarmante nuestras filas. Era lógico que quisiéramos tener a las mujeres en casa, protegidas del peligro. Nadie sabía gran cosa del demonio que estaba predando a los nuestros, y era casi imposible matarlo, por eso se creó el código sagrado, y en aquel momento tuvo un sentido.

Damon volvió a restregarse las sienes, y un gesto de preocupación le cruzó el rostro.

Branka, mírale, cada vez que digo algo sobre el motivo por el que está aquí o menciono el Círculo Sagrado o el código, le da un fuerte dolor de cabeza. Antes, cuando estaba tratando de recordar quién le había mandado venir, vi que le salía un hilillo de sangre de la nariz. No lograba recordarlo, y parecía muy confundido.

Branislava se sentó algo más derecha y concentró su atención en Damon. Al Zev lobo no le gustó, pero lo entendía, y el hecho de conocer el motivo de aquel súbito interés de su compañera por el licántropo hizo que le resultara mucho más sencillo controlar aquella peligrosa vena celosa.

—Damon —dijo de pronto Daciana—. Si entiendes la diferencia entre un carpatiano y un vampiro, no es tan difícil entender la diferencia entre un *sange rau* y un *hän ku pesäk kaikak*. El *hän ku pesäk kaikak* es un «guardián de todos», que es lo que es Dimitri.

—Y yo —agregó Fen—. Yo perseguí al *sange rau* con Vakasin y compartimos nuestra sangre cuando nos hería. Vakasin se convirtió en carpatiano y licántropo y yo me convertí en licántropo y carpatiano. Ninguno de los dos era vampiro ni renegado. Éramos más fuertes, sí, y más rápidos, y al final eso es lo que nos permitió derrotar al *sange rau*.

Damon asintió varias veces, pero se oprimió los ojos con los dedos. Una ligera película de sudor cubrió su rostro.

Dimitri y Skyler aparecieron entre la niebla, y subieron los escalones de piedra del porche cogidos de la mano. Dimitri tenía un aire... letal. Zev no podía reprochárselo. Skyler había sido el objetivo de los miembros del Círculo Sagrado en más de una ocasión, y eran implacables en su empeño por matarla. Él aún tenía las marcas de las cadenas de plata con que lo habían tenido sujeto de la frente a los tobillos.

De su persona emanaba una clarísima aura de peligro. Makoce y Daciana se acercaron a Damon, como si pudieran protegerlo del *hän ku pësak kaikak*.

Dimitri no hizo caso. Fue directo hasta Branislava y la besó en la coronilla.

—Hermanita, esta noche has estado estupenda. Gracias.

Ella le tocó con dedos suaves a modo de respuesta. Skyler besó en la mejilla a Branislava, luego a Tatijana.

—Perdonad el retraso —explicó Dimitri—. Estábamos atendiendo la herida de la loba.

De nuevo no miró a Damon, pero su tono agresivo era fácilmente reconocible.

Este agachó la cabeza, con expresión avergonzada.

—Lo siento. No puedo decir otra cosa, salvo que lo digo de corazón... no sé qué me ha pasado.

—Estás poseído por una sombra —respondió Branislava, tan bajo que apenas era un hilo de voz—. La sombra de un mago.

Tatijana dio un respingo. Extendió los brazos hacia Fen y él la tomó de las manos.

—No sé qué significa eso —dijo Damon.

Daciana y Makoce se acercaron más aún a Damon, cerrando filas a ambos lados.

—Por favor, Branislava, explícate. Ninguno de nosotros entiende lo que dices.

—Tiene todos los signos. Mírale, Tatijana. Se siente confuso cuando le hacemos preguntas directas sobre quién le envió aquí. Si trata de recordar, le duele mucho la cabeza. Es así, ¿verdad, Damon?

Él asintió.

—Cuando a pesar del dolor trata de seguir buscando algo que explique por qué ha actuado en contra de todo cuanto cree para matar a una joven o disparar a un lobo para utilizarlo como cebo, su cerebro reacciona sangrando. Si seguís preguntándole, y tratáis de obligarle a recordar, le mataréis —declaró Branislava con absoluta convicción—. Definitivamente, está poseído por la sombra de un mago.

Tatijana asintió.

—Lo hemos visto muchas, muchas veces.

Hubo un breve silencio. Fen silbó. Dimitri se sentó en el columpio de varios asientos, y se llevó a Skyler con él. Daciana aferró a su hermano del brazo y apretó con fuerza.

Damon meneó la cabeza.

—No sé de qué hablas. A mí no me pasa nada, solo tengo dolor de cabeza. —Miró las caras sombrías que lo rodeaban—. No puede ser. —Su mirada se posó en el rostro de su hermana—. Sé que no es eso.

Daciana lo rodeó con el brazo, como si quisiera sostenerlo.

—¿Y qué es una sombra, Bronnie?

—¿Cómo se libra uno de eso? —preguntó Damon—. Tiene que haber una forma. Quiero sacar eso de mi cabeza —siguió diciendo, y se estremeció.

—Solo un mago extraordinariamente hábil puede implantar una sombra en una persona sin su conocimiento o su consentimiento —explicó Branislava—. Y con eso me refiero a alguien con el nivel de Xavier.

—Xavier está muerto —se apresuró a aclarar Tatijana—. No puede haber sobrevivido.

Fen la rodeó con los dos brazos y la acercó más a sí.

—Es evidente que no puede haber sido Xavier, mi dama —le aseguró con suavidad—. Quien quiera que ha hecho esto se infiltró en las filas de los licántropos hace mucho tiempo, porque si se tratara de un extraño Damon enseguida se habría dado cuenta. Los licántropos no permiten la presencia de extraños en sus reuniones.

—Tú estuviste allí, tú te infiltraste —le acusó Damon, como si sospechara que había sido Fen el que había corrompido su mente.

—Soy licántropo —declaró Fen con calma—. Tengo sangre de licántropo, igual que tú. Soy leal a nuestra gente del mismo modo que lo soy a los carpatianos. Podríamos decir que tengo doble nacionalidad.

Damon se restregó el rostro con fuerza.

—No entiendo nada.

—¿Qué podemos hacer? —preguntó Daciana—. ¿Puedes ayudarle?

—El hechizo puede deshacerse —dijo Branislava lentamente—. Pero es arriesgado. Este mago ha implantado la sombra en su mente como una profunda herida que ha dejado cicatriz. No sé cómo explicarlo. No es lo mismo que poner un fragmento de sí mismo en el interior de la persona para controlar su voluntad. Eso también se puede considerar una sombra, aunque la palabra no es muy precisa.

—¿Es posible que ese mago esté haciendo lo mismo con otros? —preguntó Zev.

—Por supuesto —repuso Branislava.

Zev no estaba seguro de que Branislava fuera consciente de que temblaba. Por fuera, se la veía tranquila y segura, pero por dentro él notaba su miedo, del mismo modo que sentía el terror que se estaba adueñando de Tatijana. La idea de que Xavier o un mago tan poderoso como él pudiera estar detrás de aquellos ataques les resultaba atemorizadora.

—¿Podría un mago implantar sombras de forma colectiva, por decirlo así, en una reunión del Círculo Sagrado? —preguntó Zev al tiempo que enlazaba sus dedos con los de ella y se llevaba su mano al corazón.

Branislava y Tatijana se miraron con el ceño fruncido. Tatijana parecía más alterada de lo que jamás la había visto. Fen la abrazó en un intento por tranquilizarla.

—No es Xavier, Tatijana —dijo Branislava en voz alta—. Fen tiene razón. Quien sea que ha hecho esto ha estado tratando de conseguir controlar poco a poco a los licántropos, igual que hizo Xavier con los carpatianos. Los magos no son inmortales, aunque algunos querrían serlo.

—Los licántropos tampoco lo son —apuntó Zev.

—Técnicamente, los carpatianos tampoco —dijo Dimitri—. Se nos puede matar.

—Pero las dos especies son muy longevas —comentó Branislava—, mucho más que un mago. Xavier buscaba eso. Que es la razón por la que secuestró a nuestra madre y nos tuvo a nosotras. Quería nuestra sangre.

—¿Y cómo sabes que no ha sido Xavier? —insistió Tatijana. Parecía a punto de echarse a llorar—. No lo sabes. ¿Quién puede ser sino él?

Branislava respiró hondo.

—Si Damon me lo permite, puedo tratar de encontrar la sombra. Reconocería un trabajo de Xavier en cualquier sitio.

Tatijana meneó la cabeza inflexible.

—Hermana —dijo Branislava con suavidad—, sabes que es la única forma de asegurarnos.

—No, tú no. Zev, no se lo permitas. Skyler, Dimitri, no podéis dejar que lo haga —suplicó Tatijana.

Damon hundió el rostro entre las manos y se dejó caer sobre el suelo de piedra, gimiendo.

—Quiero que se vaya de mi cabeza. Sacádmelo de la cabeza.

Daciana y Makoce se dejaron caer junto a él para reconfortarlo, aunque Zev se dio cuenta de que los dos mantenían una mano puesta en sus armas... las de plata. Creían que podía ser un peligro.

—No has contestado a mi pregunta —insistió Zev—. ¿Podría un mago producir este efecto de forma colectiva sin que nadie se diera cuenta?

Branislava dejó escapar el aliento.

—Solo hay un par de magos capaces de hacer algo así. Dos. Puede que tres. Estuvimos prisioneras durante siglos, Zev, y Xavier solo tuvo un par de alumnos que pudieran ser tan buenos... —dejó la frase sin acabar, y su mirada volvió una vez más al rostro de su hermana.

¿Qué pasa, Branka?

Ella apretó los labios, como si pudiera evitar que aquello fuera real no diciéndolo en voz alta. Sus dedos se cerraron involuntariamente sobre la camisa de Zev, arañando el material con las uñas.

—Sacámelo. Sacámelo, por favor —gritó Damon, con su lobo aflorando a la superficie, mirando con ojos brillantes a Branislava.

Zev vio que Daciana y Makoce se preparaban para proteger a su mujer, y se sintió agradecido.

—Damon —le dijo con voz baja y autoritaria—. Eres un lobo. Un licántropo. Eres fuerte, y no vas a avergonzar a nuestro pueblo con tu comportamiento.

Damon aspiró con fuerza y empezó a jadear. Era evidente que su lobo estaba tratando de lograr la supremacía, y él intentaba evitar la transformación.

—Hombre, levántate y controla tu miedo. Tu lobo lo nota y se ha levantado para protegerte. Domínate ahora mismo.

El tono de Zev se volvió aún más autoritario.

Damon asintió varias veces, sin dejar de respirar hondo. Parecía avergonzado y algo culpable. Pero, por encima de todo, daba la sensación de estar desesperado por hacer lo que decía el macho alfa.

Zev suavizó el tono.

—Todas estas personas intentarán ayudarte a pesar de que has tratado de matarlas. Yo también lo haré. Me conoces. Jamás he abandonado a un miembro de mi manada, y tú siempre has sido eso para mí. Eres mi familia.

Damon levantó la vista, y esta vez en sus ojos se veía determinación. El brillo rojo del lobo remitió.

—Mira a estas dos mujeres, les estás exigiendo cosas que ni siquiera sabes lo que implican. Están aterrorizadas. Podían haberse ido, pero no lo han hecho. Están aquí contigo. Contrólate y arreglaremos esto. Solo necesitamos algo de tiempo para aclararlo todo.

¿Cuánto peligro entraña para ti entrar en su cabeza y echar un vistazo para ver si puedes localizar esa sombra y quizá saber quién la ha puesto ahí, Branka? Y espero que me digas la verdad.

Branislava vaciló. Se inclinó sobre él y delante de todos rozó su mejilla con el rostro. Parecía a punto de echarse a llorar, aunque no por fuera. Ante los otros tenía un aspecto estoico y tranquilo. Zev sabía que aquella representación era sobre todo por Tatijana.

Este mago es extraordinariamente hábil. Si realmente tiene el poder y la capacidad para implantar sombras en una sala llena de gente, es que es muy peligroso. Seguro que tiene salvaguardas.

Entonces hablaremos con Mikhail...

Branislava negó con la cabeza.

Todavía no. Nosotras conocemos los hechizos de Xavier, todos y cada uno de ellos, los buenos y los malos. Nosotras tenemos más probabilidades de eliminar esa sombra que Gregori, que es seguramente quien lo intentará.

Gregori ha eliminado sombras en alguna ocasión, le aseguró Dimitri.

Branislava suspiró. *Él se enfrentó a un fragmento de otro ser y lo eliminó, que no es lo mismo. Una sombra es un portal, no una parte del mago. Es distinto, Dimitri, y está protegida por montones de trampas.*

—Me vuelvo a disculpar —repitió Damon—. No sé qué me ha pasado.

—Seguramente ha sido la idea de que otra persona haya podido manipularte y hacerte actuar de modo contrario a lo que te dictan tus creencias —replicó Daciana.

—Aún podría hacer daño a alguien, ¿verdad?

Zev se encogió de hombros, porque no quería mentir, pero lo cierto es que Damon necesitaba que lo animaran.

—Quien quiera que sea el mago que ha implantado la sombra en ti, no contaba con tu fuerza. No seguiste sus dictados. Eres mucho más fuerte de lo que crees.

Damon consiguió esbozar una media sonrisa.

—No lo había pensado.

—En estos momentos estás armado hasta los dientes —señaló Zev—. Y a pesar de todas las cosas que se han dicho, no has recurrido a tus armas.

No solo quería animar a Damon, también quería recordar a Daciana y a Makoce que el licántropo estaba bastante bien pertrechado. Zev estaba casi seguro de que los carpatianos presentes eran conscientes de la existencia de aquellas armas y que a aquellas alturas ya sabrían dónde estaba situada cada una de ellas en el cuerpo de su amigo.

Si entro y me limito a mirar, sin tocar nada ni intentar nada, se aventuró a decir Branislava, *creo que no pasará nada.*

Que solo lo creas no me vale, declaró Zev. *No estoy dispuesto a poner tu vida en peligro.*

Morirá. Tarde o temprano el mago volverá a su sombra y se dará cuenta de que Damon no se está comportando como debiera... como uno de sus agentes. Y lo matará o le obligará a cumplir su voluntad. De una forma o de otra, Damon morirá.

Zev oprimió su mano con más fuerza contra su corazón.

Encontraremos otra forma de salvarle.

Mientras he estado aquí sentada contigo, has pensado mil maneras de llegar hasta él y matarle si hace un movimiento en falso. Ni siquiera estoy segura de que seas consciente, le dijo Branislava con suavidad. *Puedo sentir el aprecio que sientes por Damon, Zev, y jamás te lo perdonarás si tú o Daciana tenéis que matarle. Pero le matarías, sé que lo harías.*

Zev suspiró. Branislava tenía razón. No quería que Daciana tuviera que matar a su propio hermano, ni siquiera para defender a los demás. Es posible que dudara, y si eso pasaba, Damon, bajo la dirección del mago, podía matarla a ella. Como jefe de la manada, era él quien tenía que hacerlo, no Daciana.

—Branislava quiere echar un vistazo a esa sombra. No la retirará, todavía no. Solo quiere mirar, Damon. Si no sabemos a qué o a quién nos enfrentamos, no tiene ninguna posibilidad de eliminarla. ¿Lo entiendes? No te opongas a ella. No te muevas ni la pongas en peligro de ninguna forma. Si lo haces, te clavaré una daga en el corazón. Si lo prefieres, olvidamos esto y llevamos el problema ante el consejo.

Bronnie, ¿qué estás haciendo?, preguntó Tatijana. *Sabes muy bien lo peligrosa que es la sombra de un mago. ¿En qué estás pensando? Un mago puede utilizar la sombra para espiar. Puede obligar al cuerpo en el que está a hacer lo que quiera. No puedes descubrirte ante él.*

¿De verdad quieres que nos pasemos la vida sin saber quién ha hecho algo tan abominable? Yo no. Incluso si Gregori trata de eliminarla, no podrá reconocer a su hacedor. Solo tú o yo podemos hacer eso.

Tatijana se oprimió los ojos con los dedos y ocultó el rostro contra el pecho de Fen.

Lo vas a hacer, ¿verdad, Bronnie?

Tengo que hacerlo y lo sabes. Tengo tanto miedo como tú de que sea él. Pero no nos podemos pasar la vida huyendo. Tenemos que saberlo.

¿Y si es…?

No lo pienses. Él también está muerto. Todos lo están. Tiene que ser uno de sus alumnos.

Zev aspiró con fuerza y dejó escapar el aire. Branislava estaba aterrada. Incluso rodeada como estaba por Fen, Dimitri y él mismo, estaba aterrada. No quería que corriera ese riesgo. No estaba seguro de cuál era el peligro, ni sabía si podría ayudarla.

—Fen, esto se me escapa por completo —dijo—. Dime qué tengo que hacer para asegurarme de que está a salvo.

Porque era evidente que Branislava entraría en la mente de Damon y buscaría la sombra. Zev notaba su determinación. Necesitaba saber quién había puesto aquella marca en él. En realidad, todos necesitaban saberlo, pero habría preferido ser él quien corriera el riesgo.

—A mí también. Yo sé bien poco de marcas y sombras. Razvan sabría más, sin duda. Pero Branislava y Tatijana estuvieron con Xavier durante siglos, viendo todo lo que hacía. Tendremos que confiar en que Bronnie sepa lo que hace.

Damon se pasó las manos por el pelo. Levantó la cabeza y miró directamente a los ojos de Branislava.

—Quiero sacar esa cosa de mi cabeza más que nada en el mundo, pero no a riesgo de tu vida. Da la sensación de que solo echar un vistazo ya podría ser peligroso.

Ella meneó la cabeza.

—Si no llamo la atención del mago tropezando con sus salvaguardas, no pasará nada. Pienso ser muy cuidadosa. He visto hacer esto varias veces. Solo hay que tener paciencia. Y aprendí esa cualidad en las cuevas de hielo durante mi cautiverio.

—¿Yo qué tengo que hacer? —preguntó Damon.

—Tener paciencia, también. Tú siéntate tranquilo y deja que compruebe si puedo hacerlo. Quizá necesitaré un par de intentos.

Miró a Zev, y a él el corazón le dio un vuelco. *Estoy muy asustada, Zev. Si tropiezo con esa salvaguarda, sabrá que vamos tras él. Puede atacarnos a todos a través de Damon.*

Yo me ocuparé de Damon. Tú procura mantenerte a salvo.

Branislava enlazó las dos manos en la nuca de Zev y lo miró a los ojos. Él la miró con igual intensidad, para que supiera que no le fallaría, que estaría con ella a cada paso del camino.

—Eres un hombre muy fuerte —le sonrió. *Mi pequeño lobo.*

Él consiguió esbozar una mueca. Branislava se volvió hacia Damon, y se sentó en el suelo, a los pies de Zev, a un lado, para que tuviera espacio si necesitaba moverse. No tenía sentido que siguieran perdiendo el tiempo. Solo necesitaba un momento para serenarse.

Sus ojos miraron al bosque. La niebla cubría los árboles como un manto gris. Notaba las minúsculas gotas sobre su piel. El viento jugaba con su pelo y acariciaba su rostro. *Esto es la libertad, Tatijana*, le susurró a su hermana.

Cerró los ojos y abandonó su cuerpo, consciente de que su hermana y Fen cuidarían de ella mientras durara el viaje. Zev vigilaría a Damon. Viajando en la forma de espíritu, Branislava entró en la mente abierta de Damon. Él estaba tan asustado como ella, pero por motivos diferentes. No podía reprochárselo: descubrir que alguien se había colado en tu mente y había dirigido tus movimientos debía de ser aterrador. Una vez dentro, se quedó muy quieta, en silencio, y mantuvo su luz en una intensidad lo más baja posible para evitar perturbar las posibles salvaguardas. El espíritu se movía como la luz, y se desplazaba con facilidad allí donde un cuerpo no podía, pero el gran mago lo sabía, y siempre se preparaba para posibles intrusiones cuando implantaba una sombra en alguien.

Cuando estuvo totalmente segura de que su luz era lo bastante tenue, empezó a moverse por el cerebro de Damon.

—No respira —comentó Makoce nervioso.

Zev sintió que su corazón se aceleraba. El pánico empezó a aumentar a pesar de su determinación de dejar que Branislava encontrara el nombre de su enemigo. Su cuerpo había caído hacia un lado y Makoce tenía razón, no respiraba. Miró a Tatijana buscando que le tranquilizara.

El rostro de Tatijana estaba blanco como el papel. Sus ojos brillaban como dos grandes gemas, y las franjas de color ondeaban por sus cabellos.

—¿Tatijana? —insistió Zev con suavidad.

El cuerpo de Tatijana se sacudió como si le hubieran golpeado. Su mirada se posó al instante en Zev. Y se acurrucó, pegándose con más fuerza a Fen.

—Está viva —dijo con suavidad—. Está asegurándose de no perturbar ninguna salvaguarda.

Zev resistió el impulso de fundirse con Branislava, porque sabía que no debía distraerla, pero era un impulso poderoso y su instinto de protección se rebelaba.

Branislava se acercaba a la mente, observando con detenimiento. Era un cerebro grande, pues apenas cabía en el cráneo, y tenía varios pliegues. Al principio la superficie parecía arrugada, con montículos y valles por todas partes. Las células, las neuronas, estaban estrechamente conectadas, casi demasiado para que en su estudio microscópico pudiera ver dónde estaba situada la sombra. Las neuronas eran necesarias para que la información se extendiera mediante señales químicas que entraban en la célula y se desplazaban por el filamento para que se ejecutaran las órdenes. El mago tenía que haber fundido la sombra entre los millones de células que vivían fuera del cerebro.

Su espíritu siguió moviéndose con tiento. Su luz era indistinta, y eso hacía difícil ver las cumbres y los valles. Cuando inspeccionó de cerca todas aquellas células apretujadas el cerebro parecía más bien gris, pero los filamentos, tan estrechamente entrelazados, parecían blancos. Trazarse un mapa de aquel cerebro le llevaría su tiempo. Había millones de células, y el mago podía haber ocultado su sombra en cualquiera de ellas.

No era consciente del tiempo que pasaba, solo sabía que utilizar una luz tan tenue dificultaba enormemente su trabajo. El miedo estaba ahí en todo momento. Xavier había sido un ser invencible, un hombre que torturó y mató a cientos de personas de todas las especies. Nadie, a lo largo de tantos siglos, había ido nunca a rescatarlos. Nadie había conseguido nunca derrotarle, y resultaba difícil imaginar que nadie pudiera hacerlo después de tanto tiempo.

El mal siempre perduraba. Ella lo sabía, y Xavier era todo mal. Si alguien fuera capaz de encontrar la forma de volver de entre los muertos... No, no debía pensar eso. En todo caso, Fen tenía razón, no podía estar en dos sitios a la vez. Pero eso significaba...

Ahí estaba. La sombra, encajada en un valle, una detestable pincelada de negro que subía parcialmente por una protuberancia. Todo en ella se paralizó. Estaba desconectada de su cuerpo, pero eso no evitó la sensación de pánico y terror que la recorrió. Ella conocía esa marca. La había visto un centenar de veces. Sabía quién la había hecho.

Branislava se encontró de vuelta en su cuerpo, tambaleándose de debilidad. Se incorporó y corrió al bosque, al milagro de aquel aire limpio y puro. Y siguió corriendo, con pasos silenciosos sobre la gruesa capa de vegetación. Pasó un rato, y entonces se dio cuenta de que no estaba sola. Zev caminaba a su lado, sin hablar, sin hacer preguntas, permitiendo simplemente que corriera por su vida. Por su libertad. Que corriera y corriera.

De pronto se detuvo y, con un pequeño sollozo, se arrojó a sus brazos. Allí encontró seguridad. Bondad. Zev quizá tenía que matar, pero no le gustaba hacerlo. No, no era capaz de detectar maldad en ninguna parte de su ser.

El solo hecho de haber visto aquella lesión en el cerebro de Damon —un portal al mal, con su firma distintiva— le resultaba aterrador. El mal podía colarse insidiosamente en la vida de la gente y tomar el control o arrebatarle la vida a alguien bueno y obligarle a obedecer. Implantar sombras era una abominación, y destruía la posibilidad del libre albedrío.

Se estremeció, y Zev la acercó más a sí, la abrazó más fuerte, pegando su rostro contra su hombro mientras los temblores sacudían su cuerpo. Ella aspiró el aroma masculino y se consoló en su integridad y su compasión. Zev era un macho alfa, estaba en lo alto de la cadena alimentaria de los predadores, y sin embargo no abusaba de su poder. Ni una vez había intentado arrebatarle su libertad. Se preocupaba por ella, pero no trataba de controlarla.

Entonces rozó su garganta con los labios y se arrebujó más en él, dando gracias por que no le hiciera preguntas. Ni siquiera estaba segura de poder hablar. Su corazón se había acelerado hasta tal punto que pensó que se le saldría del pecho. El aliento brotaba entrecortado, los pulmones le dolían.

Zev le acariciaba la parte posterior de la cabeza, tranquilizándola en silencio, con una respiración uniforme, para que ella siguiera su ritmo, su corazón, a su propio paso. Ella cerró los ojos y se permitió relajarse y sentirse a salvo entre aquellos brazos. Su corazón se adaptó automáticamente a los latidos más lentos y regulares de él. Su respiración se regularizó, siguiendo su ritmo tranquilo y compuesto.

Bronnie. Tatijana la llamaba. *¿Estás bien?*

Dame un minuto. Solo necesito un minuto. Discúlpame ante los demás.

Necesitaba a Zev. Necesitaba el consuelo de sus brazos y su serenidad inquebrantable, la del capitán compuesto con el que podía contar. Él podía hacerse cargo y planificar cada batalla, cada crisis. Y aquello era una crisis.

Alzó la cabeza para mirarle, para mirar sus ojos, buscando que la tranquilizara. Y allí estaban, los ojos de lobo que la miraban con firmeza. Zev esperaba, como sabía que haría, sin hacer preguntas ni atosigarla.

Rodeó su cuello con los brazos y se puso de puntillas al tiempo que le hacía bajar la cabeza hacia ella. Él no vaciló, no preguntó.

Sus labios rozaron los de ella y un millón de mariposas echaron a volar en su estómago. No esperaba aquella reacción, pero agradecía poder distraerse del pánico que había sentido. Cerró los ojos, y sus pestañas aletearon por un instante mientras la boca de Zev la buscaba, con pequeños besos, deslizando la lengua por entre los labios.

Tanta dulzura hizo que los ojos se le llenaran de lágrimas. Durante todos aquellos años, mientras estuvo atrapada en el cuerpo de un dragón de fuego, helándose en un mundo helado, jamás había imaginado que un hombre pudiera tratarla con tanto respeto o amor. Era un regalo. Maravilloso. Abrió la boca y el mundo se detuvo.

Zev la besó con una seguridad absoluta y control, arrastrándola con él a otro universo, ahuyentando el miedo y reemplazándolo con algo totalmente inesperado. Con ternura.

Un calor ardiente se formó en su interior y recorrió su cuerpo y sus venas. Branislava había estado reprimiendo su ardor una eternidad, hasta aquel baile de fuego con Zev. Él parecía «entenderla». Parecía saber cómo era por dentro. Quería que fuera ella misma, y besarlo había sido como respirar por primera vez. Como descubrir que estaba realmente viva. Podía perderse en aquella boca. El ardor la consumía, la reducía a cenizas, permitiendo que volviera a renacer como el ave fénix.

Zev tenía un sabor exótico y salvaje, el sabor de un lobo feroz e indómito que la quería devorar. La quería amar. Y aunque jamás habría pensado que conocería una emoción igual entre hombre y mujer, tanto amor hacía que se sintiera arropada.

Había deseo. Incluso lujuria. Zev era un hombre de fuertes apetitos, pero la emoción más fuerte, la conexión más poderosa, era el amor. Lo notaba en su beso. En el modo en que la abrazaba. Branislava dejó por fin aquellos últimos temores a que la aprisionaran y se entregó a él. Se entregó al fuego que consumía su cuerpo, las llamas que subían cada vez más alto, avivadas por su compañero eterno.

Cuando él levantó la cabeza y apoyó la frente contra la suya para que los dos pudieran recuperar el aliento, ella se quedó mirando sus ojos plateados y luminosos, casi mercúreos. Los ojos de un lobo.

—Reclámame, Zev. Aquí. Ahora. Únenos —susurró, porque le necesitaba desesperadamente. Ella lo quería, sí, pero en aquellos momentos, sabiendo a quién y a qué se enfrentaban, quería ser parte de él. Quería que sus almas fueran una—. Reclámame.

Capítulo 8

Zev respiró hondo y trató de pensar, a pesar del repentino zumbido que notaba en la cabeza. Branislava le estaba ofreciendo su vida. Su lealtad. Entregándole su amor. Ella era todo cuanto quería, y se estaba ofreciendo a él.

Le frotó los brazos para tranquilizarla, decidido a hacer lo correcto. Su instinto era el de reclamarla enseguida, unir su alma a la de ella para que no hubiera escapatoria y que nadie pudiera separarlos, pero eso habría sido como tomarla prisionera. Y al final, cuando ya no tuvieran la posibilidad de deshacer la unión y dejara de sentir miedo, ¿seguiría queriéndole? ¿O se sentiría dolida?

—Branka, estás muy asustada. Lo que sea que has encontrado te ha hecho entrar en un estado de pánico. Te quiero más que a nada. Quiero que seamos compañeros eternos, pero más que eso, y porque hay una parte importante de mí que siempre será licántropo, lo que quiero es que me ames y me elijas por ti misma. Ni siquiera has tenido tiempo de empezar a conocerme. Estamos en mitad de una guerra, y cada vez que creo que tenemos un momento para estar a solas y poder hablar, nos interrumpen.

—Lobo tonto. —Branislava acarició su rostro con las yemas de los dedos—. No necesito palabras para conocerte. Tus actos me dicen quién eres. Jamás tomaría una decisión como esta a la ligera. En algún momento tendré que enfrentarme a mis temores, al demonio de mis pesadillas, y cuando lo haga quiero estar conectada a ti por tu fuerza y tu determinación. Has sobrevivido a una herida que ningún otro hombre habría podido superar. ¿Y sabes por qué? No fue por las personas que estuvimos luchando por ayudarte. Fue por tu voluntad de protegerme. Esa es la verdad, Zev. Tú mismo te salvaste a pesar de que era un imposible.

—Necesito saber que estás realmente segura. Los antiguos guerreros vertieron en mí todo tipo de información, historia, cultura. Quizá esa información ya estaba ahí, en el fondo de mi mente, y ellos solo tuvieron que señalarme la forma de acceder a todos esos recuerdos con los que nací. Sé que cuando te ate a mí, no habrá vuelta atrás. No habrá escapatoria —dijo, y se obligó a pronunciar aquella palabra para que ella la oyera bien.

Branislava asintió.

—Entiendo por qué tienes miedo, pero por encima de todo, soy una cazadora de dragones, pertenezco a ese linaje. Sé lo que hago y asumo la responsabilidad por mis decisiones. Los cazadores de dragones somos tan leales como tú. Mi alma necesita a la tuya. Mi mente busca a la tuya. Mi cuerpo suspira por tu cuerpo. Pero, si de verdad todo esto no te convence, créeme si te digo que mi corazón te pertenece solo a ti. Para mí no hay vuelta atrás. Tomé esa decisión cuando entrelacé nuestros espíritus. Cuando me quedé contigo bajo tierra y cuando volví a tu lado en la cueva de los guerreros porque tú me llamaste. Tomé esa decisión cuando luché a tu lado y tomo esa decisión ahora, cuando te pido que me ates a ti. Te quiero y quiero estar contigo.

Zev notaba una curiosa sensación en el corazón, como si se estuviera derritiendo. Ni siquiera se había dado cuenta de que tenía un nudo en el estómago, pero en aquel momento ese nudo se deshizo. Branislava era una mujer adulta y acababa de hablar. No había vacilación en su voz. Solo determinación… y amor. Entonces sintió que aquel amor lo envolvía y el lobo que llevaba dentro aulló de felicidad. Su lado carpatiano sentía aquella antigua necesidad, aquel vínculo de sangre que había conectado a su pueblo durante siglos, de la edad antigua a los tiempos modernos. Necesitaba ligar a su compañera eterna a su persona.

Las palabras le salieron del alma, no solo del corazón.

—*Te avio päläfertiilam.* —Las antiguas palabras de sus ancestros, el lenguaje sagrado que llevaba grabado desde su nacimiento, impreso en el linaje de los sangre oscura y la casa de Tirunul—. Eres mi compañera eterna. *Éntölam kuulua, avio päläfertiilam.* Te reclamo como compañera eterna.

De alguna manera, al pronunciar las palabras, Zev sintió como si miles de hebras de seda empezaran a unir sus almas. La rodeó con fuerza con sus brazos y la atrajo hacia sí, deseando que ella sintiera el mismo asombro y alegría que sentía él.

—*Ted kuuluak, kacad, kojed.* Te pertenezco.

Ella le besó el mentón.

—*Ted kuuluak, kacad, kojed.* Te pertenezco, Zev, ahora y por toda la eternidad.

—*Élidamet andam.* Te ofrezco mi vida.

—Te ofrezco mi vida —repitió ella mirándole a los ojos.

Su corazón balbuceó levemente.

—*Pesämet andam.* Te ofrezco mi protección. *Uskolfertiilamet andam.* Te ofrezco mi lealtad. *Sívamet andam.* Te ofrezco mi corazón. *Sielamet andam.* Te ofrezco mi alma. *Ainamet andam.* Te ofrezco mi cuerpo. *Sívamet kuuluak kaik että a ted.* Velaré lo tuyo como si fuera mío.

Branislava daba besos siguiendo la línea de su mandíbula, por su cuello, murmurando las mismas palabras rituales que él pronunciaba, con voz suave pero firme. Zev sentía que el amor lo desbordaba, una emoción perfecta y abrumadora totalmente ligada a ella. Sabía lo que significa pertenecer, y daba gracias por pertenecerle a ella.

—*Ainaak olenszal sívambin.* Atesoraré tu vida por el resto de mis días.

—Zev sabía lo que significa «atesorar». Jamás había atesorado nada en su larga vida, hasta que apareció Branislava. Fuera lo que fuese que les esperaba, por muy malo que fuera, quería que fuera con ella, y se prometió que haría que cada minuto valiera la pena, que la haría sentirse como el valioso tesoro que era.

—*Te élidet ainaak pide minan.* Tu vida antepondré siempre a la mía.

Con cada frase que pronunciaba, sentía que el vínculo entre ellos era más fuerte.

Zev cerró el puño sobre sus cabellos y atrajo su rostro hacia él. Ella entreabrió los labios. Aquellos labios perfectos con los que había soñado una vida entera. Bajó la cabeza y la reclamó con su boca al mismo tiempo que la reclamaba con su alma.

Te avio päläfertiilam. *Eres mi compañera eterna.* La besaba una y otra vez, devorando aquel fuego líquido, sintiendo que una tormenta de fuego se desataba en su cuerpo.

Su boca se deslizó por el mentón, más abajo, por la garganta, hasta la suave elevación de sus pechos, bajo el fino material del vestido. Sus dientes arañaron con suavidad y persistencia ante aquel latido que le llamaba.

Ainaak sívamet jutta oleny. *Quedas unida a mí para toda la eternidad.*

Clavó los dientes con fuerza y ella se arqueó contra su cuerpo con un grito. Hundió las manos en su pelo y lo sujetó de la cabeza mientras él bebía de su misma esencia. Tenía un sabor adictivo. Canela y miel. Solo que esta vez también había calor, como si muy adentro aquel fuego estuviera esperando a que él desatara una tormenta de pasión.

Ainaak teräd vigyázak. *Estarás siempre bajo mi cuidado.*

Zev deslizó la lengua por la dulce ondulación de su pecho y levantó la cabeza. Sabía que sus ojos y su rostro llevaban el sello del predador, pero también quería que Branislava viera, y sintiera, el amor que lo desbordaba. Su cuerpo estaba furioso. La deseaba con cada fibra de su ser. Eso también podría verlo. No se molestó en intentar disimular lo mucho que la deseaba.

Era un hombre duro, exigente, y la quería de todas las formas imaginables, pero por encima de todo quería que siempre se sintiera segura a su lado, que supiera que siempre pondría el placer de ella por encima del suyo propio.

Branislava le sonrió. Poco a poco desabrochó los botones de su camisa y pasó las manos por su pecho desnudo. Notó que un estremecimiento lo recorría. Se inclinó sobre él y lamió sus apretados músculos, deslizando la lengua sobre el pezón antes de mordisquear la piel con los dientes.

Zev sintió que su miembro saltaba y se hinchaba más allá de lo que hubiera creído posible, tensando el material de sus pantalones. Bajó las manos enseguida para desabrochar los botones, buscando desesperadamente alivio. El contacto de la tela le resultaba demasiado doloroso. Supuso que la brisa de la noche le ayudaría a aliviar aquella necesidad tan acuciante, pero en el momento en que liberó la erección, sintió como si acabara de abrirle la jaula a un monstruo furioso.

Las pequeñas gotas de niebla que tocaron aquella piel sensibilizada solo sirvieron para incrementar el placer cada vez mayor que sentía su cuerpo. Branislava bajó una mano para acariciar el pene y pasó el pulgar por la cabeza, antes de cerrar la mano, al tiempo que clavaba los dientes con fuerza.

La sensación fue extraordinaria. Zev sintió una sacudida de placer, tan intenso que casi rayaba el dolor, limitado y exquisito. Y notó que el lobo se levantaba, con un aullido de pura felicidad, mientras ella bebía su sangre. Necesitaba sentir la piel sedosa de ella bajo las manos.

Deshazte de tus ropas, susurró en su mente, medio ordenando, medio suplicando.

Antes de que el pensamiento hubiera pasado de una mente a la otra, el largo vestido de Branislava había desaparecido y estaba desnuda contra él. Le gustó la sensación de tenerla desnuda cuando él estaba casi totalmente vestido. Estaban en lo más profundo del bosque, la niebla los rodeaba, los envolvía en un manto de intimidad, y ella estaba totalmente desnuda ante él y le ofrecía su cuerpo.

Zev deslizó las manos por la suave línea de su espalda y bajó hasta las nalgas. Las notó fuertes y firmes cuando agarró con fuerza y masajeó la carne y los nervios que se escondían debajo, levantándola ligeramente. No quería esperar. La quería en aquel momento. En aquel lugar. Se sentía como si llevara siglos esperando por su mujer, y sabía que nada que pudiera imaginar podría compararse al fuego que Branislava llevaba dentro.

Ella tocó con la lengua la pequeña herida que él tenía en el pecho. Su cuerpo estaba caliente, y ardía como si tuviera fiebre. Las manos que sentía en sus nalgas eran rudas y anhelantes, y le hicieron estremecerse. Jamás habría pensado que un amante tan dominante pudiera atraerle, pero en el fondo le excitaba la forma en que la tocaba.

Le gustaba que tuviera una actitud tan posesiva con ella. Que se tomara sus votos tan en serio. Su cuerpo le pertenecía y quería darle placer con él. Para ella era importante complacerlo de todas las formas posibles. Y esperaba que él haría lo mismo por ella.

Zev deslizó la mano entre sus muslos y la obligó a abrir las piernas. Ella bajó la mirada y por dentro lanzó un pequeño respingo de sorpresa. No se le había ocurrido que pudiera tenerla tan grande, pero era un hombre grande, un lobo grande... por supuesto. También sus manos le parecieron inmensas cuando vio cómo subían por su pierna.

Su corazón se sacudió con violencia y diminutas llamas de excitación subieron por sus muslos al paso de sus caricias. Cerró los ojos cuando él cubrió su zona púbica con la palma, y sintió que un líquido ardiente lo mojaba.

—Mírame.

Era una orden, ni más ni menos.

Ella levantó sus pestañas y lo miró. De nuevo sintió que su corazón vacilaba y aquel fuego líquido y caliente volvió a derramarse sobre la mano de Zev. Su corazón latía con violencia, los pechos le dolían. Notaba la tensión enroscada en su vientre.

Él se llevó la mano a la boca y lamió la canela con miel.

—Tienes un sabor delicioso. Como imaginaba. Te voy a comer, *mon chaton féroce*. Hasta la última gota.

A Branislava casi se le doblan las rodillas. Zev tenía el deseo grabado en el rostro, un implacable deseo de posesión que solo consiguió excitarla más. Él la envolvía con su amor, eso también lo sentía, pero en aquellos momentos, a quien quería era al lobo, al lobo salvaje e indómito que la miraba con ojos relucientes y una expresión fiera. Con el deseo de dominarla escrito en cada línea de su rostro y de su cuerpo.

Había algo casi ilícito en el hecho de estar desnuda en medio del bosque mientras él seguía vestido. Trató de seguir mirándolo a los ojos, de evitar que su mirada se desviara a la erección, pero era difícil, una auténtica lección de disciplina.

—¿Entiendes lo que quiero hacerte? —le preguntó él con una voz tan baja y sensual que Branislava se estremeció de excitación—. ¿Sabes lo que voy a hacer?

—Sí —confesó ella, con una voz que no parecía la suya. En realidad, no estaba nada segura de lo que quería decir, pero eso no importaba. Estaba dispuesta. Su cuerpo ardía de deseo por él—. Pero tengo que ser sincera, Zev. Cuando te conocí, traté de hacer un curso acelerado de cómo complacer a un hombre, pero es posible que la información que tengo no sea del todo fiable. Lo miré en Internet y era un poco confuso. Diagramas y anatomía, todo cosas que entiendo, aunque no sé muy bien cómo se usan.

Los ojos de Zev relampaguearon, oscurecidos por el deseo, y la sonrisa deliberada y sexy que le dedicó era definitivamente lobuna.

—No necesitas ningún curso acelerado, Branka. Yo seré tu profesor. Quiero enseñarte las cosas que me darán placer. Y estoy deseando descubrir qué te gusta a ti.

Mientras hablaba, colocó sus grandes manos sobre sus pechos.

—Tienes unos pechos tan bonitos. —Su dedo siguió la línea de la cicatriz que subía por una pendiente cremosa. Agachó la cabeza para seguir el mismo camino con la lengua—. En ti todo es bonito, *mon chaton féroce.*

Sus ojos la miraron sin pestañear, observando su reacción cuando le sujetó los pezones entre los dedos y se dedicó a rozarlos hasta que apenas pudo respirar. Los pezones parecían conectados a su yo más íntimo, y notaba como descargas eléctricas que la sacudían. Zev se inclinó, sin dejar de mirarla, y cogió el pecho derecho en su boca ardiente.

Entonces se oyó gemir a sí misma. Un fuego se encendió en sus pechos, avivado por las manos y la boca de Zev, las llamas bailaban salvajes en su vientre. Él pasó al otro pecho, usando los bordes de los dientes. La pequeña sacudida de dolor incrementó la vertiginosa sensación de placer que recorría su cuerpo. No podía creerse que el roce de los dientes y la caricia de la lengua, combinados con el calor de su boca, pudieran hacerla enloquecer de aquel modo.

Sí, su cuerpo le pertenecía. Zev deslizó sus manos posesivamente sobre sus costillas hasta la cintura, y a las manos las siguió la boca. Branislava sintió que bajo aquel fuego se derretía hasta el último músculo de su cuerpo. Y entonces se dejó caer de rodillas ante ella y sintió que no sería capaz de mantenerse en pie. Apoyó una mano en su hombro para sostenerse, temblando de arriba abajo por el deseo.

A su alrededor la bruma empezó a teñirse de un extraño resplandor rojo dorado. Notaba un calor muy intenso... por todas partes. Sus cabellos despedían chispas y chisporroteaban, con un rojo muy rojo y profundo. Las vetas doradas saltaban como llamas fuera de control a través de la masa sedosa de su trenza.

Notaba las manos rugosas de Zev, en contraste con la suavidad de su piel. Y cuando lo miró, su expresión se había vuelto totalmente animal; sus ojos de lobo miraban hambrientos y muy fijos y eso hizo que su corazón golpeara en su pecho con violencia y que la tensión en su yo más íntimo se hiciera más intensa.

Él le pasó la lengua por la vagina y ella gritó, aferrándose con la mano a su pelo, mientras las sensaciones se desplazaban por su cuerpo como el combustible por el fuego. No estaba muy segura de que ninguno de los dos pudiera sobrevivir a la conflagración que se estaba gestando en su interior como si fuera un volcán.

Zev empezó a darle lametones, como el lobo hambriento que era, arrancándole cada pizca de miel y canela que podía del cuerpo. Sus manos le mantenían las piernas separadas con fuerza, las caderas quietas, mientras se regalaba cuanto quería devorándola. Los gemidos de ella eran cada vez más fuertes, pero él no se detuvo. Ella le tiraba del pelo, pero su boca era implacable. El fuego crecía y crecía, rugía, pero no paraba, seguía arrastrándola al borde de un oscuro precipicio, sin dejarla caer.

Cuando sentía que se iba a volver loca de anhelo, cuando sus súplicas resonaban por la bruma resplandeciente, él la tumbó sobre la hierba, sin sus ropas. Resultaba intimidante, allí arrodillado sobre ella. Apenas podía respirar, apenas podía pensar, y no dejaba de mover la cabeza, y las caderas, de debatirse.

Zev pasó un largo dedo sobre su vagina. Su cuerpo se arqueó, y su boca se abrió con un grito silencioso.

—Aprecio que estés respondiendo tan bien, pero estáte quietecita. No me gustaría perder el control si no estoy seguro de que estás preparada.

¿Que si estaba preparada? ¿Estaba loco? ¿Cuánto más preparada podía estar? Si no hacía algo pronto, ardería por combustión espontánea.

Esta vez, Zev le acarició con el dedo por dentro, y se clavó más mientras los músculos de ella se cerraban con fuerza en torno al dedo. Él lanzó un silbido.

—Estás muy caliente. Así me gusta, *mon chaton féroce*, arde por mí.

¿Cómo podía no hacerlo? Solo él podía apagar el fuego que había encendido, y no estaba cooperando nada. Un leve gimoteo brotó de sus labios cuando él metió un segundo dedo para distenderla. De nuevo, la punzada de dolor intensificó el efecto de las descargas eléctricas que le corrían por las venas, buscando cada terminación nerviosa de su cuerpo para encenderla.

Entonces retiró los dedos y eso la hizo gimotear, pero al momento volvían a estar dentro... Solo que esta vez no eran los dedos. Su corazón latía con fuerza cuando él empezó a empujar en su interior. Le había levantado las piernas rectas, y estaba arrodillado entre ellas para que las abriera más, para acomodar con mayor facilidad la invasión. Y entró de un modo implacable, sin parar, presionando de manera paciente y constante para obligar a su cuerpo a aceptarle. Sus músculos se resistían, pero iban cediendo poco a poco a aquella presión continuada, hasta que topó con una barrera.

Zev jadeó. Maldijo.

—Estás tan jodidamente caliente —fueron las palabras que consiguió que brotaran entre sus dientes apretados.

Tenía que hacer un gran esfuerzo para no perder el control. Necesitaba un minuto más, y necesitaba que ella se estuviera quieta. Notaba sus músculos vivos, abrasadores, envolviéndolo con ferocidad, aferrándolo con fuerza, arrebatándole su voluntad. No quería hacerle daño y arruinar aquel momento.

Branislava se retorcía bajo su cuerpo, sin pensar conscientemente, tratando de forzar las cosas, desesperada por tenerle. Él le dio una fuerte palmada en las nalgas, y ella abrió los ojos de golpe. En torno a su pene, se derramaba un líquido caliente que lo envolvía. Sus terminaciones nerviosas estaban en modo placer y todo lo que hacía parecía incrementarlo.

—Quédate quieta —le gruñó, enseñando los dientes a modo de advertencia.

Entonces jadeó y trató de obedecer. Zev no esperó a que ella volviera a perder el control, empujó con fuerza para reclamar su cuerpo. Era un hombre grande y sabía que ella necesitaría unos momentos para acomodarlo plenamente. Se acomodó contra su útero, y escrutó su rostro buscando posibles muestras de incomodidad.

Los ojos de Branislava suplicaban, mientras su cabeza se movía adelante y atrás. Y Zev finalmente, tras apoyar sus piernas sobre los hombros, para abrirla aún más, dejó salir a su lobo. Se puso a empujar con fuerza, más y más, a un ritmo implacable y despiadado. Cada golpe avivaba las llamas, los músculos de ella apretaban cada vez más, o quizá es que su sexo se hinchaba más, pero la fricción bordeaba el éxtasis.

Él quería más, empujaba cada vez más adentro, hasta el punto de que en algún momento pensó que le iba a llegar al estómago, pero el calor lo engullía y le rodeaba de fuego. Siempre había sabido que Branislava era así, salvaje y caliente, tan apasionada como él. Era brusco con ella, y ella respondía suplicándole más, deseando quemarse en aquel infierno juntos.

A su alrededor, bajo el cuerpo de Branislava el suelo empezó a iluminarse como si aquella unión salvaje atrajera el magma desde lo más hondo de la tierra. Diminutas lenguas de rojo y dorado lamían la hierba, pero no habría podido parar ni aunque le hubiera ido la vida en ello. Su respiración se volvió trabajosa, sus pulmones necesitaban aire. La niebla refrescante caía sobre su cuerpo como un millar de lenguas mientras a su alrededor el mundo parecía estallar en llamas.

Su cuerpo se hinchaba, unido al suyo, y la sujetaba mientras ella se aferraba a él con músculos apretados y calientes. La bola de fuego apareció en algún punto de los dedos de sus pies, una bola de pura alegría, que se elevó como una tormenta y arrasó su cuerpo, tomándolo antes de que pudiera recuperar el aliento.

Y echó la cabeza hacia atrás mientras ella lo exprimía, haciendo salir su simiente en vertiginosos chorros, y el orgasmo se adueñaba de su cuerpo, extendiéndose en sucesivas oleadas que se iniciaban en su yo más íntimo e iban extendiéndose a su vientre y sus pechos.

Zev sintió cada convulsión de las paredes que envolvían su sexo, las oleadas de fuego que la devoraban, que la consumían, que los quemaban a los dos. Branislava se quedó tumbada, jadeando, mirándole con ojos perplejos, ahora sin chispas en el pelo. Él la miró con esos mismos ojos hambrientos, reteniendo aún su cuerpo.

Ella no trató de apartarse, se quedó tumbada, con las piernas sobre los hombros de él, los pechos subiendo y bajando, mientras el olor combinado de los dos impregnaba el aire. Era la cosa más bonita que había visto en su vida. Sus ojos parecían un poco perplejos, los labios entreabiertos, el cuerpo cubierto por un ligero resplandor, igual que la bruma que les rodeaba.

—¿Sabes lo que eres?

Ella meneó la cabeza, tratando aún de recuperar el aliento.

A Zev le encantaba la forma en que sus pechos subían y bajaban por el esfuerzo.

—Perfecta. Eres perfecta. No podría haber otra para mí. Solo tú. No creo que tengas que preocuparte nunca por si satisfaces mis apetitos.

Branislava estiró la mano para tocar el pequeño punto caliente del cuerpo de Zev donde sus cuerpos se unían, la única parte de él que aún no estaba dentro.

—Quiero complacerte, Zev.

Y sus dedos bailaron sobre el sexo duro y aterciopelado casi con reverencia.

Aquel leve contacto hizo que su pene se sacudiera de nuevo.

—Pues que no te quepa duda de que lo haces… y lo harás. Siempre te diré sin vacilar lo que quiero y necesito. Y espero que hagas otro tanto. Si alguna vez te pido que hagas algo que te asusta, dímelo y buscaremos una solución. No te limites a decir que no y me rechaces. Es importante para mí, Branka. Quiero que confíes en mí lo suficiente para que me lo digas si algo te asusta.

—No sabía que el miedo podía ser tan sexy —susurró ella—. Y el hecho de que no lo supiera lo ha hecho más excitante.

—Y tú mujer, eres caliente como el infierno. O el cielo. ¿Es caliente el cielo? —Esbozó una sonrisa—. Incluso la niebla resplandecía por nosotros.

Branislava miró a su alrededor mientras los colores de la niebla empezaban a desvanecerse.

—El efecto es muy bonito pero, francamente, ¿de verdad nos interesa que los vecinos se enteren cada vez que hacemos el amor?

Zev rió.

—Casi quemamos el bosque. A lo mejor nos prohíben el acceso a la zona.

Muy suavemente, le acarició la pantorrilla, luego el muslo y masajeó sus nalgas antes de apoyar el pie en el suelo. Hizo lo mismo con la otra pierna. Sus ojos recorrieron su cuerpo, y la sonrisa se convirtió en un ceño.

—¿Te he hecho daño, Branka?

—No, por supuesto que no. Si me hubieras hecho daño, estarías muy perjudicado en algunos lugares que te importan mucho. Soy una mujer que cree en la venganza, ¿lo recuerdas?

Zev se inclinó hacia delante y una nueva sacudida hizo que los músculos de Branislava se cerraran con fuerza en torno a su pene y lo dejara sin respiración. Apoyó las dos manos sobre su vientre liso, con los dedos extendidos para abarcar tanta carne como podía.

—Es un pequeño detalle de ti que me gusta.

Los ojos verdes de su compañera ardían con un fuego oculto. Seguía estando muy caliente, y le resultaba muy difícil ocultarse bajo una fachada de indiferencia. Zev también adoraba aquel rasgo suyo, todo ese fuego que llevaba en su figura menuda esperando al momento oportuno para encenderse.

Poco a poco su cuerpo empezó a relajarse y se permitó salir del interior de ella, de aquel refugio secreto al que sería adicto por siempre jamás. Se sentó y dejó que sus ojos la recorrieran posesivos. Y permanecieron así, rodeados por la niebla y los árboles, en silencio, los dos solos, cincelando un pequeño momento en común en la noche.

Branislava fue la primera que se movió. Sabía que Zev no la presionaría ni la obligaría a volver con los otros y afrontar el horror que había descubierto y que la había hecho huir en la noche. Se aferró a su hombro para poder incorporarse. Y al momento él le rodeó las caderas con los brazos y la atrajo hacia sí.

Su corazón dio una ligera sacudida y empezó a latir más deprisa. Le sorprendía que Zev tuviera ese efecto en ella... que nadie pudiera tenerlo. En el momento en que la tocaba, su cuerpo reaccionaba con anhelo y ansia. No había sabido realmente lo que era la atracción física hasta que le conoció a él. Su lobo. Bajó la vista para mirarle a los ojos y de nuevo su corazón se sacudió.

Él estaba totalmente concentrado en ella, como un predador calibrando a su presa, con aspecto de estar a punto de devorarla otra vez.

—Tengo que asearme —dijo ella suavemente, con tono de disculpa.

Le gustaba estar allí, sintiendo que su simiente se le escurría por los muslos mientras sus manos le acariciaban las nalgas.

—Me gustas tal cual estás —objetó él.

Ella rió.

—Ya lo supongo, pero creo que tendríamos que comportarnos y volver con nuestros invitados. Al fin y al cabo, los tenemos sentados en nuestro porche, y seguro que están preguntándose qué nos ha pasado.

—Hemos iluminado todo el bosque. Estoy seguro de que se hacen una idea.

El color y el calor se implantaron en su cuerpo, pero encogió los hombros con delicadeza.

—Aún así, tenemos compañía.

—Siempre vas a insistir en que me muestre civilizado, ¿verdad?

Sus dedos se deslizaron por sus muslos, y la dejaron sin aliento.

Los dedos de ella se aferraron a su grueso pelo. Él se inclinó y le mordió la nalga y luego el muslo, y ella gritó, mientras su cuerpo respondía una vez más con aquel líquido ardiente y hospitalario. Mientras sus dientes jugueteaban, los dedos se movían en su interior, presionando, explorando su calor una vez más.

Estaba tan receptiva que solo aquella intrusión hizo que su cuerpo volviera a encenderse. Y cuando Zev encontró aquel punto que la hacía enloquecer, sintió que su mente se derretía, y un sonido brotó de sus labios, una bocanada de aire que salió explosivamente de sus pulmones.

—¿Qué estás haciendo? Tenemos un deber...

—Tu único deber es complacerme —musitó—. Móntame.

Ella meneó la cabeza pero obedeció, y se colocó a horcajadas sobre él, él la sujetó por las caderas y la hizo sentarse sobre su regazo. Sus ojos le miraron.

—¿Es ese mi deber? ¿Complacerte? —repitió ella, mientras el humor se debatía con la sensualidad que volvía a despertar.

Le encantaba el tacto de sus manos, la expresión de sus ojos. Ya podía notar la gruesa erección presionando contra el portal mojado de su cuerpo.

—Tu único deber —recalcó él.

Tenía el pelo grueso, como el pelaje de un lobo, largo, y le caía alrededor. Su pecho presentaba claros músculos, y un rostro entallado y hermosamente masculino. A Branislava le encantaba su aspecto, la fuerza que había en él, la impronta tan clara de autoridad que dejaba.

—Bueno, entonces, si ese es mi único deber, será mejor que me esmere —replicó ella y se dejó caer sobre él, enfundándolo totalmente, viendo cómo sus ojos entornados se volvían totalmente lobunos.

Él la llenaba, la distendía una vez más, insistiendo en que sus músculos apretados permitieran la intrusión. Ella se sentó sobre su regazo, haciendo pequeños movimientos para estar más cómoda, y viendo con satisfacción cómo gemía cada vez que lo hacía.

—No estoy muy segura de cómo hacerlo —murmuró ella levantando las caderas lentamente y moviéndose aún más despacio— ¿Así? ¿Ayuda esto en algo a su placer, mi señor?

Él le clavó los dedos en las caderas, pero dejó que tomara el control.

—Creo que vas por buen camino.

Ella arqueó una ceja.

—¿Crees? Um, quizá te gustaría más así. —Y volvió a levantarse, apoyando las manos en sus hombros para sostenerse, mientras trazaba pequeños círculos con las caderas, apretando los músculos, incrementando la frición sobre el pene sensible de él.

Él tragó, y el aire escapó de sus pulmones en un largo gemido de placer.

—Eso es, eso es lo que quiero, pero un poco más rápido. —Y con sus manos la acomodó en un ritmo más rápido. Su voz se volvió ronca y descarnada—. Un poco más fuerte.

Branislava rió suavemente, echando la cabeza hacia atrás, dejando que las sensaciones la dominaran. Volvió a levantarse, pero esta vez montándolo a un ritmo más rápido y fuerte, como él quería.

—Este es tu sitio —declaró él—. Aquí conmigo, dentro de ti. Tú rodeándome. Unidos como estamos ahora.

Ella sentía que aquel era su sitio, sí. Le encantaba la forma en que la había empalado, distendiéndola por dentro tan deliciosamente, rozando el dolor, pero sin llegar, sintiendo que el placer sacudía su cuerpo con cada golpe.

Él empezó a moverla con su enorme fuerza mientras el aire salía entrecortado de sus pulmones, con manos duras e imperiosas, haciendo saltar su cuerpo arriba y abajo en una cabalgata benditamente salvaje. Entonces cerró los ojos, echó la cabeza hacia atrás, y dejó que aquel ritmo acelerado que le imponía la consumiera, la llevara a otro universo en el que solo existían ellos dos. Solo aquello.

La sensación era de pertenencia, no de estar prisionera. Lo deseaba, e incluso le necesitaba, pero también sentía que era libre. Él la hacía sentirse hermosa y sexy. Le hacía sentir que ninguna otra mujer podría hacer aquello por él, solo ella.

Su cuerpo se movía dentro de ella y una especie de descarga eléctrica la recorrió de arriba abajo haciendo despertar cada terminación nerviosa.

Poco a poco su mundo se fue reduciendo, hasta que solo quedó Zev y el modo en que encajaban y aquellos movimientos regulares y poderosos que hacían correr el fuego por sus venas y su yo más íntimo.

Él la obligó a marcar un ritmo más fuerte y rápido, sujetándola con fuerza por las caderas, y empujaba y empujaba. Ella se movía con abandono, flotando en un mundo de sensaciones. Una vez más, bajo sus cuerpos el suelo se calentó, como si la combinación de los dos atrajera el magma de las profundidades de la tierra. Su piel estaba muy caliente, también la suya, y a su alrededor la niebla relucía con aquel extraño rojo anaranjado.

—¿Cómo puedes estar tan caliente? —le preguntó—. Eres como un fuego de seda apretándome con un puño de hierro.

A Branislava le encantaba notar aquel asombro y aquel deseo tan intenso en su voz. Le encantaba la forma en que le hacía sentirse, la misma forma en que ella le hacía sentirse a él. Se movía con frenesí, y cuando él se inclinó hacia delante para lamerle el pecho, el fuego que había ido gestándose llegó a su límite y estalló por toda ella con una fuerza extraordinaria y la arrastró.

Por un momento, en los límites de su visión periférica todo se volvió rojo por las llamas. Podía sentirlas recorriendo su piel como miles de lenguas ardientes. Y entonces le rodeó el cuello con los brazos y se inclinó para descansar la cabeza en su pecho.

—No sé cómo lo haces, pero cuando estamos así, todas las cosas malas que han pasado en mi vida desaparecen. Tú lo borras todo. Y durante estos preciosos momentos soy como una pizarra en blanco, y lo único que hay en ella es tu nombre.

—Lo que dices es muy bonito. Gracias.

Ella ocultó la cara contra su cuello.

—Cuando salimos de las cuevas de hielo, pensé que nunca tendríamos que volver a enfrentarnos a nadie tan perverso como Xavier.

Zev le subió la mano por la espalda y la atrajo hacia sí. Era un gesto íntimo, reconfortante. Sus dedos buscaron la nuca de ella e iniciaron un lento masaje. No dijo nada, y ella lo agradeció. Era importante que dijera lo que tenía que decir ahora que tenía ocasión.

—No soy tonta. Conozco los problemas que afronta nuestro pueblo, y sabía que me esperaban tiempos difíciles, aunque una guerra con los licántropos quizá supera todo lo que hubiera podido pensar. Aún así, sé que puedo hacerlo.

Branislava restregó el rostro contra el cálido hueco entre el cuello y el hombro de Zev. Tenía un olor fuerte y masculino y, en aquellos momentos, cuando sus miedos empezaban a aflorar, le necesitaba.

—Implantar sombras es algo realmente perverso, Zev. El mago puede acceder a su víctima en cualquier momento y obligarle a obedecer. A veces, con el tiempo, la víctima empieza a resentirse, sobre todo si tiene mucha fuerza de voluntad, como pasó con mi sobrino Razvan, y acaba sintiéndose débil y confusa. Y entonces el mago les golpea y puede obligarles a hacer cosas que van en contra de todo aquello en lo que creen.

—No entiendo la diferencia entre un fragmento y una sombra.

—Xavier utilizó un fragmento de sí mismo con Razvan, lo que significa que una parte de él vivía dentro de su cuerpo; en cambio, una sombra es un portal por el que el mago puede desplazarse. El fragmento puede abandonar el cuerpo en cualquier momento y buscar un nuevo huésped. Muy pocos dejan un fragmento suyo durante mucho tiempo en otra persona, porque existe el riesgo de que lo descubran y lo destruyan, y eso es peligroso para su creador. Una sombra se puede utilizar siempre. El riesgo de que la descubran es mínimo, y pueden ponerse todo tipo de trampas.

Branislava se sentó lentamente. Un pequeño estremecimiento le recorrió el cuerpo, porque aquel movimiento provocó cierta fricción en su punto más sensible.

—Me encantaría pasar el resto de la noche aquí, contigo, pero tenemos que volver.

Él suspiró y le pasó la mano por la parte posterior de la cabeza, acariciando la trenza sedosa.

—A Fen le está costando contener a Tatijana y evitar que salga en tu busca —admitió Zev—. Quería seguirte y asegurarse de que estabas bien.

Ella asintió con el gesto varias veces, pero no hizo ademán de apartarse de su regazo. Si acaso, apretó con más fuerza los músculos con que lo sujetaba, como si pudiera retenerlo para siempre.

—Me fui algo precipitadamente. Ese pobre hombre. Damon. No tendría que haberle estropeado el café. No sé qué pensará que he encontrado en su cabeza.

—¿Qué has encontrado?

El cuerpo de Branislava se estremeció. Frunció los labios con fuerza y miró a su alrededor como si esperara ver a algún enemigo espiándolos. Muy despacio, puso las manos sobre los hombros de Zev y se apoyó en ellos para incorporarse, a desgana.

—Te lo diré cuando volvamos a la casa. Aquí no. Estamos en terreno abierto.

Zev no insistió. Parecía asustada. Fuera lo que fuese, la había trastornado lo bastante para impulsarla a huir en mitad de la noche. Tenía que solucionar aquello por sí misma y aceptarlo antes de poder explicarlo a nadie.

—Supongo que eso significa que te vas a vestir.

Cambió así de tema, y habló con tono gruñón tratando de animarla con sus bromas.

—Creo que será lo mejor —dijo ella lanzándole una mirada desde debajo de sus largas pestañas.

—Yo creo que no. Podrías quedarte ahí de pie unos minutos y dejar que te admire.

Él ya estaba vestido y compuesto, con sus ropas de combate de diario.

Ella sonrió y meneó la cabeza.

—Tu apetito es insaciable.

—Soy un lobo, ¿qué esperabas? —Y le enseñó los dientes, con aire hambriento—. Mi apetito por ti es insaciable. Es mi sincero deseo que cada vez que hagamos el amor te sientas tan hechizada y cautivada por mi pericia que estés impaciente porque vuelva a pasar, porque, créeme, *mon chaton féroce*, habrá muchas, muchas veces.

La risa de Branislava era auténtica, y los pechos, que subían y bajaban con la risa, atrajeron la atención de Zev como un imán. Estiró el brazo y colocó una mano sobre el pecho y se inclinó para llevar aquel exquisito monte al calor de su boca. Ella volvió a reír y, esta vez, trató de meter la mano entre la boca y el pecho. Él gruñó, negándose a renunciar a su premio.

—Eres un lobo muy malo —declaró con severidad—. Suelta.

Es mío.

—Lo sé, pero no seas tan avaricioso. Tenemos que volver, y yo tengo que vestirme.

Puedo darte otro orgasmo como el de antes. Sería una buena práctica.

Su lengua jugueteó. Sus dientes tironearon. Chupó con fuerza. Podía sentir la excitación de ella, el vértigo de su cuerpo. El olor a miel y canela impregnaba el aire.

—No lo dudo —dijo ella con firmeza—. Pero no. Y tú no necesitas más prácticas. Si sigues mejorando en el sexo, podríamos morir por combustión espontánea. Pasará, Zev, y será culpa tuya. Tenemos suerte de no haber quemado el bosque entero.

Él lanzó un último lengüetazo sobre el pezón, saboreando la forma en que su compañera se estremecía, y entonces se incorporó.

—Pues tengo intención de practicar con frecuencia, Branka, cada despertar. Dos o tres veces cada vez. Puede que más. Los lobos necesitan alimentarse, y no debes dejar que se aburran. Adoptar a un lobo es un trabajo a tiempo completo.

—Tatijana nunca dijo que tuviera tantos problemas con Fen —declaró ella, agitando la mano para cubrir su cuerpo con el vestido de antes.

Zev le enseñó los dientes.

—Pero es que yo soy la élite, soy el macho alfa, ¿no?

Capítulo 9

Branislava cerró los dedos con fuerza sobre la mano de Zev. Le estaba agradecida por haber seguido sus deseos sin hacer preguntas. Hizo lo que le pedía, sin más. El calor, tan por debajo de la tierra, la envolvía en un capullo de seguridad. En otras circunstancias, una cueva habría sido el último lugar que habría elegido para una reunión como aquella, pero la cueva sagrada de los guerreros era el único lugar que se le ocurría donde un mago no podría oír lo que decían.

Notaba el sabor del miedo en la boca, un regusto horrible y metálico del que no podía librarse. La tensión se enroscaba en su estómago y la hacía sentirse temblorosa. Trató de seguir el ritmo regular de los pulmones de Zev, respirando con tranquilidad y aparentando seguridad ante aquellas personas, que habían acudido allí a petición suya.

De alguna manera, Zev había conseguido que todos dejaran su casa sin otra explicación salvo que su compañera pensaba que podían ayudar a Damon al despertar del día siguiente, pero tenían que prepararse. Nadie le había preguntado, pero Tatijana conocía la verdad. Sus ojos se habían encontrado y vio que su hermana lo sabía, pero al igual que ella, Tatijana había guardado silencio. Las dos se negaban a pronunciar el nombre del mal en el lugar donde residían.

—Bronnie —dijo Mikhail con suavidad—, Gregori ha preparado diferentes salvaguardas como pediste.

Gregori se unió al apretado círculo, en el interior de la cueva de los guerreros, y se sentó junto al príncipe.

—Damon también está a salvo. No puede hacernos daño —añadió.

—Daciana, Makoce y Lykaon se encuentra cerca, y los tres se están comportando con la mayor normalidad posible dadas las circunstancias —le dijo Fen.

Rodeaba con el brazo a Tatijana, manteniéndola bajo la protección de su hombro.

—Dinos lo que te inquieta —dijo de pronto Mikhail—, qué te ha impelido a pedir que tomáramos tantas precauciones.

Branislava se tocó el paladar con la lengua. Skyler y Dimitri estaban sentados frente a ella en su círculo de poder. Skyler había dibujado un círculo de protección a su alrededor, para que estuvieran a salvo. La sala había sido purificada, y a pesar de ello su corazón latía con violencia y tenía la boca seca.

—Tatijana y yo hemos vivido cautivas durante toda nuestra vida, hasta hace dos años. La mayor parte de ese tiempo, Xavier nos tuvo encerradas en la pared de hielo, en la forma de dragones. Podíamos ver y oír todo cuanto hacía. Creo que no podría explicar lo terrible que era verle traer una víctima tras otra y destruirlas sistemáticamente. Podíamos ver cada hechizo que lanzaba. En resumen, éramos sus alumnas, aunque dudo que él pensara jamás que pudiéramos aprender nada de lo que veíamos.

Lanzó una mirada a su hermana, que tenía la cabeza gacha. El recuerdo de aquellos años terribles e interminables pesaba sobre las espaldas de las dos. Los momentos oscuros estaban muy cerca, y las dos querían ahuyentar las sombras.

Al punto, las velas en sus soportes se encendieron e iluminaron la estancia. Zev había puesto la mano en su pierna en un gesto de apoyo. Sus dedos se extendieron sobre su carne, como si se estuviera pegando a ella. Su fuerza le dio mayor coraje. Y le agradecía que le hubiera proporcionado aquella luz de más. El mal buscaba siempre las sombras y la oscuridad, y seguía siempre ese camino para cometer sus feos actos.

El sonido del agua sonaba demasiado fuerte en el interior de la cámara. Las estalactitas y estalagmitas guardaban un ominoso silencio, y las caras talladas de los antiguos guerreros parecían mirarles con gesto sombrío. Branislava se estremeció, oía su corazón retumbar en sus oídos.

—Pensar que un solo hombre puede haber hecho tanto daño a lo largo de tantos siglos está más allá de toda comprensión —les dijo, bajando la voz aún más si cabe—. Y si bien Xavier era la cara visible de los magos, el hombre que decía ser amigo de los carpatianos y los traicionaba, no era el único en sus planes de ser inmortal.

Mikhail volvió la cabeza hacia Gregori. Cruzaron una larga mirada, como si aquella revelación no fuera una sorpresa para ellos. Pero ninguno dijo nada, se limitaron a dejar que les diera la información que tenía a su ritmo.

Branislava se pasó el dorso de la mano por la boca.

—Poner un nombre al mal, pronunciarlo en voz alta, puede atraerlo hacia ti. Aprendimos eso hace mucho tiempo. —Miró a su hermana, con el miedo en los ojos—. Éramos tres los hijos que nacimos de mi madre. Soren, Tatijana y yo.

Gregori alzó la cabeza, como si estuviera olfateando el peligro, atravesando con sus ojos plateados el terror cada vez mayor de Branislava.

—Erais tres —musitó—. El linaje del gran mago.

Ella asintió lentamente.

A ti te invoco con los tres en mente,
Yo alimento tu sangre y quiero tres.
Hijos de aire, tierra, fuego y mar,
tomad forma y apareced ya.

Y pronunció los versos entre susurros.

—Xavier manipuló el nacimiento de trillizos, asegurando así que Rhiannon, nuestra madre, continuaría el linaje del gran mago. Pero nosotras no fuimos las primeras trillizas que nacieron en línea del mago.

—O sea, que Xavier es uno de tres —dijo Mikhail dejando escapar el aliento—. Trillizos.

Branislava volvió a asentir.

—Era un secreto que se guardaba con mayor celo que ningún otro. Eran idénticos en todo. Se movían igual, hablaban con la misma voz. Rara vez se les veía juntos, y jamás en presencia de nadie que pudiera descubrir su secreto. Eso les permitía estar en más de un sitio a la vez, o tener una coartada si alguien acusaba a Xavier de hacer el mal.

—Que es la razón por la que nadie descubrió que fue él quien mató al compañero eterno de Rhiannon —explicó Fen—. Pudo tenerla tanto tiempo prisionera, porque muchos carpatianos juraron que él estaba dándoles una clase sobre salvaguardas cuando el asesinato y el secuestro se produjeron.

Mikhail se inclinó hacia Branislava y clavó sus ojos oscuros en su rostro.

—¿Por qué no nos hablaste de esta amenaza enseguida? ¿Desde el momento en que fuiste rescatada?

Ella no podía apartar la mirada de aquellos ojos penetrantes. El aliento escapó de sus labios en un largo suspiro.

—Xavier les mató. A sus dos hermanos. Los mató, igual que mató a Soren. Estaba obsesionado con la sangre y con el poder que daba.

Se volvió a mirar a Zev, y su voz descendió otra octava, como si bajándola pudiera evitar que el mal la oyera.

—Los tres estaban enzarzados en la búsqueda de la sangre oscura. En aquel entonces no entendíamos que se trataba de un linaje. Ellos creían que cualquiera que poseyera sangre oscura podría crear un ejército de soldados invencibles. Pero nunca encontraron lo que buscaban.

—Tal vez sí —musitó Mikhail—. Fen, tú y Dimitri os topasteis con más de un *sange rau* que pensasteis que eran de nueva factura. ¿Es posible que alguien tenga o haya tenido acceso a la sangre carpatiana y la esté utilizando para crear su estirpe de soldados superiores?

—O sea, que uno se concentra en la especie carpatiana para someterla, mientras el otro va a por los licántropos —dijo Gregori—. El tercero debía de ir en pos de los jaguares.

Branislava asintió lentamente.

—Creíamos que estaban muertos —repitió—. Creíamos que Xavier había matado a sus hermanos por sus propios propósitos.

—¿Les viste morir? —preguntó Fen.

Branislava asintió.

—Xavier lanzó un conjuro con uno de ellos, Xaviero. Estaban trabajando en un conjuro oscuro para esclavizar a los vivos. Nos sacaron sangre a Tatijana y a mí para llenar el cáliz ceremonial.

Se restregó el brazo, allí donde los débiles cortes subían y bajaban por el antebrazo y la muñeca, como si las heridas estuvieran abiertas y dolieran. Tatijana hizo otro tanto.

Zev le tomó el brazo con delicadeza y pasó la mano sobre las marcas desdibujadas de su piel en unas largas caricias.

Branislava se pasó la lengua por los labios resecos.

—Los dos bebieron. Xaviero incluso nos saludó con el cáliz en alto. —Tragó con dificultad, mientras un ligero estremecimiento le recorría el cuerpo—. Tenía esa forma tan terrible de reírse de nosotras. Y nosotras sabíamos que cuando ponía esa cara es que iba a hacer lo que más le gustaba... —y dejó la frase sin acabar.

Al punto, Zev la rodeó con su calor y la arropó con su amor. Ella se permitió mirarle. Era un hombre fuerte y reconfortante. Bueno. Un hombre decente y honorable. El recuerdo de Xavier, Xaviero y de su hermano Xayvion le daba náuseas. A veces pensaba que jamás podría apartar de su cabeza el recuerdo del mal, pero desde luego la compañía de Zev le ayudaba a distanciarse de ello.

—¿Y qué era? —le espetó Gregori—. ¿Qué es lo que más le gustaba?

—Hacer daño a los demás. Era un depravado. Mucho más que Xavier o Xayvion. —Branislava apretó los labios con fuerza—. Le gustaba mantener a sus víctimas con vida y jugar con ellas durante horas, días incluso. Hombre, mujer o niño, tanto daba. Y al igual que a Xavier, le gustaba tener público. —Se llevó la mano a la boca, porque sentía náuseas—. No puedo seguir hablando de él. No puedo pensar en esto.

—Lo siento. —Gregori se disculpó enseguida—. No es necesario. A juzgar por tu reacción, creo que no hará falta que nos des más detalles.

Al momento, por la estancia se extendió una oleada de calor reconfortante. Branislava respiró hondo y asintió mirando con gesto agradecido al protector del príncipe.

—Dices que Xavier y Xaviero bebieron vuestra sangre de un cáliz ornamentado —repitió Mikhail—. ¿Qué pasó después?

—Mientras Xaviero nos dedicaba su espantosa sonrisa, Xavier estaba a su lado con la daga ceremonial en la mano. Fue algo inesperado, de pronto se volvió sin más y le clavó el cuchillo en el corazón. Las dos lo vimos.

—¿Qué pasó con él? —insistió Mikhail cuando vio que se quedaba callada—. ¿Qué hizo Xavier con su cuerpo?

Ella se restregó los ojos, tratando de recordar los detalles.

—Se levantó una especie de vapor del suelo, como una densa nube. Lo recuerdo porque era bonito, a unos diez centímetros por encima del hielo prístino, un vapor que se enroscaba y formaba diseños intrincados y casi decorativos.

—¿Era un fenómeno natural o algo que crearon durante la ceremonia? —preguntó Dimitri.

Tatijana y Branislava se miraron frunciendo el ceño. El incidente había tenido lugar hacía siglos. Las dos habían tratado de olvidar. Intentar recuperar deliberadamente aquellos recuerdos era atemorizador. Sus mentes reculaban, tratando de ayudarlas.

—Era artificial —decidió Branislava—. Tenía que serlo. No es posible que algo tan bonito y elaborado fuera natural.

Tatijana asintió, totalmente de acuerdo.

—Yo no podía apartar la mirada. Las volutas se dividían y se multiplicaban, y cada dibujo era como los copos de nieve, distinto a los demás.

—Sigue —la apremió Mikhail—. ¿Qué pasó después?

—Xaviero nos estaba mirando a nosotras cuando Xavier le clavó la daga. Se desplomó, más o menos. Cayó como una muñeca de trapo bajo el velo de vapor.

Branislava explicaba los detalles algo apresurada para acabar cuanto antes con aquello.

—¿Sabía Xavier que estabais mirando?

—Nosotras éramos su público, éramos las únicas que le veían actuar y vivían para contarlo. Le encantaba que otros vieran lo genial que era, lo inteligente y superior que era, pero evidentemente, no podía permitir que nadie conociera sus planes para hacerse inmortal y dominar el mundo.

Tatijana asintió.

—Actuaba para nosotras. Sabía que estábamos mirando. Cuanto más complejo era el conjuro, más necesitaba que reconociéramos su superioridad. Despreciaba a todo carpatiano nacido y juró que los exterminaría a todos.

—¿Qué hay de los licántropos? —preguntó Zev.

—No había ninguna especie inmune a su desdén. Xavier no entendía cómo podían tener tantos dones dos especies animales como los jaguares y los licántropos. En su opinión, estaban ocupando indebidamente espacio en el planeta, pero su odio más encendido lo reservaba para los carpatianos.

Entonces se permitió apoyarse en Zev. Era sólido como una roca y, en aquellos momentos, necesitaba su fuerza. La cueva era reconfortante, había sido excavada en lo profundo de la tierra, y ningún mago podría sobrevivir a aquel calor. Ellos toleraban bien el frío, e incluso preferían el hielo y la nieve, pero detestaban el calor intenso.

La temperatura y la humedad de la cueva sagrada de los guerreros les resultaría asfixiante. Sus ojos y sus pulmones se chamuscarían. Su piel se quemaría, se cocería con aquel noventa por ciento de humedad. Y al final el mago moriría, de modo muy parecido a lo que le pasaría a un humano. Aquel pensamiento la reconfortó.

—¿Y los hermanos de Xavier? —preguntó Mikhail con suavidad—. ¿Tenían la misma opinión sobre las otras especies?

Branislava frunció el ceño.

—Era imposible diferenciarlos a menos que estuvieran lanzando conjuros... porque cada uno tenía un estilo muy definido. Era raro verlos juntos a los tres, pero la idea era liberar al mundo de carpatianos, licántropos y jaguares.

—¿De los humanos no? —preguntó Skyler.

—A alguien tenían que dejar para poder ejercer su dominio —señaló Branislava.

—¿Qué pasó después de que Xavier apuñalara a Xaviero? —preguntó Zev—. Creo que no lo has dicho.

—Sacó el cuerpo del laboratorio. —Branislava miró a su hermana esperando que confirmara sus palabras—. Estaba muerto ¿verdad? Xaviero estaba muerto.

—Las dos vimos caer su cuerpo —confirmó Tatijana—. Xavier lo cogió por los pies, como si fuera un despojo, y lo sacó a rastras del laboratorio.

Hubo un breve silencio. Fen miró al otro lado del círculo, a su hermano.

—Los dos estudiamos un tiempo a las órdenes de Xavier. ¿Alguna vez realizaba personalmente tareas mundanas? Tenía ayudantes que vivían para servirle. Solo tenía que mirarles y acudían corriendo a hacer lo que él decía.

Dimitri meneó la cabeza.

—Lo reconozco, no puedo recordar ni una vez que lo viera mover ni un solo dedo. Siempre mandaba a otros que hicieran el trabajo.

Fen miró a Branislava arqueando una ceja.

—¿Tenía por costumbre sacar personalmente los cuerpos del laboratorio? Torturaba y mataba de forma rutinaria. Debía de tener alguna pauta.

El corazón de Branislava dio un vuelco, se aceleró. Xavier había matado a tantos a lo largo de los siglos, demasiados para contarlos. Ninguna especie quedaba fuera de su rango de acción, le gustaba torturarlas a todas. Preparaba sus oscuros conjuros él solo... Se mordió el labio con fuerza y una vez más levantó la vista hacia su hermana. Y en sus ojos vio un reflejo del terror que ella misma sentía.

Ellas eran jóvenes cuando los tres hermanos aún vivían. Y era difícil saber cuál de ellos llevaba a cabo cada experimento, o cuál abría los cuerpos con un cuchillo y bebía. Los tres eran idénticos en aspecto y habla. Y cada uno prefería preparar sus conjuros en solitario, pero ninguno limpiaba nunca lo que dejaba. Nunca.

¿Por qué había arrastrado Xavier el cuerpo de Xaviero personalmente? ¿Por qué no llamar a alguno de sus ayudantes?

—¿Es posible que se ocupara él del cuerpo para evitar que alguno de sus ayudantes viera que tenía un doble? —preguntó Gregori.

Branislava habría querido poder decir que sí, pero su cabeza se movió haciendo un gesto negativo. Xavier no tenía ningún reparo en utilizar a sus ayudantes en tareas que consideraba confidenciales y matarlos una vez completadas. Los que disponían de estos nuevos cadáveres no podían saber por qué los había matado, pero lo aceptaban porque los cadáveres eran algo habitual en su trabajo.

Empezó a mecerse adelante y atrás.

—¿Y por qué iban a hacernos creer que había matado a Xaviero? Xavier no creía que pudiéramos escapar. Ninguno de ellos lo creía. No, Xaviero está muerto, sin duda.

Pero incluso ella misma notaba lo vacilantes que sonaban sus palabras.

—¿Qué hay del otro hermano? —preguntó Mikhail—. El que llamáis Xayvion. Habéis dicho que Xavier mató a sus dos hermanos. ¿Cómo murió?

Branislava deseaba colarse en la mente de Zev para protegerse. ¿Cómo podía haber sido tan crédula? Había querido creer que Xaviero estaba muerto. Los tres hermanos eran crueles, tres psicópatas sin una pizca de remordimiento ni sentimientos por nadie. Pero Xaviero siempre llevó sus torturas más lejos que los otros, como si hiciera aquello por placer y no porque los experimentos lo exigieran. No tenía ninguna duda de que Xavier y Xayvion eran igual de crueles que él, pero cuando Xaviero la miraba, cuando las miraba, allí encerradas en aquella pared de hielo, se le helaba la sangre. Era el único momento en que ella agradecía la protección del hielo.

—Fue exactamente igual. Pasó el tiempo. No sabría decir cuánto. Porque para nosotras el tiempo no significaba nada. Pero fue mucho. Xavier y Xayvion celebraron la misma ceremonia, y Xavier apuñaló a Xayvion y lo sacó arrastrándolo por los pies del laboratorio. No llegué a ver el cuerpo después de que cayera, solo los pies y las piernas —confesó—. Pero no volvimos a ver a ninguno de los dos.

Mikhail se restregó las sienes. Gregori le lanzó una rápida mirada. Branislava notó una oleada de calor tranquilizador recorriendo la caverna. Mikhail le dedicó a su lugarteniente una breve sonrisa, como si le estuviera dando las gracias.

—Has dicho que no podías distinguirlos —dijo el príncipe—. ¿Es posible que siguieran con vida pero como pensabas que habían muerto, siempre dieras por sentado que era Xavier el responsable de los experimentos y los conjuros que veíais? ¿Es posible que siguieran intercambiando papeles?

De nuevo habría querido poder decir que no. Habría reconocido enseguida la mueca burlona de Xaviero. Sí, seguro que la habría reconocido. De pequeña siempre tenía miedo, y a él le gustaba atormentarla. Sabía que Tatijana se sentía mucho más a gusto en el hielo que su hermana y lo enfriaba deliberadamente alrededor de Branislava hasta que ya no podía controlar su temperatura corporal y conservar el suficiente calor. Y ella temblaba y se sacudía durante días, a veces semanas, o meses, sintiendo tanto frío por dentro que hubiera podido morir.

—¿Bronnie? —preguntó Fen.

Ella meneó la cabeza.

—No creo que Xaviero regresara, no que yo sepa. No habría podido resistir la tentación de torturarme.

—Nos has pedido que nos reuniéramos contigo en este lugar sagrado —declaró Mikhail, esperando que terminara lo que tenía que decir.

—Ningún mago, ni siquiera uno muy poderoso como Xavier o sus hermanos, podría penetrar la seguridad de esta cámara —dijo ella—. Soy una cazadora de dragones, y lo intuí en el momento en que puse los pies sobre la antigua piedra. No podía arriesgarme a que nos oyeran o a pronunciar el nombre del mal en voz alta en un lugar donde pudiera encontrarme. Xaviero es todo mal, igual que Xavier. Y aunque hubiera jurado por mi vida que está muerto, anoche vi su firma.

Mikhail dejó escapar el aliento muy despacio y se volvió para mirar a Gregori.

—No sé por qué no me sorprende que todo este embrollo empezara hace tiempo con Xavier.

—¿Dónde viste esa marca? —preguntó Gregori.

—Damon, el hermano de Daciana, actuó en contra de sus creencias. Y me di cuenta de que, cada vez que le preguntábamos, algo impedía que pudiera recordar. Le dolía la cabeza. Le sangraba la nariz.

—La sombra de un mago —dijo Gregori—. Estás describiendo a alguien que lleva implantada la sombra de un mago.

Branislava asintió lentamente.

—Solo hay un puñado de magos que puedan hacerlo, pero solo tres de ellos podrían producir sombras en masa para utilizarlas con víctimas desprevenidas. Damon recordaba haber asistido a una reunión del Círculo Sagrado, pero no podía recordar quién les animó a unirse a los asesinos que trataban de dar caza a Dimitri y a Skyler.

—Sus órdenes —añadió Zev— eran herir a los lobos y utilizarlos como cebo en el bosque. Dimitri tiene una cierta reputación. Y su misión siempre ha sido salvar a los lobos salvajes.

—Pensaba que los licántropos tenían esa misma misión —dijo Mikhail.

—Yo también lo pensaba —repuso Zev con voz cortante—. Por fortuna, Damon no disparó y yo no le maté. Si lo hubiera hecho, jamás habríamos sabido que le habían manipulado. Yo le interrogué y Branka interpretó las señales.

Los ojos plateados de Gregori miraron a Branislava, y a ella le dieron ganas de esconderse, pero se quedó muy quieta, tratando de mantener la compostura.

—¿Sabías que llevaba una sombra en su mente y a pesar de todo buscaste tú sola la firma sin nadie que pudiera ayudarte si tenías problemas?

—Hablaba con un tono bajo y acusador.

Ella asintió y aferró con fuerza la mano de Zev.

—Sabías lo peligroso que es y aún así lo hiciste, ¿por qué?

La voz de Gregori la golpeó como un látigo. E incluso hizo una mueca, como si realmente la hubieran golpeado. A su lado, Zev levantó la cabeza, y sus ojos se volvieron enteramente de lobo. Al momento, un aroma feroz y salvaje envolvió a Branislava. Sintió cómo él se preparaba para saltar.

—Gregori, te aconsejo que vigiles el tono con que hablas a mi mujer —dijo Zev, con la voz casi ronca por el esfuerzo de no gruñir—. De lo contrario tú y yo vamos a tener que salir para discutir esto en privado.

El rostro de Gregori parecía perplejo.

Mikhail carraspeó contra la mano, tratando claramente de no reír. *Gregori, por si nunca te habías visto en acción, el que está ahí sentado eres tú.*

Gregori le dedicó a su príncipe una mirada agria. *Nunca deja de sorprenderme lo mucho que te diviertes a mis expensas.*

A mí no deja de sorprenderme tu manera de hacer amigos allá donde vas, o de divertirme.

—*O jelä peje teród...* que el sol te chamusque, Mikhail —dijo Gregori con irreverencia a su suegro, el príncipe de todos los carpatianos.

—Por favor, discúlpame, Bronnie —dijo en voz alta—. Conozco los peligros de tratar de eliminar la sombra de un mago y la idea de que hayas intentado hacerlo sin protección me ha sorprendido tanto que he hablado sin pensar. Yo he eliminado fragmentos, pero nunca una sombra. Lo intenté una vez, pero no pude. Fue... desagradable.

Branislava notó el tono sincero de su voz, y supo que no tenía nada que ver con las amenazas de Zev. Gregori no era de los que disfrutan intimidando a una mujer.

—Si hace que te sientas mejor, jamás lo habría intentado. Por eso pedí que nos reuniéramos aquí, para decidir qué hay que hacer. Necesitaba asegurarme de que mis sospechas eran ciertas. Damon insistía en que solo había estado en la reunión del Círculo Sagrado. Había alguien a quien no lograba recordar, una persona a la que había visto muchas veces, y sin embargo, cada vez que trataba de recordar de quién se trataba se ponía enfermo.

Gregori asintió.

—¿Sospechas que hubo una implantación colectiva de sombras?

Ella apretó los labios con fuerza, con el corazón aturullado, rememorando el momento en que supo quién había puesto la sombra en la mente de Damon. Asintió poco a poco, frunciendo ligeramente el ceño.

—¿Quién podría ser si no, Gregori? ¿Quién puede hacer algo así? Si no ha sido Xavier, entonces es que uno de los hermanos o los dos tienen que estar vivos.

La voz le temblaba, no podía evitarlo.

—¿Y cuando lo comprobaste? —Gregori suavizó el tono.

—Era lo que temía. Xaviero.

Tatijana dio un respingo y se tapó la boca con la mano. Meneó la cabeza.

Branislava asintió.

—Era él, Tatijana. Su firma es inconfundible. Aún está vivo, y se ha infiltrado en las filas de los licántropos. Al igual que Xavier, está trabajando para destruir a cualquiera que pueda oponerse a su poder.

Zev renegó por lo bajo.

—¿Cómo lo ha hecho sin que nadie se diera cuenta?

—Yo viví entre las manadas durante siglos —señaló Fen—. Y mi sangre está mezclada. Sencillamente, para evitar que me descubrieran, cuando había luna llena me escondía bajo tierra.

—Ahora será un anciano respetado —explicó Branislava—. Exigirá devoción. Admiración. Es imposible que haya dejado de matar. Es una adicción, y disfruta demasiado, pero es una persona muy disciplinada. Torturará y matará lejos del lugar donde actúa.

Zev meneó la cabeza.

—No hay nadie así.

—Sí, sí lo hay —insistió ella—. Está tan tranquilo, viviendo y moviéndose entre vosotros. No busques un asesino. Parecerá una persona afable y benévola. Se confundirá impecablemente con los licántropos. Tendrá seguidores que le admirarán, casi hasta el punto de idolatrarle.

Zev frunció el ceño y se pasó la mano por la cara como si necesitara borrar la primera imagen para poder colocar la segunda.

—La persona que describes encajaría con la mitad de los líderes del Círculo Sagrado, además de algunos miembros del consejo. Podría ser cualquiera, Branka.

—Necesitará un laboratorio para crear a sus soldados. Y tiene acceso a sangre carpatiana.

A Branislava el aire se le atragantó y cerró la boca de golpe antes de que se le escapara lo que acababa de pensar.

¿Qué pasa? Dime.

La voz de Zev le llegó al corazón. Tan suave y atenta. Le partiría el suyo si sus sospechas eran ciertas. Meneó la cabeza.

Mon chaton féroce, *si tus sospechas son ciertas, tarde o temprano saldrán a la luz. Mejor acabar con esto cuanto antes.*

Cuando Zev hablaba con ese acento francés, con su voz suave como terciopelo, no podía evitar que su cuerpo respondiera.

Alguien descubrió que tu abuela era una mestiza de sangre. Tenían que saber que era carpatiana de nacimiento. Si Xaviero lo sabía, pudo ordenar su muerte, y eso le habría dado acceso a su sangre, la sangre que los tres hermanos habían estado buscando.

—Dinos —la apremió Mikhail con suavidad—. Tenemos que saberlo todo, incluso si solo son sospechas. Sin toda la información, no podremos tomar una decisión inteligente.

La mirada de Branislava se clavó en la de Zev. Su razonamiento era lógico, y ella lo sabía. Xaviero estaba vivo. Ninguna otra persona podría haber dejado aquella sombra. Siempre había tenido una firma muy particular. Tenía que haber estado viviendo entre los licántropos, infiltrado, y haberse convertido en alguien importante. Y utilizaría su posición para tejer una red de espías, que le mantendrían informado de cada detalle.

—La abuela de Zev era hija de los sangre oscura. La última pareja eterna. Los dos seguían la pista del *sange rau* que estaba destruyendo a los licántropos sistemáticamente y trataron de ayudar. Cuando los mataron, los licántropos que se encontraron con sus cadáveres, encontraron también a su hija y pensaron que era licántropa. Se la llevaron y la criaron como tal.

—Y Xaviero lo descubrió —dijo Mikhail terminando la explicación por ella.

Branislava asintió. Extendió las manos ante su cuerpo como si pudieran protegerla de la verdad.

—Creo que eso es lo que pasó. Tiene sentido. Xavier quería la sangre oscura más que nada en el mundo, pero nunca encontró lo que buscaba. Tatijana y yo siempre pensamos que era un tipo de sangre que podía hacer daño a los demás, no un linaje.

—¿Es posible que Xaviero tuviera algo que ver con el primer *sange rau*? —preguntó Zev—. ¿El que fue responsable de tantísimas muertes?

—Lo dudo —dijo Mikhail—. Pero sin duda Xaviero pensó que aquello era un filón. Justo lo que necesitaba para acabar con carpatianos y licántropos por igual. Su problema era que el consejo redactó el código sagrado y los licántropos evitaban a los carpatianos. No tenía ninguna posibilidad de acceder a sangre carpatiana.

—Hasta que mi abuela creció y alguien le informó de algún detalle sobre ella que consideraron sospechoso —se aventuró a decir Zev.

Branislava asintió.

—Eran realmente buenos reuniendo información. Utilizaban animales, humanos, todas las especies disponibles, y conseguían resultados. Si ella cometió algún error, créeme si te digo que Xaviero fue informado.

—Fue educada como licántropa —señaló Gregori—. Seguramente ni siquiera ella sabía que era carpatiana. Cuando los demás se transformaban, ella se transformaba también, sin darse cuenta de que lo hacía de un modo diferente. Era una sangre oscura, y no habría sido nada raro que saliera a cazar y luchara junto a su marido. Seguramente le dieron sangre de licántropo cuando la hirieron, y con el tiempo se convirtió en una mestiza de sangre.

—Y Xaviero la observaba. —Mikhail iba encajando las piezas—. Xaviero la observaba de cerca y comprendió lo que era. Quería su sangre, pero no podía arriesgarse a que ella fuera más rápida, fuerte e inteligente y le derrotara. Envió a una multitud contra ella, para que la llevaran ante el consejo quizá, pero la mataron. Debió de llevarse su sangre al laboratorio y la conservó para sus experimentos.

—Su marido cogió a la hija que tenían y huyó —dijo Zev—. Debió de irse muy lejos y se unió a una nueva manada, seguramente en el extranjero. Y cambió su nombre. Eso es lo que yo habría hecho para proteger a mi hija.

—¿Viste alguna vez a tu abuelo? ¿Llegaste a conocerlo? —preguntó Mikhail.

Zev asintió.

—Era muy callado y se pasaba la mayor parte del tiempo de caza. Yo era muy joven. Mi madre murió durante el parto y mi padre me dijo que después de aquello su padre ya no venía nunca. Le vi un par de veces, y nunca volvió.

—Cuando dices que cazaba —preguntó Fen—, ¿a qué te refieres?

Zev se encogió de hombros.

—Mi padre decía que estaba dando caza a los hombres que mataron a su mujer, uno a uno, al menos eso es lo que él creía que hacía. *Y lo entendería perfectamente si lo hizo,* añadió solo para Branislava.

Porque es algo que tú mismo habrías hecho.

Branislava se aseguró de utilizar el pasado. Zev tenía la sangre mezclada, era licántropo y era carpatiano. Quizá seguía pensando como un licántropo, pero sería un peligro para cualquiera si alguien mataba a su compañera eterna y quedaba atrapado en la locura de los carpatianos... la demencia que se adueñaba de los machos si no seguían inmediatamente a sus compañeras eternas.

Sus ojos se encontraron con los de él y su corazón saltó. En ellos veía amor. Instinto de posesión. Pertenencia. Pasara lo que pasara, tenía aquellos momentos, aquel amor apasionado e inesperado que la trascendía.

Si mi hija hubiera muerto, habría removido cielo y tierra para encontrar a los asesinos de su madre. Ahora, voy a donde tú vas. Siempre.

Branislava tragó con dificultad tratando de deshacer el nudo que se le había formado de pronto en la garganta. *Me parece que estoy loca por ti, lobo* mío.

Estás loca en general. Y no pronuncies ese nombre en esta cueva. Estamos rodeados por antiguos guerreros y lo de lobo mío no me suena muy masculino.

A pesar de que sus peores temores se habían confirmado, Zev aún podía hacerla reír. Notó la mirada de su hermana sobre ella y levantó la vista. Tatijana le sonrió. Estaban tan unidas. Aquello es lo que Tatijana compartía con Fen, aquel maravilloso sentimiento de pertenencia, de ser amada. Le devolvió la sonrisa a su hermana y buscó después la mirada de Skyler.

La joven Skyler, cuya alma parecía más vieja que la de todos ellos, transmitía una sensación de enorme poder sin siquiera darse cuenta. Dimitri estaba sentado a su lado, ocultando parcialmente su cuerpo ante los demás. Era evidente que también ella estaba arropada por el amor. Eran afortunadas, las cazadoras de dragones eran mujeres afortunadas. Las tres habían tenido mucha suerte.

—¿Tan fuerte era el vínculo entre el abuelo y la abuela de Zev? ¿Tan fuerte que, mucho después de su muerte, seguía necesitando encontrar a sus asesinos? —preguntó Branislava—. Ella era carpatiana, y luego mestiza de sangre, pero él... —Dejó la frase sin acabar—. ¿No es posible que también él fuera un mestizo? Y que la sangre que llevaba en sus venas fuera sangre oscura.

—No hubiera podido reclamarla como compañera eterna —le explicó Gregori—. No sin que antes los antiguos guerreros lo sumergieran de lleno en nuestro mundo, pero lo que es cierto es que el amor que sentían pudo crear entre ellos un fuerte vínculo.

—Los licántropos aman apasionadamente cuando encuentran a su verdadero compañero —dijo Zev. Se inclinó hacia delante, con la vista clavada en el príncipe—. ¿Podría mantener ese mago con vida a un mestizo para tener un suministro fresco de sangre? Porque no dejo de pensar cómo lo hizo para conservar fresca la sangre de mi abuela. Ahora hay formas de hacer eso, pero ¿siglos atrás?

Fen asintió.

—Zev tiene razón.

—Xaviero estaba acostumbrado a vivir en un mundo de hielo. Pudo conservar la sangre allí —señaló Tatijana.

—Pero no la compartiría —dijo Branislava—. Y tú lo sabes, Tatijana. Siempre competían entre ellos. Por eso nos resultó tan fácil creer que Xaviero y Xayvion habían muerto. Por eso, y porque necesitábamos creerlo. Si Xaviero consiguió la sangre oscura que los tres buscaban, seguro que la ocultó a sus hermanos y se sintió satisfecho y superior.

Tatijana asintió.

—Solo hablar de ellos ya me da náuseas —dijo, y volvió la cabeza contra el hombro de Fen. Al punto él respondió, pasándole las manos por la espalda y luego por la nuca, para aliviarle la tensión con los dedos.

—Debemos asumir que los dos hermanos viven y que nos enfrentamos a un enemigo muy poderoso —dijo Mikhail—. Ese tal Damon es un problema. —Su mirada oscura y penetrante se desvió hacia Zev—. Imagino que es un buen hombre, o de lo contrario no habrías salvado su vida.

Zev asintió.

—Hace tiempo que somos amigos. Daciana y Damon son como de mi familia.

Mikhail lanzó una mirada a Gregori.

—¿Cómo podemos ayudarle sin que Xaviero se dé cuenta de que sabemos que él está detrás de todo este embrollo? Si quitas esa sombra... —y calló—. ¿Realmente es posible? La idea de que Branislava hubiera podido intentarlo te ha puesto muy nervioso.

Gregori suspiró. Sus ojos plateados cruzaron una mirada de complicidad con Branislava.

—Un mago tan poderoso tendrá salvaguardas igualmente poderosas para proteger su sombra. Si tropezamos con una eso le alertará y responderá enseguida atacándonos a través de su marioneta. Y si eso falla, matará a Damon para proteger su identidad.

La mirada de Mikhail estaba clavada en su yerno.

—Y si no hacemos nada y dejamos que el mago tenga una ventana a través de Damon, entonces qué.

—Cada vez que lo utilice tendrá un mayor control sobre él. Y llegará un momento en que ya no podremos salvarle. En estos momentos cualquiera que esté cerca de él está en peligro. Todo cuanto vea u oiga podría llegar a Xaviero.

Branislava asintió.

—Gregori tiene razón, Mikhail. No podemos dejar esa sombra en su interior. Hay que quitarla cuanto antes.

—¿Puedes hacerlo, Gregori? —preguntó—. ¿Hay riesgo para ti?

Gregori cerró los ojos un momento y meneó la cabeza sin contestar. El corazón de Branislava se aceleró. Se aferró con fuerza a la mano de Zev, sintiendo que todo en ella se rebelaba. Todos los miedos que había sentido durante sus largos años de cautiverio volvían a brotar y le hicieron atragantarse, no le dejaron decir lo que tenía que ser dicho.

Zev se inclinó hacia delante, rozó su mejilla con los labios, dejando un rastro de fuego en una cámara de calor puro y abrasador. Allí estaba a salvo. Xaviero no podía encontrarla en la caverna sagrada, rodeada por las personas a las que amaba y que la amaban a ella.

—He eliminado fragmentos en el pasado, Mikhail. Pero nunca una sombra. Hasta que no vea a qué me enfrento, no puedo saberlo con certeza. Si Xaviero es capaz de producir sombras en masa para grupos grandes de gente, eso significa que tiene siglos de práctica y sabe mucho más sobre el tema que yo.

—Si no conoce el trabajo de Xaviero, las posibilidades de que Gregori pueda retirar esa sombra son mínimas —dijo Branislava. De nuevo sus ojos se encontraron con los de Tatijana. Su hermana meneó la cabeza, y se llevó un puño a la boca para no protestar.

Branislava respiró hondo y se obligó a decir la cosa que más temía por encima de todo… la cosa que supo cuando vio la sombra y compredió quién había hecho aquello.

—Tedré que hacerlo yo.

Capítulo 10

El silencio se extendió por la cámara sagrada de antiguos guerreros. El agua goteaba por las paredes hasta los estanques, y al contacto con la que estaba caliente cada gota siseaba. El vapor se elevaba enroscándose y se desplazaba entre las estalagmitas. La luz parpadeante de las velas daba distintas expresiones a las caras de los antiguos guerreros de los tótems gigantes de mineral. Era como si el mundo entero estuviera conteniendo la respiración.

Zev oía su propio corazón retumbando con fuerza en sus oídos. Su reacción inicial fue visceral. *Definitivamente, no.* No lo permitiría. Le daba igual lo que ella dijera, o que Damon muriera; no dejaría que arriesgara su vida de aquella manera. Y de haber sabido el riesgo que corría cuando entró para buscar la sombra, tampoco le habría dejado hacerlo. La reacción de Gregori cuando supo lo que había hecho había sido suficiente para él. No permitiría que volviera a acercarse a Damon.

Branislava se movió, flexionando levemente los dedos, y al bajar la vista, Zev vio que le estaba clavando los dedos en el muslo y tenía los nudillos blancos. Aflojó enseguida la presión, convencido de que le habría dejado un morado, maldiciéndose en silencio por no haber sido más cuidadoso. Pero, maldita sea…

—Es la única forma —dijo ella en voz alta, mirándolo, mirando fijamente a sus ojos… a su alma.

Branislava conocía aquella reacción primaria. Sabía que todo en él protestaba, tanto de su lado licántropo como del carpatiano. Lo conocía, conocía sus instintos y su necesidad de protegerla. Podía ver aquel miedo tan crudo en sus ojos, y a pesar de todo estaba decidida a intentar eliminar la sombra de la mente de Damon.

Zev estaba tan furioso que no podía contenerse. Su lobo saltó para protegerla y obligarla a obedecer. Se levantó y salió de la estancia, y la dejó allí, a salvo de la locura que se estaba adueñando de él. Le daban ganas de sacudirla hasta que entrara en razón. De ponerla sobre sus rodillas como si fuera una niña desobediente. Envolverla con su amor y mantenerla oculta en algún lugar donde nada pudiera hacerle daño.

No dejó de caminar, yendo de una cámara a otra, abriéndose paso por aquel laberinto, sin preocuparse por si iba hacia arriba, hacia el nivel del suelo, o si estaba bajando más. El dónde le importaba muy poco. A él solo le interesaba el porqué.

¿Por qué no era su amor por ella lo bastante fuerte para evitar que pusiera su vida en peligro? Cerró las manos en puños apretados. Unas afiladas garras se le clavaron en las palmas. Notaba un intenso picor en la piel y los ojos y la mandíbula le dolían por el esfuerzo de contener al lobo, que quería arrancarla de aquella reunión y huir con ella en la noche.

—Zev.

La voz de Branislava era refrescante como una brisa suave. Pero en lugar de tranquilizarle, avivó la ira que lo dominaba. Se volvió y la sujetó con fuerza por los hombros.

—No tendrías que haberme seguido.

—¿Crees que te tengo miedo? —preguntó, y su voz tenía un tono bajo y musical que conectó con él al momento.

—Pues deberías —le espetó.

Se mantuvo a sí mismo rígidamente bajo control, y no la sacudió a pesar de la necesidad que sentía de hacerlo, aunque la sujetó con fuerza para que no pudiera moverse.

—Pues no me das miedo. Sé que estás enfadado conmigo…

—¿Enfadado? ¿Crees que estoy enfadado? Enfadado es poco. Furioso se acercaría más. No tienes derecho a tomar una decisión que pone en riesgo tu vida sin consultarlo conmigo. No me dijiste que fuera tan peligroso mirar esa sombra.

Cuando ella quiso contestar, él alzó la mano para indicar que callara.

—Edulcoraste la realidad. Yo siempre he tenido la cortesía de decirte lo que estaba pasando. Te he tratado con respeto y esperaba lo mismo de ti.

—Eso no es justo, Zev —protestó ella en voz baja, entornando los párpados para ocultar su expresión.

La sujetó por el mentón con dedos fuertes y la obligó a levantar la cabeza para que le mirara a los ojos.

—Ahora mismo me importa bien poco si es justo o no. No es un buen momento para que tengamos esta discusión.

Tenía que respirar hondo para mantener a su lobo a raya. Cada pocas palabras, se le escapaba un gruñido bajo de amenaza. Las bandas de calor teñían las imágenes que veía de amarillos y rojos. Él era el macho alfa, y nadie, y mucho menos su compañera, podía desobedecer o desafiarle en su manada sin consecuencias. Y desde luego a nadie se le ocurriría tomar decisiones independientemente, no después de la traición de Gunnolf y Convel.

Por un momento los ojos de Branislava llamearon. Zev veía las llamas arder detrás de las brillantes gemas. Y el hecho de que pudiera estar furiosa hizo que su mal humor aumentara aún más. La sujetó por la nuca, la atrajo hacia sí, y la besó con fuerza. La besó, derramando su ira y el miedo que le producía su valor en aquel acto de dominación.

Ella no se resistió, y eso fue bueno. Con ello solo hubiera conseguido provocar una actitud más agresiva, y los dos lo sabían. Él la besó y la besó, sujetándola con fuerza, con gesto algo brutal, apremiante, violento. La boca de Branislava se sometió, pero su lengua se contenía, luchaba, y sus uñas se clavaban con fuerza en su piel.

Su cuerpo estaba ardiendo, como si toda la pasión del mundo se hubiera concentrado en su pequeña figura. Zev utilizó sus garras para arrancarle la ropa y le hizo trizas el vestido, hasta que quedó totalmente desnuda en sus brazos. Él también estaba desnudo, aunque no sabía con seguridad si ella era la que se había deshecho de sus ropas o se las había quitado él mismo, pero tampoco importaba. La hizo retroceder, sin dejar de besarla, con ese beso posesivo y dominante que no podía contener.

La besó como si no existiera el mañana. Como si solo tuvieran aquella noche y necesitara que sobreviviera... y era cierto. Su beso era abrumador, y transmitía un fuego tan intenso que Branislava notó pequeñas descargas que corrían por sus venas y pasaban a toda velocidad de sus pechos a su yo más íntimo.

Su espalda topó contra la pared de la caverna y Zev la acorraló, aprovechando su mayor tamaño, decidido a poseerla. Mientras la besaba sus manos buscaron sus pechos y bajó a bocados hasta los pechos. Ella gritó y se arqueó cuando él tomó el pecho izquierdo en el calor abrasador de su boca. Se mostró implacable, y la colmó de atenciones con sus manos, sus dientes y su lengua, hasta que ya no pudo respirar más que en jadeos entrecortados de deseo y necesidad.

Es demasiado. Me voy a volver loca. No puedo ni tenerme en pie.

El lobo de Zev estaba casi fuera de control y cada vez que ella se movía tratando de apartarse, él se volvía más agresivo y la manipulaba con mayor rudeza.

Entonces ponte de rodillas. Lo ordenó con un rugido, aferrándola por el pelo, y casi la obligó a arrodillarse ante él.

Ella se arrodilló obedientemente y él a duras penas tuvo el sentido común de acolcharle el suelo. Zev se cogió con la mano aquel bulto que tenía a punto de estallar entre las piernas. Obligó a Branislava a echar la cabeza hacia atrás ayudándose con la larga mata de pelo y sin mayor preámbulo entró en su boca. Al momento ella cerró los labios sobre el glande sensible. Él echó la cabeza hacia atrás y rugió.

El fuego lo consumía, como un puño apretado que lo rodeaba y lo llevaba cada vez más adentro. La lengua de Branislava lo azotaba con sus llamas y los límites de su visión se tiñeron de rojo. Él la sujetaba por los cabellos sedosos con las dos manos y empujaba para hundirse más en su cavidad, controlando así el ritmo y la velocidad. Trató de ser cuidadoso, pero verla así, tan hermosa, con los pechos rosados y meneándose por sus embites, su pene desapareciendo en su boca… era demasiado. Era hermosa más allá que nada que él hubiera conocido.

Branislava dejó que su pasión la consumiera por completo. Sabía que era ella la que lo había empujado a descontrolarse de aquel modo, que ella había liberado a su lobo, pero le encantaba. Le encantaba verlo tan cerca del límite, su rudeza. Y le encantaba saber que ella podía dominar a la fiera y llevarla de vuelta con su cuerpo. Con su amor.

Su cuerpo le pertenecía solo a ella, y lo tocaba como si fuera un instrumento. Mientras chupaba, de su boca brotaban ligeros murmullos, y la vibración se extendía por el pene hasta el glande tan y tan sensible. Ella incrementó el calor y la fricción y él empujó de modo más apremiante. Su sabor no solo era embriagador, era adictivo. No tenía suficiente.

Zev pensaba que él tenía el control, pero en realidad lo tenía ella, y lo sabía. Aquel hombre le pertenecía. Su cuerpo le pertenecía. Y le gustaba saber que podía darle tanto placer. Quería darle más y más. Ya estaba mojada, y a su alrededor el aire se tiñó del olor con el que su cuerpo llamaba a su compañero. Una miel especiada y canela se escurría por sus muslos, y estaba impaciente por que él la lamiera.

Sus caderas empujaban y empujaban, sin dejarle apenas tiempo para respirar. No importaba, nada le importaba más que darle placer a Zev. Volverlo loco. Darle lo que necesitaba para aceptar lo que se había comprometido a hacer. Si aquella era su manera de dominarla, lo aceptaría con gusto cada vez.

No tenía que tener sentido para nadie, bastaba con que lo tuviera para ella. Le gustaba pasarle la lengua por el pene. Le encantaba el tacto, la forma, el sabor. Se moría por aquel sabor. Podía utilizar sus sentidos carpatianos para respirar y llevarlo más adentro, hasta que lo constreñía, lo estrangulaba, y él maldecía, jadeaba y ardía con ella.

Su boca estaba al rojo. Su piel también. El fuego aumentó en ella en igual proporción a la furia de su lobo. No estaba furiosa, pero lo deseaba con cada bocanada de aire que llevaba a sus pulmones. Y había dejado deliberadamente que él viera ese fuego, consciente de que en su estado lo tomaría por ira.

Así era como lo quería, como una tormenta de fuego totalmente fuera de control. Necesitaba sentir su furia en la manera en que salía y volvía a entrar empujando con violencia. A veces se detenía, cuando estaba muy adentro, y se quedaba quieto, con los puños enredados en su pelo, y sus gruñidos y maldiciones reverberaban por la mente de ella. Esto solo hacía que intensificar el placer. Su cuerpo respondía con más calor líquido, y por la tensión que se enroscaba en su interior temió que tendría un orgasmo cuando él saliera.

El pene se le hinchaba cada vez más, y Branislava se sentía como si se hubiera tragado una antorcha. Y entonces notó que la sujetaba aún más fuerte y rugía, mientras derramaba su simiente. Salió con rapidez, antes de que ella pudiera recuperar el aliento, y la empujó al suelo. Al momento estaba encima de ella, como el lobo que era, y atrapó a su presa con un gruñido.

Bajó la cabeza a sus puntos más calientes y ella chilló de placer cuando le dio un lametón por el muslo y luego en la vagina, metiendo la lengua bien adentro, como si fuera un arma. La tomó por asalto, sin darle tiempo a respirar ni a responder al ataque. Y la devoró como si realmente fuera su presa, extrayendo una vez más toda aquella miel especiada que tanto anhelaba, sirviéndose de los dientes y la lengua. A veces le metía lo dedos dentro, y otras se limitaba a sujetarla bien abierta mientras lamía con fiereza.

Era una reclamación. Ni más ni menos. Una declaración. Eso lo entendía. Branislava entendía su necesidad de someterla. Y deseaba con toda su alma a su lobo, a aquella criatura que tan bien complementaba a la naturaleza fiera de ella. Sobre su cuerpo veía las marcas de sus manos, su boca, sus dientes, y cada una de ellas era un regalo.

La estaba haciendo enloquecer con su lengua, buscando siempre más miel, llevándola más y más cerca del esquivo orgasmo. En su rostro hermoso y masculino podía leer su deseo, y veía reflejada aquella vena dominante que le impulsaba a darle una lección a su hembra. Y a ella le gustaba aquella forma de enseñarle.

Su cuerpo se estremecía sin cesar y no pudo contener los pequeños maullidos que escapaban de su boca, mientras él seguía deslizando la lengua por su vagina caliente y mojada. Los suaves gruñidos de Zev parecían resonar dentro de ella, sumándose al placer intenso que la sacudía. Sonaba como un animal hambriento con su cena, dándose un atracón de miel con canela. Sus ojos brillaban y las pupilas estaban casi totalmente dilatadas.

La cabeza de Branislava se sacudía a un lado y a otro, sus caderas se movían contra su boca, pero él se limitó a aprisionarla con su mayor peso, a sujetarla con fuerza con las manos a los lados de la entrada al tesoro que buscaba. Zev estaba totalmente concentrado en su comida, en llevarla al borde del precipicio y retenerla allí, sin dejar que saltara.

Cada vez que estaba a punto y trataba de obligarlo a que la dejara llegar, él la retenía, y soplaba su aire caliente sobre aquel calor, hasta que ella empezó a sollozar y a suplicar.

No te mereces la recompensa, mon chaton féroce.

Ella sabía que él jamás la dejaría insatisfecha. Nunca. Él mismo estaba casi al límite, y tenía el pene hinchado y levantado. Ya se había llevado la mano abajo mientras la miraba encendido. Se echó hacia atrás y con el dedo le indicó que se pusiera a cuatro patas y se diera la vuelta.

Le obedeció, con el corazón acelerado. Lo deseaba tanto, tanto. Y era tal su necesidad que casi no podía ni pensar. Él se arrodilló detrás y se tomó su tiempo, mientras ella se estremecía con tanto anhelo que sintió que jamás podría saciarlo.

Sin previo aviso, la obligó a bajar la cabeza y la sujetó por las caderas y la impulsó hacia atrás, y entró en ella de una manera casi brutal. Su cuerpo, tan sensible y ansioso, se encendió, y las llamas la sacudieron como una tormenta, restallando en su interior con un placer tan intenso que no sabía si podría sobrevivir al ataque.

No pares. No pares. No podía evitarlo. Se oía a sí misma suplicar, pero no podía dejar de hacerlo. Necesitaba que aquella tensión que se enroscaba cada vez con más fuerza en su vientre se disolviera, y solo Zev podía hacer que pasara. Pero por más que suplicaba, él no parecía tener intención de parar.

La sujetaba por las caderas y la obligaba a estar totalmente quieta, aunque necesitaba desesperadamente moverse. Empujaba con fuerza una y otra vez como un pistón, con los dientes apretados por el fuego que le quemaba su sexo y el escroto. Hasta sus muslos y el vientre formaban parte de aquel infierno.

Cada vez que notaba que ella estaba a punto, demasiado a punto, se replegaba lo justo para evitar que sobrepasara el límite. Sus jadeos eran música, una sinfonía privada, y se sumaban a la tempestad que se estaba fraguando en su cuerpo. Quería hacerle perder la cabeza de placer, estirarla hasta el punto de ruptura o puede que incluso más, para que cada vez que hicieran el amor, pudiera llevarla a un nuevo nivel. Quería que supiera quién era su compañero eterno, el lobo, un animal capaz de un gran amor y lealtad, pero también de fuertes pasiones y lujuria.

Ella pronunciaba su nombre una y otra vez, rogándole que descargara su furia sobre su cuerpo, quería más, quería consumirse en aquel fuego, y estaba desesperada por dejarse arrastrar por aquel éxtasis que no lograba atrapar.

Unas lenguas de fuego subían por las paredes de la cueva. El suelo estaba caliente y se tiñó de rojo bajo su cuerpo. Las gotitas de condensación relucían también, naranjas y rojas, y el conjunto daba al lugar el aspecto de un horno. Él siguió empujando con abandono, llevándola más y más lejos.

El cuerpo de Branislava quemaba al tacto, pero nada comparado con el calor abrasador que rodeaba su pene. Notaba que la tensión aumentaba en ella. Y había una nota de desesperación, una diminuta nota de miedo a que no parara antes de hacerle perder del todo el juicio. Pero no, él estaba dentro de su cabeza, vigilando para no llevarla más allá de lo que pudiera soportar.

Branislava notaba que la tensión aumentaba imparable en su cuerpo, él empujaba y empujaba, hasta que sintió que iba a romperse toda ella sin llegar a sentir el orgasmo que tanto necesitaba. Su cuerpo se había convertido en un volcán, y toda aquella lava, aquella pasión erótica, había hecho estallar la noche en llamas, y sin embargo Zev seguía sin dejar que volara.

Ella trataba de llegar a su objetivo, moviendo la cabeza, tratando de guiarlo con las caderas, pero no funcionaba. No podía moverse porque él la sujetaba demasiado fuerte mientras empujaba en aquella invasión implacable y brutal. El miedo a no poder conservar la cordura que reptaba por su mente, enroscándose en aquel frenesí de placer, intensificaba las sensaciones.

Zev, susurró en su mente. Su talismán. Su ancla. El hombre que la había convertido en un ser completo.

Estoy aquí, mon chaton féroce. *Yo te cojo. Déjate caer.* Y al momento estaba allí, arropándola con su amor.

Y, como si aquellas palabras fueran lo único que necesitaba, con aquel invasor de acero recubierto de terciopelo empujando con fuerza, el volcán entró en erupción, y amenazaba con partirla en pedazos mientras las ondas se extendían por su cuerpo, de los muslos al vientre y los pechos. Las llamas la consumían con aquel fuego que tanto había anhelado. Y se dejó llevar por las sensaciones, contrayendo los músculos ardientes con fuerza sobre el miembro de Zev y arrastrándolo con ella al cielo.

Una vez más, Branislava se sintió como un ave fénix, el ave legendaria, ardió por completo y volvió a renacer purificada por el fuego. El aroma a canela que llenaba la cueva incrementó aquella ilusión. No quedaba nada. Se sentía como una muñeca de trapo, agotada, incapaz de sostener su propio peso.

Zev impidió que cayera hacia delante, haciéndola girar en sus brazos y sujetándola con fuerza. Podía oír su corazón, tan acelerado como el de ella. El aliento de los dos salía en jadeos entrecortados. Él la meció, rodeándola con brazos fuertes, rozando su cabeza con los labios, ofreciendo su pecho como un muro sólido para que ella se apoyara en él.

—Te quiero, Zev —confesó—. Cada parte de ti. Sobre todo a tu lobo. Las cosas que haces, la forma en que me haces sentir cuando hacemos el amor son increíbles.

—Me alegro de que seas consciente de que te estoy haciendo el amor. Me resulta imposible tocarte y que mi lobo no se vuelva un poco loco. —Y le pasó la mano por el pelo en una suave caricia—. Me vuelves un poco loco.

—Pues claro que sé que me estás haciendo el amor. —Y volvió la cabeza para mirarle por encima del hombro—. ¿Qué te hace pensar que no? Has sacudido la montaña entera.

Zev le tocó una marca en la piel, una marca de un mordisco y dos fresas.

—Cuando mi lobo está cerca me vuelvo un poco brusco. Y esta vez no me he esforzado tanto por contenerme.

Ella le miró frunciendo el ceño.

—No quiero que te contengas. Me gusta todo de ti. No me das miedo. —Hizo una pausa, y lo pensó mejor—. Bueno, a veces sí me das un poco de miedo, solo por un momento. Y no porque piense que me vas a hacer daño, sino porque la sensación es tan increíble que me da miedo no ser capaz de conservar la cordura. No tengas miedo de quererme como necesites hacerlo. Puedo aguantar tu rudeza. Me gusta tu rudeza.

Él se deslizó por su garganta a besos.

—Dímelo si alguna vez tienes miedo, Branka. Podemos parar hasta que te sientas mejor.

—Para mí eso es parte de la perfección —confesó—. Esa deliciosa sensación de ser una presa para tu lobo. Tú tienes un lobo, y yo tengo fuego. Mucho, Zev. Y me quema.

Él rozó su hombro con el mentón.

—Me encanta tu fuego, Branka.

En su voz se palpaba una sonrisa, y sus brazos se cerraron en torno a ella.

—A veces pienso que por culpa de todos los años que pasé bajo el hielo, mi fuego quedó amortiguado, como a la espera, congelado, desesperado por poder salir, y ahora cada vez que me tocas, enciendes la llama. —Suspiró, y se acurrucó junto a él—. Tengo tanto calor dentro de mí, alimentándose y alimentándose, que casi me desborda y no puedo contenerlo. Y entonces me pones las manos encima, o la boca, y me enciendo como una antorcha.

Zev le besó con suavidad la nuca y le mordió el hombro, haciendo que se estremeciera de nuevo. Habría podido quedarse allí con él por toda la eternidad, sintiéndose segura y profundamente amada.

Miró a su alrededor. Aquella cueva se había iluminado con la fiera energía de Branislava, pero ahora volvía a verse oscura y desolada, sin el resplandor rojo anaranjado, sin el suelo rojo ni las llamas que subían por las paredes.

—Te amo con todo mi corazón y toda mi alma —le dijo—. No quiero perderte.

—Zev. —Branislava le hocicó la garganta—. Siento haberte molestado, pero no te imagino preguntándome si me parece bien que vayas a cazar manadas de renegados.

—No compares —le advirtió él, molestándose otra vez—. Cuando vaya a cazar manadas de renegados, tú vendrás conmigo. Esto es totalmente distinto. No podré protegerte cuando trates de eliminar la sombra de la mente de Damon. Mejor me limito a matarle y así acabamos con esto de una vez. —Se puso en pie con un movimiento suave y fluido levantándola con él, y la posó sobre el suelo—. Sí, es lo mejor, y así se acabará la discusión.

Ella levantó la mano para acariciar las líneas tan profundamente grabadas en su rostro.

—No estamos discutiendo, Zev. No estoy discutiendo contigo. Me he equivocado. Tendría que haberlo hablado contigo antes de decir nada. Me da miedo enfrentarme a Xaviero. Siempre me dio pánico. Pero la idea de que ande por ahí fuera haciendo daño a otros me produce el mismo terror. Alguien tiene que detenerle, y créeme, no me importaría coger la vía fácil y mantenerme al margen, dejar que sean otros los que se enfrenten a él.

Branislava agitó las manos para asearse y vestirse. Zev trató de no sonreír. El vestido con el que se había cubierto no era el mismo que él había rasgado. Siguió su ejemplo y también renovó su vestuario.

—Entonces, dirás a los demás que no vas a retirar la sombra de la mente de Damon.

—Si eso es lo que quieres —dijo ella con la vista clavada en su rostro inexpresivo. En aquellos momentos era imposible saber lo que estaba pensando—. Zev, quiero hacerte feliz. Quiero complacerte. No tengo ninguna experiencia con todo esto, y a veces me lo pones muy difícil. ¿De verdad crees que me apetece acercarme ni remotamente a Xaviero?

—Ven aquí —indicó él, y señaló justo delante de él.

Su voz hizo que a Branislava el corazón se le derritiera. Una voz tan cuajada de amor que convirtió su tono normalmente autoritario en una caricia de terciopelo. Ella se movió sin vacilar, y se colocó exactamente donde le había indicado. Zev le hizo levantar el rostro, deslizando los dedos por la curva de su mejilla, por la mandíbula, el cuello, ladeando su rostro hacia él. Y la besó, pero no con furia, sino con tanta ternura que sintió que las lágrimas le escocían en los ojos.

El beso fue dulce, casi reverente. Y ella sintió el amor entrar a borbotones en su boca, por su garganta, y extenderse por su cuerpo, hasta que no quedó ni un resquicio que no estuviera saturado por la intensidad de aquella emoción. Cuando Zev levantó la cabeza, ella le rozó los labios con admiración.

—No me puedo creer que tú puedas hacer esto —susurró.

—No me puedo creer que exista una mujer como tú, y menos aún que tenga el privilegio de poseerla. Soy un lobo, Branka. Es más, he sido un macho alfa casi desde el día en que nací. Siempre he estado en la posición de líder. Espero siempre una deferencia, y cuando no la tengo, el lobo alfa reacciona de la manera que permita garantizar que la manada seguirá unida. No puedo evitarlo. Es mi naturaleza. Es lo que soy.

—Lo sé, Zev. Y lo acepto.

Le acarició la mejilla con los dedos, con la misma ternura que había desplegado en su beso.

—Nunca pensé que habría una mujer para mí. Nunca en mis largos años de vida. No puedo tolerar que ningún miembro de la manada me desafíe, por eso sabía que con una compañera sería peor.

—Pues definitivamente, a esta mujer le encanta ser tuya. Solo te pido que no seas muy duro con nuestros hijos —le advirtió—. Las dragonas protegen a sus hijos con fiereza, sobre todo las dragonas de fuego.

Él rió suavemente, y por primera vez la tensión pareció abandonarlo un tanto.

—Lo tendré en cuenta. Entre tanto, recuerda que cuando un lobo no tiene familia, cuando no ha tenido a nadie a quien amar, cuando encuentra a esa persona, se aferra a ella con todas sus fuerzas. Puede que demasiado.

Branislava le rodeó la cintura con los brazos y le abrazó con fuerza, apretando el rostro contra su corazón.

—No te preocupes, Zev. He escuchado tus advertencias. Y entiendo lo que quieres decirme. No soy una mujer que se deje pisar, y no voy a dejar de ser quien soy porque tú seas un hombre fuerte. No me asusto tan fácilmente. Y me encanta cada segundo que pasamos haciendo el amor.

Él la abrazó con fuerza.

—Eres un milagro, Branka. Mi milagro.

Ella sentía que era justo lo contrario, pero no le importaba ser su milagro.

—Parece que le estamos cogiendo el gusto a lo de dejar plantados a nuestros invitados. Será mejor que volvamos y digamos al príncipe que Gregori tendrá que arriesgarse a hacer el trabajo, porque desde luego no me apetece nada que mates a Damon. Intentaré explicarle qué tiene que buscar. Si tropieza con alguna de las salvaguardas o no puede deshacer el entramado, morirá, y perderemos a Savannah y seguramente a sus hijas.

—Maldita sea, Branka —pronunció el nombre con rabia, le dio la espalda con un gesto nervioso y se puso a andar arriba y abajo por la pequeña cueva como si no pudiera contener la energía que llevaba dentro—. Me estás manipulando, y no me gusta, no con algo tan serio.

Ella meneó la cabeza.

—Solo estoy exponiendo la verdad. Los hechos. Gregori no sabe cómo Xaviero establece sus patrones. Yo he estado viendo cómo lo hacía, en la misma habitación que él. Quizá estuviera encerrada tras una pared de hielo, pero lo veía todo y aprendía. Tengo que pasarle tanta información como sea posible, si no no tendrá ninguna posibilidad de salir con vida.

Zev renegó y estampó un puño contra la pared. Ella pestañeó, consciente de lo impotente que se sentía en aquellos momentos. Guardó silencio, esperando que llegara a la única conclusión posible por sí mismo. A ella le gustaba tan poco como a él, pero el riesgo para Gregori era mucho mayor que para ella.

Se dio la vuelta para mirarla, y se apoyó por la cadera en la entrada.

—Yo entraré contigo. Puedo quedarme atrás, pero si la cosa se pone fea quizá pueda encontrar la manera de ayudarte.

Ella abrió la boca para protestar.

Zev meneó la cabeza.

—Esto no es negociable. Si tú entras a buscar esa sombra, yo voy contigo para protegerte. Lo tomas o lo dejas.

Branislava asintió lentamente.

—Mejor juntos que separados. Tú me das valor y fuerza, y él es mi peor pesadilla. Quizá tenerte a mi lado me dará el valor que necesito. —Esta vez asintió con más firmeza—. Creo que es lo mejor para los dos.

Él le tendió la mano.

—Entonces hagámoslo. Vamos a decírselo a Mikhail.

—Tendremos que prepararnos —musitó, más para sí misma que para él, mientras avanzaban por los diferentes pasadizos de camino a la cámara sagrada—. Skyler y Tatijana pueden ayudarme con un círculo de protección. Las dos son muy fuertes, y las necesitaré.

Nadie dijo nada cuando entraron en la cámara iluminada tomados de la mano. Zev se instaló en el pulido asiento de piedra, con Branislava a su lado.

—Necesito un gran espacio abierto —anunció ella—, para que si Xaviero nota mi presencia, no pueda ver nada ni a nadie que traicione nuestros movimientos. Cuando retire la sombra, sabrá que alguien le ha descubierto y se vengará de algún modo. Golpeará al consejo de los licántropos o a Mikhail. Si tiene alguna sombra en otra persona, podría utilizarla, y lo hará. Le conozco. Se enfadará mucho cuando vea que alguien intenta estorbar sus planes.

—Entonces tendremos que comprobar a todo el mundo antes de que intentes nada —dijo Gregori—. A todos y cada uno de ellos. Ya no necesitamos descubrir quién lo ha hecho, tú ya le has identificado. Se trata solo de mirar y no tocar.

—Hay montones de licántropos aquí —señaló Fen.

—Podemos empezar por las personas importantes, las que están en una posición de poder. Los miembros del consejo y su guardia —dijo Gregori.

—¿Y cuánto nos llevará comprobar a tanta gente?

—Tenemos mucha ayuda. Tatijana puede colaborar —le recordó Gregori—. Skyler también. Darius nos ayudará. Y estoy seguro de que tú y tu hermano podéis mirar dentro de una cabeza y buscar una marca sin tocar nada. Solo miráis. Si topáis con una salvaguarda, si alguien lo hace, el mago lo sabrá.

Mikhail asintió.

—Yo también puedo ayudar, y hay unas pocas personas a las que podría pedírselo.

—No —contestaron Gregori y Fen con firmeza a la vez.

Dimitri también dio su opinión.

—No puedes hacer eso, Mikhail. Eres uno de los objetivos de Xaviero. Si te elimina, tiene muchas más probabilidades de derrotar a la raza carpatiana y aniquilarla. No, ahora más que nunca, tú tienes que permanecer a salvo.

Mikhail se pasó las manos por el pelo, el primer indicio real de agitación que Zev veía en él. Y no se lo podía reprochar. El hombre tenía muchísimo poder. No podía abrir la boca o dar un paso sin que todos cuantos le rodeaban percibieran ese poder, y sin embargo a cada paso sus guerreros se ponían delante y no permitían que ayudara en los momentos de necesidad. Él no querría tener que encontrarse nunca en una posición semejante.

Lanzó una ojeada a Branislava. Sus ojos se encontraron. Y Zev notó el impacto, como un puñetazo en el vientre. ¿Es eso lo que yo te estoy haciendo?

Ella le sonrió. *Sí.* Era muy sincera y directa. *Pero al igual que Mikhail, lo permito y soy plenamente consciente de que lo hago. Él tiene elección, del mismo modo que la tengo yo. Quizá llegará un día en que sea algo muy importante para él, o para mí, y los dos nos opondremos a aquellos que tratan de detenernos. Pero en estos momentos, todo está bien.*

Zev le dedicó a Mikhail una fugaz sonrisa de disculpa.

—Tu misión no es fácil, Mikhail. Ninguno de nosotros cree que lo sea, y ninguno querría tener que estar en tu posición. Haremos esto con tanta rapidez y discreción como sea posible y te informaremos de las cifras.

—Entre tanto —dijo Mikhail—, puedo ir a casa a esconderme mientras los demás os arriesgáis.

Gregori volvió la cabeza bruscamente, con expresión ceñuda. *Mikhail, te ul3 sív és ul3 siel Karpatiikuntanak*. Mikhail, eres el alma y el corazón de los carpatianos. *Te agba kont és te ekäm*. Un auténtico guerrero y mi hermano. Jöremasz ainakaakä han ku olenasz Karpatiikuntahoz. No olvides nunca lo que eres para nosotros.

Mikhail asintió y sonrió levemente en dirección a Gregori, pero sus ojos no sonrieron. Zev pudo ver el intercambio, pero no había sido invitado a la conversación privada entre los dos hombres, solo sabía que se había producido. Gregori no parecía especialmente contento, el príncipe tampoco.

—Acabemos con esto de una vez —dijo Fen—. No tenemos toda la noche. Debemos asegurarnos de que Bronnie tiene tiempo suficiente para retirar la sombra de la mente de Damon.

—Una última cosa —apuntó Zev—. ¿Qué pasa si encontramos varios licántropos con estas sombras? ¿Esperas que Branka se deshaga de todas?

Gregori se encogió de hombros.

—Zev, si una cosa hemos aprendido es que es mejor ocuparse de una cosa cada vez. Si encontramos más sombras, ya hablaremos de lo que se debe hacer antes de dar ningún paso.

Mikhail volvió a pasarse las manos por el pelo.

—Te entiendo perfectamente, Zev. Si Raven o Savannah fueran obligados a poner sus vidas, o su cordura, en juego, sin duda me opondría.

El sanador hizo ademán de hablar y Mikhail lo acalló con la mirada.

—Nos hicimos adultos en una época en que no había mujeres, y nuestras probabilidades de encontrar una compañera eterna eran prácticamente inexistentes. Y a veces olvidamos que ellas son tan fuertes como nosotros. Nuestros instintos nos impulsan a protegerlas de cualquier posible peligro. Yo no me disculpo por ello, ni Gregori, y tampoco tú deberías hacerlo.

Zev se dio cuenta de que había grandeza en Mikhail. Era un hombre silencioso, como Rolf, el verdadero macho alfa del consejo, pero cuando él hablaba todo cuanto decía tenía un gran peso. Era inteligente y compasivo. No quería que otros le sirvieran o lucharan por él. Su lucha, decidió, era combatir su propia naturaleza, controlar al fiero predador que prefería la acción a la espera.

Branislava era una cazadora de dragones, una guerrera nata. Igual que él. Tenía corazón de guerrera, y si realmente él era el último de la línea de los sangre oscura, famosos por su destreza en el combate, ella era la mejor compañera eterna posible para su linaje.

Tendría que haber sido más comprensivo. Solo estabas respondiendo a tu llamada. Su voz tenía un dejo de arrepentimiento.

Por desgracia, Zev se conocía. Un hombre que estaba al mando de una manada de élite, un macho alfa que se movía de manada en manada como un líder reconocido impartiendo justicia y evitando problemas antes de que se descontrolaran, tenía que tener la naturaleza fiera que él tenía. No podía cambiar a su lobo, ni quería hacerlo.

Quizá estaba contestando a mi llamada, concedió ella, *pero mi deber está siempre para con mi compañero eterno. Yo elegí ligarme a ti. Esa fue mi decisión, y mantengo mis votos. Tus necesidades son las mías, y espero que sientas lo mismo por mí.*

El nudo que Zev sentía en el estómago se alivió un tanto. Le daban ganas de cogerla y arrastrarla fuera de la cueva como los hombres de la antigüedad, declarando ante el mundo que ella le pertenecía.

Lobo tonto. Pues claro que te pertenezco. Y se me acaba de ocurrir. No sé por qué no lo he pensado antes. Nuestras almas están unidas, pero también nuestros espíritus. Yo los entrelacé cuando te hirieron de muerte. Y siguen entrelazados.

¿Cómo puede ayudar eso en esta situación? Zev se inclinó hacia ella, consciente del entusiasmo que de pronto parecía sentir.

Lo único que tienes que hacer es olvidarte de tu cuerpo físico. En cuanto lo hagas, tu espíritu se moverá junto al mío. Si me permites dirigir, podrás estar allí conmigo, en la mente de Damon, mientras yo hago mi trabajo desbaratando salvaguardas y eliminando la sombra.

Chica lista. Zev manifestó claramente su admiración.

Y, Zev…

Ella bajó el tono, un tono lírico, íntimo, un tono que penetró en cada fibra de su ser, envolviendo los grupos de terminaciones nerviosas, y encendió un fuego en su vientre. Toda su atención estaba puesta en ella.

Estoy locamente enamorada de tu lobo. Nunca será demasiado salvaje para mí. Me hace...

Dejó la frase sin acabar, pero de pronto Zev notó una seda abrasadora envolviendo su miembro, apretando y asiéndolo eróticamente. La sensación le recorrió el cuerpo y lo dejó sin respiración, y hambriento.

Le dedicó a Branislava una mirada de advertencia, con el brillo del lobo en los ojos. La risa suave de ella le tranquilizó. Era otro importante rasgo que le gustaba de su carácter... el inesperado sentido del humor. No había sabido de verdad lo que era reír hasta que ella entró en su vida.

Eres un regalo para mí, le dijo.

A su alrededor, los otros ya se estaban poniendo en pie. Estirándose. Listos para ir a buscar licántropos. Él no podía moverse. No se atrevía a moverse. Ella no había terminado aún, ni de lejos.

Se sentó junto a él, tan cerca que sabía que llevaba la ropa puesta, aunque la ilusión de estar piel contra piel era perfecta. Enlazó sus dedos con los suyos y se despidió con un gesto de la mano de Skyler y de su hermana, que en ese momento salían de la cámara.

No tienes ni idea de hasta qué punto soy un regalo, dijo con una risa traviesa.

Ahora notó el lametón caliente y húmedo de su lengua en el pene, la boca cerrándose sobre él, sus dedos moviéndose sobre el escroto. Le estaba matando sin siquiera tocarle.

Branislava hizo ademán de levantarse para seguir a los otros, pero él la cogió del brazo y la obligó a volver a sentarse. Al momento vio la llamarada de fuego en sus ojos.

—Enseguida vamos —gritó a su hermano, y esperó hasta que todos hubieron salido. Con una mano se abrió los pantalones y con la otra la sujetó por el pelo y la obligó a bajar la cabeza. Y entonces echó la cabeza hacia atrás mientras ella lo envolvía con el calor y el amor de su boca.

Nunca dejaba de sorprenderle cuando jugueteaban, con su calor y aquellas ganas que parecía tener siempre de satisfacer hasta su último deseo.

—Hola, mi lobo —musitó suavemente, lamiéndole como el gatito por el que él la tenía—. Pareces lo bastante apetitoso para que una dragona te coma.

Y una llamarada de calor acompañó sus palabras. Él la miró con recelo.

Su risa resonó por su pene, y de pronto su enfado había desaparecido, y se entregó por completo a sus manos y a su diestra boca.

Capítulo 11

Las tres cazadoras de dragones se tomaron su tiempo para crear un círculo de protección. Branislava y Gregori habían hablado varias veces sobre los posibles emplazamientos antes de decidirse por aquel lugar. El claro estaba a bastante distancia del poblado y lejos de la casa del príncipe. No había ninguna granja cerca, ni puntos que pudieran servirle a Xaviero de referencia si salía de pronto a la superfice o detectaba su presencia mientras intentaba retirar la sombra.

Mikhail explicó la teoría a los miembros del consejo de los licántropos y Rolf insistió en que los examinaran a todos, aunque tanto Arno como Lyall, miembros influyentes, protestaron enérgicamente porque no deseaban que ningún carpatiano invadiera sus mentes. A estas protestas siguió un debate que llevó bastante tiempo. Al final, Gregori se encogió de hombros y les dio un ultimátum. No pensaba poner en peligro la vida de su príncipe ni de su pueblo. Si no estaban dispuestos a dejarse examinar, ya podían recoger sus cosas y marcharse.

Necesitaron casi la mitad de la noche y el esfuerzo de diez carpatianos para examinarlos a todos. Ninguno de los miembros del consejo tenía implantada una sombra, pero sí tres de los guardias. Daciana y Makoce estaban limpios, al igual que los otros dos miembros de la manada de élite de Zev, Lykaon y Arnau, el hijo de Arno.

Los tres guardias, Borya, Pavlo e Igor, reaccionaron igual que había hecho Damon, horrorizados ante la idea de que otra persona se hubiera colado en sus cabezas y los estuviera utilizando para perjudicar a los miembros del consejo, a los que habían jurado proteger. Zev comprendió que seguramente los guardias que habían atacado a Rolf y Arno también lo hicieron bajo la influencia de la sombra de un mago.

Las tres cazadoras de dragones purificaron el prado sirviéndose de largas ramitas de salvia, cedro, hierochloe, lavanda y copal, moviéndose en el sentido de las agujas del reloj. De las yemas de sus dedos brotaba una luz blanca con la que crearon un espacio sagrado con la forma de una esfera en el centro exacto del prado. Era importante que separaran el círculo de poder del espacio que lo rodeaba. Empezando por el extremo más oriental, y avanzando en la dirección contraria a las agujas del reloj, invocaron a los elementos para que las guiaran y las protegieran. Mientras caminaban, elevaron sus voces al unísono.

Invocamos a los poderes del este, Aire.
Invocamos a los poderes del este, Agua.
Invocamos a los poderes del norte, Tierra.
Invocamos a los poderes del sur, Fuego.

Skyler fue la primera en ocupar su sitio, en el extremo norte. Ella pertenecía a la tierra, estaba ligada a la madre de todas las cosas. Apeló a la Madre Tierra para que las protegiera y ayudara en su misión.

Escucha nuestras plegarias, Gran Madre,
te invocamos para que nos protejas en momentos de necesidad.
Tres se unen en torno a este círculo,
que todo mal se hunda en el suelo.

Branislava ocupó su sitio en el extremo sur. Ella estaba ligada al elemento fuego. Lo vivía. Lo respiraba. Lo entendía. Invocó a su elemento para que las ayudara y protegiera en aquella difícil tarea.

Invoco a aquello que es fuego,
y pido que levante un muro.
Deja escapar tu aliento y quema
y no dejes que nadie entre.

Ivory ocupó su sitio en el extremo oriental. Era una fuerza con la que había que contar, una mujer que vivía su vida al margen de la sociedad. Compañera eterna de Razvan, nieto de Xavier, y guardiana de los lobos que cazaban con ella. El viento siempre le susurraba, compartía información con ella y la protegía durante cada cacería. Invocó al aire, su elemento, para que las protegiera y las ayudara en su tarea.

Corriente de aire que respiras,
Gran diosa Hera, que sople el vendaval.
Trae tus vientos, que aúllen y canten,
y protejan a tus hijas y a todos en este círculo.

Tatijana fue la última, y ocupó su posición en el extremo occidental. Ella encarnaba el elemento agua. Fresca, fluida, cómoda en cualquier forma de agua, llamó, pidiendo ayuda y protección para la tarea que les esperaba.

Yo te invoco, agua, sangre de la vida,
vuelve tu vista hacia este lugar.
Que caigan el agua y el rayo,
cuídanos y protégenos de todo mal.

Gregori caminó hasta el centro del círculo creado por las mujeres, con expresión más que impresionada. Fen, Dimitri, Razvan, Zev y Darius formaron un segundo círculo de protección en torno al primero, el círculo de poder. Dentro de ese círculo, dormían los otros tres licántropos que tenían una sombra implantada.

—Estamos listos —anunció Gregori.

Zev entró en el círculo de protección que habían creado las mujeres y bajo sus pies la tierra se onduló. Se sentó en el lugar que le había sido asignado, consciente de que su espíritu seguiría a Branislava y dejaría su cuerpo. Aún no se había acostumbrado a la manera que los carpatianos tenían de desprenderse de su cuerpo y convertirse en espíritu puro, y deseó haber podido practicar un poco más algunos de sus dones. Era importante que se desenvolviera con soltura tanto en las cosas de los licántropos como en las de los carpatianos.

—Zev, quédate muy callado y muy quieto —le advirtió Gregori—. Tienes una personalidad muy fuerte y tu instinto de proteger a Branislava es fiero, pero en este caso si intervienes podrías hacer un gran daño. Utilizad alguna palabra que compartáis. Algo que solo tenga un sentido para vosotros. Si pronuncia esa palabra, es que necesita tu ayuda. Aliméntala con cada gramo de energía que tengas.

Zev asintió. Branislava era su... su todo. Desde luego, seguiría las instrucciones al pie de la letra para mantenerla a salvo. Y el hecho de saber que Gregori también estaría por allí le tranquilizaba. Gregori había querido acompañarles para ver la sombra característica de Xaviero y poder reconocerla en el futuro. Y, lo más importante, quería ver el entramado de una salvaguarda, las trampas que Branislava creía poder descubrir, para poder ayudar a eliminar las sombras de las mentes de los otros tres guardias.

—Entiendo, Gregori. Está hecho.

—Las tres mujeres aquí presentes son una fuerza de la naturaleza —siguió diciendo Gregori—. Alimentarán a Bronnie con su energía conforme la vaya necesitando, le darán su sangre. Tú debes permanecer totalmente inmóvil. Eres su guardián, su salvaguarda. Xaviero no debe saber que está tratando de retirar la sombra, de modo que su trabajo será lento y delicado. Eres su último recurso.

Zev volvió a asentir. Él jamás se había quedado al margen en una batalla, pero en este caso tenía su lógica. Sí, puede que hubiera nacido con una pequeña vena de sangre oscura, pero él era lobo hasta la médula, y no tenía experiencia en este tipo de combates. Ni siquiera su sangre mestiza podía prepararle para una guerra entre magos.

—Los hombres del segundo círculo nos protegerán del peligro exterior —añadió Gregori—. Confía en ellos. Harán frente a cualquier enemigo. Tu única misión es proteger a Bronnie y darle tu energía si te lo pide. No importa lo que suceda aquí fuera, debes permanecer con ella.

Gregori no podía haberlo expresado con mayor claridad. Sin duda, lo que iban a intentar era extremadamente peligroso.

Zev dejó escapar el aliento mientras Daciana y Makoce guiaban a Damon hasta el círculo. Llevaba los ojos vendados.

—Id hasta los árboles y quedaos allí —indicó Gregori a los dos cazadores de élite—. No os acerquéis al prado. Sería extremadamente peligroso para vosotros.

Se les veía inquietos dentro del círculo de poder. Daciana llevaba el pelo de punta porque una descarga eléctrica le había recorrido el cuerpo. Asintió, oprimió el brazo de su hermano y al punto los dos licántropos corrieron a reunirse con Lykaon y Arnau en el bosque.

Gregori esperó a que estuvieran lo bastante lejos antes de volverse hacia Damon.

—¿Es este tu deseo, que se retire la sombra de tu mente? —le preguntó.

Zev notó que las mujeres estaban en absoluto silencio. De haber elegido Xaviero aquel momento para entrar en su marioneta, no habría encontrado nada que pudiera hacerle sospechar la identidad de ellas. Damon solo oía la voz de Gregori. Y no veía nada.

—Sí. Gracias. Agradecería mucho que me quitaras esa cosa de la cabeza —contestó Damon en unos pocos gruñidos bajos.

Su lobo estaba cerca, desesperado por protegerle. Branislava miró asustada a Zev. Si el lobo de Damon tomaba el mando, podría ser peligroso. Se encontrarían tratando de hacer equilibrios entre un mago y un lobo.

—Damon —dijo Zev suavemente—. Estoy aquí, velando por ti.

La tensión de Damon pareció aliviarse al instante.

—Zev, si se me va la cabeza, no quiero hacer daño a nadie, y menos a una mujer.

Y aspiró con fuerza, llevando el aroma de cada una de aquellas mujeres a sus pulmones. Podías vendarle los ojos a un lobo, pero no era tan fácil engañar a su agudo sentido del olfato.

—Lo sé, Damon —le aseguró él.

—Prométemelo. Eres el líder de mi manada. Es tu deber.

En realidad, técnicamente, Zev no era el líder de su manada. Damon no era miembro de su grupo de cazadores de élite, pero para él era como de la familia, y eso significaba que, con élite o sin ella, era parte de su manada.

—Tienes mi palabra. Tú relájate y deja que hagan su trabajo. Tu lobo sabe que yo cuidaré de todo el mundo.

—Vamos a inducirte un sueño, Damon —dijo Gregori—. Será mucho más seguro para todos. Si la persona que te ha implantado la sombra intenta ver a través de tus ojos, te encontrará profundamente dormido. Es de noche, no le parecerá raro que duermas, y se irá.

Eso esperaban. Que su plan funcionara o no ya era otra cosa.

Damon asintió.

—De una forma o de otra, por favor, libraos de ella. Si no lo conseguís, no dejéis que despierte. No permitiré que me utilice para asesinar a ningún miembro del consejo ni a ninguna mujer.

—Tu corazón se está acelerando —dijo Gregori con tono tranquilizador—. Tienes que estar calmado. Vamos a quitarte esa sombra.

Zev no quería ni pensar en lo que pasaría si no lo lograban. Hubiera preferido que Daciana estuviera con los miembros del consejo, pero habían tenido la imprudencia de permitir que se quedara cerca de su hermano.

Gregori levantó las manos al cielo, con las palmas hacia las nubes que pasaban. Zev notó cómo la energía aumentaba en el interior del círculo.

Los pelos de su cuerpo se erizaron por la electricidad. Gregori cantaba con una voz baja y poderosa.

Yo te ordeno, oh, cielo, oscurece la tierra.

Sobre sus cabezas las nubes llegaron veloces, agitándose y revolviéndose, como grandes calderas oscuras que taparon la luna y velaron todas las estrellas del cielo.

Tierra que estás bajo mis pies, tiembla y sacúdete. La voz de Gregori se hinchó de poder.

El suelo se movió, subiendo y bajando alrededor del círculo, pero no cruzó la línea de protección. En el claro la tierra se ondulaba, como si estuviera viva, como si fuera un guardián y estuviera protegiendo a los que estaban dentro del círculo.

Que las avenidas de agua se lleven a cualquiera que entre.

Por debajo el agua borboteaba, el río subterráneo respondía a su llamada. Alrededor del círculo exterior el suelo se hundió, formando una profunda zanja. El agua la llenó y formó de ese modo un foso.

Gregori, con los brazos alzados hacia las nubes furiosas, movió las manos siguiendo un patrón delicado pero mortífero. Las torres de nubes se iluminaron por dentro, surcadas por extensos rayos de llamas rojo anaranjadas.

Fuego de mago, arde con furia, ordenó.

El trueno sacudió el bosque, y el rayo pasó de la tierra al cielo y de nuevo a la tierra, cinco o seis rayos que recorrieron los cielos siseando para golpear la zona que rodeaba el círculo.

Y atrapa la sombra en tu jaula, dijo para terminar.

Gregori se acercó a Damon y lo guió al centro del círculo. Agitó la mano para empezar a dormirlo, pero Tatijana y Branislava le indicaron que no con el gesto.

Xaviero intuirá tu presencia. Como carpatiano, tu marca es demasiado fuerte, demasiado individualizada, le explicó Branislava utilizando el canal carpatiano común para que todos pudieran oírla. *Necesitamos un conjuro que pueda convencer a Xaviero de que está dormido de verdad.*

¿Y no sería más fácil que Xaviero reconozca un hechizo de mago que uno de carpatiano?, preguntó Zev.

Fueron los magos quienes enseñaron sus conjuros a los carpatianos, dijo Gregori.

Branislava asintió.

Cierto, y los hicieron ligeramente distintos, para que un mago pu-

diera saber siempre quién había lanzado el conjuro o tejido una salvaguarda.

Lo que no quita que Xaviero también puede reconocer el conjuro de otro mago, insistió Zev.

Branislava y Tatijana cruzaron una leve sonrisa. Branislava meneó la cabeza. *No si nosotras lo hemos cambiado. No teníamos mucho que hacer tras aquellas paredes de hielo salvo aprender. Somos tan capaces como ellos tres.*

Branka, admiro tu seguridad. Zev creía en ella, pero sabía el miedo que tenía de Xaviero. Ella no quería enfrentarse al mago, y si finalmente había aceptado eliminar personalmente la sombra era porque sabía que nadie más podría hacerlo sin salir mal parado.

Es la pura verdad, Zev, pero nosotras no practicamos las artes oscuras como ellos. Puede que conozcamos cada conjuro, tuvimos que aprenderlos para poder cambiarlos, pero nunca hemos utilizado nuestro don para nada que no fuera bueno.

O para hacer travesuras, bromeó él, tratando de hacerla sonreír. Su piel era de un blanco puro, sus ojos enormes, como dos esmeraldas encastadas en su rostro.

Branislava volvió la cabeza para mirarle y le dedicó una sonirsa que para él valía más que todo el oro del mundo. Su corazón aleteó y se llevó la mano al pecho en un pequeño tributo a ella.

Durante un largo momento, la mirada de Branislava se quedó clavada en la de Zev, con expresión inquisitiva. Se quedaron mirándose a los ojos. Al final, él asintió lentamente y ella asintió también, demostrando con ello que estaban en perfecta sincronía.

Branislava cerró los ojos y lanzó su plegaria al universo, invocando la ayuda de todo cuanto fuera bueno y correcto.

Valeriana, toronjil, manzanilla alemana,
invoco vuestra esencia para que calme y seduzca.
Lavanda, nepeta, seguid mi llamada,
traed un sueño bendito para que el mal no venga.

Los ojos de Damon se cerraron obedientes bajo la venda. Su rostro tenía una expresión pacífica. El estrés de poco antes había desaparecido por completo.

De pronto, Gregori estiró los brazos y aferró a Branislava de las manos.

—Tienes un gran valor, valor de cazadora de dragones. Esta vez no estás sola en tu lucha por salvar a este hombre. Estamos contigo y te ayudaremos en todo lo posible. Es más, estás ligada en espíritu y alma a tu compañero eterno. Es un sangre oscura, de la línea de nuestros guerreros más fuertes. No tengo ninguna duda de que puedes salir airosa de esta empresa.

En aquellos extraños ojos de plata líquida que siempre le habían hecho dudar por su parecido con los del gran mago, Xavier, y sus hermanos, Branislava vio reflejado el fuego, su fuego. Ella era la que manipulaba el fuego.

Entonces asintió de nuevo, y volvió a mirar alrededor del círculo, a cada una de sus hermanas. Las cazadoras de dragones. Tatijana, tan amada, tan próxima que siempre sería una parte de ella. La joven Skyler, tan poderosa e inteligente, una hermana menor llena de vida. Ivory, una mujer esquiva y diestra guerrera, leal y poética. Las tres la rodeaban, listas para luchar a su lado.

Y Zev. Su lobo. Su todo. ¿Cuándo había pasado? No lo sabía, pero sí sabía que él era su otra mitad. Le gustaba todo de él, y la fe que le profesaba jamás vacilaría. Él era su protector y estaba listo.

Branislava se desprendió de su cuerpo con seguridad y se convirtió en pura energía curativa. Siempre era un poco incómodo pasar de su yo físico a su yo astral, pero una vez que se desprendió del cuerpo, notó una sensación de libertad como nunca había sentido.

Entró en Damon. Él estaba tranquilo, pero ella intuía la presencia vigilante de su lobo. Envió a aquella parte animal del licántropo amistad y reafirmación, y dio gracias por tener a su lado el aura tan fuerte de Zev. El lobo de Damon reconoció a Zev y se serenó sin protestar. Branislava ya sabía en qué punto se había adherido la sombra al cerebro, formando una lesión que Xaviero podía utilizar como punto de entrada. Podía controlar a Damon a través de aquella pequeña tara y dirigir sus actos. Era una abominación de la vida y el libre albedrío y ninguna sociedad lo habría tolerado, y sin embargo Xaviero se las había ingeniado para contagiar a muchos licántropos sin que nadie se diera cuenta.

Entronces pensó en aquel momento como su primer golpe real al gran mago. Nadie había conseguido nunca oponerse a él, o al menos nadie que hubiera vivido para contarlo. Estudió la zona que rodeaba la sombra. A su alrededor las protuberancias y los valles parecían intactos. Pero no se dejaría engañar. Xaviero era muy hábil con sus trampas. Podía doblegar la luz, y utilizarla en sus conjuros para que sus trampas mortales parecieran siempre el camino más seguro.

Repartidas por la materia gris estaban las células blancas… los filamentos encargados de transmitir las órdenes. Vio los puntos que Xaviero había dejado en torno a la sombra, las marcas diseñadas para hacer pensar al enemigo que eran las zonas que debía evitar, cuando el verdadero peligro eran los filamentos blancos que utilizaba para enviar las órdenes por el cuerpo de Damon.

Se desplazó alrededor de aquellos puntos, buscando la corriente de energía mágica oscura que el mago no podía evitar dejar a su paso. En el momento en que la encontró, se quedó totalmente inmóvil, en su forma así como en su mente. Necesitaba estar muy tranquila mientras comprobaba uno de los hilos de aquel entramado como una araña, con un contacto muy leve, casi inexistente. De haber estado aún dentro de su cuerpo su corazón se habría disparado y la boca se le habría secado. Notó la adrenalina y el estrés que iban en aumento, y no tenía forma de controlarlos.

Tu gran ventaja es que le has visto trabajar millones de veces, en cambio él a ti no te ha visto nunca.

Zev. Su protector. Debía permanecer en silencio, esperando el momento en que tuviera que alimentar su fuerza, pero en su relación había mucho más que eso. Lo que había dicho era cierto. Tenía tanta razón. Xaviero había desdeñado a las dos hermanas, las había utilizado como público, igual que hacía Xavier, pero jamás les había reconocido su inteligencia, nunca había pensado que pudieran aprender de él o de sus hermanos.

Aprendiste de los tres. ¿No te da eso un mayor conocimiento?

Por desgracia, lo aprendí todo, la magia negra y la magia blanca.

¿Cómo que por desgracia? Tienes unos conocimientos que ayudarán a derrotar a un mago empeñado en destruir a tres especies y dominar a una cuarta. ¿No crees que eso te capacita para un propósito más elevado? Ninguna otra persona puede detener a ese mago.

Zev sabía cómo penetrar las emociones y llegar a la esencia de la verdad. De nuevo Branislava examinó aquellos reveladores filamentos blancos. Unos pelillos microscópicos, tan diminutos que no los habría visto de no haber sabido lo que tenía que buscar. Era tan fino aquel entramado, tan delicado, una capa encima de otra, y formaba una red de protección en torno a la sombra. Al mirar con mayor detenimiento, vio que el entramado formaba una trampa sobre la sombra, pero los pelillos eran más oscuros y se confundían con ella.

Conozco esto. Es la clásica combinación de luz y oscuridad. Empieza con magia blanca, utilizando elementos que son buenos, pasa a los que son neutros y entonces invoca a la oscuridad para que se oculte en el entramado que ha creado. Teje esas hebras una y otra vez, formando una trama con siete puntas muy fuerte. Pero puedo volver atrás y deshacer con cuidado las siete hebras.

Branislava expandió su mente, invocando el poder que tenía dentro, aquel fuego que siempre ardía en su yo más profundo y corría por sus venas como lava.

Espíritus, yo os llamo, retorced, desligad,
aquello que nació de la magia gris,
para atrapar y atar.
La oscuridad es a la luz como la luz al gris,
cada hebra desenredo.
Futuro a presente, presente a pasado,
destrabad lo que se tejió,
para que no conjure más.

Una a una las hebras cayeron, los diminutos pelos se apartaron y le permitieron ver la sombra que tenía que retirar. Solo para asegurarse, porque no podía saber si Xaviero no había puesto una falsa salvaguarda, echó otra atenta mirada a la zona que rodeaba la sombra. No había ningún indicio visual que hiciera pensar que había nada, pero se sentía inquieta cada vez que se acercaba, y mantuvo su energía tan baja y atenuada como pudo. No quería despertar por error a la sombra, no cuando estaba casi segura de que había otra salvaguarda.

Estudió la marca desde todas las direcciones, empezando por arriba. Le pareció ver un leve destello, pero desapareció antes de que pudiera comprobarlo. Se acercó desde la izquierda y no vio nada. Desde abajo, percibió el mismo destello, pero desapareció casi en el mismo instante. Un último y momentáneo destello cuando miró desde la derecha le confirmó que había otra red entretejida.

Había visto a Xaviero utilizar aquella técnica muchas veces. La salvaguarda cambiaba de posición continuamente, varias veces por segundo, de modo que era casi imposible detectarla. De no haber sabido lo que estaba buscando, habría caído en la trampa.

Inutilizar aquella salvaguarda sería un poco más complicado, pero no imposible, desde luego. Branislava había visto a Xaviero cuando conjuró su trampa mortal, fascinada, casi hechizada, con los ojos muy abiertos y pegados a la gruesa pared de hielo para que la distorsión, aunque la había, no le impidiera ver los intrincados movimientos que realizaba, la danza de sus manos, tan delicada, casi hermosa.

Siguió los pasos de aquella danza tan profundamente grabada en su mente con la fluida luz de su espíritu, aunque empezó por el final y fue avanzando hacia el principio.

Siete puntos has tejido,
siete puntos yo deshago.
Con cada destello de luz,
yo desenredo y deshago.

El destello brilló por un instante con más intensidad y se disolvió como si nunca hubiera existido. Entonces respiró hondo imaginariamente. No tenía noción del tiempo, pero lo que estaba haciendo era agotador. Una experiencia extracorpórea podía agotar la energía de una persona por sí misma; andar metida en juegos mentales y desenredando trampas mortales sin dejar de esperar que en cualquier momento apareciera el gran mago, era extenuante.

Pero casi antes de que pudiera empezar a sentirse agotada, notó que Tatijana vertía su fuerza en ella. Al momento se sintió revitalizada. De nuevo avanzó hacia la sombra. Tenía que hacer aquello con sumo cuidado. No podía retirar la sombra sin más sin alertar a Xaviero. Si por algún motivo comprobaba su conexión con Damon —y estaba segura de que lo haría— tenía que creer que todo iba bien y que su marioneta simplemente estaba durmiendo el sueño normal de licántropos y humanos. Allí era de noche, y sería creíble.

¿Por qué iba a comprobar a Damon?, preguntó Zev.

Es un gran mago, y es extraordinariamente sensible a cualquier alteración en su red de mal. No sabrá qué es lo que le inquieta, pero estará ahí, como un molesto dolor de muelas. Sentirá la necesidad de comprobar las marionetas que ha mandado a esta zona para saber si ha pasado algo. Y primero querrá descartar a aquellos que están más cerca de los carpatianos.

¿Cómo vas a impedir que descubra que estás intentando retirar sus sombras?

Utilizando sus salvaguardas para protegerme.

Por el silencio de Zev supo que la idea no le gustaba, y a pesar de todo no dijo nada. Ella era la experta, y no tenía más remedio que confiar en su criterio. Aquel era el momento más delicado, pues tenía que desplazarse a un lugar por encima de la sombra, muy cerca pero sin tocarla, y volver a colocar las dos salvaguardas por encima y a su alrededor.

Una vez que los mecanismos de Xaviero estén en posición, nadie podrá darme energía salvo tú, le dijo a Zev. *Solo tú puedes sustentarme a través del vínculo que une nuestros espíritus. Eso es una ventaja, porque es imposible que Xaviero lo detecte. Cualquiera de mis hermanas puede darte su fuerza, pero solo tú debes alimentarme.*

Era casi como si la suerte o el destino hubiera guiado sus pasos para llevarlos hasta allí, como si hubiera acabado por materializar una situación que le permitiera enfrentarse a Xaviero sin que él tuviera toda la ventaja. Manteniendo su espíritu en una intensidad baja, tejió primero la salvaguarda exterior, y no pudo evitar torcer el gesto cuando agregó la magia oscura a los elementos blancos y neutros.

Le ponía mala pronunciar aquellas palabras espantosas, pero utilizó la mejor versión posible de Xaviero. Imitar a los tres hermanos era algo que ella y Tatijana habían aprendido a hacer de pequeñas. Y practicaban continuamente. Nunca hubiera imaginado que algun día aquel juego podría resultarles útil, pero se alegró de ser tan buena lanzando conjuros. Estaba convencida de que Xaviero no se daría cuenta de que el entramado no era suyo.

Cuando quedó satisfecha con la capa superior de su salvaguarda y su aspecto, empezó a tejer el destello por encima de su cabeza, tan cerca que casi no había sitio ni para que su espíritu maniobrara. Sabía que estaba tardando demasiado. Había decidido no correr, no quería cometer ningún error, pero cuanto más prolongara su estancia allí, cuanta más energía utilizara, más probabilidades había de que atrajera a Xaviero como un imán. Llegaría rezumando por su portal infernal y se derramaría sobre Damon como una serpiente gigante y venenosa lista para atacar.

Branislava esperó, agachada, haciéndose lo más pequeña posible, deseando que Zev hiciera lo mismo. Tendría que haberle advertido sobre la sensación que le invade a uno cuando se enfrenta al mal. Pero no se atrevió a buscarlo en su mente, ni siquiera cuando notó los primeros movimientos oscuros. ¿Cómo describe uno el mal?

La sensación de terror llegó primero, ese cosquilleo de reconocimiento que le bajó por la espalda con dedos fríos. Notó la reacción física, como si su espíritu aún estuviera en su forma humana. Luego fue el vello de su cuerpo, que se erizó. Había pasado siglos encerrada en una gruesa capa de hielo, y siempre intuía la presencia de cualquiera de los tres hermanos mucho antes de que entraran en la estancia.

Luego llegó la sensación pegajosa, como si un aceite verde y pringoso se estuviera extendiendo sobre su piel, como si la estuviera cubriendo y taponara sus poros y no le dejara respirar, de modo que tenía que tomar el aire en bocanadas cortas y superficiales y solo cuando era absolutamente necesario para no morirse.

Luego vino el olor, un espantoso hedor a podredumbre y descomposición que se le metió en los pulmones y se quedó ahí. A veces despertaba cuando dormía y notaba aquel olor, tan cerca, como si sus dedos huesudos la buscaran para cogerla del cuello y apretar hasta arrancarle su último aliento, sin dejar de reír.

Su corazón latía con fuerza. La sangre retumbaba en sus oídos. Venía a por ella. Era Xaviero. Estaba vivo y la encontraría. Al momento, Zev estaba allí, arropándola con su espíritu, abrazándola con fuerza, protegiéndola del terror de aquel recuerdo de pesadilla.

En cuanto sintió la fuerza de él, en cuanto su amor se enfrentó a aquellos terribles recuerdos, desaparecieron la sonrisa perversa y el aliento repulsivo de Xaviero cuando pegaba su cara al hielo para ver en primera fila cómo la suya se ponía azul y sus ojos se salían de las órbitas porque no podía respirar. De haber podido, en aquellos momentos se habría llevado la mano a la garganta. Hacía mucho que no pensaba en aquello. De no haber tenido a Zev a su lado, el hecho de saber que Xaviero estaba entrando por aquel portal para ver y oír lo que Damon veía y oía la habría paralizado.

Notó su presencia enseguida. Y era mucho peor que el heraldo del mal. La mente de Damon se llenó de pensamientos repulsivos y malvados. Branislava supo enseguida por qué el hombre se había asustado tanto y quería que le quitaran aquello. Era un hombre de una moral intachable, con unos valores y unos estándares elevados. Xaviero disfrutaba corrompiendo a la gente buena. E introdujo pensamientos inmorales y maliciosos en la cabeza de él, eligiendo los actos más perversos y desagradables que creía poder empujarle a hacer.

Branislava adoptó un perfil bajo, y se situó cerca de la base de la marca de la sombra, rezando para que Xaviero no la encontrara. Él estudió su trabajo con recelo, aunque era evidente que no esperaba encontrar nada.

Después de haberse salido con la suya durante tanto tiempo, no se lo imaginaba pensando que nadie pudiera descubrirle, y menos aún desafiarle.

La única persona que podría hacer eso era su hermano Xayvion, y ni siquiera sabía si aún estaba con vida. Aún así, Xaviero sí seguía vivo y había estado oculto, porque era extremadamente cuidadoso. Se tomó su tiempo para examinar su trabajo, y finalmente decidió que podía utilizar a su marioneta sin riesgos.

Entonces notó cómo su poder se hinchaba cuando ordenó a Damon que mirara a su alrededor. El hombre no contestó, siguió tumbado y quieto como un muerto. Ella notó enseguida la ira del mago, una ira que casi rayaba la rabia. Nadie, y mucho menos una de sus marionetas, podía desafiarle. También notó las represalias, en la forma de dolor, como si un millar de agujas estuvieran atravesando el cráneo del licántropo para clavarse en su cerebro.

El conjuro de Branislava aguantaba. Y se dio cuenta de que si Xaviero había intentado comprobar a los otros cinco licántropos que había mandado para matar a Skyler y a Dimitri en el bosque, no habría encontrado nada. Sabría que estaban muertos. Quizá pensaría que Damon estaba inconsciente y no dormido. Bueno, también estaba bien. Xaviero saldría de él e iría a por alguna de sus otras marionetas. Les habían dado sedantes muy potentes para evitar que el gran mago accediera a sus cerebros y recuerdos mientras ella trataba de retirar la primera sombra.

Pero Xaviero no se rendía fácilmente. Quería saber qué había pasado con sus sirvientes. No dejaba de pinchar y probar una y otra vez, enviando agujas ardientes a través del cráneo para despertar a Damon. Al ver que no funcionaba, plantó maliciosamente más pensamientos perturbadores, esta vez sobre matar a su hermana y a Zev. Repitió la orden una y otra vez, grabándola en el inconsciente del hombre a través del portal que había abierto en su mente.

No quería ni pensar cómo se sentiría Damon si llegaba a utilizar alguno de los métodos medievales que Xaviero le había ordenado contra su hermana y después volvía en sí y tenía que vivir con ello. Ahora no tenía ninguna duda de que Xaviero estuvo detrás de la sentencia que condenó a Dimitri a la muerte por plata, aquella terrible y maquiavélica tortura supuestamente ordenada por el consejo. No dudaba ni por un momento que al menos controlaba a uno de los miembros del consejo y puede que a más, y no necesariamente a través de una sombra.

Entonces se retiró. Branislava no se movió, no profirió ningún sonido.

Zev seguía su ejemplo. Y ella daba gracias porque fuera tan paciente. Como cazador había aprendido el valor de la paciencia, y no se movió ni trató de preguntar a qué esperaba. El tiempo pasaba. Tal vez fueron diez minutos, una hora, ella no lo sabía, ni le importaba. Xaviero volvería. No confiaba nada al azar, y se había mostrado más que receloso mientras examinaba su obra.

Por segunda vez, el mal se vertió en la mente de Damon como si fuera lodo. Espeso, pastoso, con un hedor espantoso. Xaviero entró veloz, girando su luz turbia hacia un lado y luego al otro, pero nadie había osado perturbar su creación. Lanzó una nueva andanada de agujas candentes contra el cráneo de Damon, con la esperanza de que el *shock* lo despertara. Cuando vio que no pasaba, se fue por segunda vez, pero bruscamente, como un niño mimado con un juguete roto.

En el momento en que se fue, Branislava salió de su escondite y se puso a deshacer el entramado de las dos salvaguardas que ella misma había tejido. No quería permanecer atrapada en aquella red de peligros si Xaviero volvía de nuevo. Una vez más, se armó de paciencia y se aseguró de no tocar ni una sola fibra mientras deshacía el tejido de las trampas de Xaviero, uno a uno. Se lo imaginaba como una araña venenosa y mortífera, instalada en el centro de su tela gigante, esperando a que pasara alguna víctima desprevenida. Y ella no pensaba volver a ser esa víctima.

En cuanto las dos defensas quedaron inactivas, se puso manos a la obra y rodeó la sombra más oscura que se fundía con la materia gris en los valles y riscos del cerebro de Damon. El portal no tenía relieve; parecía poco más que una mancha, una pequeña mancha oval de color carbón que podía pasarse fácilmente por alto cuando uno buscaba. En cada extremo había una pequeña lazada, un pequeño defecto en un óvalo perfecto... la firma de Xaviero.

Xavier y Xayvion habían discutido hasta la saciedad con él por este tema, pero él siempre se mantuvo firme. Xaviero pensaba que cada uno debía tener su propia firma, una firma que nadie más pudiera reconocer. Quizá tuvo una premonición cuando «vio» a Xavier matándole. Pero Branislava dudaba que aquello fuera real. Después de todo, era evidente que habían fingido las muertes, aunque no entendía el motivo.

¿Sabían los trillizos que ella y Tatijana escaparían algún día? Lo dudaba mucho. No podían saberlo, y en todo caso, la solución no habría sido fingir sus propias muertes. Habría sido matarlas.

Rezó en silencio para que cuando Xaviero repasara en su mente el episodio —que y lo haría— no encontrara ningún detalle que pudiera delatarla. Tenía suerte porque, si bien Xaviero conocía el trabajo de sus hermanos y seguramente de todos los magos que habían estudiado a las órdenes de Xavier, nunca había probado las capacidades de ellas dos. Era evidente que ninguno de los trillizos creía que ella o Tatijana pudieran lanzar conjuros. Nunca se les ocurrió que no tenían nada con lo que mantener la mente activa, salvo aprender… y eso siempre fue una clara ventaja.

Branislava se dio cuenta de que tenía miedo de Xaviero, pero ya no estaba totalmente aterrorizada. De alguna manera, al enfrentarse a su peor pesadilla, había ganado confianza en sí misma. Respiró hondo para purificarse, o al menos eso le pareció. Dejó a un lado sus dudas y se concentró en su lucha por salvar a Damon.

Salve Gran Madre, espíritu del Norte,
te invoco para que me defiendas esta noche.
Salve, Gran Madre, espíritu del Sur,
te invoco para que me asistas en este rito.

Branislava, que no tenía su cuerpo, hizo girar su espíritu de norte a sur en una salutación de gratitud y respeto, sin dar nada por sentado, lanzando su ruego al universo.

Salve, Gran Madre, espíritu del este,
invoco a tus fuerzas para que me defiendan con empeño.
Salve, Gran Madre, espíritu del Oeste,
necesito de tu saber y tu dirección esta noche.

Volvió su espíritu a este y oeste, en un gesto de reverencia y admiración.

Te invoco, Hécate, diosa triple,
doncella, madre, anciana, mira qué brete.
Hécate, madre oscura que cura las cosas buenas y las malas.
Que tu poder me permita seguir siendo fuerte.

Branislava notó la energía recorriendo su espíritu. La luz blanca empezó a brillar en un suave rosado, luego rojo claro. Otro aliento, y su espíritu fue rojo oscuro.

Busco el poder del rayo,
para quemar la sombra y deshacer lo hecho.
Gira y regira, cura y quema,
Fuera la sombra, que vuelva la vida.

Desde su espíritu, el rayo apareció bifurcado y se materializó como un flujo constante, como si la punta fina fuera un láser. Poco a poco, con mucho cuidado, fue quemando las diferentes capas y asegurándose de eliminar la mancha de la sombra de Xaviero. Aquello no se acababa nunca, y ella no dejaba de pensar que el mago se daría cuenta y volvería en cualquier momento. Cuando la sombra desapareció, se puso a la tarea de sanar y envió células rejuvenecedoras que cubrieran la zona dañada.

Capítulo 12

Branislava nunca se había sentido tan agotada en su vida, pero no era momento para relajarse. Xaviero acababa de perder su primera batalla y no estaría precisamente contento. Y cuando él no estaba contento, alguien tenía que pagarlo. Iría a por los otros tres licántropos que tenían en aquel baluarte carpatiano, y si no podía utilizarlos contra aquellos a quienes consideraba sus enemigos enviaría a otros enseguida.

Había vuelto a su cuerpo, pero no tenía fuerzas para levantarse del suelo. Rezó en silencio para no haber dejado atrás ningún rastro que pudiera delatar su identidad ante Xaviero cuando repasara la escena de su sombra en su mente.

Ella ya sabía cuál sería su primer pensamiento, y eso les daba algo de tiempo. Los tres hermanos siempre habían disfrutado de su capacidad de ocultarse entre ellos a los ojos del resto del mundo. Eso les daba la libertad de hacer cuanto querían con la tranquilidad de saber que nunca les descubrirían. Siempre tenían una coartada sólida. Se sentían superiores a todo el mundo.

Xaviero pensaría que uno de sus hermanos se había enfrentado deliberadamente a él. ¿Quién si no hubiera podido derrotarle? No había nadie tan brillante. Y estaría rabiando, presa de alguno de sus infames arrebatos. ¿Cuántas veces le había visto volcar su ira sobre otros?

—No tenemos mucho tiempo —consiguió decir entre jadeos—. Que los demás entren en el círculo. Gregori, ¿has visto lo que debes hacer para inutilizar sus salvaguardas? No hay necesidad de reconstruirlas. Deshaz su entramado y retira la sombra tan deprisa como puedas. —Su voz tenía un tono apremiante, sus ojos reflejaban desesperación—. Si queremos salvar a esos hombres, solo tenemos unos minutos.

Ivory se acuclilló a su lado y pegó la cara interna de su muñeca a sus labios. Branislava no pudo evitarlo, bebió con desespero aquellos nutrientes que ella le daba. Se sentía hambrienta y débil. Se dio cuenta de que Skyler estaba proporcionando sangre a Zev. Este tendió la mano hacia ella y Branislava la tomó como si se estuviera ahogando y la mano fuera un salvavidas.

Su corazón latía con fuerza, se notaba la boca seca. Xaviero venía ya a por los otros, y estaría de un humor particularmente negro. Su mirada se encontró con la de Tatijana. Ella también lo sabía.

Gregori abrió un acceso al círculo y esta vez fueron Dimitri, Fen y Razvan quienes llevaron a los licántropos dormidos a la protección de la esfera. Luego regresaron al exterior del círculo y se prepararon para contener a cualquiera que tratara de amenazar a las personas que estaban allí intentando eliminar las sombras.

—Que cada uno elija a uno —dijo Branislava—. Recordadlo, él llegará muy rápido, derramándose como un líquido, y os golpeará a los dos, a vosotros y a la víctima.

No se molestó en esperar una respuesta, abandonó su cuerpo y eligió al que tenía por nombre Igor. No le conocía, pero Daciana había hablado muy bien de él. Branislava ya sabía dónde estaba la sombra, no perdió el tiempo mirando a su alrededor. Si Xaviero había implantado sus sombras a aquellos hombres sin que ellos lo supieran cuando estaban en grupo, no habría tenido tiempo de cambiar la localización en cada uno. Habría elegido el lugar que le resultara más ventajoso, una zona del cerebro desde donde pudiera controlar los pensamientos y las acciones.

Encontró la sombra exactamente donde esperaba y se puso a deshacer el tejido de las salvaguardas, siguiendo los mismos pasos que con Damon. Una capa tras otra fue desapareciendo, hasta que llegó al destello. De nuevo, lo eliminó, dando prioridad a la rapidez y no a la delicadeza. Tanto si le gustaba como si no, retirar y reparar la sombra exigía su tiempo, y sabía que cualquiera de los que estaban trabajando con aquellos licántropos podía llamar la atención de Xaviero en cualquier momento.

No quería que atacara a Tatijana. Mientras estuvieron cautivas en las cuevas de hielo, ella siempre se había puesto por delante para desviar la atención de Xavier y de sus hermanos. La salud de Tatijana siempre había sido algo frágil y ella hizo lo posible para que los hermanos no lo notaran.

Estaban tan enfrascados en sus planes y sus experimentos para ser inmortales y dominar el mundo que no se fijaban en ellas salvo cuando necesitaban sangre.

Por mucho terror que le produjera pensar en Xaviero, quizá en aquel instante también estaba tratando de desviar su atención hacia ella. El instinto de proteger a su hermana era muy fuerte, pero fuera por lo que fuera, lo cierto es que mientras trabajaba febrilmente para invocar el rayo sobre la sombra, perturbó las trampas lo suficiente para atraer la atención de Xaviero sobre su víctima.

Branislava notó que el mal se derramaba en el cerebro de Igor por el portal oscuro. Xaviero llegó raudo, tal como había previsto. Había estado buscando a sus tres licántropos, buscando información, para hacer tanto daño como pudiera a través de ellos antes de que también fueran purificados o asesinados.

Sé que estás ahí.

El sonido de aquella voz la hizo estremecerse, los dedos fríos, como la muerte, rodeándole la garganta, listos para apretar y apretar hasta arrancarle la vida mientras no dejaba de mirarla sonriente.

No sabe que eres tú, susurró Zev en su mente. *Solo está tanteando. No muerdas el anzuelo. Sigue trabajando. Podrías atrapar una parte de él aquí.*

Branislava dejó a un lado siglos de terror e invocó al fuego. Ella vivía para ese calor. Las llamas rojo anaranjado y la energía al rojo. En su interior siempre sentía ese magma hirviendo, el fuego siempre estaba ahí, esperando una oportunidad para hacer erupción en la forma que fuera, una pasión intensa, sus conjuros mágicos o volar por el cielo. A punto estuvo de olvidarse de controlar la energía que saltaba hacia ella, lista para obrar su voluntad.

Dirigió la punta fina del láser a la marca y empezó a quemarla. Se aseguró de quemar también la materia que la rodeaba, para no dejar ningún lugar donde Xaviero pudiera esconderse. Aquello requería tiempo, y no estaba segura de tenerlo, pero Zev estaba cerca y tendría que confiar en que él vigilara mientras ella hacía su trabajo.

¿Qué estás haciendo Xayvion? Esto es para los dos. El trabajo que hiciste con los jaguares no tiene igual. Xaviero hizo aquel cumplido con su tono más zalamero. *Estamos tan cerca de culminar nuestros planes. Ahora que no tenemos a Xavier, es importante que seamos más innovadores. Que volvamos a los licántropos contra los carpatianos. Llevo siglos esperando que se diera la ocasión, y la ocasión ya está aquí.*

Branislava sintió un pequeño arrebato triunfal. Xaviero estaba tan convencido de que solo su hermano podía enfrentarse a él, que no se había parado a pensar en las pobres chiquillas a las que atormentó en las cuevas de hielo. No merecían su atención, si no eran como divertimento cuando estaba aburrido.

Ella siguió con su tarea, y utilizó la punta del rayo para quemar los bordes exteriores del portal y encoger así la zona, de modo que Xaviero viera que sus opciones disminuían por momentos. Si quería escapar, tendría que irse. Pero en él todo pedía a gritos una confrontación.

El mago golpeó con fuerza y rapidez, haciendo que el cerebro entero se hinchara, y el licántropo empezó a sacudirse con violencia. Branislava no tuvo más remedio que dejar lo que estaba haciendo y ayudar a Igor o lo perdería. Y cuando hiciera eso, Xaviero sabría que su oponente no era su hermano.

Sigue trabajando, reduce su vía de escape, le aconsejó Zev. *Si empiezas a contestar a cada uno de sus movimientos, él ganará la batalla. Concéntrate en retirar la marca. Yo haré lo que pueda por proteger a Igor cada vez que Xaviero le arroje algo.*

Aquello tenía sentido, sí. Cuanto más tiempo estuviera abierto el portal, más daño podría hacer Xaviero. Pero no quería que Zev se pusiera en peligro. Siguió trabajando, obligándose a ser metódica y cuidadosa. Utilizar la punta fina del rayo para quemar la marca era difícil si Igor no dejaba de sacudirse.

Zev utilizó su energía curativa para desplazarse por el cerebro y reducir la inflamación, evitando los movimientos rápidos, en lugar de flotar por el fluido para no atraer la atención del gran mago. Las sacudidas empezaron a remitir y finalmente cesaron sin que Xaviero hubiera descubierto nada sobre la identidad de su enemigo.

La quietud que siguió solo podía augurar algo malo. Branislava siguió trabajando, quemando la sombra de fuera adentro, estrechando el portal tan rápido como podía sin hacer un daño permanente a Igor.

Sin previo aviso, empezaron a brotar gusanos de la materia gris, pequeños gusanitos blancos con dientes. Parecían hambrientos y mordían con saña el cerebro como si lo fueran a devorar. Esta vez supo que no tenía elección. Si no libraba a Igor de aquellas malévolas criaturas, moriría a pesar de todo lo que había hecho. Abrió su mente llena de aprensión para rebatir el conjuro.

Pero Zev bloqueó la abertura, seguía negándose a dar a Xaviero un punto de acceso.

Utiliza el rayo para quemarlos, no dejes que te arrastre a un juego de conjuros ni le des nada que le permita saber quién eres.

Branislava hizo enseguida lo que Zev le decía, y pasó el láser sobre el cerebro como un dragón echando fuego. Ella tenía muchísima experiencia en esa clase de batallas, y utilizó sus conocimientos para librar al cerebro de los terribles gusanos que se lo estaban comiendo. Los bichitos se chamuscaron y se convirtieron en cenizas, y ella pudo volver a lo que hacía y siguió con su implacable misión de cerrar el portal.

Xaviero gritó de rabia, y tuvo un arrebato de ira, algo que la joven recordaba muy bien de los siglos que había pasado encerrada en el hielo. Un millar de lanzas de hielo atravesaron cada espacio concebible en el cerebro de Igor, golpeando por todas partes, en respuesta al rayo. Era imposible evitar los carámbanos que caían.

Zev contraatacó con calor y los derritió, pero no antes de que el espíritu de los dos quedara atravesado por las armas del mago.

¿Estás herida?, preguntó Zev inquieto. A él le habían atravesado por todas partes y se sentía como si su cuerpo sangrara por una docena de heridas.

Puedo hacerlo.

El tono chillón de su voz le preocupaba, pero tenía que confiar en ella. *Sigue trabajando*, le aconsejó. *Yo haré lo que pueda con las heridas de Igor.*

Algunas son profundas. Tienes que curarlas o le perderemos.

Entonces trató con empeño de contener la necesidad de apresurarse. Ya casi estaba, no podía cometer ningún error, pero su espíritu se sentía magullado, roto, frágil, las fuerzas le fallaban. No podía nutrirse de Zev, necesitaba toda su energía para tratar de salvar a Igor y frenar los ataques de Xaviero.

No dejaba de mover el láser, y fue reduciendo poco a poco el portal, hasta que quedó prácticamente en nada. Pero, aun así, no se atrevía a sentirse vencedora. Había llegado el momento de que Xaviero tomara una decisión. ¿Intentaría un último ataque arriesgándose a que una parte de él quedara atrapada? ¿O huiría sin conocer la identidad de su atacante?

Xaviero saltó hacia el portal para huir, pero mientras lo hacía envió una última orden a Igor. El corazón del licántropo reaccionó a los estímulos que siguieron los canales cargados de señales químicas. Zev luchaba por reparar el daño hecho al cerebro y Branislava estaba ocupado cerrando el portal para evitar que el mago volviera. El corazón se sacudió.

El ataque fue masivo. Era del todo imposible evitar que el cerebro se apagara. Branislava lo intentó, no estaba dispuesta a rendirse, no perdería a aquel hombre. Pero por más que insistían, Igor no respondía. Al parecer, al final Xaviero había conseguido frustrar sus esfuerzos.

Entonces sintió que el aire se le atascaba en la garganta. *Irá a por los otros dos y hará lo mismo. ¿Puedes ayudar a Gregori? ¿Utilizar un láser? Si sois dos será mucho más rápido.*

Zev salió del cuerpo del fallecido siguiendo el espíritu de Branislava, tan decidido como ella a salvar la vida de los otros dos. Detestaba la idea de que se separaran, pero estaban ligados, espíritu con espíritu, eso se dijo, y si llegaba el caso, la sacaría de allí como fuera.

Haré lo que pueda. No quiso acobardarse ante la idea de utilizar el rayo. Le tenía un sano respeto a la naturaleza, pero la forma en que los carpatianos manejaban el rayo sin hacerse daño le resultaba asombrosa. Sí, quería aprender a hacer aquello... pero no así, no cuando estaba tratando de salvar a un compañero licántropo.

El espíritu de Branislava entró en Pavlo, el licántropo al que Tatijana estaba intentando librar de la sombra. Al igual que los demás, ella jamás había retirado antes una sombra, y mucho menos una colocada por un gran mago, que es el motivo por el que trabajaba de forma tan lenta y metódica, para asegurarse de no cometer ningún error.

Ya había desligado las salvaguardas y en aquellos momentos estaba trabajando en el lado izquierdo de la sombra, quemando lentamente la marca con un movimiento de barrido, de lado a lado.

Ya viene, Tatijana, le advirtió Branislava. Su voz ya daba una idea de la urgencia de la situación, además del hecho de que invocó otro rayo y se puso a quemar junto a su hermana tan deprisa como pudo. *Ha matado a Igor y lo intentará con Pavlo y con el licántropo con el que está Gregori. Haz lo que yo haga. Voy a probar una cosa nueva.*

En lugar de avanzar de fuera hacia dentro, empezó a quemar hebras de la sombra de delante hacia atrás, muy juntas, de modo que si Xaviero intentaba entrar, no lo tuviera tan fácil. Al momento, Tatijana empezó a hacer otro tanto desde el otro lado, moviéndose con rapidez para impedir la entrada a Xaviero. Cuando se encontraron en el centro, volvieron atrás, y fueron rellenando los huecos para que cada pequeña sección del portal quedara soldada.

Cuando Branislava empezó con el último círculo para asegurar que no quedaba ningún pasaje oculto que no hubieran visto por los bordes exteriores de la sombra, algo chocó con fuerza contra ella: era Xaviero, que estaba intentando entrar.

Tatijana lanzó un respingo y se encogió, y su espíritu se apartó de la sombra. *Está aquí.*

Pero no puede entrar. Termina con los bordes exteriores del círculo y luego inicia el proceso curativo de la quemadura. Voy a ayudar a los otros.

No esperó la respuesta de su hermana. Abandonó el cerebro de Pavlo y entró sin dilación en el del último licántropo. Zev estaba trabajando en un extremo de la sombra, despacio, con meticulosidad. Gregori lo hacía en el otro extremo.

Ya viene, y está furioso. Yo ayudaré a Zev a cerrar el portal Gregori, pero tú tendrás que mantenerle alejado del corazón de Borya. Si no puede llegar al corazón, irá a por algún otro órgano vital para matarle.

Branislava sabía que Zev aceptaría la misión de proteger el corazón de Borya. Protegía a los licántropos con apasionamiento, pero no tenía experiencia en combatir a magos. Gregori era poderoso con la magia y había estudiado conjuros, negros y blancos, muchos más que la mayoría de carpatianos. Ella no podía abrirle su mente, porque eso también habría permitido el acceso a Xaviero, pero confiaba en que el sanador echaría al mago de su paciente.

Intenta no dejar que vea quién eres. Sospecha que su hermano está tratando de frustrar sus planes en un juego de poderes para hacerse con el control de todas las especies. Si sigue creyéndolo, eso podría darnos cierta ventaja. Ya estaba blandiendo el rayo, para cerrar el portal por tiras, como había hecho con Pavlo. Pero por desgracia los magos se adaptaban enseguida y Xaviero ya esperaría que su hermano cerrara el portal de modo parecido.

Bien pensado, dijo Gregori, y concentró su energía en bloquear lo que el mago tratara de arrojar contra Borya.

Zev, empieza por la base y trabaja por tiras como hago yo, así crearemos un enrejado. Traza las líneas tan *juntas como sea posible y cuando acabemos volveremos sobre el entramado y rellenaremos los huecos.*

Por un momento se planteó la posibilidad de utilizar una punta más gruesa para cubrir más espacio, pero aquello era un trabajo delicado, y no era fácil manejar el rayo. Volvió a notar las mismas náuseas cuando el hedor espantoso de Xaviero penetró en el cráneo.

¿De verdad creías que podías salvar a estas miserables criaturas de mí?

Están esclavizadas, yo las controlo. Me niego a permitir que las uses para tu provecho, exclamó Xaviero.

Te está tirando un anzuelo otra vez, le advirtió Zev. *Quiere que te burles de él porque has conseguido salvar a uno.*

Habría sido muy fácil caer en la trampa, pero la seguridad de Branislava aumentaba con cada encuentro. Había perdido a Igor, sí, pero también había estado a punto de atrapar a Xaviero en la sombra, y ella y Tatijana habían impedido que entrara en Pavlo, y eso justamente le había salvado la vida. No, no mordió el anzuelo.

Una vez más sintió una ira negra saturando el cráneo, tan fuerte y poderosa que casi lo hizo estallar en pedazos. Pero Gregori estaba allí, sujetando cada hueso en su sitio. Xaviero chilló, y el sonido reverberó por el cuerpo de Borya. Un sonido espantoso, rabioso, enloquecido, porque no conseguía hacer salir a su enemigo. Branislava se sentía como si el mago estuviera arañando su cabeza y sus oídos por dentro, arrancando largas tiras de piel, convirtiendo sus órganos en gelatina.

Tu cuerpo no está aquí, le recordó Zev con serenidad.

Estaba orgullosa de él. No había dejado de trabajar en ningún momento, y en cambio ella se había detenido por un microsegundo. Xaviero notaría aquel desliz cuando repasara la jugada, pero ya no podía hacer nada.

¿Se convertirá el cuerpo de Borya en papilla cuando procese el sonido?

Branislava no podía evitarlo, se sentía inquieta. Siguió trabajando tan deprisa como pudo y quiso ordenar a Zev que él también se apresurara.

Yo por si acaso ya le había tapado los oídos, o sea, que en estos momentos está básicamente sordo. Tiene un escudo que protege su corazón, le aseguró Gregori. *Xaviero sabrá que la estructura es carpatiana, pero no de quién es... aunque quizá reconozca mi trabajo, nunca se sabe. Sea como sea, tampoco importa, porque seguro que se dará cuenta de que al menos somos dos los que estamos haciendo esto.*

Ella dejó escapar un fugaz suspiro de alivio, o se sintió como si lo hubiera hecho. Resultaba extraño no tener un cuerpo físico y sin embargo notar sus reacciones.

Xaviero golpeó una segunda vez, enviando cargas eléctricas por el cuerpo, una y otra vez, haciendo que las neuronas trabajaran enfervorecidamente, que los filamentos casi bailaran por los impulsos que las recorrían para llegar a las diferentes terminaciones nerviosas con las órdenes del gran mago al cuerpo de su siervo.

Gregori ponía una barrera a cada orden, anticipándose a veces al siguiente ataque, corriendo otras para barrar el paso a la electricidad y evitar que quemara órganos vitales. El tercer ataque lo dirigió a los pulmones, y todo el fluido que había en las extremidades se concentró en un punto central.

Teréd keje... *así te achicharres, mago del infierno*, musitó Gregori por lo bajo, y sus palabras llegaron a la mente de Branislava.

Sabía lo que el sanador iba a hacer, pero no podría detenerle, y en realidad, poco importaba. Xaviero ya era consciente de que había alguien liberando o matando a sus marionetas en el campo de juego carpatiano. Era de lógica pensar que quien estaba ayudando al enemigo de Xaviero fuera Gregori.

Que traiga el retumbar del trueno sus cadenas de luz,
que la nube deje al rayo golpear el suelo.
Que se canalice el campo magnético,
y la corriente haga sentir a la carne en sombra.

Xaviero chilló y se sacudió. Branislava maldijo por lo bajo utilizando palabras muy poco femeninas para expresar su decepción. Había faltado tan poco para que lo atrapara. Unos segundos más y ella y Zev habrían cerrado el portal, dejando una parte de Xaviero enganchada en la quemadura. Y ella la habría matado, disminuyendo con eso un tanto el poder del gran mago.

No podía reprocharle a Gregori que se hubiera querido vengar, no cuando Xaviero estaba tratando por todos los medios de matar al licántropo. Terminó de cerrar el portal y ella y Zev se desplomaron en el instante en que soltaron los rayos, con los espíritus hechos añicos. Los dos habían sido heridos por los carámbanos y los dientes de los diminutos gusanos que el mago había mandando para matar a Damon.

Yo terminaré esto, les aseguró Gregori, *vosotros necesitáis descansar.*

Tenía razón, pero su mente estaba tan acelerada y sus dientes castañeteaban de tal modo que no estaba segura de poder obedecer. El agotamiento se había adueñado de ella, un agotamiento como no lo había sentido en su vida. Se sentía triunfal. Al final, Xaviero no había logrado identificarla. Había encontrado a Gregori, sí. ¿Quién podía confundir el poder del sanador carpatiano? Pero no había identificado ni a Tatijana ni a ella, y eso en sí era una victoria.

Vamos, mon chaton féroce, dijo Zev suavemente, con un tono que la hizo derretirse. *Es hora de descansar. Ya has hecho tu parte. Ahora toca relajarse, buscar algo de sustento y yacer en mis brazos.*

Aquello sonaba muy bien. Branislava salió de la cabeza de Borya y volvió a su cuerpo. Y se desmoronó, porque no podía manipular una estructura tan pesada con el espíritu tan machacado. Al momento, Dimitri estaba allí, arrodillado a su lado; la ayudó a incorporarse y le colocó la muñeca contra los labios.

—Hermanita, toma lo que se te ofrece libremente —dijo con tono formal—. Y deprisa. Estás tan pálida que casi pareces translúcida.

—Es por el pelo rojo —comentó Fen, que se había acercado para ayudar a Zev—. Cuando no ha comido hace que parezca un fantasma.

Te contestaría con algo brillante, pero estoy demasiado cansada, dijo con sinceridad.

Quería cerrar los ojos y dormir, puede que incluso hundir su cuerpo en la tierra allí mismo.

Tatijana salió del licántropo al que acababa de sanar y le sonrió a su hermana.

—Fen es un bromista pésimo, ¿verdad? Le daré una buena patada en tu nombre en cuanto tenga fuerzas.

Gracias, Tatijana, dijo Branislava. *Eres la mejor hermana que podría tener.*

—Yo sí tengo fuerza —se ofreció Skyler—. Yo le daré la patada. —E hizo lo que decía, le propinó una buena patada en las espinillas a Fen—. Eso por Bronnie.

—Muy bonito, Skyler. —Fen puso su expresión más ceñuda—. Dimitri, controla a esa loca que tienes por mujer.

Dimitri se encogió de hombros.

—Siempre encuentras la forma de hacer que se enfaden, ¿eh?

Gregori fue el siguiente en salir y al momento Ivory estuvo a su lado para darle la necesaria sangre. Y se sentaron en silencio, junto a los licántropos a los que habían salvado, aún inconscientes, y el cadáver del que yacía como testimonio de la crueldad de Xaviero.

Fen, Dimitri y Zev se volvieron a la vez, de cara al exterior del círculo, y se incorporaron de un salto. Zev notaba que algo se acercaba. La energía era baja, casi demasiado baja, pero las intenciones malas.

—¿Qué pasa? —preguntó Gregori.

Cerró la herida de la muñeca de Ivory en el último momento.

—Xaviero ha encontrado otra forma de atacarnos. Ha mandado una nueva oleada de su ejército contra nosotros. Es una manada de renegados, y matarán y devorarán todo aquello que encuentren —contestó Zev—. La tierra me dice que están a solo unos kilómetros del claro. Aquellos que estén fuera del círculo de protección morirán. Tenemos que llegar a ellos. Y dejar a los que necesitan curarse aquí.

Zev miró a Fen y a Dimitri.

—Yo avanzaré hacia ellos de frente. Y sé que saltarán sobre mí con saña. Vosotros atacad desde los flancos. Daciana y Makoce ya saben lo que tienen que hacer. Gregori, después de la matanza ¿podrás ocuparte tú del resto? Sé que es engorroso tener que cortar tantas cabezas, pero debe hacerse.

—¿Estás en condiciones de hacer esto, Zev? —preguntó Fen—. Tú estás herido, y Bronnie también. Y Gregori está agotado.

Zev se encogió de hombros.

—Hay que hacerlo.

Gregori asintió.

—Ningún problema. Si Zev puede hacerlo, yo también. Me he enfrentado a ellos suficientes veces para saber cómo actúan. No tenéis que preocuparos, me he forjado mi propia espada de plata de acuerdo con las especificaciones de tus diseños.

Zev volvió la cabeza para mirarlo con el ceño fruncido.

—¿Mis diseños?

Sus ojos buscaron los de Tatijana.

Ella le sonrió y se encogió de hombros.

—Yo no tengo la culpa de que hables en sueños. Perdiste el conocimiento, ¿recuerdas?

Branislava se puso en pie. Se sentía la cabeza como si le fuera a estallar, una secuela de las lanzas de hielo que Xaviero había mandado.

—Es bueno saber que es tan fácil sacarte información —comentó.

Tardó unos momentos en recuperar el control de las piernas. Se balanceó un poco, pero enseguida pudo cuadrar los hombros y desprenderse de la debilidad.

—Tú y Tatijana elevaos al cielo —le dijo Zev—. Me seréis mucho más útiles allá arriba. Las dos sabéis la altura a la que puede saltar un lobo, así que tenedlo en cuenta cuando voléis bajo.

Branislava asintió. Le rodeó el cuello con un brazo y le besó levemente.

—Tendremos cuidado. Y tú procura volver.

Él le devolvió el beso y volvió su atención a Skyler y Ivory.

—Vosotras dos podéis usar vuestra conexión con la Madre Tierra, además de vuestros lobos. Reunid también a los solitarios y vagabundos. Seguid de cerca a la manada principal, que se dirige hacia nosotros. Y estad atentas a posibles trampas. Vuestros lobos los echarán mejor que nosotros. Escuchad a la Tierra y no dejéis que os maten.

Skyler e Ivory asintieron.

—Gregori, abre un camino para salvar el claro. Con un poco de suerte, podremos empujar a algunos de los renegados para que entren en esta trampa —dijo Zev—. Y, si tenemos mucha suerte, no los guiará un *sange rau*. Si topas con uno o sospechas que puede haber uno cerca, avisa a Fen, a Dimitri o a mí. Yo no soy tan bueno luchando con ellos. De momento diría que Fen es la versión más lograda del *hän ku pesäk kaikak*, de modo que si llega el caso, todos le seguiremos a él.

Fen asintió.

—Acabemos con esto de una vez antes de que encuentren a alguno de los nuestros.

Gregori levantó entonces las manos, de cara al exterior del doble círculo de protección.

Invoco al aire que propele y sopla,
invoco al fuego que arde abajo,
invoco al agua y sus tormentas,
invoco a la Tierra que trae la niebla que cubre y vela.

Purifica y aclara,
sella este paso.
Ciérralo todo,
cuando hayamos pasado.

Zev fue el primero en abandonar la protección del círculo, con Fen y Dimitri a ambos lados. Cada uno de ellos olfateaba el aire y comprobaba el suelo bajo sus pies. Gregori había abierto un paso lo bastante amplio para que el caos de los rayos no afectara su capacidad de extraer información de su entorno, pero causó estragos en el vello de sus cuerpos. Dimitri dedicó a Zev una mueca fugaz y asintió señalando a Fen con el gesto. Y con los labios formó la palabra «mofeta».

—Te estoy viendo —señaló este.

Entonces levantó una ceja con aire inocente.

—No sé de qué estás hablando, hermano.

Tatijana y Branislava les seguían de cerca. Necesitaban encontrar un lugar donde poder transformarse y echar a volar. Pero en vez de buscar un espacio lo bastante grande para acomodar a un dragón, se dejaron un poco de sitio para correr y, tras impulsarse y saltar, echaron a volar en la forma de pequeños pajarillos.

Ivory y Skyler venían después, avanzando con rapidez, corriendo hacia el bosque, donde podrían dedicarse a buscar presas con sus lobos más cómodamente. Razvan avanzaba en diagonal para salir a su encuentro en el bosque, corriendo veloz entre los árboles. Era evidente que Ivory había compartido cada detalle de lo sucedido y de los peligros con él.

Gregori fue el último en abandonar el círculo, y caminó con zancadas largas y decididas hasta el lindero del bosque. Una vez allí se dio la vuelta, alzó las manos y una vez más dio la orden para que se cerrara la vía de acceso.

El rayo golpeó el suelo y volvió al cielo. El suelo se transformó y empezó a borbotear agua. En el círculo de protección, los tres licántropos seguían dormidos, y el cuarto, Igor, descansaba en paz.

Zev hizo una señal a sus cazadores de élite y al momento estos se volvieron y se fundieron con el bosque, abriéndose en abanico conforme avanzaban. Sabía que siempre podía contar con ellos. Daciana, con su mano firme y su rapidez de respuesta. Makoce, tan hábil con la espada y la navaja. Lykaon, que no tenía igual cuando se trataba de arrojar cualquier instrumento con una puntería certera. Arnau, que parecía tener ojos en el cogote y era de naturaleza constante, leal como pocos. Aquella era su manada, y creía ciegamente en las capacidades de todos ellos.

Se conocían entre ellos muy bien, su manera de pensar, dónde estaría cada uno en cada momento durante un combate. Creían los unos en los otros y contaban con los demás. Ahora su manada se había ampliado con la incorporación de Dimitri y Skyler, Fen y Tatijana. Y su compañera eterna, Branislava. De alguna manera, el solo hecho de saber que iba a estar por los aires en su fiera forma de dragón le llenaba de alegría… o quizá es que el licántropo que había en él era tan fuerte que estaba deseando entrar en combate.

Sabía cómo se movían normalmente las manadas de renegados. Primero habrían tenido que atacar las granjas dispersas, matando al ganado y arrasando las casas para matar a tanta gente como pudieran. Pero esta manada tenía un objetivo y corría por el bosque hacia un destino muy concreto. Los miembros del consejo habían sido conducidos a una cueva secreta y protegida mientras los guardias licántropos de confianza ayudaban a proteger el círculo donde Branislava y los otros intentaban retirar las sombras.

Ningún otro licántropo conocía el lugar donde se había escondido a los miembros del consejo, y deliberadamente se les había mantenido apartados de ellos. Dado que solo tres de los que llevaban el tatuaje del Círculo Sagrado estaban bajo el influjo de una sombra, Zev estaba convencido de que había otros que se oponían al actual consejo y a sus decisiones. Xaviero se las había ingeniado para volver a muchos de los que pertenecían a la organización en contra del cuerpo gobernante de los licántropos.

Y aún así, si ninguno de ellos había seguido a los carpatianos que llevaron al consejo hasta la cueva secreta, ¿cómo era posible que la manada de renegados fuera directa hacia allí? Hizo unas señas a Daciana, para informarle del objetivo de la manada de renegados, consciente de que ella informaría a los otros miembros de la manada.

Guió a Fen y a Dimitri por el bosque hacia la montaña, aumentando la distancia respecto a sus cazadores de élite, porque tenían que ocupar su posición para proteger la cueva de los lobos que rondaban. No ocultaban el hecho de que eran *hän ku pesäk kaikak*. Ya no había necesidad. Si el consejo de licántropos no aceptaba a los mestizos de sangre, habría un cisma entre carpatianos y licántropos. Si los aceptaban, habría luchas internas, impulsadas por algún poder infiltrado en el Círculo Sagrado, alguien que se había aliado a un gran mago creyendo que podía dominar el mundo de los licántropos sin la interferencia del consejo.

Ha vendido su alma al diablo, le dijo a Branislava.

¿Quién es? ¿Quién ha traicionado a los licántropos y se ha aliado con Xaviero por voluntad propia? No había más sombras. Si alguno de los miembros del consejo hubiera estado marcado, lo habríamos visto. Branislava hizo una pausa. *Es uno de los miembros del consejo, ¿verdad? Tiene que serlo.*

Creo que sí. Creo que tiene alguna forma de comunicarse con Xaviero y que ha revelado la localización del escondite. ¿Estás volando? ¿Puedes ver a los renegados?

Branislava ya había adoptado su forma de dragón. En el momento en que lo hizo, se sintió cómoda y segura. Volaba por el cielo, agitando sus grandes alas, elevándose hacia las nubes oscuras y furiosas. Tatijana estaba junto a ella, con su bonito azul, y cada vez que un rayo atravesaba las nubes e iluminaba el cielo sus escamas adoptaban un matiz metálico.

Los tengo justo debajo, avanzando dispersos como suelen hacer cuando cazan. He contado veintisiete. Es una manada grande, aunque nada que ver con la que vino primero a por Mikhail.

¿Estás bien arriba?

Estoy demasiado lejos para que noten mi presencia. Y Tatijana también, pero si se acercan demasiado a la cueva los ahuyentaremos con nuestro fuego de dragonas.

Evidentemente. Con miedo o sin él, Branislava y su hermana harían su trabajo. Zev se detuvo un momento para poner la mano en la tierra. Ivory, Razvan y Skyler corrían detrás de la manada y ya estaban cumpliendo con su cometido, cazar a los que se quedaban rezagados. Notaba sus pisadas junto con las de los lobos de verdad. La sangre empapaba el suelo al menos en dos puntos, o sea, que al menos dos renegados habían caído.

Un solo movimiento y de nuevo estaba corriendo, y enseguida dio alcance a Fen y Dimitri. *Les llevamos ventaja. Tatijana y Branislava están volando. Mis cazadores de élite se han dispersado para caer sobre ellos por diferentes lados. Ivory, Razvan y Skyler van por detrás, separando y matando a los que quedan rezagados.*

Bronnie, Tatijana, ¿puede alguna de vosotras ver si hay alguien que dirija a la manada?, preguntó Fen.

Daré un rodeo y miraré si veo algo, dijo Branislava.

El corazón de Zev se sacudió con fuerza en su pecho. Y se llenó de pavor. *No, no lo hagas*, le ordenó bruscamente. *¿En qué dirección habías pensado girar?*

A la izquierda.

Branislava no le discutió la orden y su corazón volvió a latir normalmente. Confiaba en él, confiaba plenamente en su liderazgo y eso le evitaba muchos dolores de cabeza.

Fen, creo que tenemos a un sange rau *escondido entre las rocas, cerca de la cueva. La manada de renegados es una distracción y el asesino aprovechará la batalla para entrar en la cueva y matar a los miembros del consejo.*

Conservaba una imagen mental muy clara de la zona, como hacía siempre que el consejo estaba en algún lugar donde pudiera correr peligro y la tarea de protegerles se le encomendaba a él.

Cuando la manada de renegados irrumpa en el claro, yo correré con ellos. Branka y Tatijana pueden hacerles retroceder con su fuego de drago-

nas, mientras yo me dirijo a la entrada de la cueva. Puedo proteger a los miembros del consejo en esta estrecha abertura. Dimitri y tú tenéis más experiencia con los sange rau *y si los dos lo acosáis, tendréis mayores posibilidades de destruirle.*

Fen le dedicó un leve saludo y los hermanos se separaron para dar un rodeo, transformados en vapor para desplazarse por el aire. Fen divisó al asesino acuclillado entre las rocas, confundiéndose con aquella formación, aunque no muy bien, cosa que indicaba que, al igual que los otros con los que había topado, aquel era más bien joven. Xaviero por lo visto no entendía que el proceso por el que la sangre mezclada los mutaba en seres más fuertes e inteligentes era lento, de años, no de semanas. Hizo una señal a su hermano para que se acercara con cuidado a la criatura por delante. Los dos mantuvieron la posición, esperando que aparecieran renegados.

Zev esperó a que uno de esos renegados pasara corriendo junto a él, fijándose en sus colores y su aspecto. Al momento utilizó sus dones carpatianos para crear la ilusión del mismo aspecto y echó a correr. *Me gusta mi pelo, Branka, no me lo quemes por diversión.*

Creo que quien tendría que preocuparte es Tatijana.

A pesar del tono de broma, Zev notó que estaba preocupada y supo que ninguna de las dos se tomaba aquella escaramuza a la ligera. Cuando los integrantes de la manada salieron del bosque y corrieron hacia la cueva, él lo hizo con ellos. En el último momento, en cuanto las dragonas se abatieron desde lo alto, se transformó, se volvió invisible para saltar ante la manada con su rapidez de mestizo de sangre, y en el instante en que estuvo dentro de la relativa seguridad de la cueva, las dragonas empezaron a arrojar fuego como si fuera lluvia.

Las llamas caían rugiendo sin cesar sobre aquellas criaturas, mitad hombre, mitad lobo, empeñadas en matar a los miembros del consejo de los licántropos, y muchas de ellas prendieron. Las dragonas utilizaban sus alas para crear una corriente de aire que avivara las llamas y hacer así que saltaran de un renegado a otro. Al menos doce de ellos cayeron en una fiera conflagración. Los otros se detuvieron en seco, e incluso se replegaron al bosque. Dos más temerarios corrieron por el claro, pasando entre las llamas, en dirección a la cueva.

En el bosque, los cazadores de élite se hicieron cargo de los renegados que huían. Skyler, Razvan e Ivory les ayudaron, localizando y matando a todo el que trataba de alejarse. Gregori estaba allí con su espada de plata, haciendo limpieza con la mayor rapidez posible. Al final, la manada de Zev ayudó al carpatiano para asegurarse de que todos los renegados habían sido atravesados por una estaca y sus cabezas cortadas.

Zev esperó en silencio mientras los dos renegados temerarios entraban en la cueva y descendían por el estrecho pasadizo buscando objetivos. El primero fue directo a él, y ni siquiera llegó a ver la estaca de plata que apuntaba directa a su corazón. Los ojos del lobo se abrieron exageradamente. Su hocico también, pero ningún sonido brotó de él. El segundo lobo, que venía detrás, topó contra su compañero y lo empujó para que siguiera.

Él retrocedió para dejar que el primer lobo cayera al suelo, aferrando la estaca de plata que sobresalía de su pecho. El segundo renegado miraba incrédulo, con expresión ceñuda, como si no entendiera lo que estaba viendo. E incluso se inclinó para mirar a su compañero caído. Cuando volvió a levantar la vista, Zev saltó sobre él y le clavó la estaca en el pecho.

Esta atravesó la primera capa de piel y músculo, y topó con algo duro que lo frenó y que hizo que la plata rebotara contra su mano. Sorprendido, saltó hacia atrás justo cuando una boca llena de dientes se lanzaba contra su cabeza.

Capítulo 13

Zev, algunos de los renegados están protegidos contra las estacas de plata, le advirtió Razvan con voz sombría. *Los abatimos, pero las estacas se hacen añicos sin haber penetrado más que unos cuatro centímetros en sus cuerpos.*

No son todos, siguió diciendo Ivory. *Quizá un tercio, al menos es lo que nosotros hemos visto, uno de cada tres que matamos.*

Fen y Dimitri también oyeron la advertencia. Razvan había utilizado el canal de comunicación común. Observaron con detenimiento al *sange rau* para ver si también él le había oído. Pero no se movió, siguió muy quieto, escondido entre las rocas, convencido de que su camuflaje impediría que le vieran.

Este no era carpatiano, señaló Dimitri. *Era licántropo, y fue creado en un laboratorio, y no de forma natural. ¿Crees que se ofreció voluntario para la misión o que Xaviero lo eligió y utilizó una sombra para obligarle a obedecer?*

Fen meneó la cabeza y encogió sus anchos hombros. *Es mejor no hacerse esa clase de preguntas, Dimitri. Ese hombre es peligroso para nosotros y para todos los demás, no importa el comienzo que tuviera. Te matará en cuanto te vea.*

No ha hecho ademán de acercarse a la cueva, comentó Dimitri desconcertado. *Tendría que haber corrido hacia allá en el momento en que atacó la primera oleada de renegados.*

Tienes razón, dijo Fen, y apartó su atención del *sange rau* tan astutamente escondido como reclamo. *Agáchate. Debe de tener un compañero.*

Dimitri lanzó un improperio por lo bajo. *Igual que en el poblado, Fen. Nos atacan a pares.*

Porque no están preparados para enfrentarse a nosotros. Fen abandonó el canal de comunicación familiar que utilizaba con su hermano y pasó al que utilizaba con Zev. *Hay un segundo* sange rau. *Seguro que va hacia donde tú estás. Ten encuentras entre él y su objetivo.*

Zev se torció hacia un lado, sintiendo que el corazón le daba un vuelco, y solo su velocidad le salvó de los dientes que se abalanzaron sobre él a la manera de un velociraptor. Los dientes afilados le rozaron el brazo y desgarraron su piel, pero fue la estaca de plata que su atacante llevaba en la mano la que causó un daño mayor. Sintió cómo quemaba cuando se la clavó con fuerza en el muslo.

—Hola, Zev —dijo el *sange rau* a modo de saludo mientras sus manos le rodeaban la garganta y empezaban a apretar—. Tenía muchas ganas de que volviéramos a encontrarnos.

Le recordaba vagamente. Había estado en la escuela de cazadores de élite y siempre dio muestras de comportamiento agresivo. Los responsables de la escuela habían acudido a él para que lo estudiara, para asegurarse de que no se equivocaban en sus valoraciones. Y con él había otros dos miembros del consejo. No pasaba con frecuencia que se rechazara a un cazador de élite y no se le asignara una manada. Fredec era uno de los pocos que tenían ese honor.

Zev no trató de deshacerse de las manos que lo ahogaban, y buscó el cuchillo que llevaba al cinto. Lo clavó en la cara interna del muslo de su oponente y pasó seguidamente a hacer lo mismo con el otro muslo, y luego al vientre, moviendo la hoja en forma de ocho para tocar el mayor número posible de arterias.

Fredec le soltó la garganta y retrocedió trastabillando. Él aspiró con fuerza tratando de respirar, calibrando al mismo tiempo la gravedad de las heridas de su contrincante. No había podido ver bien dónde clavaba el cuchillo, no cuando el *sange rau* lo tenía cogido del cuello, pero sabía que al menos había infligido dos bastante profundas.

Fredec le mostró los dientes en un gruñido y lo miró con los ojos inyectados en sangre. Saltó sobre él, y lo derribó. Había tanta sangre que no podía cogerlo bien. Mientras forcejeaban, la daga que llevaba clavada en el muslo topó con la pierna de Fredec y sintió un latigazo de dolor recorrer todo su cuerpo.

Entonces trató de controlar las náuseas y la repentina sensación de debilidad y sujetó con fuerza su cuchillo. Lo hizo hacia fuera, para que cuando Fredec cayera sobre él con su propia daga en la mano, pudiera clavárselo en el pecho. Pero, una vez más, topó con algo duro. La hoja rebotó.

Maldiciendo por lo bajo, rodó sobre su cuerpo y al hacerlo arrojó a Fredec a un lado y evitó así que lo destripara, pero se clavó la estaca del muslo más adentro. Se la sacó de un tirón y pegó un gran parche encima de la herida casi con el mismo movimiento, y dio gracias en silencio por aquel maravilloso invento de Gary. El parche se adhirió al momento y liberó sobre su piel una combinación de componentes que detendrían la hemorragia e iniciarían el proceso de curación.

Fredec volvió a ponerse en pie con una risa. Se limpió el hocico con el dorso de la mano, mientras sus garras se hacían más grandes, con uñas afiladas y curvas.

—No tendrías que haberles dicho que no soy de la élite. Soy superior a ti. Siempre lo he sido.

Quería reconocimiento. Quería alardear. Así que empezó a moverse en círculos para darle la oportunidad de hablar.

—Seguro que alguien vio en ti algo que yo no vi. ¿Alguno de los miembros del consejo, quizá? Aquel día discutieron, y había uno que te defendía.

Fredec inclinó la cabeza.

—Tú y el consejo académico me echasteis, pero me cobré mi venganza. Maté a todos los miembros de aquel consejo. Y ahora te voy a matar a ti y me daré el gustazo de demostrarle a Randall que tendría que haber escuchado a Lyall.

El corazón de Zev dio un vuelco. Lyall era un miembro respetado del consejo. Estaba con los demás en la cámara, escondido de los guardias por si alguno de ellos era miembro del ejército del Círculo Sagrado.

El traidor del consejo es Lyall. No podía guardarse esa información para sí, no cuando estaba enzarzado en un combate a muerte con un *sange rau.* Los ojos rojos se clavaron en él, destellando por el odio y los deseos asesinos.

Fredec era rápido e inteligente, y si Lyall lo había reclutado cuando entró en la escuela de cazadores de élite, de eso hacía medio siglo. Hubiera debido estar mucho más avanzado en el proceso de mutación de los *sange rau.*

Alguien tiene que llegar a ellos, yo estoy luchando contra el sange rau.

No sabía si Lyall no estaría matando personalmente a los otros miembros del consejo en aquel mismo momento.

Fredec hizo un amago, como si pretendiera golpear la izquierda de Zev, pero en el último segundo giró y dirigió la daga contra su vientre. Él saltó hacia atrás por los pelos, golpeando al mismo tiempo la muñeca que blandía el cuchillo, y entonces giró el puño y le hizo un buen tajo en el brazo. Era un viejo truco que había aprendido hacía muchos años, y se alegró de tenerlo entre su repertorio.

Tenía que encontrar la manera de matar a Fredec y ayudar a los miembros del consejo. Tenía que protegerlos como fuera. Fen y Dimitri estaban ocupados con el otro *sange rau*. Y los que se enfrentaban a los renegados se habían encontrado con lo mismo que él, una fina placa de armadura que parecía estar implantada bajo la piel.

Estoy entrando en la cueva.

A Zev el corazón casi se le para. Era Branislava. Por supuesto que había intuido su ansiedad. Por supuesto que acudiría a su lado. Era su compañera eterna, una auténtica guerrera que creía que su sitio estaba luchando junto a él.

No podía detectar su presencia. Y era muy sensible a la energía. Si él no podía sentirla, quizá Fredec tampoco.

Es peligroso, advirtió, desplazando de pronto el peso sobre las almohadillas de los pies y avanzando hacia el *sange rau* en una especie de baile, ahora aquí, ahora allá, haciendo que fuera imposible que lo tocara y obligándolo al mismo tiempo a estar a la defensiva.

Yo también lo soy, contestó ella. *Empújalo hacia la entrada.*

Branislava estaba hecha de fuego. Las llamas corrían por sus venas, y Zev notó la determinación en su voz. No sabía qué planes tenía, pero creía en ella. Esquivó el cuchillo de Fredec y la garra que pasó rozando su vientre, mientras seguía con su ofensiva, empujando al *sange rau* hacia la entrada.

Sujeta el mango de tu cuchillo por el extremo y estáte preparado para clavarlo en su corazón. Yo haré lo mismo desde atrás.

Una vez más, Zev no cuestionó lo que decía, y siguió con su danza, tocando con su cuchillo al *sange rau*, un poquito aquí, un poquito allá, para volver a ponerse fuera de su alcance al instante. Fredec era fuerte y bruto, y estaba acostumbrado a sacar ventaja de su tamaño y su fuerza, pero enfrentarse a alguien como él, que había estado en cientos de batallas y era muy diestro con el cuchillo, rápido, mortífero, lo superaba.

Cada vez que se acercaba con su danza y le daba un pequeño toquecito con el cuchillo, dejaba un corte, una evidencia de su habilidad superior.

Había docenas de pequeños cortes en los brazos de Fredec. Zev no iba a matar, simplemente, estaba debilitando a su oponente con cortes pequeños que no dejaban de sangrar.

La hoja de su cuchillo se iluminó, primero con un suave amarillo anaranjado y luego rojo. El calor se extendió por el mango. Zev no dejó que aquello le distrajera, siguió moviéndose, trazando con sus pies un patrón muy familiar. Hizo un corte en la caja torácica de su oponente y oyó que lanzaba un respingo de perplejidad. Era poco profundo, pero ahora la hoja de su cuchillo era de un intenso rojo y, a juzgar por la cantidad de calor que notaba en el mango, supo que la quemadura habría penetrado mucho más que el corte en sí.

Ahora, ordenó Branislava.

Sin vacilar, Zev clavó su daga con fuerza en el pecho de Fredec. Por un momento la hoja caliente pareció detenerse, pero entonces atravesó la delgada placa y la fundió como si fuera mantequilla. Detrás de Fredec, Branislava había hecho otro tanto, había clavado su cuchillo con fuerza en su espalda, con la hoja muy caliente, y lo fundió todo en su camino al corazón.

Fredec cayó pesadamente, con los ojos desorbitados. Ella retrocedió. No había mucho espacio en el estrecho pasadizo para que Zev pudiera sacar la espada y separar la cabeza del cuerpo, pero lo hizo. Branislava saltó por encima del *sange rau* muerto y los dos corrieron hacia la cámara donde estaban los miembros del consejo.

Utilizad un calor extremo para superar la barrera de la placa, aconsejó Zev mientras corría, utilizando el canal carpatiano común.

Esa pelirroja tuya tiene buenas ideas, declaró Fen con la risa en la voz. *Esto no puede haber sido idea tuya.*

Fen hizo una señal a Dimitri y su hermano menor se acercó con sigilo al *sange rau* escondido entre las rocas. El «cebo» no se había movido, estaba totalmente inmóvil. *Demasiado* inmóvil. Los lobos del cuerpo de Dimitri se transformaron y levantaron la cabeza como si intuyeran la presencia de un enemigo, listos para saltar y defenderle.

No, quietos, ordenó él, y giró lo justo para evitar una daga que iba directa a su corazón. La daga se clavó en el lado derecho del pecho, y la quemadura de la plata le impactó más que el agujero en sí. Cayó pesadamente, mientras la sangre manaba de su pecho.

El *sange rau* se acercó, calculando con tiento dónde ponía los pies entre las rocas. Dimitri no trató de apartarse, y usó su cuchillo para rajarle la cara interna de los muslos, buscando tocar las arterias para hacerle ir más lento. El hombre rugió de dolor y de ira. La plata le había quemado igual que a él y la sangre salía a borbotones de las dos piernas.

Fen saltó desde una roca más arriba y aterrizó sobre la espalda del *sange rau*, haciéndole caer al suelo, lejos de su hermano. Rodaron en una maraña de brazos y piernas, gruñendo, mientras sus espaldas golpeaban las rocas duras y a veces puntiagudas.

Dimitri recordó el parche incluido en el repertorio de armas... el que Gary había insistido en que todos llevaran. Lo sacó de la bolsita de cuero que llevaba colgada del cinto y lo pegó sobre la herida de su pecho. Al momento sintió el calor, un fuego que parecía cauterizar y luego iniciar el proceso de curación. Y rezó para recordar que tenía que dar las gracias a aquel hombre por sus continuos esfuerzos por ayudar a la especie carpatiana. El parche era asombroso, y le dio justo la inyección de energía que necesitaba después de haber perdido tanta sangre.

Se puso en pie y fue dando traspiés hasta los dos combatientes, que rodaban en una maraña de brazos y pies, con el destello ocasional de algún cuchillo. Gruñidos, bufidos y maldiciones se sumaban al revoltijo de polvo que levantaban. El *sange rau* iba dejando un rastro de sangre, testimonio de las heridas que el había conseguido infligirle al caer.

De nuevo trataron de defenderle sus lobos, gimoteando con impaciencia para que los liberara. Dimitri tuvo que advertirles una vez más que se quedaran quietos. No quería a sus animales cerca de aquel mestizo tan increíblemente rápido.

Fen forcejeó con el asesino, sujetándole con fuerza las muñecas para evitar que le desgarrara el vientre o fuera a por los ojos para cegarle. Dimitri invocó al fuego del fiero volcán a la hoja de su cuchillo y lo clavó en la espalda del *sange rau*. Notó que la punta topaba contra una barrera y poco a poco empezaba a atravesar el músculo.

El *sange rau* rugió de rabia, y se volvió con rapidez, con las garras extendidas, buscando el vientre de Dimitri, que utilizó su rapidez de mestizo de sangre para saltar hacia atrás, mientras el lobo/vampiro saltaba hacia delante en una maniobra sorprendente. Pasó de estar tumbado a estar saltando por los aires sobre él en un único movimiento, tan rápido que lo vio en un borrón.

Fen hizo exactamente lo mismo que su oponente, se impulsó con las piernas para saltar tras él. Antes de que sus garras alcanzaran a Dimitri, con su fuerza enorme golpeó con el puño la boca del puñal que Dimitri le había clavado y lo hundió más adentro para que atravesara el corazón.

El *sange rau* chilló y pataleó, al tiempo que caía sobre Dimitri, y clavó las garras en su pecho con fuerza en un intento por llegar al corazón. El largo hocico se abrió y clavó sus colmillos en el hombro y en el brazo.

Dimitri, al igual que había hecho cuando dio el primer salto para alejarse del *sange rau*, había sacado su espada. Y la blandió agachándose para cortar las dos piernas mientras saltaba para apartarse de aquella criatura enloquecida de dolor. Arrojó la espada a su hermano. Fen la blandió en un movimiento circular y le rebanó la cabeza.

—¿Estás malherido? —preguntó Fen algo sombrío mientras le arrojaba a su hermano el parche que llevaba, y entonces se agachó y le clavó al asesino una daga de plata en el corazón.

—¿A ti qué te parece? —contestó él algo sarcástico.

Fen miró por encima del hombro a la mujer que corría hacia ellos. Estaba rodeada de lobos.

—Parece muy enfadada, Dimitri, y no la culpo. Te has ofrecido como carnaza para que yo tuviera oportunidad de matar a este pedazo de mierda.

—Teníamos que abatirlo lo antes posible, y me ha parecido la opción más rápida. Has sido algo más lento de lo que esperaba.

—Si no fuera porque veo que tu mujer tiene sed de venganza, yo mismo te daría una patada en el culo ahora mismo.

—Lárgate y vete a ayudar a Zev —le ordenó Dimitri a su hermano—. Yo estoy bien.

—Eso si no te desangras —le espetó Fen, y dicho esto se acercó a su hermano y se desgarró con los dientes la muñeca—. Date prisa.

Dimitri no tenía más remedio que aceptar lo que su hermano le ofrecía. No, más que ofrecer, lo que le obligaba a tomar. Era imposible evitar que Fen adoptara siempre el papel del hermano mayor, por muy curtido o experimentado que fuera él en la batalla.

Skyler se acercó a su compañero eterno, con los ojos llenos de preocupación. Los lobos se mantuvieron muy cerca mientras ella inspeccionaba las heridas.

—Ivory y Razvan están ayudando a Daciana y los otros a dar caza a los renegados que quedan. Solo son un par. Una vez que supimos cómo matarlos, no han resultado tan duros como se creían.

Dimitri cerró la herida de la muñeca de su hermano.

—No cazaban en la típica formación de una manada —le explicó—. Debían de tener orden de correr hacia la cueva. Solo eran los peones prescindibles.

Skyler le pasó los dedos por el pelo y apartó los mechones húmedos de su frente.

—No te pongas tan triste, Dimitri. Eran renegados, licántropos que se dedican a matar por placer.

Se acuclilló a su lado y, tras retirar el parche de Gary, apoyó las palmas sobre la herida del pecho. Dimitri notó aquel calor abrasador por todo el cuerpo, pero era reconfortante, no doloroso. Skyler mezcló tierra rica y saliva curativa y colocó el emplasto sobre el pecho, y pasó a la herida del muslo.

—Estás hecho un asco, ¿lo sabes?

—Sí. No me habías dicho cómo luchan los lobos. —Se refería a ella. Practicar el combate era muy distinto a tener que matar de verdad a otro ser vivo.

Skyler frunció los labios y meneó la cabeza. Él no volvió a preguntar, pero pasó la mano por su pierna, hasta el muslo, sin dejar de tocarla mientras ella le curaba.

—¿Vivirá? —preguntó Fen.

—Sí, no te preocupes, lo tengo controlado.

Fen asintió y les dejó, echó a correr hacia la entrada de la cueva. A su espalda, notaba olor a fuego, porque estaban reuniendo los cuerpos de los renegados para quemarlos. Justo después de la entrada, encontró el cadáver de un *sange rau*, con la cabeza apoyada de un modo macabro contra la pared y los ojos muy abiertos. Fen no hizo caso. Saltó por encima del cuerpo y corrió hacia la caverna donde los miembros del consejo habían sido escondidos.

Entró corriendo y chocó contra Zev, aunque pudo frenar lo bastante para que el impacto no fuera muy fuerte. Aún así, el golpe obligó a este a desplazarse un par de pasos. Lyall estaba sentado en el suelo, con las manos enlazadas en la nuca y expresión furiosa.

Randall le miraba indignado, con los ojos rojos, y el cuerpo más de lobo que de hombre. Daba miedo, un lobo inmenso listo para acuchillar y matar. Rolf parecía triste, y meneaba la cabeza, cubriéndose los ojos con una mano. Arno era el único que no estaba sentado. Andaba arriba y abajo como si estuviera a punto de estallar.

Mikhail se encontraba bastante apartado de los licántropos. Tomas, Lojos, Mataias y Andre formaban una barrera entre él y el resto de los presentes. Era evidente que Andre acababa de participar en una escaramuza. Como siempre, sus ojos eran totalmente neutros e inexpresivos. Nadie se movía. Nadie hablaba.

Fen le dio un codazo a Zev. *¿Interrumpo algo? Me parece que llego tarde a la fiesta.*

Lyall ha intentado matar a Mikhail y los otros miembros del consejo. Llevaba un artefacto explosivo, pero Andre, tu hombre, se lo ha impedido. Según parece, después trató de apuntar al príncipe con una pistola.

Me extraña que aún esté con vida. Me parece que Gregori le va a decir cuatro cosas sobre esto a Andre, dijo Fen, y hablaba en serio. *Él cree que si alguien trata de matar al príncipe, la muerte es la única respuesta posible, y estoy de acuerdo.*

Por lo visto Mikhail y los demás le pidieron que no lo matara. Quiere respuestas. Zev bajó la vista al suelo. Aquella era la parte que más detestaba de su trabajo. Matar a alguien limpiamente era una cosa, tratar de sacarle información era otra.

Si no fuera licántropo, dijo Fen con pesar, *podríamos entrar sin* más *en su cabeza y conseguir esa información, pero los licántropos tienen una barrera natural contra las sondas mentales… a menos que les cortes la cabeza. Podríamos hablar con Gregori. Quizá él podrá convencer al príncipe.*

Zev se dio cuenta de que en parte hablaba en serio, y le conmovió ver que Fen buscaba una forma de evitarle el mal trago de tener que interrogar a Lyall. *Gracias, pero es mi responsabilidad. El consejo espera que le interrogue y consiga respuestas.*

Branislava deslizó su mano en el hueco del brazo de Zev. *¿Por qué no me dejas a mí? Yo puedo hacer las preguntas, y estoy segura de que contestará.*

Zev la miró frunciendo el ceño. Sus ojos verdes habían adoptado múltiples facetas, como los de un dragón, pero enseguida cambiaron de color. Su pelo mostraba franjas de un rojo más intenso, casi color vino, entre el rojo dorado más claro. Su sonrisa le dejó sin aliento.

Mi padre era el gran mago y a menudo interrogaba a la gente sin ponerles un dedo encima. La especie no tenía importancia, no si utilizaba sus conjuros. No es tan difícil, y no hay que hacer daño a nadie. Entonces se apoyó contra él. *Puedo seros muy útil.*

Zev se descubrió sonriendo. Sus ojos se encontraron con los de Mikhail.

—El consejo me ha pedido que interrogue a Lyall para que descubra por qué ha cometido semejante traición, no solo contra sus amigos de toda la vida, sino para con todos los licántropos.

Mikhail inclinó la cabeza lentamente.

—No soy hombre que crea en las torturas.

Lyall hizo una mueca burlona. Randall gruñó, con una nota baja de amenaza que hizo que a Zev se le erizaran los pelos del cuello y que los guardias de Mikhail se volvieran enseguida para localizar la amenaza. Arno dejó de andar arriba y abajo. Su cuerpo se sacudía por el esfuerzo de no transformarse, de no convertirse en mitad hombre, mitad lobo y agravar con ello la situación.

Rolf levantó una mano para impedir que los otros miembros del consejo hicieran nada.

—A nadie le gusta que se torture a otro ser, ni siquiera a un traidor como Lyall, pero a veces, para evitar una guerra, hay que hacer cosas que no nos gustan.

Mikhail meneó la cabeza.

—Nosotros no nos comportamos así, Rolf, nunca lo haremos.

Randall se levantó de un salto como si él mismo pensara arrancarle a Lyall las respuestas que buscaban.

—Creo que tenemos una solución que sería satisfactoria para ambas partes —dijo Zev—. Branislava se ha ofrecido a interrogarle. Ella le sacará la información que haga falta sin tocarle un pelo de la cabeza.

Lyall la miró. La miró furioso, y entonces su expresión pareció divertida.

—Un carpatiano no puede invadir mi mente por mucho que lo intente. ¿Creéis que tengo miedo de ella? ¿O que contestaré a sus preguntas porque es bonita? Quizá tiene sometido a Zev, pero yo soy más fuerte que eso.

Branislava le sonrió. Sus ojos verdes relucían con el fuego del dragón que llevaba dentro. Se acercó al hombre. Sus cabellos largos y espesos chisporroteaban por la energía. Irradiaba poder. Su piel tenía un brillo que Zev nunca le había visto. Era realmente hermosa, y no podía imaginar que ningún hombre se le resistiera, y menos un viejo licántropo que se había pasado la vida persiguiendo a las mujeres.

—¿Pensabas que me iba a acostar contigo para sacarte la información? —El humor brotó de sus labios como miel caliente—. Oh, ya veo que sí. Lamento decepcionarle, señor, yo solo me acuesto con un hombre, y no eres tú.

El silencio se había hecho en la cámara. Incluso Randall había dejado de gruñir y recuperó su apariencia humana. Arno se sentó en su silla. Todos los ojos estaban puestos en Branislava. Zev cruzó los brazos sobre el pecho, y se limitó a esperar. Había visto el poderío de aquella mujer en más de una ocasión. Lyall no tenía ninguna posibilidad.

—Entonces, ¿qué? —La expresión de Lyall se volvió recelosa. La miró con gesto serio—. ¿Crees que me vas a intimidar por acercarte tanto a mí? ¿Que quizá Zev podrá acercarse lo bastante rápido para protegerte si decido matarte en lugar de hablar contigo?

Y levantó las manos en alto para que se viera que no estaba atado.

—No te apures, Lyall —dijo Zev—. Soy un *hän ku pesäk kaikak*, guardián de todos, y desde hace mucho tiempo. Todos los *sange rau* que has mandado para matarme han fracasado, y los otros también. Eres un hipócrita, utilizas a la criatura a la que condenas públicamente en contra de nuestro pueblo. Ninguno de ellos era particularmente rápido. ¿Acaso eres un mestizo de sangre? Porque te he visto caminar a plena luz del día, y si lo fueras, no podrías hacerlo. Si decido matarte, dudo que vayas a ser más rápido que yo.

Lyall le hizo una mueca burlona.

—¿Y eso me lo dices tú? Tú también caminas a plena luz del día. ¿Cómo es que tú lo haces y los otros *sange rau* no pueden? ¿Crees que me engañas? ¿Que me voy a creer tus tonterías? Eres tan arrogante, siempre tan pagado de tu propia importancia.

Zev nunca se había hecho aquella pregunta. Durante mucho tiempo no supo que su sangre estaba mezclada, y cuando empezó a sospecharlo, descartó la idea justamente porque podía realizar sus tareas a pleno día. Encogió los hombros.

—No tienes que creerme, pero si te estás planteando el suicidio a manos de un cazador de élite, no pienso matarte, no antes de que Branka haya tenido ocasión de interrogarte.

—Es un sangre oscura —explicó Mikhail—. El guerrero último. Es de ascendencia carpatiana y el último de su estirpe. Muy pocos pueden vencer a un sangre oscura en combate, y sus compañeras eternas son tan fieras y capaces como ellos. Puede caminar a plena luz del día porque es un sangre oscura.

Zev notó que Branislava lanzaba un respingo, pero su expresión no cambió, ni se volvió para mirarle. Aún así, notó el contacto, el roce ardiente de su mano contra el pecho… un gesto tan casual y sin embargo tan íntimo de su compañera eterna, una caricia de mente a mente.

Branislava le sonrió a Lyall, con su sonrisa discreta, suave, perfecta, la sonrisa que iluminaba el mundo de Zev. Por lo visto al licántropo también le hizo efecto. El hombre bajó las manos, retorciéndose los dedos, y se la quedó mirando con expresión de admiración y desconcierto.

—Antes de que intentes interrogarme, deseo contestar a la acusación que Zev me ha lanzado. No sé a qué se refiere cuando dice que he utilizado a los *sange rau* en contra de nuestro pueblo. Yo no soy una de esas abominaciones, y jamás me aliaría con ninguno de ellos. De haber sabido que Zev es lo que dice ser, habría dictado una sentencia de muerte contra él, y habría ordenado a aquellos que son leales a nuestras costumbres que lo mataran inmediatamente.

—Pareces una persona muy recta —dijo Rolf con calma—, y sin embargo has intentado matar al príncipe de los carpatianos y a nosotros.

—Sigo las doctrinas y principios de la raza de los licántropos. —Lyall le dedicó una mirada airada—. Venir aquí ha sido un error. Se nos advirtió que no nos mezcláramos jamás con los carpatianos. Está escrito en el código sagrado, pero tú, el cabeza del consejo, accediste al encuentro. Tú has traicionado a los nuestros, no yo.

Arno profirió un leve sonido, a medio camino entre la desesperación y la ira.

—Lyall, has sido mi mejor amigo desde que éramos niños. Y aún así me habrías matado. Me diste tu apoyo en mi ceremonia de admisión. No entiendo cómo puedes haber hecho algo así.

Lyall tuvo el detalle de parecer algo avergonzado. Evitó la mirada de Arno.

—En los últimos años he intentado hablar contigo en numerosas ocasiones. Pero tú te negabas a tomar partido. —Su tono se volvió acusador—. Sabías perfectamente lo que tenías que hacer y cómo debías votar, pero nunca quisiste comprometerte. El tema de la mujer fue decisivo para mí. Y tener que venir aquí, a este lugar, con esta gente. —Su voz se tiñó de desagrado—. Los seguiste como un corderito que va derecho al matadero.

—¿Crees que no sabemos lo de Xaviero? —preguntó Zev.

Lyall frunció el ceño.

—No sé qué o quién es eso que dices.

Branislava meneó la cabeza.

—No, desde luego. Él nunca se haría llamar por su nombre. Debe de ser un hombre mayor, pero no demasiado, porque quiere la admiración de las mujeres y las jovencitas que le rodean. Muy atractivo, de habla agradable, aunque sus palabras siempre tienen un gran peso. Debe de ser un hombre a quien admiras profundamente, puede incluso que el único hombre al que admiras. Y no puede ocultar sus peculiares ojos. Brillan como la plata.

Lyall pareció algo asustado. Los miembros del consejo se miraron entre ellos con expresión igualmente asustada.

—¿Como los ojos de Zev? —preguntó Lyall con sarcasmo.

Ella meneó la cabeza muy despacio, y esta vez se dirigió al consejo.

—Plata de verdad, brillante y cambiante, de fundida a sólida. Lyall debe de ser muy buen amigo suyo.

—La persona a quien describes es Rannalufr. Lleva siglos por aquí, casi tantos como yo —dijo Rolf—. Ha sido un asesor de confianza del consejo durante muchos, muchos años. —Meneó la cabeza—. No puedo creer que nos haya traicionado.

Rannalufr significa «lobo saqueador» en noruego antiguo, dijo Zev a Branislava. *¿Sería Xaviero tan descarado como para ponerse un nombre semejante?*

Es justo el tipo de cosa que haría, contestó Branislava y se dirigió en voz alta a los miembros del consejo.

—Si el hombre que decís es quien yo digo, no es licántropo, es un mago, y se ha infiltrado en vuestro consejo con un solo fin... destruir a los licántropos. Uno de sus hermanos destruyó a los jaguares y el otro estuvo a punto de acabar con los carpatianos. Es Xaviero, hermano de Xavier. Sois lo bastante viejos para haber oído hablar de él —les aseguró Branislava.

—Yo he oído hablar de Xavier, pero no sabía que hubiera ningún Xaviero —negó Rolf—. No sabía nada de ningún hermano o hermanos.

—Eran intercambiables, idénticos, y ocultaron el hecho de que podían estar en tres lugares a la vez porque les convenía. Xaviero está empeñado en destruir vuestra especie. Y está creando a los *sange rau*. Desde luego, Rannalufr es un gran químico, y una bendición para vuestra gente. Estáis en deuda con él por sus gestos de amabilidad y por su ayuda en el descubrimiento de remedios que ayudan a sanar extrañas enfermedades que golpean de pronto a vuestra gente y otras cosas. ¿Me equivoco?

Los miembros del consejo se miraron entre ellos con una creciente sensación de alarma. Lyall no dejaba de menear la cabeza.

—¿Cómo es posible? —preguntó Rolf—. No lo entiendo. No puede ser. Rannalufr ha estado en mi casa en varias ocasiones, se ha sentado a mi mesa, ha jugado con mis hijos.

—¿Y Lyall? —preguntó Mikhail con voz serena—. ¿Él no ha estado en tu casa, no se ha sentado a tu mesa y ha jugado con tus hijos?

La mirada de Rolf se clavó en el rostro de su viejo amigo.

—Sí —dijo con tono fatigado, contestando por él—. Sí, muchas veces. Le he querido como a un hermano.

—Igual que yo —dijo Arno con pesar.

Una vez más, Lyall pareció algo avergonzado, pero sacudió la cabeza.

—Vosotros traicionasteis a nuestra gente, Rolf, Arno. Todos vosotros. Yo no soy más que un instrumento de la justicia.

—¿Con tu propio ejército? —Zev lanzó la acusación—. ¿Has conseguido reclutar un ejército entero en cuestión de días o semanas porque de pronto el consejo tomó la decisión de venir aquí? No te creo, Lyall. Utilizas a los *sange rau* y a las manadas de renegados para que te hagan el trabajo sucio.

—Soy un elegido, un mártir de nuestro pueblo con un propósito más elevado que tú no puedes comprender —fue la contestación de Lyall, y habló con tono firme y suficiente.

—Eso que dices son las palabras del mago. Se «unió» a tu pequeña causa y ha estado alimentando tus rencores —dijo Branislava—. Y seguro que te ofreció algo para que traicionaras a tus amigos. ¿Qué es lo que más anhelas, Lyall? ¿Poder?

—Tenía poder en el consejo —dijo Rolf—. Lo que anhela son las mujeres.

El corazón de Branislava se sacudió. Sabía lo cruel que podía llegar a ser Xaviero, sobre todo con las mujeres. Cómo disfrutaba haciendo daño a sus amantes, buscando maneras imaginativas de deshacerse de ellas. Tantas jóvenes magas, tantas jóvenes mujeres. No quería ver esos recuerdos en la mente de Lyall.

No tienes que hacer esto, mon chaton féroce, dijo Zev. *Hay otras formas. Yo puedo sacarle la información que necesitamos.*

Él siempre le ofrecía una salida, y Branislava lo agradecía. Aquella generosa oferta le permitió cuadrar los hombros y dedicarle una sonrisa. Podría hacerlo porque no estaba sola. El espíritu y el alma de Zev estaban ligados al suyo.

Dejó escapar el aliento lentamente.

—Lyall, creo que ha llegado el momento de sacarte algunas respuestas.

—Pregunta —dijo el hombre cruzando los brazos sobre el pecho—. No me sacarás nada.

Branislava no se molestó en discutir. Levantó los brazos y trazó un dibujo en el aire, como si estuviera creando un espacio, limpio, puro, libre de dolor.

Células a neuronas, interactuad, fluid,
traed los mensajes que debo saber.
Veo vuestros estímulos, conozco vuestro juego,
reveladme lo que está oculto y no habrá dolor.

A su alrededor, el aire cambió de color, y despedía una suave luz dorada. Su pelo chisporroteaba y diminutas llamas parecían brotar de sus brazos. Lyall se puso pálido y se cubrió el rostro como si no mirándola pudiera evitar que ella entrara en su cabeza.

Corriente que te deslizas por las neuronas,
dame saber,
y que lo que está oculto se descubra ante mí.

Lyall empezó a mecerse adelante y atrás, barboteando como un niño asustado. Era evidente que no sufría ningún dolor, pero debía de haber notado la presencia de Branislava en su mente, a punto de tomar el control.

Que no haya barreras,
que no haya mentiras,
como vine, así me iré,
y llevaré conmigo estos recuerdos para que nadie los tome.

Lyall gritó y se balanceó, sacudiendo la cabeza. Las lágrimas rodaban por su rostro. Se llevó las manos a los oídos, como si apretando pudiera sacarla de allí… o mantenerla lejos de su cabeza. Branislava entró en su mente con aprensión, temerosa de lo que pudiera encontrar.

Notó que Zev la tomaba de la mano. Sabía que no lo había hecho físicamente; estaba demasiado ocupado observando a Lyall para asegurarse de que no trataba de hacerle daño, y aún así sintió como si hubieran enlazado sus dedos y hubiera penetrado en aquella mente pervertida con ella.

Allí dentro encontró avaricia, sin duda. Lyall quería más que el poder que Rolf decía que tenía como miembro del consejo. Quería ser la persona a la que todos admiraran y siguieran, como Rolf. Vio a Xaviero, y vio pequeños momentos, pequeñas viñetas con los encuentros que se habían producido entre ellos a lo largo de los años. Xaviero había sido paciente en su aproximación a Lyall, lo había ido conociendo poco a poco. Buscaba a un hombre en una posición de poder a quien pudiera persuadir fácilmente y que sin embargo creyera que las ideas eran suyas. Con el tiempo, Lyall se había convertido en ese hombre.

Xaviero había descubierto su debilidad por las mujeres. Al principio había utilizado los elogios para seducirle, pero luego empezó a mencionar sus noches con diferentes mujeres y las cosas que les hacía hacerle. La respiración de Lyall cambiaba, se quedaba boquiabierto y casi se ponía a babear. Cuanto más sórdidas eran las historias que le contaba, más cautivado parecía Lyall. Xaviero lo llevó por aquel camino con paciencia, hablando de lo superiores que eran los hombres a las mujeres, de cómo las mujeres les provocaban con sus movimientos y sus sonrisas y la ropa que se ponían. Le decía que las mujeres estaban hechas para servir a hombres como ellos. Hombres poderosos que necesitaban relajarse.

Lyall quería oír aquellas cosas y cada vez veía las depravaciones de Xaviero como algo más normal. Empezó a creer que tenía derecho sobre cualquier mujer que quisiera, y su buen amigo siempre estaba de acuerdo con él. Para cuando Xaviero empezó a compartir con él historias de sadismo, él estaba más que preparado para escucharlas y tratar de ponerlas en práctica.

Xaviero no tardó mucho en introducir el tema del código sagrado y la falta de respeto que demostraba el consejo por sus enseñanzas. Al principio las conversaciones eran meramente filosóficas, pero acabaron desembocando en encendidos debates sobre lo que habría que hacer para cambiar las cosas. Xaviero siempre fue muy cuidadoso, y siempre procuró que Lyall creyera que las ideas eran suyas. El mago era listo, y elogiaba todo cuanto este decía, ciñéndose a su palabra como si del evangelio se tratara. Él creía que su buen amigo Rannalufr era su seguidor más ferviente.

No tenía recuerdos del *sange rau*, pero había empezado a reclutar cuidadosamente seguidores para su ejército, sobre todo aquellos que defendían con fanatismo el apego a las viejas costumbres. Con el tiempo el número de seguidores se hizo enorme. Por desgracia, sin saberlo, Arno había contribuido a aquello, sumando su voz a la de los que predicaban en las reuniones del Círculo Sagrado.

Capítulo 14

Branislava abandonó la mente depravada y retorcida de Lyall bruscamente.

—Es un fanático y le gusta hacer daño a las mujeres, pero no sabe nada de los asesinos *sange rau* que Xaviero ha creado. Creó un ejército con la idea de deshacerse del consejo y sustituirlo por el mandato del Círculo Sagrado. Evidentemente, él tenía que ser el cabeza del Círculo Sagrado. Y su plan era tener a montones de mujeres a su servicio.

Y esto último lo dijo con un profundo desagrado.

Branislava quería irse de allí. Quería ir a casa y sentarse en el porche en mitad del bosque y escuchar a los lobos y a las criaturas de la noche. Necesitaba purificarse después de haber estado dentro de una mente tan sucia.

—Lyall no tiene ningún sentido de la moral, ni recuerda lo que es la lealtad. Es un adicto a las cosas sádicas que hace a las mujeres con las que se acuesta. Si protestan o se cansa de ellas, su buen amigo Rannalufr se las lleva. Nunca se le ha ocurrido preguntarle qué hace con ellas en su laboratorio, ni le interesa.

Se restregó las sienes, porque de pronto sintió que le dolía la cabeza. Aquel hombre la ponía enferma, y había estado demasiado próximo a Xaviero para que se sintiera cómoda. El mago había encontrado un buen discípulo, aunque Lyall estaba convencido de que era al revés.

—Definitivamente, Rannalufr es Xaviero. Encontró a un hombre corrupto y avaricioso con debilidad por las mujeres y ha sabido explotarlo. Y Lyall fue de buena gana por el camino de la destrucción. —No podía disimular la repugnancia en su tono—. No sabe nada de los planes de Xaviero, ni de los *sange rau*, aunque hay un laboratorio donde Rannalufr lleva a las mujeres que Lyall desdeña después de hacerles daño. Mi opinión es que sufren torturas y finalmente son asesinadas. Aunque después de pasar unas horas con Xaviero, seguro que prefieren morir.

Lo había visto más veces de las que deseaba recordar.

Mikhail agitó una mano en su dirección y Branislava se sintió algo menos abrumada por el hedor del mal.

—Los tres grandes magos siempre supieron elegir bien a quién reclutaban. Tenían paciencia y esperaban hasta haber descubierto los puntos débiles de sus víctimas. A Lyall le gustaban las mujeres y, si no hubiera conocido a Xaviero, quizá nunca habría cedido a sus bajos instintos, pero en el momento en que el mago lo eligió, no tenía ninguna posibilidad.

—¿Esperas que sintamos compasión por un hombre que ha tratado de matarnos? —preguntó Randall.

Branislava meneó la cabeza.

—No, por supuesto que no. Quiero que entendáis a vuestro enemigo, y con eso no me refiero a Lyall. Xaviero pasó años trabajándoselo, condicionándolo para que aceptara como algo normal la violencia contra las mujeres. Eso le resultó mucho más sencillo que hacer que se volviera contra sus amigos, pero sus charlas sobre política finalmente hicieron que Lyall se sintiera superior y creyera que con su liderazgo podía hacer volver a los licántropos a una forma de vida «correcta».

Rolf suspiró y se recostó en el asiento, con la cabeza gacha.

—Si miras demasiado tiempo a algo perverso, acabas convirtiéndote en alguien perverso. La mente es algo curioso. Lyall siempre fue un hombre de fuertes convicciones. Creía en el código sagrado y las tradiciones, pero siempre tuvo una mentalidad abierta. Es evidente que su amistad con Rannalufr permitió que el mago corrompiera lentamente sus valores y su moral.

Meneó la cabeza con pesar.

Branislava se dio cuenta de que hablaba en pasado, como si Lyall ya estuviera muerto. No lo miraba, como si el hombre que estaba sentado en el suelo meciéndose hacia adelante y hacia atrás, cubriéndose los ojos con las manos, no fuera la misma persona a quien conocía desde hacía tantos años... y en realidad no lo era.

Lyall no soportaba ver sus crímenes y su depravación expuestos ante todos; a cierto nivel, tanto si se había convencido a sí mismo de que lo que hacía estaba bien como si no, sabía que no era así.

—Bronnie —la voz de Mikhail era suave, como el agua pura, clara y fresca de un arroyo de montaña que caía sobre ella para limpiarla de parte de todo aquel cieno maligno—, ¿quién dirige su ejército? ¿Quién está al mando durante estos ataques contra nosotros? ¿Es Xaviero?

—Él es el amo de las marionetas. Nunca daría las órdenes en persona. Él siempre parece inocente, por eso si lo pillan, los que le rodean lo defenderán enconadamente, totalmente convencidos de que sus actos nunca han sido sino bondadosos.

Le temblaban las piernas, y tuvo que hacer un esfuerzo para serenarse. Estaba cansada. Y no por la batalla o por el esfuerzo de haber utilizado su espíritu para eliminar las sombras, sino por aquello... por la fealdad de la mente de Lyall. Por haber tenido que acercarse tanto a Xaviero y haber sentido aquella maldad tan profunda una vez más.

—Hay un hombre, un lobo, alto, hombros anchos, un hombre grande, algo así como Randall. Se mueve con rapidez y ha estado en el ejército ruso. Tiene numerosas condecoraciones. Sus ojos son de un azul intenso y lleva el pelo mucho más corto que la mayoría de licántropos. Él dirige el ejército de Lyall.

Randall cerró los ojos un instante, no podía mirar a sus compañeros del consejo.

—¿Hay alguna conexión con Xaviero?

—Sí, los tres se han reunido en numerosas ocasiones, y es evidente que Xaviero y este otro hombre ya eran amigos al margen de Lyall. Las miradas que cruzaban, sus sonrisas... tenían planeado deshacerse de él en cuanto dejara de serles útil. Por supuesto, esa es mi interpretación a partir de los recuerdos que he encontrado en su mente, así que no tiene que ser eso necesariamente, aunque sería muy propio de Xaviero. ¿Conoces al hombre al que he descrito?

—Es mi sobrino, Sandulf —reconoció Randall con voz sobria—. Era un cazador de élite y se unió al ejército. Le encantan la lucha y el poder. Ojalá pudiera decir que me sorprende y que en todo momento ha sido un hombre de moral irreprochable y sólidas convicciones, pero lo que le interesa es la acción, y continuamente busca la atención y el poder. Por más consejos que le di, siempre llevó a su familia con mano de hierro, y los miembros de su manada debían andarse con muchísimo cuidado.

—No parece que tuviera ningún escrúpulo en matarnos a todos los que estamos aquí, el consejo, Mikhail, a todos —dijo Branislava, y con un gesto de la mano señaló a Zev y al resto de carpatianos presentes.

—¿Es un mestizo? ¿Un *sange rau*? —quiso aclarar Mikhail.

—No tengo manera de saberlo. Tendrás que preguntarlo al consejo —contestó Branislava, pasándose una mano por el pelo con aire fatigado.

Voy a llevarte a casa, dijo Zev con una ternura que casi la hizo llorar. *No creo que haya mucho más que decir.*

—¿Era más fuerte, rápido e inteligente que la mayoría de licántropos? —preguntó de nuevo Mikhail.

Randall asintió.

—Por eso destacó tanto en su carrera militar.

—Debieron de crearlo hace muchos años —comentó Mikhail lanzando una mirada de advertencia a Zev. *Xaviero tenía la sangre que buscaba... la de tu abuela. Probablemente, ese Sandulf es un* sange rau *completo y colabora estrechamente con Xaviero en la creación de su ejército de mestizos, si bien desconozco de dónde saca ahora el mago la sangre carpatiana.*

Aquella noche estaba demasiado cerca de la verdad, decidió Branislava, demasiado cerca de la respuesta que Mikhail buscaba. Notó el sabor de la bilis en la boca y se volvió hacia Zev, sin importarle si debían quedarse para proteger a alguien más. Quería irse a casa. Necesitaba alejarse de todas aquellas personas y de los vívidos recuerdos que la acosaban. Ya había dado todo lo que podía dar.

Zev la rodeó por la cintura y la acercó a la protección de su hombro.

—Estamos agotados, Rolf. Daciana, Makoce y los otros están muy cerca. En estos momentos están quemando los cadáveres de los renegados. —Miró a Mikhail e inclinó la cabeza en señal de respeto—. Mikhail, si no te importa, dejaremos a Fen y a Gregori para que se hagan cargo de todo aquí. Voy a llevar a Branka a casa.

Los ojos oscuros de Mikhail la escrutaron. Y los saludó a los dos con el gesto.

—Gracias por tu ayuda, Bronnie. Sé que no ha sido fácil para ti.

Ella se obligó a sonreír y dejó que Zev se ocupara de todo y se despidiera en nombre de los dos del consejo. Le dio la espalda al hombre quebrantado que había en el suelo. Lo habían obligado a enfrentarse a sus crímenes, sabía que ahora otros habían mirado en su mente sucia y depravada y habían visto las cosas terribles que había hecho a tantas jovencitas, y no podía mirarles a la cara.

De pronto Zev la apartó de un empujón... tan fuerte que dio unos traspiés y cayó contra una piedra que sobresalía de la pared. Cuando consiguió volver la cabeza, vio a su compañero eterno forcejeando con Lyall, sujetándolo por las muñecas. Entonces le dio un buen rodillazo en la entrepierna y lo hizo caer de rodillas. El miembro del consejo se desplomó y Zev cayó sobre él y lo sujetó por la cabeza.

Todos oyeron perfectamente el crujido cuando el cuello de Lyall se partió. Un destello de plata apareció en la mano de Zev y clavó el cuchillo en el corazón de aquel hombre. Luego se apartó, sacó su espada y, sin una palabra, cortó la cabeza, limpió la hoja y la devolvió a su funda.

Su mirada buscó enseguida a Branislava. *¿Estás herida, Branka?*

Ella meneó la cabeza. Las manos le dolían un poco, y también la cadera y el hombro, pero lo único que le importaba en aquellos momentos era alejarse de la sangre, de la muerte y del hedor del mal. Ni siquiera se había dado cuenta de que la atacaban cuando Lyall fue hacia ella enmascarando su energía como pueden hacer los licántropos tan fácilmente.

Zev no miró a nadie más. La tomó de la mano y salieron de allí. A su espalda, Branislava oyó que Rolf comentaba:

—Ya no hace falta que nos preocupemos por lo que hacemos con Lyall ¿verdad?

Una profunda sensación de tristeza la invadió. *Zev, hubo un tiempo, hace mucho, en que Lyall era un buen hombre. Tenía debilidad por las mujeres y él lo sabía y trataba de controlarlo. Creía fervientemente en el código sagrado, porque al igual que tantos otros de los más antiguos perdió a casi todos sus seres queridos cuando el primer* sange rau *conocido destruyó a tantas manadas.*

Zev la acercó a su cuerpo. Salieron de la cueva, a la oscuridad de la noche. Al punto, la brisa tocó su rostro y sintió que podía respirar.

—Lo siento por él, Branka —le dijo suavemente—, pero el hombre al que describes hace tiempo que murió. No había forma de redimir su comportamiento ni de cambiar lo que ha hecho.

Ella se estremeció. Lo sabía mejor que nadie... no, eso no era cierto. Lo miró, acariciando aquellas líneas cinceladas en un rostro de belleza masculina. Zev había estado a su lado. Él había visto a aquel hombre caer en la depravación igual que ella. No tenía que llevar aquella carga sola.

—Estoy loca por ti, Zev Hunter —susurró, y le rodeó el cuello con los brazos, apoyándose en su fuerza.

Apoyó la cabeza en su pecho, y pudo oír el ritmo regular de su corazón. Lo sentía como alguien sólido y fuerte, como un gran roble con raíces profundas. Era un hombre firme en el que podía confiar. *Te aprecio mucho. Soy realmente afortunada por tenerte.*

—Estás muy cansada, *mon chaton féroce* —replicó él, con voz si cabe más suave—. Quizá es hora de resguardarnos bajo tierra.

Ella meneó la cabeza.

—Todavía no. La noche ya llega a su fin, Zev, y necesito estar al aire libre, necesito estar en algún lugar bonito y limpio donde pueda respirar.

Lo miró sin levantar la cabeza.

Él sonrió y el corazón de Branislava casi se derrite.

—Creo que tengo el sitio perfecto. Está algo lejos, pero vale la pena.

No pensaba recordarle que solo tenían un par de horas antes de que el sol saliera y empezara a subir en el cielo. Quería ir con él a algún lugar nuevo y excitante, a algún lugar donde pudiera respirar aire puro y fresco. A algún lugar... lejano.

Zev se apartó de ella y se transformó, de un modo fluido y fácil. A Branislava le admiraba aquello. Aprendía deprisa, y cuando tomaba una decisión no vacilaba. Ella siguió su ejemplo y mudó en la forma de un búho. Y voló con él al cielo, con las alas extendidas, sintiendo el rugido del viento en sus oídos, en las plumas, al fin libre y salvaje.

Por debajo, todo cuanto había en el suelo se desvaneció. Atrás quedó la masacre de la batalla, y el humo que ascendía por los aires no pudo encontrarla, pues volaba veloz tras de Zev. Juntos sobrevolaron el bosque, y luego pasaron sobre la primera cordillera. Abajo, el lago alimentado por un glaciar apareció con su azul helado e intenso. Pequeñas granjas salpicaban los campos, y veía los animales, el ganado que dormía, los caballos que se movían lentamente, los pollos en los gallineros.

A su alrededor la vida transcurría sin contratiempos. Aquello era lo que necesitaba. En aquellas casas, los niños dormían, los padres velaban por ellos. Zev siguió volando, sobre una nueva cadena montañosa, y esta vez los árboles estaban tan juntos que era imposible distinguir nada allá abajo, ni siquiera con los ojos de un búho.

Una cascada apareció en el lado de una montaña, cristalina y brillante. La cascada caía en una amplia charca rodeada por helechos gigantes, arbustos y otras plantas. Una nueva cordillera, surcada por las hebras luminosas del agua que diseccionaba el paisaje. Branislava lo seguía, atrapada en el embrujo de planear por el cielo, sintiendo el viento en su cuerpo, admirándose por aquel paisaje cambiante y extraordinario.

Allá delante, la nieve coronaba las cimas de las montañas, un mundo prístino de belleza helada. La parte de la montaña que Zev buscaba había sido hacía tiempo un volcán. El glaciar siguió a la mortífera erupción, extendiéndose subrepticiamente sobre la montaña encendida, volviendo la roca roja en hielo azul. El efecto allí donde el hielo se hacía más fino era sorprendente.

Entonces descendió al interior del cráter. Branislava vio que a su alrededor la montaña estaba cubiera de nieve y hielo, pero en el cráter crecían árboles, plantas, incluso flores, que habían brotado por los largos años de semillas que el viento había arrastrado hasta aquel suelo fértil y rico. Una hierba fina tapizaba el suelo, el trébol. Había unos pocos árboles, con ramas sanas y fuertes que se elevaban al cielo en aquel cálido nido. Un pequeño oasis, protegido por el hielo y la nieve, que había pasado inadvertido a los ojos del mundo.

Zev se posó en el suelo y agitó la mano para cubrirlo con un lecho de pétalos. Branislava mudó de nuevo a su forma humana y giró en un lento círculo para mirar a su alrededor. Al principio, cuando vio de lejos las montañas nevadas, había sentido cierta aprensión, pero... mujer de poca fe.

—Es un sitio muy bonito, Zev. ¿Cómo lo has encontrado?

—Patrullando. Mientras buscaba renegados. Antes de que despertaras, por puro hábito, salí un par de veces a echar un vistazo. —Le sonrió—. Y me gusta volar.

Ella no pudo por menos que devolverle la sonrisa. Parecía relajado y feliz, muy distinto del hombre sombrío que tenía que luchar en tantas batallas.

—Es hora de que alguien se ocupe de tus heridas —dijo Branislava señalando el lecho de pétalos.

—Ese alguien eres tú. El parche de Gary ha ido muy bien. Los licántropos se rejuvenecen muy deprisa. Recuerda que yo también soy mestizo de sangre, y eso me da más energía.

Ella lo miró con gesto severo, mientras levantaba la mano y se soltaba el cordón que sujetaba su trenza. Y sacudió la cabeza mientras destrababa el pelo, haciendo que los mechones cayeran sueltos a su alrededor como una capa rojo dorada.

—Agradecería mucho que te tumbaras para que pueda ver tus heridas, Zev.

—Las llamas de dragona empiezan a arder en tus ojos —le informó él.

Cuando estaba así, en plan exigente, tan sexy, cada movimiento una tentación, era imposible resistirse. Él podía ver aquel fuego que siempre ardía bajo la superficie, cada vez más caliente.

El cuerpo de Zev reaccionó a la voz de Branislava, como si le estuviera acariciando con ella, respondió al calor que veía en sus ojos mientras lo recorrían. La lengua apareció fugazmente para humedecerle los labios.

Dio unos toquecitos con el pie en el suelo.

—Bueno, estoy esperando.

—Yo también —dijo él con suavidad, tratando de no utilizar su voz de macho alfa, pero estaba ahí, un gruñido autoritario con el que había nacido.

Ella ladeó la cabeza hacia un lado, con mirada somnolienta y sexy, bajando los párpados casi con recato, pero cuando volvió a levantarlos, las llamas bailaban en sus ojos sobre un trasfondo verde esmeralda.

Agitó la mano ante su cuerpo y las ropas desaparecieron. Zev se quedó sin respiración, completamente atrapado. Su cuerpo le parecía exquisito, aquellas curvas exuberantes, la cinturita de avispa. Sus cabellos caían enmarcando los pechos altos y los pezones que ya estaban duros. Sabía que si le metía la mano entre las piernas estaría caliente y mojada para él.

—Eres tan hermosa, Branka. Para mí, no hay nadie que pueda compararse a ti.

Ella se puso una mano en la cadera y siguió dando toquecitos en el suelo con su pie menudo y descalzo. Zev quería arrodillarse ante ella y aferrarla y probar la miel con canela que notaba en el aire. En vez de eso, hizo lo que ella quería, y se desprendió de sus ropas, observando sus ojos cuando se posaron en la erección. Entonces se llevó la mano al miembro hinchado y lo sujetó, notando el familiar ardor en él. Se tomó su tiempo para acercarse al lecho de pétalos. No era fácil, porque estaba caliente y duro, y listo, pero haría lo que ella quisiera.

En el momento en que se tendió sobre la espalda, ella se sentó con sus pantorrillas entre las piernas y se inclinó para retirar el parche, rozando su piel con los pechos. Lamió la herida con su saliva curativa. Susurró suavemente una pequeña letanía de sanación que él oyó más en su mente que en voz alta.

El pulso resonaba en sus oídos. Mientras le daba lametones en la herida, sus manos estaban ocupadas con su pene y el escroto, y sus dedos se deslizaban sobre ellos en una delicada danza, y de pronto pasaron de un suave roce a un puño firme que bombeaba, mientras el pulgar se deslizaba sobre la gran cabeza sensible para esparcir las perlas que derramaba.

Los cabellos de Branislava caían formando un mar de rojo sobre su regazo, incitando a su sexo, sumándose al caos que crecía en su mente. La sensación de una seda viva que lo envolvía, la lengua y las manos, era demasiado intensa. Haciendo acopio de sus años de disciplina, él intentó no levantar las caderas, no aferrarla por el pelo y pegarle la cara al pene… pero no era fácil.

Ella levantó la cabeza y le miró. Zev sintió que el corazón se le paraba. En sus ojos veía brillar una pasión fiera e intensa. Su piel parecía iluminada, y su color empezaba a cambiar de porcelana clara a rosa encendido. Con cada movimiento que hacía, su pelo chisporroteaba cargado de energía. Lentamente, Branislava fue subiendo, y la uve caliente que tenía entre las piernas dejó una clara evidencia de su excitación sobre su pantorrilla. Se desplazó sobre sus muslos y se sentó a horcajadas sobre su entrepierna, negándose a darle la satisfacción de envainar aquella lanza dura como una piedra.

Retiró un segundo parche y lo arrojó a un lado, y pasó la lengua por el vientre y las costillas, sobre cada arañazo y cada morado, hasta que llegó a la puñalada del pecho. Zev oyó la suave letanía de sanación en su mente, una melodía de amor que lo envolvía y lo arropaba con su fuego. Branislava. Su compañera eterna. Ella era fuego y pasión. Era su amor. Todo lo bueno que había en el mundo. Cuando lo curaba, no lo hacía solo con su amor y sus dones, o incluso con la saliva milagrosa de su especie. También curaba con su fiero apasionamiento, y con el anhelo que sentía por su cuerpo.

Cuando su boca se deslizaba sobre sus heridas, cuando su lengua lamía las laceraciones y los morados, una dosis de seducción pura acompañaba al bálsamo reparador. Y su cuerpo reaccionó, cada terminación nerviosa cobró vida, y se puso en alerta, llenando sus venas de calor. Levantó las manos hasta sus pechos, masajeó, y con los dedos jugueteó con los pezones.

El bonito color rosado del cuerpo de Branislava se hizo más intenso. Su piel, suave y dúctil, quemaba. Sobre la base de su pene, donde sus cuerpos se tocaban, un fuego pareció encenderse. Zev estaba perdiendo la capacidad de acomodarla. Y dejó escapar un gruñido de advertencia para que supiera que estaba casi al límite.

—Estoy trabajando —musitó ella, lanzándole una mirada de reprobación.

Él la sujetó por los brazos y la hizo rodar para colocarse encima. Puso una rodilla entre sus piernas para obligarla a separarlas.

—Yo también. —Tenía la voz ronca de deseo—. Estoy hambriento, y quiero comerte.

Y es lo que hizo. La sujetó por las caderas para levantarla y bajó la cabeza para devorarla. Ella gritó, un grito de pura alegría, cuando la lengua de Zev se sumergió para buscar aquella miel con canela que tanto anhelaba. Era caliente y espesa, como las gachas, y se descubrió aullando como el lobo feroz que era. La sujetó con firmeza, mientras ella trataba de moverse y se sacudía.

—Estáte quieta —le ordenó bruscamente cuando pudo encontrar un momento para hablar.

Pero como vio que no hacía caso, le dio una palmada en el culo. Las terminaciones nerviosas de Branislava ardían, y la deliciosa miel se derramaba en la boca de él. No podía resistirse a probarla una y otra vez, y el resultado siempre era el mismo, conseguía más de lo que quería. La miel era cada vez más caliente, más especiada, y el sabor más delicioso. Dio un lametón en la vagina y la hocicó, aspirando su aroma perfecto. No pudo resistirse y le dio unos pequeños mordiscos juguetones en la cara interna de los muslos que hicieron que las llamaradas del deseo le subieran quemando por las pienras.

Zev se puso encima, la sujetó por las muñecas y se las levantó hasta la cabeza para poder mirar aquel cuerpo desparramado debajo del suyo. Branislava respiraba entrecortadamente, de modo que sus pechos subían y bajaban de modo provocativo... como una tentación. Él se inclinó y tomó uno de ellos en el calor de su boca.

Ella gimió, sintiendo que su cuerpo se sacudía cuando la lengua acarició el pezón y luego chupaba con fuerza. La cabeza le daba vueltas. Sus caderas se levantaban debajo del cuerpo de él. Todo era música, parte de la noche. A Zev le encantaban todos los sonidos que brotaban de su boca, y la forma en que su cuerpo respondía a las cosas que le hacía.

Se deslizó a besos sobre la curva cremosa del pecho para buscar el pulso tan furioso... y tentador. También oía el latido con que su propio cuerpo respondía en sus venas y, sin previo aviso, sin mayor preámbulo, clavó los dientes con fuerza. Ella gritó, gimoteó, levantó las caderas, se revolvió. Trató de soltarse para sujetarlo de la cabeza y abrazarlo, pero él no la soltaba, y siguió disfrutando dándole placer. Lo notaba en su mente, notaba que su necesidad crecía como un volcán.

Entonces bebió su esencia, llevándola al interior de su cuerpo, aquel sabor especiado que tan adictivo le resultaba. Quería ser el lobo y devorarla. Había algo tan hermoso en su rostro, en su cuerpo resplandeciente, mientras yacía allí, debajo de él, y sus súplicas se hacían más desesperadas porque su anhelo era cada vez mayor.

Cuando hubo tomado cuanto quería, la sujetó con más fuerza por las muñecas y la miró a los ojos.

—Quédate quieta. Así.

Se inclinó y la besó en la boca, aquella bonita boca con la que se habría pasado la vida jugueteando, y besando y amando.

—No creo que pueda —confesó ella algo desesperada.

Él le lamió la oreja y dio un chupetón en el mentón.

—Entonces te ayudaré. Porque esto es para mí. Quiero hacerte perder la cabeza y ver cómo te enciendes. Aquí estamos a salvo. No hay ningún bosque que podamos quemar. Puedo encender una cerilla y ver cómo prendes.

Mientras estaba allí tumbada, unos zarcillos brotaron de la tierra y rodearon sus brazos, formando dos tupidas mangas que iban de la muñeca al bíceps.

—Ahí lo tienes, *mon chaton féroce*. Cuando yo te digo que te estés quieta, no te puedes mover. —Él se sentó y le pasó la mano con gesto posesivo por el cuerpo, desde el pecho al vientre, extendiendo los dedos como si quisiera abarcarlo todo—. Quiero tomarme mi tiempo. Y tú puedes gritar lo que quieras y tu cuerpo puede estallar en llamas mil veces, porque nadie nos va a interrumpir.

Sonrió al ver su expresión perpleja, mientras contemplaba las llamas cada vez más intensas en su mirada. La miel con canela no dejaba de salir. Pero, por encima de todo, lo que más le excitaba era la fe que tenía en él, su confianza ciega. Se había puesto en sus manos, porque sabía que solo le daría placer... y es lo que pensaba hacer.

—Soy un lobo, Branka. Los lobos a veces son bruscos, incluso brutales. Pero te toco con amor. Y jamás te haría daño. Si algo no te gusta dime que pare.

—Por suerte para ti, me gusta la forma en que me amas. Me gusta que seas brusco, casi brutal. Si algo no me gusta, lo notarás enseguida —le aseguró—. Y sé que jamás me harías daño.

Aquella voz tan seductora le mataba, los movimientos de su cuerpo, cómo levantaba las caderas, como si no pudiera esperar. Branislava separó las piernas deliberadamente. Se abrió de piernas para él. Pidiéndole más en silencio. De lo que fuera.

Él rió.

—Estás impaciente, cielo. Veamos si nos podemos divertir un poco.

Se incorporó, sobre las manos y las rodillas, y se desplazó hasta quedar casi sobre su cabeza. Se sentía el pene a rebosar, el escroto se deslizó sensualmente sobre los pechos y topó contra su mentón. Ayudándose con una mano, se rodeó el miembro con el puño y lo acercó a los labios de ella.

—Sueño que chupas hasta dejarme seco. Tu preciosa boca sobre mi polla, apretada como un puño de fuego. Y sueño lo mismo desde el día en que te conocí, en que vi tu boca tan hermosa y tentadora. Me encanta tenerte debajo de mí, indefensa, como una ofrenda. Que seas mía. —Dejó que unas gotas cayeran sobre sus labios—. Mía, para que pueda jugar contigo y amarte.

Branislava sacó la lengua para capturar aquella ofrenda. Lamió cada una de aquellas gotas, y luego trató de estirarse para llegar al pene.

—Por favor —dijo finalmente, con los ojos cada vez más brillantes cuando él se apartó para que no pudiera alcanzarle.

Su cuerpo resplandecía cada vez más.

Y Zev empujó contra su boca, deslizándose bien adentro, gimiendo de gusto. Compartió aquel sentimiento con ella, mente a mente. Y ella le recompensó acariciando con la lengua y jugueteando después con el punto sensible bajo el glande. Él cerró los ojos un instante, sin acabar de creerse que esa mujer fuera suya. Todo en ella lo buscaba. Y se entregó por completo a él.

El amor salió a borbotones, acre y terrible, abarcándolo todo. Más aún, en aquellos momentos Branislava no pensaba en sí misma o en sus necesidades, estaba totalmente concentrada en el placer de él. Cada uno de sus movimientos estaba lleno de amor y Zev no podía evitar notarlo en el entusiasmo que demostraba cada vez que estaban juntos de aquella forma.

Ella profirió un leve grito de protesta cuando salió de su boca y se deslizó sobre su cuerpo, mientras le mordisqueaba ligeramente el mentón. Besaba y mordía un poquito, estimulando, viendo cómo el fuego aumentaba en su interior, hasta que las diminutas chispas empezaron a saltar a su alrededor como luciérnagas en la noche.

Le gustaba aquello. Su pasión. Su fuego. Y quería que tuviera la oportunidad de prender fuego a la noche en algún lugar donde no hicieran daño. Allí, en lo alto del glaciar cubierto de nieve, estaban a salvo. Incluso si un árbol prendía, no había nada más que pudiera quemarse, y él ya se había asegurado de que la vegetación que les rodeaba estuviera protegida.

Entonces bajó a besos sobre su vientre tembloroso, hasta el pubis y volvió a deslizar la lengua sobre la vagina, mientras veía con satisfacción como su cuerpo se estremecía. Los dedos de Branislava se clavaron en la rica marga del suelo. Él notó que bajo su cuerpo la tierra empezaba a iluminarse con una suave luz rojiza y allí donde sus dedos se hundían en la marga, el rojo era más intenso. Y sintió que la alegría le embargaba. Amar a aquella mujer era una aventura, un viaje hermoso e increíble al amor.

La obligó a separar más las piernas y le hizo apoyarlas sobre sus hombros al tiempo que se arrodillaba contra ella y le levantaba las nalgas con facilidad del lecho de pétalos. Tenía los ojos muy abiertos, y el verde casi había desaparecido detrás de aquellas llamas ardientes. Su piel quemaba al tacto. Su pene se levantó anticipando el calor abrasador con que lo envainaría.

—Date prisa —jadeó ella tratando de moverse buscando su miembro con cierto desespero.

Nunca trataba de disimular su anhelo. Siempre tenía hambre de él, igual que él la tenía de ella.

Zev rió suavemente, destilando felicidad. No sabía por qué le había sido concedido aquel milagro, pero lo atesoraría mientras viviera. Era el mejor regalo que hubiera podido tener. Se tomó un momento para mirarla, allí tumbada, con la respiración entrecortada, los ojos llameantes, suplicante. Su cuerpo estaba sofocado y las chispas saltaban a su alrededor, y debajo la temperatura del suelo empezaba a subir en proporción directa a la temperatura de su cuerpo. Su pelo estaba por todas partes, aquella espesa mata de seda roja, una cascada de pasión que lo volvía loco.

Entró en ella con un movimiento brusco y rápido. Branislava gritó. Su voz se elevó hasta las nubes, una música perfecta de puro placer. La voz de él se unió a la de ella, en un aullido ronco de puro éxtasis, mientras los músculos lo aferraban con una seda abrasadora. Estaba tan caliente que tenía que empujar como un émbolo, abriendo a la fuerza el camino por la apretada pared de seda para poder llegar más adentro.

Utilizó su mente para liberarle los brazos, porque no quería incomodarla. Y de todos modos, adoraba la forma en que se aferraba a él, clavándole las uñas y sujetándole como si fuera un ancla. Al momento, ella deslizó la mano entre los dos, hasta el punto en que sus cuerpos se unían, y empezó a acariciar arriba y abajo la base del pene.

—Eres tan guapo, Zev —susurró respirando entre jadeos.

Ella era guapa. A su alrededor, el suelo se tiñó de un resplandor rojizo cuando empezó a moverse con golpes largos y dolorosamente lentos, provocando la fricción sobre el sensible clítoris, clavándose bien adentro, sin dejar de mirar su rostro. Ella echó la cabeza hacia atrás, con los labios entreabiertos. Su piel estaba cada vez más caliente. Aquel calor abrasador se extendía como el fuego, como una tormenta que se estaba gestando en su interior.

—Más —suplicó Branislava—. Quiero más.

Él rió con suavidad.

—Eres insaciable, ¿no? Una mujer muy exigente.

Y le gustaba que fuera así.

Pero se tomó su tiempo, y la sujetó por las caderas para que no se moviera, negándose a ceder a sus exigencias, marcando un ritmo más lento que la hiciera enloquecer. Ella se revolvía, tratando de obligarle a ir más deprisa, pero Zev no cooperaba, y veía su piel cada vez más sofocada y roja, las chispas que saltaban a su alrededor, el resplandor que se extendía por el suelo, mientras ella sacudía la cabeza y le suplicaba que la llevara al clímax.

Él la mantuvo en el límite, aumentando la tensión, sintiendo cómo se retorcía y apretaba cada vez más fuerte. Branislava volvió a gritar cuando cambió de pronto de ritmo, y se puso a empujar con fuerza, a un ritmo brutal, tratando de llevarla muy arriba, para poder quedarse en su interior el mayor tiempo posible. Ella empezó con su canción, aquella melodiosa salmodia con su nombre, con los ojos llenos de lágrimas y las uñas clavadas en sus bíceps.

Y entonces se permitió perder el control, porque ahora sabía que podía hacerlo. Branislava no solo podía manejarlo, sino que recibió de buen grado aquella vertiente más salvaje de él. Su cuerpo estaba hecho para él, para el placer de que empujara, para aquel calor increíble e imposible. La tormenta de fuego pasó de ella a él, haciendo arder la sangre en sus venas, acumulándose en su entrepierna como la lava que hervía dentro de ella.

Y ardieron juntos, con un calor abrasador que aumentaba de intensidad por momentos, hasta que su cuerpo se cubrió de una fina capa de sudor. Y aún así no paró, no podía parar. Se perdió dentro de ella, todo aquel fuego, ardiendo juntos, cada vez más y más cerca del corazón del volcán. La primera sacudida llegó, y Zev la notó, notó los músculos de Branislava que se cerraban con fuerza, apretando con llamas de seda. El volcán entró en erupción y los sacudió a los dos, con una bola de fuego que la recorrió a ella, le recorrió a él, mientras ardían juntos y el cuerpo de Branislava sacaba hasta la última gota de su interior.

El orgasmo la sacudió, y sus jadeos llenaron la mente de él de pura felicidad. Su cuerpo cantaba, su corazón cantaba. Y saboreó cada segundo del orgasmo de ella, del suyo, del fuego y del calor, de aquel éxtasis que no podía compararse a nada que hubiera conocido.

Muy lentamente, le bajó las piernas al suelo, salió de su interior y se dejó caer a un lado. Ella se acurrucó entre sus brazos al momento, mientras su cuerpo seguía experimentando ligeras sacudidas. Notaba su piel caliente contra el cuerpo, aquella piel que era como la seda de fuego que había envuelto su pene con tanto amor. Sus cabellos le cayeron sobre el pecho, incrementando la sensación de estar cubierto de seda.

—El aire de la noche es agradable ¿verdad? —dijo Branislava cuando pudo recuperar el aliento.

Tenía razón. El frescor de las montañas nevadas resultaba increíble contra el intenso calor de su piel. El suelo era un lecho caliente de pétalos, pero se enfriaba por momentos.

—La noche se acaba, Branka. Quedémonos aquí. Podemos abrir el suelo aquí mismo y descansar hasta mañana.

Ella le besó el cuello.

—Me gusta la idea. Este sitio es tan bonito. —Echó un vistazo al árbol—. Y mira, ni siquiera lo hemos quemado.

Él la besó en la coronilla.

—Pero parece un poco chamuscado. Mira la base y las hojas.

Ella rió levemente.

—No es verdad. Te lo estás inventando.

—Puede.

Él no estaba tan seguro. Desde luego, el suelo se había calentado mucho alrededor de la base del árbol, y seguramente había afectado a las raíces.

—Haces que la vida sea divertida cuando a nuestro alrededor todo es una locura, Zev. Gracias. Este es el sitio perfecto, lejos de todo y de todos.

—Solos tú y yo, Branka. Estamos tan bien juntos. Parecemos hechos el uno para el otro.

Ella lo hocicó y aspiró su olor.

—Siempre pareces saber lo que necesito.

Él rió suavemente.

—Pues claro que sé lo que necesitas. Me he tomado mis votos para contigo muy en serio. Tú siempre serás lo primero para mí.

Algo se removió en la mente de Zev. Una risa suave. *¿Puedes decirme por qué el nivel del lago ha aumentado casi un metro? Creo que habéis fundido la mitad del glaciar. Aquí abajo, todos piensan que el volcán va a entrar en erupción. Y yo les he dicho que sois vosotros dos, que estáis prendiendo fuego a la noche*, bromeó Fen.

No te creo.

¿Que cómo he sabido que estabais ahí arriba? La cima de la montaña resplandecía en mitad de la niebla. Habéis causado un gran revuelo por aquí. Todos los granjeros se han levantado pensando que el volcán iba a estallar y los mataría.

Ja ja. Qué gracioso eres. Zev empezaba a sentirse algo inquieto. Fen parecía divertido, pero eso no significaba necesariamente que se lo estuviera inventando.

¿Cómo que un metro? No hemos fundido el glaciar. Aunque podían haberlo hecho. Branislava había ardido con la suficiente intensidad para fundir el hielo de la cima.

No estés tan seguro, hermano. Y meteos ya bajo tierra. Los dos estáis muy cansados.

Zev le dedicó el equivalente mental a una mirada exasperada. Dimitri ya le había advertido de la tendencia de Fen a comportarse como el hermano mayor y a olvidar que ellos dos, no solo eran adultos, sino que ya llevaban unos cuantos siglos en danza.

Zev rodeó a Branislava con los brazos.

—Pensaba que aquí arriba estaríamos a salvo, *mon chaton féroce*, pero Fen ya me ha preguntado por qué allá abajo el nivel del lago ha subido casi un metro. Dice que hemos fundido el glaciar.

—Qué exagerado —repuso ella, apoyando el rostro contra su cuello con satisfacción. Por un momento se quedó muy quieta—. Lo decía en broma, ¿verdad? No hemos fundido el glaciar, ¿no?

—Que me aspen si lo sé —contestó él, pero se sentía demasiado a gusto para levantarse e ir a comprobarlo—. Pero podría ser.

—¿Qué más te ha dicho?

—Que la montaña despedía un resplandor rojizo entre la niebla y que los granjeros pensaban que el volcán había entrado en erupción. Pero ya sabes cómo le gusta bromear.

Ella se echó a reír.

—No me negarás que tendría su gracia si fuera verdad. ¿Te imaginas al príncipe pidiendo informes a todo el mundo? O peor, que pidiera a Gregori que hiciera una inspección aérea para asegurarse de que la montaña estaba bien.

—Se habría puesto las botas viéndonos a los dos aquí abajo desnudos —dijo Zev. Levantó la vista al cielo. El amanecer despuntaba, la luz empezaba a filtrarse entre los jirones de niebla—. Tenemos que meternos bajo tierra y recuperarnos un poco, Branka. Tu espíritu y mi cuerpo. Los dos estamos un poco hechos polvo.

—Supongo que sí. Me siento tan libre aquí, Zev. Gracias otra vez por buscar este lugar para nosotros. Me encanta.

Él le hizo alzar el mentón con la mano y la besó.

—Abre el suelo, *mon chaton féroce*, y durmamos un poco.

Branislava agitó una mano y abrió el suelo a su lado.

—Si de verdad hemos fundido una parte del glaciar nunca dejarán de recordárnoslo. Mi hermana y Fen, Skyler y Dimitri no dejarán de gastarnos bromas.

Zev hizo que flotaran al interior del profundo agujero.

—Pues deja que te diga una cosa, Branislava. Si hemos fundido el glaciar, y el nivel del lago ha subido casi un metro y tenemos que aguantar que nos gasten bromas durante diez siglos, habrá valido la pena.

Y por la risa suave de Branislava supo que ella estaba de acuerdo.

Capítulo 15

Branislava miró hacia el reluciente lago azul que había allá abajo. Observó el agua que lamía la orilla con detenimiento. *No creo que haya más agua de la que había ayer noche*, le dijo a Zev, pero por su tono se notaba que en realidad no estaba muy segura.

Zev se acercó a su lado, y se quedaron planeando, suspendidos sobre aquel cuerpo de agua, en la forma de dos jirones de vapor, un poco como cometas en el cielo de la noche. La risa burbujeaba en su boca. *Mira bien los juncos y los árboles. Están dentro del agua, y ayer no lo estaban.*

¿Cómo puedes saber eso?, protestó ella, pero de nuevo no parecía muy segura.

Muy fácil, dijo él tratando de hablar con tono sobrio. *Los cazadores de élite tienen que controlar todos los detalles. Ayer examiné el lago...*

Ella se removió en su mente, dándole la impresión de una ceja alzada.

Pensé que estabas totalmente concentrado en mí.

Exacto, replicó él con suavidad. *Con la pequeña excepción de que me fijé en el lago y la orilla cuando pasamos.*

La risa de Branislava jugueteó por su mente como el aleteo de las alas de una mariposa. *Reconozco que los juncos parecen algo más hundidos de lo que recordaba. Y que los dos árboles del extremo sur dan la impresión de que la orilla ha subido, pero nada más. He comprobado el grosor de la nieve y no hay ningún problema, y el glaciar está intacto.*

Estoy seguro de que al príncipe le alegrará saberlo. Y también se quedará tranquilo cuando sepa que el volcán sigue dormido. La voz de Zev sonaba curiosa.

Branislava volvió a reír con despreocupación, algo inaudito en ella. Estaba contento por haber encontrado la forma de ayudarla a relajarse, de olvidar lo que había visto y oído en la mente de Lyall. Licántropos y carpatianos tendrían que encontrar la forma de hacer salir a Xaviero y liberar al mundo de su persona, pero aun así quería que Branislava se mantuviera lo más lejos posible de él.

Se tomaron su tiempo para cazar tranquilamente su sustento, y descendieron junto a una granja para charlar con el granjero y su esposa. Rieron juntos viendo los cómicos movimientos de los caballos, y Zev ayudó al granjero a colocar una rueda en el carro. Cuando hubieron comido, dejaron a los granjeros felizmente instalados en su porche, recordando a la adorable pareja que había parado para preguntar por las bonitas colchas hechas a mano que la esposa tenía colgadas para venderlas y conseguir un dinero extra. Su bolsillo estaba lleno de dinero y una de las colchas faltaba.

—Ha sido divertido —dijo Branislava sujetando la colcha contra su cuerpo—. Son buenas personas.

Zev le cogió la colcha y enlazó sus dedos con los de ella.

—Estoy de acuerdo. Me gustaría que pasáramos a verlos de vez en cuando. Siempre es bueno hacer amigos entre los vecinos de la zona. Mikhail es muy carismático y se esfuerza especialmente por integrarse. Los que viven en el pueblo le son muy leales.

—¿Vamos a formar nuestro hogar aquí? —preguntó Branislava.

Zev notó cierta aprensión en su voz. Se llevó su mano al calor de sus labios y mordisqueó los nudillos.

—Te dije que siempre estaríamos cerca de Tatijana. Me gusta este sitio, y si utilizamos estas montañas como nuestra base, con nuestra capacidad de volar podemos llegar a cualquier sitio enseguida si hace falta. —Dejó de caminar y se plantó delante de ella—. Cuando dije que te cuidaría como un tesoro durante toda mi vida, que antepondría tu felicidad a la mía, lo decía en serio. Nunca tendrás que hacer nada que no quieras. —Se echó la colcha sobre un hombro y le hizo levantar el mentón—. Cada momento que pasamos juntos es un tesoro para mí, de verdad, pero si tengo que salir para ir a cazar renegados o a seguir el rastro de vampiros o de *sange rau*, quiero que seas tú quien decida si quieres abandonar nuestra casa y acompañarme o no.

Por un momento las lágrimas brillaron en los vívidos ojos verdes de Branislava, pero las controló enseguida y hasta fue capaz de fingir un ceño.

—Si crees que te voy a dejar irte por ahí a cazar renegados, vampiros o *sange rau* sin mí, estás muy equivocado. Alguien tiene que cuidar de ti. —Le rodeó el cuello con el brazo para hacerle bajar la cabeza—. Corres demasiados riesgos, Zev, y no quiero dejarte marchar. Así que basta.

Y recalcó cada palabra con un beso.

Zev no era hombre de bonitos discursos, nunca lo sería. Era un predador, un lobo, un cazador de élite, brusco como el que más. Pero la amaba con locura, con cada fibra de su ser, con cada latido de su corazón. De haber sido poeta, le habría escrito algo bonito, pero su única forma de demostrarle lo que sentía era su cuerpo.

La besó, derramando todo aquel amor fiero y caliente que sentía por ella en su boca. Era exigente, brusco, insistente, y la arrastró a un torbellino de fuego, como el macho alfa que era, obligándola a responder, pero sabiendo al mismo tiempo que ella lo hacía libremente.

Branislava se agarró a él por un momento cuando se apartó de su boca. Se aferraba a él con fuerza, como si fuera su santuario. Y Zev quería ser ese santuario, quería ser el puerto seguro donde ella siempre pudiera resguardarse. La rodeó con los brazos y la apretó contra sí, contando los latidos de su corazón, escuchando el ritmo de su respiración, hasta que su cuerpo se acompasó al tempo del de ella.

—¿Estás bien, *mon chaton féroce*? —preguntó rozando con un beso su coronilla—. No es necesario que me acompañes a esta reunión. Sé que todo lo que tiene que ver con Xaviero te altera.

—Solo quería abrazarte, Zev. Tenerte muy cerca, sacar mi fuerza de ti. Nunca pareces nervioso, ni siquiera en los peores momentos de crisis. Por dentro siempre sientes calma. Y yo quiero ser así.

Zev rió con suavidad.

—Branka, ¿sabes lo que significa *«mon chaton féroce»*?

Ella asintió, desconcertada.

—«Mi fiera gatita.»

—Exacto. Eres feroz, fiera y apasionada, y son cosas que me encantan de ti. En combate, puedo confiar en que sabrás guardarte las espaldas incluso si tienes miedo. No tienes que intentar ser nada más que lo que eres, lo que naciste para ser.

Branislava le dedicó su radiante sonrisa.

—Siempre sabes lo que tienes que decir. —Respiró hondo—. Y estoy preparada para ayudarte a resolver todo esto. Espero que no seamos nosotros los que tengamos que dar caza a Xaviero. Sé que eso es lo próximo, y créeme si te digo que es extremadamente peligroso.

—Lo sé muy bien, Branka —le aseguró él.

—¿Le has visto alguna vez? Al hombre al que llaman Rannalufr.

Él asintió.

—Trabajo para el consejo, les protejo, y cuando dictan una orden para zanjar disputas entre manadas o disputas que un macho alfa no sabe solucionar en su manada, voy yo. Los miembros del consejo están vigilados en todo momento. Yo siempre tengo que saber dónde están y con quién. La respuesta fácil es, sí, he visto a Rannalufr. A mí me pareció un anciano afable, habla con voz suave y agradable y siempre parece pensar las cosas antes de decirlas. Me gustó. Creo que a la mayoría de la gente que lo conoce le gusta.

—¿Pertenece al Círculo Sagrado? ¿Es uno de sus líderes?

Zev le rodeó la cintura con un brazo y siguieron caminando en dirección a la casa de Mikhail. Estaba montaña arriba, justo en el lindero del bosque.

—Sí, muchos licántropos pertenecen a él. Todos ellos veneran las antiguas tradiciones y tienen a los ancianos que perecieron como ejemplos de lo que tendrían que ser los licántropos.

—¿Alguna vez has formado parte del Círculo? —preguntó ella con curiosidad.

—He asistido a sus reuniones, por supuesto. Los oradores son increíbles, sobre todo Arno y, sí, antes de que lo preguntes, Rannalufr también. Los dos son muy carismáticos. Pero tengo problemas con cualquier cosa que implique una mayor estrechez de miras o que roce el fanatismo. Yo necesito que las cosas tengan una lógica, y vivir según unas normas anticuadas que ya no tienen sentido no es lógico. —Zev suspiró—. No hay una progresión.

—No sé qué quiere decir eso.

En aquellos momentos seguían un estrecho sendero que discurría entre los árboles, y empezaron a subir la pendiente adentrándose más en el bosque.

—Los tiempos cambian deprisa. La tecnología lo ha cambiado todo, y sigue cambiándolo a una velocidad alarmante. Si el Círculo Sagrado se limitara a predicar sobre moral y a enseñar a tratar a los demás con bondad, quizá me convencerían, pero no se quedan ahí. Tienen un programa político muy concreto, y ese programa no sigue los dictados de los países donde viven los licántropos.

Branislava se inclinó para oler una flor nocturna. Caminar junto a Zev siempre le producía placer. Era alto y fuerte, y le hacía sentirse muy femenina —que lo era— y delicada —no lo era—. El sonido de su voz la hechizaba. Él nunca hablaba con voz potente o muy fuerte. Tenía una voz agradable, y sin embargo transmitía autoridad. Todo en él exudaba confianza, y eso le gustaba.

—Sigo sin entender.

—Nos hemos integrado en la sociedad moderna —explicó Zev—. Cada manada sirve en el ejército del país donde está y tiene su trabajo como hacen los humanos. Vivimos junto a los humanos. No tiene sentido esperar que volvamos a guiarnos por un código que se escribió mucho antes de que existiera la tecnología. En otro tiempo nuestras mujeres fueron fieras guerreras. Mira a Daciana. Es tan buena o mejor que un hombre como cazadora de élite, y, sin embargo, el código sagrado dice que las mujeres deben quedarse en casa porque hace siglos el primer *sange rau* estuvo a punto de exterminarnos.

—Pero el consejo derogó esa norma —señaló Branislava.

—Con una fuerte oposición. Los líderes del Círculo Sagrado estaban furiosos, y algunos hasta hablaron de formar su propio consejo.

Su voz había descendido otra octava, y meneó la cabeza.

La luna había salido, y parecía casi llena, aunque aún no había llegado a su cénit. Un halo amarillo la rodeaba. Branislava podía distinguir el rostro de Zev gracias a la luz que se colaba entre las ramas. Veía arrugas en él, cicatrices. Y sin embargo para ella era la viva imagen de la belleza masculina.

—Y te mandaron a ti para que los pusieras en su sitio.

No era una suposición, ya sabía que era eso. Cada vez se le daba mejor interpretar sus palabras.

Zev asintió.

—Tuve una charla con ellos, sí. Puedo ser muy persuasivo si hace falta. No puede haber disensión, no cuando los licántropos son tan peligrosos. Perdimos algunas manadas. Se volvieron renegadas, cosa que señalé a los líderes del Círculo, y dejaron de predicar. Al consejo le parece bien que se discuta cada asunto, y los miembros siempre están abiertos a escuchar a su pueblo antes de tomar una decisión, pero en última instancia todos nos guiamos por sus normas.

Llegaron a un pequeño claro. Un gran árbol había caído y estaba en medio del camino. La desaparición del árbol había dejado espacio en el suelo del bosque para que proliferaran los arbustos, helechos y flores en abundancia. Branislava extendió los brazos y giró en un pequeño círculo. La luna caía sobre su espesa melena roja, encendiéndola con su luz.

—¿Qué haces? —le preguntó Zev.

—Vivir —replicó ella, girando aún como una bailarina—. Estoy viviendo aquí en este momento perfecto. Te tengo a ti, este bonito lugar, la luna y el aire de la noche. —Respiró hondo, y llenó sus pulmones con el aroma del bosque y de su lobo—. ¿Qué podría haber más perfecto?

Él se acercó y le rodeó la cintura y la atrajo hacia sí con brusquedad, siguiendo el ritmo de aquel baile con los pies, moviéndose al son de la música que la noche les ofrecía.

—Hacer el amor contigo siempre es perfecto. Besarte desde luego también lo es. Y bailar contigo es la perfección absoluta.

Zev la sujetaba, mientras el viento tocaba para ellos una melodía de instrumentos de cuerda. El latido de la tierra se convirtió en su tambor, y proporcionaba un ritmo regular. Él la guiaba por el claro, moviéndose en perfecta sincronía, fluyendo como el agua sobre las rocas, girando hacia un lado, luego al otro.

Branislava sentía su cuerpo pegado al suyo, notaba todo aquel poderío cuando los músculos se movían bajo la piel caliente. Apoyó la cabeza en su hombro y se sintió como si flotara entre las nubes. Había momentos perfectos en la vida, y quería capturarlos y guardarlos celosamente en su corazón. Ella sabía mejor que nadie que el mal existía, y que pronto mostraría su fea cara. Necesitaba aquellos cimientos, aquellos momentos perfectos para añadirlos a su arsenal de armas. Tenía que convertirse en un arma, como Zev. Y entonces serían invencibles.

—¿Podemos acompañaros? —Dimitri entró en el claro haciendo girar a Skyler, y al momento la pegó con fuerza a su cuerpo, guiándola con pasos suaves sobre las ramitas y el follaje—. Vuestra música nos llamaba, y no hemos podido resistirnos.

Branislava sonrió con satisfacción. Dimitri aún tenía las cicatrices de su encontronazo con la *moarta de argint*, muerte por plata. De alguna manera, Skyler había logrado hacer que aquellas terribles quemaduras fueran casi invisibles. Pero incluso con cicatrices, era bastante guapo, y sostenía a su compañera de un modo tan afectuoso, protector e íntimo que, mientras bailaban arriba y abajo por el claro, parecían una sola persona. Ella podía sentir el amor que emanaba de los dos, como si fuera tan grande que no pudieran contener la emoción.

Fen y Tatijana se dejaron caer de pronto desde lo alto. Zev ni tan siquiera pestañeó y Branislava supo que debía de haber notado su presencia. Fen agitó la mano y nuevos instrumentos se sumaron a la música de la noche. Atrajo a Tatijana a su lado. Ella encajaba perfectamente bajo su hombro, y empezaron a bailar.

Al principio la música fue suave y melancólica, y los hombres sujetaron a sus mujeres muy pegadas mientras se deslizaban por el claro como si de una sala de baile se tratara.

No mucho después, otra pareja apareció. Darius Daratrazanoff entró en el claro junto con su compañera eterna, Tempest. Con ellos iba un niño que no tendría más de dos años. Se movían juntos sin decir una palabra, con el pequeño entre los dos, mientras Darius hacía girar a Tempest bajo la luna. La risa del niño solo hizo que aumentar la belleza de aquel momento a ojos de Branislava.

—¿Es que hay una fiesta?

La pregunta venía de un grupo de carpatianos. Branislava los recordaba vagamente. Eran un grupo de músicos itinerantes que respondían al nombre de Dark Troubadours.

—Hola, Andor —dijo Julian dirigiéndose al hijo de Darius y Tempest—. ¿Nos dejas bailar contigo?

Andor les saludó feliz, y en su rostro apareció una enorme sonrisa que iluminó sus ojos oscuros... los ojos de un Daratrazanoff.

—¿Os importa? —preguntó Desari a Zev y a Branislava—. Esto parece divertido.

Julian Savage y su compañera eterna, Desari, se movían con soltura. Ella era hermana de los Daratrazanoff. Junto a ellos, Barack y Syndil bailaban muy pegados. De entre los árboles, moviéndose ya al ritmo de la música, salieron Corrine y su compañero eterno, Dayan, que venían con su hija Jennifer. Se notaba que era hija de la música. Enseguida se puso a girar y a moverse y a menear el culo al son.

—No, no hay ninguna fiesta —contestó Zev—. Solo estaba abrazando a mi mujer y dando unos pasos. Pero sois bienvenidos.

A los pocos minutos de haber empezado a bailar, Dayan se sentó sobre el tronco caído y sacó su guitarra. Sus dedos empezaron a moverse sobre las cuerdas y la música se derramó en la noche. Barack enseguida se unió a él con el bajo. Syndil escuchó los latidos de la tierra y sacó sus tambores, y siguió con ellos el ritmo de la tierra. Corrine y Jennifer bailaron juntas, girando y girando en el pequeño claro, acompañando con su risa la risa de Andor.

Razvan salió bailando con Ivory del bosque, con la risa bailando en sus ojos... algo que raramente podían ver, si no es que por casualidad los cogían a él y a Ivory en algún momento de intimidad. Ella se aferraba a él, reía con él, y tenía ojos solo para él.

Desari se puso a cantar, elevando su voz al viento, con unas notas puras, un tono perfecto. Era una canción de felicidad y risas, y fue como el remate perfecto para un momento perfecto.

Branislava miró a su alrededor, a toda aquella gente que amaba. Su sobrino Razvan, que había sido tan cruelmente torturado por su propio abuelo, Xavier. Ivory, traicionada por Xavier y troceada por unos vampiros conchabados con Xavier. Fen y Tatijana, su amada hermana, atrapada con ella en el hielo en el laboratorio del mago. Dimitri y Skyler, una joven creada por este a través del cuerpo de Razvan y vendida después como esclava sexual por su bisabuelo.

Allí había felicidad y alegría. Xavier y sus hermanos eran el mal, y sin embargo, allí había triunfado el bien y aquel momento perfecto lo demostraba.

Míralos, Zev. La mayoría de estas personas son nuestra familia. Xavier trató de destruirnos a todos, y sin embargo podemos reunirnos y divertirnos y reír juntos, en una fiesta improvisada sin otro motivo que el hecho de que me quieres lo bastante para bailar conmigo solo porque sabes que me gusta.

Zev la besó entre el cuello y el hombro. *Bailaría contigo en cualquier sitio, Branka, y disfrutaría de cada momento.*

La felicidad salía a borbotones. Aquello era lo mejor de Zev. Sabía que lo que decía era cierto. Bailaría con ella en cualquier sitio simplemente porque sabía que a ella le gustaba. Miró hacia su hermana, a quien Fen sostenía. Fen, un buen hombre. Ella casi lo veía como un hermano. La forma en que miraba a Tatijana era bonita. La mirada de su hermana se cruzó con la suya y las dos sonrieron.

—La quiero tanto, Zev —susurró contra su pecho—. Tenía tantas ganas de que pudiera escapar y tener una vida y bailar como lo hace ahora, y de que encontrara a un hombre que la quisiera por encima de todo. Parece que mi deseo se ha cumplido.

Sus palabras estaban teñidas de satisfacción.

—Veo que estáis dando una fiesta prácticamente a la puerta de mi casa, y sin embargo nadie se ha molestado en invitarme. Estoy desolado.

Era Mikhail.

El príncipe hizo girar a Raven y los dos se juntaron y empezaron a moverse con fluidez y soltura al ritmo de la música. Alexandru corrió hasta donde estaban Andor y Jennifer y ella cogió de las manos a los dos niños y empezaron a bailar en un círculo.

Zev rió.

—Mira lo que has empezado, Branka.

—Y nos he puesto en evidencia ante el príncipe. ¿Quién iba a decir que le gusta bailar?

—¿No le gusta a todo el mundo? —dijo, y le dio un codazo para que mirara a la pareja que en aquellos momentos llegaba al claro.

Gregori y Savannah se unieron al grupo, lo cual no era ninguna sorpresa, porque Gregori siempre estaba donde estaba el príncipe. Sus dos hijas, Anya y Anastasia, corrieron a reunirse con los otros niños mientras sus padres bailaban.

Aquella pequeña zona se había transformado, había aumentado de tamaño, y los arbustos y matojos desaparecieron para dejar a las parejas más espacio para bailar. La luna los miraba, iluminándolos con su luz mientras la banda tocaba. El cielo se llenó de estrellas, que destellaban como diamantes y formaban para ellos un techado de belleza.

Branislava alzó el rostro para mirar a Zev.

—Esto es por ti, lobito mío. Eres un milagro. —Le subió por el cuello a besos, con la mano en su nuca, bajo la mata de pelo grueso y largo—. No sé cómo lo haces para que a tu lado todo sea siempre tan maravilloso.

Justo en ese momento Fen y Tatijana pasaron bailando a su lado. Fen dejó escapar un bufido de desprecio.

—¿Lobito? ¿Acabas de llamar a este hombre lobito?

—No, no lo has oído bien —negó Zev dedicándole una mirada feroz—. Vete, Fen.

—Dimitri. —Fen siguió bailando con Tatijana sin apartarse de Zev y Branislava. Esperó hasta que Dimitri estuvo muy cerca y se inclinó sobre él—. Le llama lobito.

Dimitri miró a Zev con una enorme sonrisa en la cara. Abrió la boca para hacer un chiste, pero entonces reparó en la expresión mortificada de Branislava. Diminutas llamas empezaban a arder en sus ojos.

La cerró y miró a su hermano arqueando una ceja.

—Oye, Fen, está muy feo que escuches las conversaciones privadas de la gente.

Y tuvo que hacer un gran esfuerzo para no echarse a reír, aunque mantuvo la expresión impávida mientras avivaba la ira de Branislava.

—Tienes razón, pero... ¿lobito? Venga, hombre, la palabra le pega a nuestro hermano como una patada en la barriga. Es más bien como un gran oso de peluche, ¿no crees?

Cuando Fen hizo girar a Tatijana para alejarse, dio un paso atrás y su pie izquierdo se hundió solo un poco en el suelo del bosque. Un ejército de *myrmica rubra*, la hormiga de fuego de Rumanía, le subió por la pierna, picando y mordiendo.

Fen agitó la mano y las hormigas se calmaron al instante, volvieron al suelo y desaparecieron. Miró furioso a Branislava, que lo contemplaba con expresión inocente.

—*O jelä peje teräd, emni*, que el sol te chamusque, mujer.

Tatijana no pareció unirse a la causa, y en vez de eso se llevó la mano a la boca y se puso a reír de las payasadas de su hermana.

—¿Algún problema, Fen? —preguntó Mikhail.

Sus facciones se veían relajadas, parecía más joven. La risa afloró y se derramó por sus ojos normalmente sombríos.

—Estas condenadas cazadoras de dragones siempre tan vengativas —dijo Fen—. Tendrías que hablar con ellas sobre el tema, Mikhail.

—Dios me libre —negó el otro enseguida—. No pienso ponerme en su punto de mira.

Y se alejó bailando entre risas.

Fen también rió y acercó a Tatijana a sí.

—Tu hermana es muy peleona. Imagínate, ofenderse porque la he oído llamar a Zev por ese ridículo nombre.

—Imagínate —repitió Tatijana—, al menos no te ha encendido el pelo. —Y le pasó la mano por sus cabellos largos, espesos y plateados, surcados de mechones negros, que caían formando ondas por la espalda. Lo llevaba sujeto a la nuca con un cordón de cuero, pero le llegaba casi a la cintura—. Detestaría tener que verte calvo y chamuscado.

Fen la abrazó con más fuerza como si buscara protección.

—No se atrevería.

Vaya que sí, le aseguró ella.

Fen no pudo evitar que la risa se le escapara. Y se echó a reír al mismo tiempo que Branislava. Y los otros rieron también, Zev y Tatijana, Dimitri y Skyler.

Branislava se sentía como si estuvieran en una celebración familiar. Era agradable. Normal. Bonito. *Perfecto*. Nunca hubiera imaginado que podría divertirse tanto y ser tan feliz, no mientras vivió congelándose detrás de una pared de hielo.

No dejaban de aparecer parejas. Para su sorpresa, Zacarías de la Cruz llevó a Marguarita a la pista del claro. Ya hubiera debido imaginar que sería un bailarín excepcional. Sujetó a su mujer con afecto, y no parecía en nada el predador oscuro y peligroso que era.

Nicolás, el hermano de Zacarías, llegó detrás, junto con Lara, su compañera eterna. El corazón de Branislava se llenó de alegría. Lara, su sobrina nieta, se veía hermosa y feliz, radiante, incluso, visiblemente feliz en compañía de su compañero. Era Lara quien había regresado a las cuevas de hielo buscando a sus tías, pero no era más que una niña cuando la ayudaron a escapar, y ni siquiera estaba segura de que su infancia hubiera sido real. Y a pesar de todo regresó para liberarlas de aquella horrible prisión. Era bonito verla tan feliz.

Rafael y Colby, otro de los hermanos De La Cruz y su compañera, llegaron al claro en compañía de Juliette y Riordan, el hermano menor. Riendo, los hombres entraron con sus parejas en la pista de baile. El último en llegar fue Manolito, junto con MaryAnn. Eran mestizos de sangre, como Dimitri, Zev y Fen, y llevaban en su interior la sangre mezclada de licántropos y carpatianos. Entre los licántropos se los tenía por *sange rau* y estaban sentenciados a muerte, mientras que los carpatianos los consideraban *hän ku pesäk kaikak*, «guardianes de todos». MaryAnn reía suavemente mientras Manolito la sujetaba bien pegada a su cuerpo y la hacía girar.

—Es tan maravilloso —dijo Branislava—. Mira los niños. Mira cómo ríen.

En su mundo, en lo más profundo del hielo, ni ella ni Tatijana habían tenido nunca ocasión de reír cuando eran niñas. La pequeña Lara también había sido utilizada por Xavier para alimentarse. Incluso Razvan, a quien Xavier controlaba, se había alimentado de ella. Sin duda, los brazos de Lara debían de estar cubiertos de cicatrices, como los de ella y su hermana.

Branislava quería sustituir todos los feos momentos de su infancia por momentos especiales como aquel. El hijo de Shea y Jacques, Stefan, se unió al círculo de niños risueños. Miró a su alrededor buscando a los hijos de Falcon y Sara. Normalmente, donde estaba uno, estaban los otros.

—Sara está a punto de dar a luz y los niños han querido quedarse con ella —dijo Zev—. Gregori acaba de darme la noticia de que está de parto. Era humana antes de ser carpatiana, y se siente mucho más cómoda con traerlo al mundo como los humanos. Shea es médico, y está con ella, por eso Jacques está aquí solo con su hijo.

—¿Hay complicaciones? —preguntó Branislava, sintiéndose de pronto inquieta.

Entre los sucesivos ataques del ejército del Círculo Sagrado poco tiempo quedaba para divertirse o alegrarse por nada. El nacimiento de un bebé haría aquella noche aún más hermosa.

—Si hubiera complicaciones, llamarían inmediatamente a Gregori o a Skyler. Seguramente también a ti y a Tatijana —le aseguró Zev—. Cierra los ojos.

Ella así lo hizo, con la cabeza apoyada en su pecho, justo sobre el corazón. Enseguida se sintió como si flotara entre las nubes, con un cuerpo etéreo y ligero. Su aroma, aquel aroma masculino a guardabosques, combinado con el olor predatorio y feroz, llenó sus pulmones e hizo que el calor se extendiera por sus venas. Siempre lo desearía, tanto si estaban solos como si estaban en medio de una multitud. Y aquel sentimiento la llenó de felicidad.

Ella había visto a la gente bailar en la mente de Tatijana. Las dos habían repasado los bailes una y otra vez, aprendiendo los pasos de memoria, pero la sensación de bailar de verdad con Zev, flotando sobre el suelo del bosque y por las nubes, era mucho más asombrosa que los bailes que tanto había envidiado.

Finalmente, Zev y Branislava se acomodaron a un lado, entre la hierba, y se dedicaron a observar a las otras parejas. Ella se acurrucó contra él. Uno de los lobos de Ivory asomó la cabeza por encima de su hombro, y un segundo lobo se tumbó junto a ella para seguir los movimientos de Razvan e Ivory. Branislava hundió los dedos en aquel pelaje espeso y suave. Le encantaba poder percibir las sensaciones por el tacto. Mientras estuvo encerrada detrás de una pared de hielo en la forma de un dragón, nunca tuvo ocasión de experimentar nada que no fuera frío y dolor.

Había aprendido paciencia y resignación... todos lo habían hecho. No tenían otro remedio. Pero ahora que era libre, no podía dejar de tocar las cosas, necesitaba experimentarlo todo por sí misma. A Tatijana le pasaba lo mismo. Y mientras estaba allí, sobre la hierba, con las estrellas en lo alto, y el brazo de Zev rodeándola, con un lobo en el regazo, supo lo que era la verdadera felicidad.

Entonces apoyó la cabeza en el hombro de Zev, obligando al lobo que estaba detrás a utilizar el otro hombro de su compañero para asomarse.

—Me encanta mirar a los niños. Mira cómo baila la pequeña Anya. Lo lleva dentro, ¿no crees?

Zev siguió su mirada hasta la pequeña que se movía con tanto entusiasmo. Su hermana parecía también muy salvaje, y era evidente que las dos sentían el ritmo de la tierra y los tambores de Syndil mucho más que la guitarra.

—Son muy monas. Tendríamos que tener gemelas. No quiero ni pensar los problemas que tendrían con una madre como tú y una tía como Tatijana.

Pero sintió que su corazón se desbordaba ante la idea de que sus hijos pudieran crecer dentro de Branislava.

Ella rió con suavidad.

—O contigo como padre. Me niego a cargar con toda la culpa. Ya me imagino lo mandón que eras de pequeño.

Sí, había sido un niño mandón. Siempre tomaba el liderazgo en cualquier actividad y los otros niños le seguían. Más adelante, cuando apenas tenía siete años y se le permitió ir de caza con su padre y los miembros de la manada, siempre se le asignaba una posición clave.

—Fue un alivio para mi padre y los otros en la jerarquía de la manada cuando me mandaron a la escuela de élite —confesó—. De hecho lo hicieron allí cuando no era más que un niño, pero podía volver a casa de visita. Con el tiempo las visitas empezaron a espaciarse. —Su voz parecía dolida—. Mi personalidad alfa era demasiado fuerte, y era difícil tener más de un macho alfa en la misma manada, incluso aunque yo solo fuera un niño.

Ella le restregó la mejilla por el brazo, como una gatita. A Zev casi le pareció que la oía ronronear, pero cuando la miró, vio que tenía los ojos cerrados.

—Me gusta cómo eres, Zev. Fen y Dimitri también son machos alfa, y se llevan muy bien contigo —musitó con tono afectuoso.

Le dieron ganas de sonreírle. Ella era su gatita feroz, y salía en su defensa incluso cuando no era necesario. Era lo que era, y hacía mucho tiempo que lo había aceptado. Quizá la ferocidad de su sangre oscura le había llevado a ser un lobo fiero. La inteligencia influía mucho, eso lo sabía, pero también era importante ser capaz de moverse sin temor y en solitario en medio de peligros extremos, con total seguridad.

—Cuando me crucé con aquella manada de renegados hace unas semanas, no tenía ni idea —dijo restregando el mentón sobre la cabeza de Branislava— de que se me concedería semejante regalo. No mentiré, cosa que de todos modos sería imposible: tenía cierta necesidad de estar con mujeres, pero jamás me había planteado tener una compañera en mi vida. Ni una sola vez. No pensé que pudiera encontrar una mujer que me aceptara como soy. O que quisiera estar a mi lado luchando contra las manadas de renegados, cazando vampiros o protegiendo a los miembros del consejo.

Zev enlazó sus dedos con los de ella y se llevó su mano a los labios, y se puso a rozar con suavidad los nudillos con los dientes. Notó que ella respondía con calor, que su cuerpo casi se iluminaba por la descarga que sacudía sus venas. ¿Cómo habría podido no disfrutar viendo cómo respondía de manera tan instantánea a sus atenciones? Si la tocaba, sabía que estaría mojada, preparada para él. No le resultaba muy difícil encender el fuego que siempre ardía en ella bajo la superficie.

—Me gusta que me pertenezcas —susurró contra su oído, jugueteando con los dientes con su oreja.

Fen pasó dando vueltas con Tatijana. *Eh, parejita, no prendáis fuego a la hierba*, les advirtió.

Ellos dos bajaron enseguida la vista para asegurarse de que no había llamas ni chispas que pudieran prender entre la vegetación. El suelo estaba fresco al tacto y el follaje no se había chamuscado. Se miraron y se echaron a reír como niños.

—Qué malo que es —dijo Branislava—. Por un momento, cuando estábamos allí arriba, casi le he creído. ¿Te imaginas si prendemos fuego al bosque mientras están todos aquí bailando? Sobre todo el príncipe. Gregori nos iba a decir un par de cosas.

—Habría valido la pena —dijo Zev con firmeza.

—Cierto, pero de todos modos compórtate. Quizá será mejor que un par de lobos se sienten entre nosotros —sugirió, pero no se movió.

Gregori y Savannah se sentaron junto a ellos. La compañera eterna de Gregori parecía feliz. En cuanto se sentó, sus dos hijas se acercaron corriendo y saltaron sobre ella. La mujer cayó hacia atrás, arrastrándolas con ella, riendo y abrazándolas. Las dos pequeñas se levantaron enseguida y se acercaron para acariciar a los lobos. Pero primero miraron a Gregori esperando que les diera permiso, aunque era evidente que había comunicación entre ellos.

Gregori señaló con el gesto a Ivory y a Razvan.

—Aquellos dos son los líderes de su manada. Si queréis jugar con ellos, tenéis que pedirlo educadamente. Y si os dicen que no, no hagáis pucheros. Si dicen que sí, les dais las gracias.

Alexandru llegó corriendo y saltó sobre el regazo de Gregori. Al momento el hombre lo rodeó con los brazos y le dio un beso en la coronilla.

—¿Te lo estás pasando bien?

Alexandru asintió y rodeó con un pequeño brazo el cuello de Gregori para susurrarle algo al oído. Él señaló a los lobos y luego a las niñas.

—Van a pedir permiso a Ivory y a Razvan —le aseguró Gregori, sin apartar los ojos de las pequeñas, que corrían entre la gente hacia los dos guardianes de aquellos lobos.

Branislava disimuló la sonrisa con la mano. El severo Gregori era ciertamente mucho más que el protector del príncipe y su mano derecha. Cuando estaba con sus hijos y su compañera eterna su habitual expresión peligrosa desaparecía. Podía imaginarse a Zev haciendo lo mismo con sus hijos... y con ella. Para los demás quizá sería alguien que daba algo de miedo, pero su familia siempre conocería al Zev auténtico. Igual que Savannah y sus hijos. Por lo visto, el hijo del príncipe también.

Anya y Anastasia tiraron del pantalón de Razvan. Él dejó enseguida de bailar y se agachó para mirarlas a los ojos. Ivory se inclinó para escuchar lo que decían. Branislava se dio cuenta de que aunque Gregori parecía tener su atención puesta en el chico, su mirada se desviaba continuamente a sus hijas.

Razvan miró a Ivory. Alexandru contuvo el aliento. Razvan dijo algo e Ivory asintió. Las dos niñas se pusieron a batir palmas y a sonreír, pero enseguida se pusieron serias para escuchar lo que la pareja les decía. Asintieron y volvieron a asentir, y se dieron la vuelta. Entonces vio el gesto de disgusto de Gregori, pero sonrió a sus hijas cuando regresaron, claramente agradecido a la pareja. Notó que Razvan e Ivory se comunicaban con sus lobos. Cuando Razvan se dio la vuelta para tomar a Ivory en sus brazos y seguir bailando, otros dos lobos saltaron de su espalda y se unieron a los dos que ya había sentados pacientemente a un lado con Zev y con ella.

Alexandru bajó de un salto del regazo de Gregori para ir a acariciar a los lobos con las chicas.

Branislava se dio cuenta de cómo Mikhail y Raven se acercaban mientras bailaban a Razvan y a Ivory, para darles las gracias por dar a los niños la oportunidad de estar con lobos adultos. Sabía que a menudo llevaban cachorros de lobo a las familias para que los niños aprendieran a tratarlos, pero los lobos de Razvan e Ivory eran parte de una manada de caza, y normalmente se mantenían al margen de los otros carpatianos.

Entonces observó cómo las niñas se acercaban a los lobos. Lo hicieron despacio, con las manos extendidas para que los animales pudieran olerlas.

Alexandru se metió entre las hermanas y Anastasia se apartó. La niña se inclinó y le susurró algo al oído.

Ella se sintió profundamente conmovida cuando vio las dos cabecitas tan juntas. Era evidente que Anastasia le estaba explicando lo que Ivory y Razvan les habían dicho sobre la forma de acercarse a los lobos. El hijo del príncipe extendió la mano con solemnidad hacia el macho alfa. Inclinó la cabeza como muestra de respeto.

—Son bonitos —le dijo Branislava a Savannah—. Muy bonitos. Cuando Alexandru se ha colocado entre las mellizas, por un momento me ha parecido que el suelo se sacudía. ¿También lo habéis notado?

Savannah cruzó una mirada con Gregori. Asintió lentamente.

—Sí, los tres son muy poderosos juntos, a pesar de su edad. Es algo desconcertante.

Gregori extendió el brazo y tomó la mano de su compañera eterna.

—Son inteligentes y tienen buenos espíritus, los tres. Será una aventura criarlos, pero todo irá bien. —Le besó la mano—. Seremos nosotros los que acabaremos con el pelo blanco.

Zev rió.

—Justamente le estaba diciendo a Branislava que tendríamos que tener mellizas.

Fen y Tatijana se sentaron junto a ellos. Fen lanzó un bufido de desprecio.

—Serás el único carpatiano de pelo gris.

Y, dado que el pelo de Fen estaba teñido de un imponente gris, Zev no pudo por menos que reír.

—Espera, tú seguro que tendrás cuatrillizos. ¿Ha pasado alguna vez? Cuatro jóvenes cazadoras de dragones aficionadas a la venganza.

Dimitri le dio un golpe en la cabeza a su hermano mayor.

—Sería un castigo muy adecuado para ti.

Skyler le guiñó un ojo a Branislava.

—Apuesto a que podríamos hacer que pasara.

—Yo ayudaría —se ofreció Gregori.

—Eh —protestó Tatijana—. Que soy yo quien tendría que gestarlas. Estaría como un globo.

—Pero serías un globo muy bonito —dijo Fen, acercándola a su lado—. Muy, muy bonito.

Mikhail alzó una mano y al instante todos dejaron de bailar y la música cesó. Caminó hasta el centro del claro, con una sonrisa en el rostro.

—Tenemos un recién nacido. Sara y Falcon han traído al mundo una bonita y sana… niña.

Todos empezaron a lanzar vítores y Branislava se descubrió gritando con los demás. Abrazó fuerte a Zev.

—No hubiera podido pedir un mejor colofón para esta noche —susurró.

—Han elegido el nombre de Isabella. Isabella Sara —anunció Mikhail.

Capítulo 16

Branislava se quedó mirando la habitación de Arno con expresión desolada. Tenía que haber imaginado que Xaviero no tardaría en atacar. Y, dado que los licántropos estaban en lugar seguro y vigilados en todo momento, ¿quién podía haber cometido semejante crimen?

—Al menos pudimos estar juntos la pasada noche —le susurró a Zev, y estiró el brazo hacia atrás para tocarlo.

Necesitaba sentir aquella roca, aquel ancla a la que podía aferrarse cuando a su alrededor el mundo había enloquecido.

La noche anterior había sido perfecta, e incluso después, cuando estuvieron en la casa de Mikhail, solo hablaron de los tres magos muy por encima, como si todos necesitaran tomarse un breve descanso después de haber mirado el mal tan de cerca.

Zev trató de apartarla, de ocultarla detrás de su persona, pero ella meneó la cabeza.

—Todavía no, Zev. Hay algo que no está bien, y necesito saber qué es antes de que entre nadie. Skyler vino para traerle la comida y encontró el cadáver. No entró, y no ha tocado nada. Dice que cuando dio un paso en la puerta, se le puso la piel de gallina.

—Es evidente que Arno está muerto —señaló Zev—. Tiene una estaca de plata clavada en el pecho. Skyler es joven. Es natural que le haya dado repelús.

—Puede que sea joven, pero es muy sensible a todo tipo de magias, y aquí ha pasado algo relacionado con la magia. Magia negra. Mal. Puedo sentirlo.

—Cuando los otros miembros del consejo descubran que Arno está muerto, querrán respuestas —insistió Zev—. Y esperan que yo se las dé.

—Solo te pido un minuto para valorar la situación —le espetó ella tragándose el tono irritado.

Estaba bastante nerviosa, porque intuía quién era la persona que había estado allí y por qué.

Zev le colocó la mano en la nuca y la acarició para aliviar la tensión.

—Perdona, Branka. No tenía derecho a transmitirte mi inquietud. Arno era amigo mío desde hacía muchos años. Me caía muy bien. Era un hombre sabio y nunca se precipitaba en sus conclusiones. Incluso cuando sus creencias le decían una cosa, siempre trataba de tener la mente abierta y escuchaba las opiniones contrarias. Deja una familia que le amaba y que contaba con que yo le protegería.

Branislava apoyó la cabeza contra su pecho en un intento por reconfortarle, aunque su mirada inquieta no dejó en ningún momento de escrutar la habitación. Del suelo al techo. Las cuatro paredes. La habitación parecía intacta. Y de no haber sido porque el cuerpo de Arno estaba en el centro exacto, rodeado de un charco de sangre, con los brazos y las piernas extendidos y una estaca de plata sobresaliendo del pecho, quizá no habría sido tan cauta.

Estiró los brazos y empezó a dibujar símbolos en el aire.

Invoco a Thurisaz, que reacciona,
invoco a Kenaz, que da visión y perspicacia,
invoco a Algiz, que protege,
invoco a Ansuz, que muestra lo que no se ve.

Al punto empezaron a aparecer runas por las paredes, que subieron hasta el techo y lo cubrieron también. Entonces sintió que se le cortaba la respiración.

—Zev, ha utilizado sangre. Es un conjuro muy peligroso. Hasta que no deshaga lo que ha creado, no debemos entrar.

—¿Quién ha sido? —preguntó él, apretando los dedos sobre su nuca.

—Solo un gran mago podría hacer esto. Está aquí. Muy cerca. Esto es obra de Xaviero. A diferencia de Xavier y Xayvion, él prefería utilizar el antiguo alfabeto para sus conjuros. Lo reconocería en cualquier parte.

—¿Y no podría haber mandado a algún aprendiz a hacer el trabajo sucio?

Ella meneó la cabeza, tratando de controlar las náuseas. En ningún momento había dudado que era Xaviero quien había colocado las sombras en los licántropos. Había oído su voz, pero estaba lejos... o eso le había parecido. Pero para lanzar aquel conjuro tenía que haber estado presente en la habitación.

—No, ha estado aquí —dijo, pero tenía la boca tan seca que casi no le salían las palabras.

Tocó la mente de su hermana para asegurarse de que estaba a salvo.

Está aquí, Tatijana. En los montes Cárpatos. Ha matado a Arno. Escóndete bajo tierra donde no pueda encontrarte. En la cueva sagrada de los guerreros, quizá, pero ponte a salvo.

Sabía que Zev podía oírla, estaba demasiado vinculado a ella. Notaba su presencia en su mente, dándole fuerza.

—¿Por qué iba a arriesgarlo todo viniendo aquí personalmente? —Zev señaló con el gesto a Arno—. ¿Por qué matarle a él y no venir a por mí?

—Necesitaba conocer a su enemigo. Si, sin darte cuenta, has sido un engorro para él y has estado apagando los fuegos que él iba encendiendo entre los miembros del consejo y las manadas, destruyendo renegados y matando a sus asesinos. Si, seguro que quiere verte muerto. Ahora sabe que yo estoy contigo, y que matando a uno nos mata a los dos.

—¿Y cómo lo sabe?

—Arno se lo ha dicho, por supuesto. Por más que quisiera, Arno jamás habría podido resistir los embites del gran mago, del mismo modo que Lyall no pudo con mi interrogatorio.

—Puedo averiguar qué le ha dicho Arno exactamente, puede que incluso sus planes —dijo Zev—. Puedo acceder a los recuerdos de Arno.

—¿Y no crees que Xaviero ya lo sabe? Ha dejado la cabeza en su sitio. Quería que alguien entrara en la habitación y tratara de salvar a Arno. Este sitio es una inmensa trampa. Y la mente de Arno seguro que también lo es. Cuando entremos, lo mejor será cortar la cabeza y quemar el cuerpo enseguida.

—¿Puedes eliminar el peligro? —preguntó Zev.

Branislava se dio cuenta de que no le había explicado el motivo. Volvió la cabeza para mirarle por encima del hombro, sintiendo que su corazón languidecía. Él era un hombre íntegro. Leal. Fiel a su deber. Encontraría las respuestas que buscaba de un modo o de otro, y el riesgo no influiría en absoluto en su decisión.

—Puedo conseguir que entremos los dos a la habitación —dijo ella lentamente clavando su mirada en él.

No quería que Zev hiciera aquello, pero estaba claro que pensaba hacerlo, y ella estaría con él.

Gregori se acercó por detrás.

—Dimitri y Skyler me lo acaban de decir. Mikhail viene hacia aquí.

—¡No! —exclamaron los dos a la vez.

Zev suspiró.

—El mago ha estado aquí. Xaviero. Branka está convencida de que él ha matado a Arno y ha colocado trampas en la habitación y seguramente también en el cuerpo.

Gregori miró al interior, a las paredes, al techo y al suelo cubiertos de runas escritas con sangre. Frunció el ceño.

—¿Puedes destrabar esto? ¿O encontrar la forma de contrarrestarlo? ¿Existe algún conjuro para eso? Quizá tendríamos que quemarlo todo sin más, Branislava.

Zev meneó la cabeza.

—Sabes que necesitamos la información que Arno pueda darnos. Si Branka puede encontrar de verdad una forma de entrar, lo quemaremos todo, pero necesitamos información. Cualquier cosa que pueda darnos alguna pista sobre dónde está Xaviero y cuáles son sus planes.

—Xaviero nunca le habría dado esa información a Arno sabiendo que podíais acceder a sus recuerdos —protestó Gregori.

—Cierto —dijo Zev. Rodeó con el brazo a Branislava y la abrazó durante un largo momento—. Pero las pistas estarán en las trampas. No puede haberlas puesto sin traicionarse. ¿No es así como funciona, Branka?

Branislava no quería reconocer que tenía razón. Para conseguir la información, tenían que enfrentarse a cada una de las trampas, desmantelarla y pasar a la siguiente. Cuantas más trampas, más información tendría que dejar Xaviero, quisiera o no. Pero lo primero era convertir la habitación en un espacio seguro y asegurarse de que la información no era solo una distracción. Aparte de Tatijana, nadie conocía a Xaviero tan bien como ella. O sea, que tendría que ser ella quien se enfrentara a la obra del mago, porque no estaba dispuesta a dejar que lo hiciera su hermana.

—Sí —contestó con desgana—. Así funciona.

—¿Puedes darnos instrucciones telepáticamente? —preguntó Zev—. Echas un vistazo y nos dices lo que tenemos que hacer para deshacerlo. Estoy unido a ti, ¿no podré ver lo que hay que hacer cuando lo estés pensando?

Branislava meneó la cabeza.

—Crear una barrera para protegerse del conjuro de un gran mago es muy peligroso si no sabes lo que haces. Es complicado y delicado, y hay que trabajar a través de capas y más capas. Y cuando una cosa es tan peligrosa no puede manejarse como dices, pero gracias de todos modos, Zev. Sé que estás tratando de evitar que le vea. Arno le habrá hablado de mí. Y me habrá visto interrogando a Lyall. Estoy segura de que ya sabe quién soy. No tiene sentido que trate de esconderme.

Zev se puso rígido y cerró los brazos con fuerza en torno a ella.

—Si te conoce, su trampa será muy específica para ti, ¿no?

Ella se encogió de hombros.

—Podría ser, pero creo que en realidad será específica para ti. Quizá no la primera, que estaba puesta para atraer a alguien al interior de la habitación. De no haber sido Skyler quien encontró el cuerpo, Xaviero lo hubiera hecho así. Tú mismo estuviste a punto de entrar. Y él habría ganado.

Mikhail apareció en el pasillo, detrás de Gregori.

—Arno está muerto.

Más que una pregunta, era una declaración. E iba dirigida a Gregori.

Pensé que ibas a mantenerle alejado de aquí, dijo Zev.

Gregori meneó la cabeza y señaló con el gesto a las runas que cubrían las paredes y el techo de la habitación.

—Ha tenido una visita. Un mago puede evitar a los guardias durante el día.

No puedo controlar a Mikhail. Él es responsable del consejo de licántropos y lleva esa pesada carga sobre los hombros. Yo solo puedo protegerle, no controlarle, replicó Gregori.

No envidio tu trabajo.

Gregori miró a la habitación y los símbolos ensangrentados que cubrían las paredes.

En estos momentos, yo tampoco envidio el tuyo.

—¿Quién había sido asignado para protegerle? —preguntó Mikhail.

La mirada de Branislava se posó sobre el príncipe con una súbita aprensión. Podía notar el cambio en Zev. Su rostro seguía siendo inexpresivo, pero por dentro había una pequeña onda de inquietud. No se había parado a pensar en la persona que vigilaba a Arno y lo que le había pasado… o que pudiera ser alguien próximo a Zev.

—Uno de mis mejores cazadores —contestó él lentamente—. Arnau. Es hijo de Arno. Es un cazador de élite y miembro de mi manada. Su habitación está aquí mismo.

Y señaló a la puerta que había justo a la izquierda del dormitorio de Arno.

Gregori se acercó a un lado de la puerta y le hizo una señal al príncipe, como indicándole que se apartara. De no haber sido la situación tan delicada, Branislava se hubiera reído. El príncipe no se movió. Gregori empujó la puerta con la mano y esta se abrió.

Arnau saltó a través del espacio abierto, mitad hombre, mitad lobo, con el morro cubierto de babas y los ojos rojos y enloquecidos. Tenía un objetivo, Branislava, y aterrizó de lleno sobre ella, derribándola al suelo, desgarrándole el estómago con las zarpas, dando dentelladas en su hombro izquierdo y luego sobre su cuello.

Zev fue el primero en reaccionar. Saltó en el aire a una velocidad de vértigo y golpeó al licántropo con los dos pies de lleno en las costillas. El hombre cayó rodando y se incorporó al momento, con los ojos clavados en ella. Estaba claro que para él no había nadie más en el estrecho pasillo. No hizo ningún sonido, se limitó a atacar una segunda vez, impulsándose hacia delante para acortar distancias.

Mikhail se puso delante de Branislava, empuñando una estaca de plata. El licántropo se ayudó de las manos para saltar por encima del príncipe y por el camino sus garras le arrancaron la carne del pecho y los hombros. Gregori maldijo por lo bajo y de un empujón apartó al príncipe del camino de aquella bestia enloquecida.

Arnau golpeó a Zev en el pecho cuando se materializó en el punto exacto donde estaba Branislava. Sus miradas se encontraron. La estaca que sujetaba en el puño penetró por la pared torácica, atravesó músculo y tejido y llegó directa al corazón. Entonces lo rodeó con el brazo y lo acompañó con suavidad hasta el suelo.

El jóven trataba de decir algo. Zev asintió repetidamente. Su tristeza podía palparse, y era tan intensa que Branislava sintió que las lágrimas le escocían en los ojos.

—Lo sé —le dijo él con suavidad, sujetándole de la mano—. Buen viaje, amigo mío.

Y no dejó de mirarle a los ojos mientras la vida se apagaba en ellos.

Se quedó junto al cuerpo durante un largo momento, acariciando sus cabellos, y después deslizó su mano sobre la máscara de la muerte para cerrarle los ojos. Se puso en pie muy despacio, como si la muerte de su amigo le pesara sobre los hombros. Respiró hondo, sacó su espada y separó la cabeza del tronco en un único movimiento.

Se hizo el silencio en el pasillo. Gregori fue el primero en moverse.

—Mikhail, creo que Zev y Bronnie tienen mucho trabajo que hacer aquí. Quizá será mejor si nos ocupamos de otros asuntos y les dejamos que empiecen. He mandado llamar a Fen y a Dimitri. Trabajan bien con Zev, y si sus compañeras están presentes, las dos son poderosas por derecho propio. La combinación de los seis podría muy bien frustrar los planes de Xaviero.

—En otras palabras —dijo Mikhail—. Me quieres meter en una burbuja para que esté a salvo.

Zev limpió su espada y la volvió a envainar con reverencia.

—Todos queremos que estés a salvo, Mikhail. Sea lo que sea que Xaviero ha hecho aquí, no debe afectarte, o de lo contrario él habrá ganado. —Volvió la cabeza y sus ojos se encontraron con los del príncipe—. Y no permitiré que gane. Ya se ha llevado a demasiados hombres buenos con su maldad. Tenemos que detenerle.

Mikhail asintió.

—Estoy de acuerdo, pero ten cuidado.

Branislava se refugió bajo el hombro de Zev y lo rodeó con un brazo mientras se volvían de nuevo hacia la puerta abierta de la habitación donde estaba el cuerpo del padre de Arnau.

Lo siento tanto, Zev. No tenía palabras. Podía sentir su dolor, un dolor profundo que no dejaba que vieran los demás. La muerte de su amigo solo había hecho que aumentar su deseo de destruir a Xaviero antes de que pudiera hacer daño a nadie más.

El único gesto que indicaba que Zev la había oído fue una leve caricia en su mente. Su expresión no cambió, su mirada no se apartó de la habitación.

—¿Por dónde empezamos? —preguntó.

Branislava enderezó los hombros y se acercó al umbral para estudiar los símbolos con atención.

—Primero tengo que purificar la habitación y expulsar a los demonios que ha puesto aquí. Los ha traído desde las puertas del infierno. Les vi hacerlo en más de una ocasión, y todo lo que sale del infierno puede quedar atrapado en este lado.

Zev frunció el ceño.

—No puedo luchar contra algo que no veo.

—Esta será una batalla diferente —replicó ella—. No puedes entrar físicamente en la habitación sin que te maten. Los demonios montan guardia tal y como se les ha ordenado y esperan su recompensa, la sangre y la carne de una criatura viva.

—He oído hablar de guerreros de sombra, los muertos a los que se hace volver para que sirvan al mago.

Ella meneó la cabeza.

—Los guerreros de sombra fueron hombres que lucharon con honor, el mago capturó sus espíritus y les obligó a servirle. Esto son demonios, criaturas malignas a las que el mago no puede obligar a servirle. Es un intercambio. En este caso, cambia sus servicios por un poco de carne y sangre. La tuya y la mía más concretamente.

Zev pasó la mano sobre su cuchillo como si estuviera impaciente por luchar.

—Vamos allá. Dime qué tengo que hacer.

—Somos uno, nuestras almas están ligadas, por eso cree que si mata a uno nos mata a los dos —explicó ella.

—Y es verdad.

—Pero no sabe que también nuestros espíritus están ligados. Si consiguen arrastrarnos a alguno de los dos al otro mundo, que por lo que estoy viendo podría muy bien ser su plan, los demonios devorarán nuestro cuerpo y nuestro espíritu entrará en ese otro mundo, donde su hermano nos espera con la esperanza de poder resucitar.

Zev maldijo por lo bajo.

—Yo lucho contra seres reales, no contra fantasmas —dijo con una voz cada vez más rasposa, muy próxima a un gruñido—. ¿Cómo evita uno que su espíritu entre en el otro mundo, o que los demonios devoren su cuerpo?

Ella extendió la mano y le acarició la muñeca con suavidad.

—No sé si ese es el plan, Zev —admitió—. Solo estoy tratando de hacerme una idea y estar preparada. Sé que les oí hablar de estas cosas, y tiene que ser un espíritu que conozcan.

Zev era un hombre de acción y aquella batalla requería precisión, el uso de conjuros, y magia negra y blanca. Su respiración brotó de sus labios en un silbido de protesta.

—Quiere tu espíritu.

—No sabía que yo estaba aquí hasta que interrogó a Arno —le recordó ella—. Pero es un oportunista. Solo estoy siendo precavida.

Branislava miró hacia atrás y; el cuerpo de Arnau ya no estaba. El pasillo se veía limpio, como si no hubiera pasado nada. Se tocó el vientre, donde le había clavado las zarpas.

—No puede haber ningún rastro de sangre sobre mí —añadió levantando los dedos para examinar la evidencia del ataque del licántropo.

Al momento Zev la hizo girar y la miró fijamente.

—Branka, lo siento. He sido un egoísta y solo pensaba en la muerte de mi amigo.

Y colocó la mano sobre las marcas de mordeduras de su cuello.

En lugar de aliviarle, Branislava sintió que el dolor sacudía todo su cuerpo. Se apartó de un salto, con los ojos muy abiertos.

—Necesito a Skyler y a Tatijana enseguida —dijo, y se dejó caer al suelo, allí mismo, delante de la puerta—. Diles que se den prisa.

Fen y Tatijana aparecieron primero, y Tatijana se arrodilló a los pies de su hermana. Su mirada se desvió a la habitación y dio un respingo cuando vio los símbolos escritos con sangre.

Branislava la aferró con fuerza.

—Me ha mordido el siervo de Xaviero.

—Arnau no era su siervo —protestó Zev—. Era un buen hombre. —Se acuclilló junto a su compañera—. Cuando he tratado de sanarla con mi palma, el contacto la ha quemado. Lo he notado.

Tatijana y Branislava se miraron con expresión horrorizada. Tatijana sujetó a su hermana de la mano.

—Te ha inyectado cebo para demonios, ¿verdad? Irán directos a ti.

Zev rodeó a su compañera con los brazos.

—Hablad un lenguaje que pueda entender.

—Tenemos que sacárselo. La encontrarán. En este mundo o en el otro, irán a por ella. Conozoco este conjuro. Vi cómo los tres lo perfeccionaban. Las dos lo vimos. Bronnie, podemos sacártelo de dentro.

Branislava asintió varias veces, respiró hondo y se recostó contra Zev.

—Bueno, Tatijana, tú y Skyler. Haz que venga, por favor. ¿Dónde está?

—Esta noche Dimitri y ella han salido a correr con sus lobos, junto con Razvan e Ivory —explicó Fen, con una voz tan afable que ella tuvo que hacer un esfuerzo para contener las lágrimas—. Todos vienen hacia aquí. No tardarán.

Sabía que estaba demasiado sensible. Y en parte era por Zev, por sus emociones, o su falta de ellas. Zev dejaba los sentimientos a un lado para poder sobrevivir, pero ella podía ver más allá, sentía esa pena terrible por la pérdida de un hombre a quien consideraba su familia. Se culpaba por no haberse parado a comprobar sus heridas enseguida, y por no haber encontrado la forma de evitar lo que había sucedido. Perder a un miembro del consejo era un fuerte golpe para él. Perder a Arnau, miembro de su manada, había sido un golpe personal. Y ahora, saber que no había atendido sus heridas al momento y que estaba infectada...

—Estamos aquí —dijo Skyler, respirando agitadamente, como si hubiera estado corriendo—. Ivory también. ¿Qué necesitas?

—La han mordido. Han transferido cebo para demonio a su cuerpo —explicó Tatijana.

Skyler e Ivory miraron a la habitación. Miles de caracteres rúnicos cubrían las paredes y el techo, y un charco de sangre cubría el suelo.

—Puedo utilizar el cebo para atraer a los demonios a un espacio abierto —explicó Branislava—. Es la única forma de devolverlos al lugar al que pertenecen. Los ha traído del infierno.

Los dedos de Ivory buscaron la cruz que siempre llevaba al cuello. Y se cerraron sobre ella.

—Vi a Xavier, o al menos en aquel momento pensé que era él, aunque es posible que fuera alguno de los otros, pero juro que las puertas del infierno se abrieron y él salió.

Branislava se puso pálida, pero no contestó. En vez de eso miró a Tatijana. Al punto su hermana retrocedió y alzó los brazos. Sus ojos se abrieron mucho, el verde esmeralda se oscureció.

Thurisaz, yo te invoco,
tú que traes el caos, voluntad instintiva,
ayúdame a atraer lo que pueda hacer salir a los demonios.
Nacida de la sangre, por la sangre yo te ordeno que te muestres.

Unas burbujas oscuras aparecieron en torno a las heridas del cuello y el estómago de Branislava. Las burbujas se unieron para formar largas hebras. Las hebras bailaron, hasta que finalmente una cabeza apareció en cada una. Cada pequeña criatura se retorcía y gimoteaba mientras se deleitaba comiendo las gotitas de sangre, y entonces una bocanada de viento helado las elevó y las arrastró a la habitación donde Arno yacía.

Branislava giró y se puso en pie por sí misma, en un borrón, con las manos levantadas como armas. El aliento se le atascó en la garganta. Tatijana permaneció lo más cerca posible. La energía saltaba entre las dos. Branislava podía sentir aquel flujo que iba de su hermana a ella. Skyler e Ivory se unieron a Tatijana, y la energía era tan intensa que resultaba difícil controlarla. Notaba la presencia de Zev muy cerca.

En el interior de la habitación, aquellas criaturas que parecían gusanos corrieron a alimentarse del charco de sangre que había bajo el cuerpo. Hubo un momento de quietud absoluta, y luego la habitación cobró vida. Empezaron a salir sombras oscuras por todas partes, y una se dejó caer desde el techo. Las sombras estiraban sus cuerpos obscenamente, abriendo exageradamente sus bocas mientras unos dedos huesudos como garras trataban de coger con ansia al cebo. Eran cinco. Las figuras en sombras rodearon a los gusanos y el cuerpo que yacía en el suelo.

Entonces movió sus manos con fluidez, trazando símbolos en el aire, sin dejar de entonar un canto suave pero autoritario.

Aquello que viene de la oscuridad,
te veo, te conozco,
yo te arrebato el espíritu y la energía que has robado.
Yo te invoco, Hagalaz, tú que puedes ser destructivo,
invoco tu energía y tu fuerza para controlar.

Su voz se llenó de autoridad. Y pudo sentir un fuerte impulso cuando Skyler y Tatijana se unieron para alimentar su energía y contrarrestar el oscuro conjuro que el gran mago había dejado atrás.

Invoco al espíritu del aire,
vientos que sopláis libremente,
traed tempestades,
purificad y sellad este lugar,
para que aquello que puede hacer daño no pueda escapar.

Todos los demonios giraron a la vez para mirarla, con las bocas abiertas de asombro, los ojos rojos de odio. Con sus garras aferraban a los gusanos y se los llevaban a la boca mientras el viento purificador empezaba a soplar por la habitación. Chillando de rabia, los demonios se echaban aquellos gusanos a la boca y los engullían en un esfuerzo por sacar algo de aquel día de vigilia. Y mientras devoraban, se arrojaron contra la entrada donde Branislava permanecía impasible, moviendo sus manos con fluidez, con la determinación grabada en sus movimientos así como en su voz.

Entonces toparon con una barrera invisible y rebotaron hacia el interior de la habitación. El viento golpeaba las paredes girando en círculo, cada vez más rápido, aullando, buscando presas. Y atrapó en un torbellino a las figuras en sombra, arrastrándolas, desmembrándolas, hasta que no parecieron más que partículas de polvo en el aire.

Aún podían oírse sus chillidos. Las paredes de la habitación se combaron hacia afuera. El techo se elevó más arriba, las runas de sangre se marchitaron, como si estuvieran vivas y haciendo un esfuerzo por contrarrestar las órdenes de Branislava. Ella siguió intentando que el viento corriera y corriera y una vez más invocó la ayuda del cielo.

Aquello que está ligado por la oscuridad,
que venga la luz.
Fuego que brilla y purifica,
invoco tu energía, separa y disipa
aquello que estaría ligado, y mándalo de vuelta al infierno.

Las partículas que flotaban por la habitación poco a poco fueron arrastradas a un torbellino de viento, girando más y más rápido, en un embudo de arena negra y sombra. Aparecían manos, grandes manos huesudas con garras, y de pronto volvían a desaparecer en el remolino. Y rostros, bocas que gritaban, ojos distorsionados. También estos desaparecieron.

Branislava mantuvo la presión, alimentándose del poder que le daban Tatijana, Skyler e Ivory. Se negaba a aflojar, y de nuevo se puso a dibujar símbolos en el aire, con un diseño intrincado, una réplica de las runas escritas con sangre en la pared y el techo pero en orden inverso.

Mientras el fuego quema y las cenizas caen,
yo invoco al abismo, escucha mi voz.
Abre tus fauces para que pueda devolver
lo que nació por sangre y debe volver.

La habitación estalló en llamas. Unas llamas rojizas bailaban sobre las paredes y lamían el techo, devorando las runas. Mientras el fuego se extendía y saltaba más alto, los demonios chillaban y gemían. El viento purificador seguía azotando la habitación, aullando furioso, avivando las llamas hasta que la última de las runas desapareció. Los demonios trataban de huir del fuego, pero los vientos eran demasiado fuertes para sus cuerpos insustanciales. Fueron arrastrados por el feroz vendaval y consumidos por las llamas.

Entonces respiró hondo y dejó que el viento y las llamas remitieran lentamente. Sintió que las piernas le temblaban. Se dio la vuelta y se arrojó en brazos de Zev, sin preocuparse por si alguien veía su debilidad, su vulnerabilidad. Necesitaba la seguridad de su fuerza, sentir la solidez de aquella roca.

—Ahora sé lo que los tres estaban haciendo cuando pensamos que Xavier mataba a Xaviero y Xayvion —musitó contra la camisa de Zev. Levantó la cabeza y miró a su hermana con expresión horrorizada—. Estaban practicando cómo traer a los otros desde la muerte. Eso es lo que Ivory vio. Estaban practicando por si llegaba un momento como este.

—¿Quieres decir que piensa traer a Xavier de vuelta? —preguntó Razvan.

Su voz era firme, su rostro inexpresivo.

—Necesita un alma, o un espíritu —dijo Tatijana—, para enviarlo hacia abajo en el árbol de la vida.

—¿Arno, un miembro del consejo? —preguntó Zev—. ¿O su hijo Arnau, un cazador de élite?

Branislava suspiró y se apartó de sus brazos.

—No, Zev, pretende atraparnos a ti o a mí. Cuando consiguió sacarle la información a Arno y supo que su enemigo soy yo, comprendió que tenía a la persona perfecta para sus planes. Nos quiere muertos a los dos. Yo tengo sangre de maga. Xavier es mi padre. Reconocería mi alma o mi espíritu enseguida. En estos momentos seguro que Xaviero se está frotando las manos de puro contento.

Zev meneó la cabeza.

—Bueno, pues ni me va atrapar a mí ni a ti. Pobrecito. Si tantas ganas tiene de ver a su hermano, tendremos que prepararle un pequeño viaje.

—¿Y ahora qué, Branislava? —preguntó Fen.

—Tenemos que entrar, solos Zev y yo. No tiene sentido que arriesguemos la vida de nadie más. Si fracasamos, Tatijana y Fen tendrán que quemar el cuerpo desde la entrada. Estoy segura de que hay otra trampa dentro, alrededor del cuerpo. Xaviero sabe que alguien tiene que ocuparse del cadáver.

—¿Puedes crear un círculo de protección en torno al cuerpo antes de acercarte? —preguntó Skyler—. Al menos así, mientras estés haciendo lo que tengas que hacer, nadie podrá atacarte desde fuera.

Branislava inclinó la cabeza con una leve sonrisa.

—Creo que es una buena idea, hermana. Deséanos suerte.

Se volvió y abrazó a su hermana con fuerza.

—Te estaré esperando —dijo Tatijana—. Aquí mismo. Te esperaré.

Zev cruzó el umbral el primero. Branislava ya lo sabía. Por supuesto. No pensaba dejar que se arrojara al peligro sin comprobarlo por sí mismo. Ella lo siguió a aquella habitación demoníaca. El aire abandonó sus pulmones en un súbito arrebato de temor. Era una reacción visceral que no podía controlar, y al instante él inundó su mente con pensamientos cálidos y tranquilizadores.

—Puedo sentirle, Zev, nada más. Estoy bien. Su presencia es fuerte en esta habitación. Por un momento me ha superado, pero no pasa nada.

Él se acuclilló junto al cuerpo, e hizo un esfuerzo por no tocarlo, aunque Branislava sentía su necesidad de hacerlo en una especie de saludo. Volvió la cabeza para mirarla.

—Lo he entendido, Branka. Esta vez seré tus ojos, ¿de acuerdo?

Ella asintió. Zev conocía a Arno mucho mejor que ella. Si había algo raro, él lo vería.

—Tómate tu tiempo —le advirtió.

No podían permitirse ningún error.

—La estaca no está bien —dijo él—. El cordón que sujeta el medallón del Círculo Sagrado no es el que lleva normalmente. —Sin tocar al miembro del consejo caído, miró con atención y estudió el pequeño e intrincado tatuaje de su muñeca—. Esto tampoco está bien, Branislava. ¿Puedes mirarlo tú? Te enseñaré cómo tendría que ser y tú me dices qué ha cambiado y por qué.

En su mente, Zev reprodujo una réplica del tatuaje que llevaban en la muñeca todos los miembros del Círculo Sagrado. Notó que Branislava lo estudiaba detenidamente antes de examinar el de Arno. Oyó que daba un fuerte respingo.

—Ha entretejido en él un conjuro de muerte. ¿Ves las runas negras entre las dobles hileras de los pergaminos? No toques el cuerpo. No lo muevas. No todavía. Y no dejes que su sangre te roce.

Zev se recostó sobre los talones, y evitó el contacto con Arno.

Ella pasó la mano por encima de la estaca, procurando no acercarse demasiado.

—Sí, ha añadido alguna suerte de hechizo a la estaca. El cordón también ha sido manipulado, y diría que es lo que me va a dar más problemas.

Respiró hondo y se incorporó, y miró atrás por encima del hombro a las tres mujeres. Las tres asintieron, listas para ayudar.

—¿Qué pasa si me limito a cortar la cabeza y nos vamos de aquí? —preguntó Zev—. Es lo que tú querías hacer. Y entiendo tu razonamiento.

—Estoy segura de que habrá hecho que eso sea imposible también. Nos está empujando hacia la mente de Arno y sus recuerdos.

—Ya conocemos sus intenciones, Branka. ¿Por qué continuar? Podemos quemar el cuerpo.

Un pequeño sonido escapó de labios de Tatijana. Estaba claro que quemar el cuerpo no era buena idea. Había pocas cosas que le hicieran perder la paciencia, pero no poder hacer nada era una de ellas. No podía plantarse ante su compañera eterna y protegerla si no sabía cómo. Aquel tipo de magia quedaba fuera de sus capacidades.

—Haz lo que tengas que hacer, Branka, y acabemos con esto de una vez.

Branislava creó su círculo de protección y esperó un largo momento mientras reunía el valor. Hacer frente a Xaviero ahora le resultaba más fácil. Estaba aterrada, pero cada vez que conseguía malbaratar sus planes, se daba cuenta de todo lo que sabía. Su formación había sido completa.

Los tres hermanos habían trabajado en el laboratorio, aprendiendo y perfeccionando sus habilidades. Y no hubo ni un solo conjuro, desde los más pequeños a los más peligrosos, que ella no oyera y aprendiera de memoria. Durante aquellos largos años de cautiverio nunca tuvo ninguna otra cosa con la que distraerse. Los tres grandes magos no sabían más que ella.

Primero se concentró en él. El oscuro conjuro de muerte estaba entrelazado cuidadosamente con el tatuaje. Conocía a Xaviero lo bastante bien para saber que habría disfrutado enormemente tejiendo algo tan perverso en lo que se consideraba un símbolo sagrado. De no haber visto Zev que había una pequeña diferencia, el gran mago hubiera tenido con que divertirse aquella noche.

Aquello que está marcado, dibujado en negro,
invoco tu energía para mandarte de vuelta.
Gira y gira, remolinea y arde,
yo apelo a tu poder y yo lo devuelvo.

Branislava vio cómo las runas desaparecían poco a poco del tatuaje. Dio un suspiro hondo y purificador y dejó escapar el aire.

—Estudia bien el tatuaje, Zev. Asegúrate de que no hay ninguna otra cosa escondida.

Él se tomó su tiempo para examinar aquel tatuaje que había visto miles de veces. El charco de sangre no le dejaba acercarse, pero finalmente asintió.

—Creo que está como debe.

—La estaca está llena de energía. Puedo sentirlo, como un explosivo. Es un conjuro muy simple, diseñado para matar al mayor número de personas posible.

El recuerdo de Xavier colocando el conjuro en algún objeto y después enviando a su aprendiz a recogerlo despertó en su mente una especie de pesadilla. Tanto ella como Tatijana intentaban siempre avisar a los desprevenidos aprendices de mago. Pero nunca lo conseguían, y siempre tenían que verlos morir cuando el conjuro se activaba.

Aquello que es plata y ha nacido del fuego,
apelo a tu esencia y tu energía.
Si el fuego quema, el agua enfría,
invoco al agua para que el mal se vaya.

Pasó la mano por encima de la parte de la estaca que sobresalía del cuerpo de Arno. La sensación negra ya no estaba. Asintió lentamente. Se le había secado la boca. El cordón era algo totalmente distinto. Estaba segura de que había un conjuro en las hebras que lo formaban, pero aún no estaba segura de cómo contrarrestarlo. Primero tenía que conseguir que se revelara.

Lo que está tejido,
muéstrate a mí,
lo que está torcido,
que salga de ahí.

Al punto pudo ver que el cordón adquiría vida propia. Un movimiento en falso y atacaría. Tragó con dificultad y una vez más empezó a trazar símbolos en el aire mientras murmuraba un contraconjuro.

Yo disperso el poder
de aquello que pueda hacer mal.
Tomo lo que se ha tejido y sus hebras anulo,
como fuisteis tejidas, yo os deshago,
cada partícula retiro para que no haya daño.

Branislava dejó caer las manos a los lados y obligó al aire a entrar en sus pulmones. Pasó los siguientes minutos asegurándose de que no había más trampas ocultas ni en el cuerpo de Arno ni a su alrededor. Purificó el cadáver y finalmente se dejó caer en el suelo junto a Zev.

—Creo que lo hemos conseguido —dijo con tono de alivio, y restregó la mejilla contra su hombro—. Creo que ahora sí podemos mirar sus últimos recuerdos.

—Yo lo haré —dijo él.

Su voz sonaba disgustada. La idea de profanar el cuerpo de un miembro del consejo invadiendo sus pensamientos privados no le gustaba. Pero había que hacerlo.

—Puedes ver sus recuerdos de ese modo —concedió Branislava—, pero es peligroso. Podemos entrar en su mente y verlos a la manera de los carpatianos y quizá, si tenemos suerte, descubrimos más cosas de Xaviero de las que Arno recuerda. La gente capta muchos detalles sin ser consciente de ello. Y los encontraremos. El círculo protegerá nuestros cuerpos, y los otros pueden velar por nosotros. Ahora ya es seguro entrar.

Zev no estaba acostumbrado a hacer las cosas como los carpatianos, pero cuando se trataba de magia, no tenía ningún reparo en seguir las indicaciones de Branislava. Asintió.

Ella, temiendo perder aquella nueva seguridad y valor, prefirió no esperar. Abandonó su cuerpo y se transformó en espíritu puro para entrar en la mente del miembro del consejo. En cuanto lo hizo, supo que había cometido un terrible error. El fragmento de Xaviero esperaba, agazapado como un demonio en la noche. Y atacó triunfal, atrapó su espíritu con uñas y dientes y se la llevó a rastras a través del portal al otro reino.

Capítulo 17

¡*Zev!* Branislava trató de llegar a su compañero eterno mientras la arrastraban al reino helado de la media vida.

Él reconoció el árbol. Había estado allí cuando estuvo a punto de morir. Y ella lo había retenido. Ahora se encontraban ante una lucha totalmente distinta. Un tipo de lucha en el que se desenvolvía muy bien.

Me necesitan con vida. No me matarán. Y están convencidos de que nadie me encontrará.

Mi espíritu está ligado al tuyo. Nos movemos juntos. Utilizó su tono más tranquilo, para darle seguridad. Si algo odiaba Branislava era el frío. Le hacía sentirse sola y aislada, como la niña a la que obligaron a adoptar la forma de un dragón y encerraron tras una pared de hielo.

Concéntrate en aquello que te retiene prisionera. Es evidente que te va a llevar hasta Xavier. Tenemos que detenerle. ¿Qué es? Tenía la sospecha de que no era más que un pequeño fragmento de Xaviero que el mago había dejado allí para atrapar a Branislava, o a él.

Notó que se estremecía, y entonces aquella mujer a la que conocía tan bien tomó la delantera, una antigua guerrera. Dejó de temblar y Zev notó el acero extendiéndose por su interior.

Xaviero dejó una diminuta parte de sí mismo atrás.

Zev veía claramente que aquel fragmento de sombra estaba dedicado a desgarrar el espíritu de Branislava, causándole diminutos agujeritos para desgastarla y hacerla más vulnerable a la posesión de Xavier. Ninguno de los dos tenía ninguna duda de que la sombra de Xaviero estaba llevando su espíritu a su hermano.

Pero Xaviero no sabía que Branislava no estaba sola. Aún no había detectado la trama que ligaba su espíritu al de Zev.

Si puede hacer tan alegremente agujeritos en tu espíritu, eso significa que esa cosa también puede ser destruida, ¿no?

El fragmento de Xaviero es demasiado pequeño para hacer poco más de lo que está programado para hacer... entregar a Xavier el espíritu que necesita para volver entre los vivos. Xaviero difícilmente hubiera renunciado a una parte importante de sí mismo, ni siquiera para recuperar a su hermano, replicó ella.

Zev notaba el dolor extenderse por el interior de Branislava. La crueldad de Xaviero no dejaba de sorprenderle. Incluso aquel diminuto fragmento de él *necesitaba* torturar.

Entonces estudió el fragmento de sombra desde todas las direcciones. Las garras la aferraban y aquel demonio trataba de arrastrala por el tronco hasta el frío glacial de abajo. Notó unos ojos ávidos que los miraban. Oyó rechinar de dientes. Gemidos. Lamentos. Branislava trataba de resistirse y utilizaba su fuerza contra el demonio...., y su espíritu era fuerte.

Fen, Dimitri, necesito una tormenta masiva. Rayos con una carga extrema. Creadla por mí lo más rápido posible y avisadme cuando el rayo esté alcanzando su momento de mayor intensidad.

Ninguno de los dos cuestionó lo que decía, ni contestaron verbalmente, pero Zev sintió enseguida que aceptaban.

Cógete a la siguiente rama, Branka, y encarámate a ella.

Branislava hizo lo que Zev decía, y proyectó su luz para sujetarse con firmeza a la rama. Por debajo, él oyó el susurro ominoso de algo que salía de la oscuridad helada y empezaba a trepar por el tronco. Era Xavier, que resurgía para reclamar su premio.

Pero él era carpatiano y licántropo a la vez, su sangre era mestiza, y ni siquiera un mago habría podido detectarlo. Su energía estaba completamente amortiguada. Ni Xavier ni el fragmento de Xaviero sabían que Branislava no estaba sola, y eso les daba ventaja. Tenían que hacer algo antes de que Xavier llegara hasta ellos.

Entonces presintió la llegada de la tormenta a pesar de estar en otro reino. De pronto el aire pareció cargarse de electricidad pura. Xavier notó que algo no iba bien, porque redobló sus esfuerzos por llegar hasta el espíritu atrapado.

La tormenta es poderosa y tenéis el rayo justo encima, informó Fen a Zev.

Él se aferró con más fuerza a Branislava, que trataba de no caer de la rama. *Pronuncia las palabras que necesitamos. Palabras de guerra. Mi guerra. Una guerra física. Ahora, Branka.* Xavier estaba muy cerca. Zev podía sentirlo, podía sentir aquel cieno maligno que precedía a su espíritu.

En su mente, Branislava dio un respingo. No se le había ocurrido que pudieran manifestar partículas físicas. Pero en cuanto Zev le dio la idea, actuó con rapidez.

Que lo que era sombra,
tome forma.
Que de una gris existencia,
nazca un cuerpo.

Pronunció las palabras con su tono más autoritario, proyectando la luz hacia el fragmento oscuro del mago. El demonio se puso rígido, recelando claramente de sus palabras. La sombra oscura parpadeó y de pronto el fantasma cobró sustancia.

Zev golpeó con fuerza, invocando al rayo, que descendió veloz por el tronco, buscando un objetivo. Y rodeó a Branislava para protegerla. Era la primera vez que invocaba al rayo, pero en su calidad de guerrero, su puntería fue certera. El rayo golpeó el fragmento de Xaviero justo en el centro de la partícula. Esta se volvió negra, se enroscó y se convirtió en ceniza. Y desapareció flotando en el aire, dejando atrás un olor a huevos podridos.

Zev redirigió el rayo para que siguiera bajando por el tronco, con la esperanza de destruir a Xavier de una vez por todas. Oyó un grito de dolor, de rabia, de un intenso odio. El sonido resonó por sus espíritus y los sacudió por dentro. El de Zev no dejó de envolver al de Branislava, porque sabía que Xavier se vengaría si tenía ocasión.

El rayo debía de haber tocado algo, aunque lo había arrojado a ciegas, guiándose solo por el sonido. La voz seguía rechinando. Tardó unos instantes en darse cuenta de que las palabras de Xavier eran incoherentes, aunque estaba tratando de contraatacar con un conjuro.

Zev arrastró a Branislava hacia arriba, hacia las ramas más gruesas de la copa, moviéndose con rapidez, cambiando al otro lado del tronco. El rayo sacudió el árbol, pero las ramas que tocó estaban lejos. Estas estallaron, se hicieron añicos y después volvieron a recomponerse. El árbol tembló y empezó a sacudirse.

Está furioso. Quiere que nos vayamos, susurró Branislava en su mente. *La única razón por la que no nos está castigando es que la Madre Tierra nos ha reclamado como algo suyo. Pero disciplinará a Xavier con dureza. El mago está acostumbrado a ser él quien da las órdenes y le resulta humillante tener que someterse al árbol. Quiere destruirlo de alguna manera, pero no puede.*

El árbol se sacudió violentamente, las hojas se agitaban. Más abajo, se oían lamentos y súplicas. Zev no pensaba quedarse a esperar a que el árbol cambiara de opinión. Era él quien había golpeado el tronco con el rayo, y no podía reprocharle que estuviera furioso.

Se movieron con rapidez entre las ramas, evitando las más débiles, y no tardaron en volver a estar en sus cuerpos. Zev se desplomó, pero antes abrazó con fuerza a Branislava para evitar que se hiciera daño al caer al suelo.

La batalla les había dejado sin fuerzas, pero eso era todo, estaban ilesos. Él notaba el sentimiento de triunfo en Branislava. Juntos se habían enfrentado a Xaviero y a Xavier y habían vencido.

Entonces ella se volvió y le miró.

—No me puedo creer que se te ocurriera obligarle a adoptar una forma física. Ha sido brillante.

—No le elogies demasiado —le advirtió Fen—. Los dos necesitáis sangre. Estáis dentro de un círculo de protección. ¿No vais a dejarnos entrar?

Zev respiró hondo.

—Aún tengo que ocuparme del cuerpo de Arno e informar a los miembros del consejo —le dijo a Branislava—. Supongo que no tenemos más remedio que dejar que nos den sangre. Te veo algo pálida. ¿Te ha hecho daño el fragmento de Xaviero?

—Me siento un poco maltrecha —confesó ella—, pero estoy viva, y tú también, y una parte diminuta de él ha sido destruida. Xavier ha caído de nuevo en las profundidades del infierno y allí se quedará.

Ivory se santiguó y les dedicó una sonrisa fugaz.

—Funcionáis muy bien juntos, sois una auténtica pareja alfa.

—Ni si te ocurra —advirtió Razvan rodeándola por la cintura—. No más cachorros de lobo. Mikhail no puede seguir haciendo la vista gorda para siempre.

—Lo sé. —La mujer apoyó la cabeza contra su hombro un instante—. Pero serían perfectos, como Dimitri y Skyler.

—Nosotros también lo seríamos —dijo Fen, bromeando con ella, cuando nadie aparte de su compañero eterno se habría atrevido a hacerlo—. Tú no le hagas caso, Ivory.

Branislava agitó una mano y el círculo de protección se abrió. Zev hizo un esfuerzo y se puso en pie. No quería cortar la cabeza de Arno, pero tenía que hacerlo. Tenía que encontrar la paz. Así que sacó su espada y esperó a que su compañera retrocediera. Dimitri y Fen la acercaron a su lado y Dimitri la sujetó con fuerza mientras su hermano le ofrecía la muñeca.

—Buen viaje, viejo amigo —susurró Zev mientras blandía la espada.

La sacudida de su estómago no le cogió por sorpresa. El escozor en los ojos sí. Apartó la vista de los demás, porque por un instante sintió que no podía respirar. Ella acudió enseguida. Suave. Cálida. Derramándose en su mente, llenándole con su amor especial. ¿Cómo había podido vivir hasta entonces sin ella?

—Zev —dijo Razvan con suavidad—, toma aquello que se te ofrece libremente —y le tendió su muñeca.

Él no lo miró, aunque sabía que las normas de la educación dictaban que así lo hiciera. La voz de Razvan era demasiado suave, demasiado comprensiva. Y ahora no quería compasión, ni siquiera comprensión. Consumió aquellos nutrientes, sin degustarlos, sin tan siquiera pensar en lo que estaba haciendo. Tenía que aguantar las siguientes horas y acabar lo que tenía que hacer. Ya lloraría por su amigo después.

—Tenemos que preparar una pira para los cuerpos —dijo cuando hubo terminado—. Los demás miembros del consejo querrán estar presentes para ayudarlos a emprender su viaje. Necesitamos un lugar recogido, pero lo bastante grande para que se reúnan todos.

—Zev —dijo Fen en voz baja—, no es buen momento para reunir a la gente, no sabiendo que Xaviero está cerca. Seguramente conoce las tradiciones de los licántropos y esperará que hagamos una pira funeraria.

—Y estará furioso —añadió Tatijana—. Nadie le había desafiado nunca, ni le había superado. Estará tan furioso que no me extrañaría que intentara hacer caer la montaña sobre todos nosotros.

—Que nadie se mueva —dijo de pronto Branislava.

Zev se quedó inmóvil. Ella habló con voz grave y muy baja. Una advertencia. Y él no fue el único que obedeció. Zev miró hacia el cuerpo de Arno y la cabeza cortada. Por un momento no vio nada raro. Siempre se fijaba en los detalles, y lo único que había cambiado es que el cordón que llevaba al cuello había caído al suelo. ¿Qué había visto Branislava que a él se le escapaba?

—¿Qué pasa? —preguntó.

La tensión podía palparse. Todos eran muy conscientes de lo que podía hacer un gran mago.

Y entonces lo vio. Una hebra del cordón había caído en el charco de sangre y estaba empapada. La sangre había empezado a extenderse por el cordón hacia un lado y hacia el otro, de modo que el rojo cubrió lentamente todas las otras hebras.

—El cordón —susurró Branislava con voz casi ronca—. El cordón de su cuello. Tatijana, está dentro del círculo con nosotros.

Desde que él había empezado a mirar, el cordón no se había movido. Para él no era más que un cordón empapado de sangre. Creía en los miedos de Branislava, pero esta vez no entendía el motivo. No era tan raro que el cordón quedara empapado si había caído en aquel charco de sangre. Aún así, esperó, tocando su mente. Estaba asustada.

Tatijana se movió. Entró en el círculo de protección que su hermana había creado antes. Ivory y Skyler la siguieron. Las tres empezaron a caminar siguiendo el contorno del círculo, entonando un canto. Zev no se permitió distraerse. No apartó los ojos del cordón, que ahora se veía hinchado por la sangre. Sus hebras parecían haber doblado su tamaño. Cuando las tres mujeres empezaron a moverse, un fragmento que casi tocaba el medallón pareció girar hacia ellas.

—Está viva —musitó Fen—. Esa cosa está viva.

Branislava se movió muy despacio y tocó el brazo de Fen para acallarlo. Él era quien estaba más cerca de aquella criatura y, al oír el sonido de su voz, giró la cabeza en su dirección. Se movió con rapidez, como si el sonido y el movimiento pudieran desencadenar un ataque. El organismo parecía estar escuchando.

Ahora Zev veía la cabeza. Era redonda, como un bulbo, pero las hebras de encima estaban deshilachadas, como si el cordón estuviera dentro del bulbo y el extremo sobresaliera. La sangre seguía empapándolo, de modo que dobló su tamaño, lo triplicó. Las tres mujeres salieron del círculo, y de nuevo la criatura volvió la cabeza hacia ellas. Se quedaron inmóviles a medio camino de la puerta.

¿Cómo nos libraremos de ella?, preguntó Zev. Utilizó el canal de comunicación carpatiano común, en lugar de su canal privado con Branislava.

Estoy pensando. He visto esto antes, pero solo una vez. La tensión en su voz indicaba que aquella criatura era extremadamente peligrosa. *Que nadie se mueva ni hable. Es veloz como el rayo. No podríais evitarla. Tatijana, ¿te acuerdas?*

No, no, yo no. Había pánico en su voz, tanto que Zev temió que Fen no pudiera contenerse y corriera a su lado. Debió de decirle algo en privado, porque parte de la tensión desapareció de su rostro.

No pasa nada, dijo Branislava a su hermana. *Encontraré la solución. Solo necesito un minuto.*

Zev no soportaba notar aquel miedo en su voz. Le daban ganas de rodearla con sus brazos y protegerla, y evitar que tuviera que enfrentarse a los magos, la muerte, la sangre. Ya había tenido bastante de aquello en su infancia y los años que siguieron, mientras estuvo atrapada en la forma de un dragón presenciando un desfile interminable de torturas.

Branka, puedes recordar. Tus miedos son miedos infantiles. Vuelve a aquellos tiempos. Ahí es donde encontrarás el recuerdo.

En el momento en que lo dijo, Zev se dio cuenta de que ella lo sabía. No quería recordar. Fuera cual fuera el recuerdo asociado a aquella criatura hinchada de sangre, había sido muy traumático y no quería recuperarlo.

Lo siento, mon chaton féroce. *Tendría que haberlo sabido. Esta vez yo estoy contigo. No tienes que enfrentarte a él tú sola.*

Tal vez no podría combatir a aquella cosa físicamente, pero sí podía estar junto a ella.

Branislava se aisló del resto de los presentes, pero no de Zev. Se sumergió en su mente y se fundió con él y se imbuyó de su fuerza. Era una roca sólida, un ancla, y sabía que con su ayuda ella podía ser igual de firme.

Ella y su hermana habían cumplido los diez años. Inesperadamente, como regalo de cumpleaños, Xavier las liberó de su forma de dragonas. Xaviero y Xayvion llegaron con regalos envueltos con papel marrón y cuerda.

Estábamos tan contentas de poder estar con nuestros cuerpos que nos pusimos a andar arriba y abajo cogidas de la mano, agradecidas por aquella oportunidad.

Querían que su padre las viera como algo más que repuestos de los que alimentarse. Zev entendía cómo debían de agarrarse incluso a la más mínima muestra de bondad: necesitaban tener esperanza.

Cada vez que parecía hacer un esfuerzo, nos poníamos las anteojeras y creíamos ciegamente en él. Había un pastel de cumpleaños. Y regalos. Xavier nos hizo sentarnos en el suelo, en el centro de la habitación. Dijo que quería ver cómo abríamos nuestros regalos.

Zev notó que mentalmente se estremecía. Su cuerpo estaba tenso, aquellos recuerdos le afectaban físicamente. Sentía náuseas y trataba de controlarlas. Y, aún así, tenía suficiente prestancia para conservar la calma.

Primero, tenía una sorpresa especial. Hizo entrar a nuestro único amigo. Tenía trece años, y era mago y aprendiz. Siempre era amable con nosotras. Nos traía comida a escondidas, y nos hablaba del mundo exterior.

Zev notó que su estómago se sacudía. Intuía lo que venía después. Branislava estaba pálida. Parecía perdida. *Mírame, Branka. Solo a mí. Nadie se mueve. Esa cosa no tiene ningún objetivo. Mírame a los ojos.*

Su mirada se clavó en la de él. Zev notó el impacto de aquellos ojos verdes. Dos joyas encastadas en un rostro de un blanco níveo. Sus pestañas rojizas resaltaban contra la piel clara.

Se llamaba Jules, y se sentó entre nosotras, donde Xavier le dijo. Él también nos traía un regalo.

La voz se le atragantó, las lágrimas le quemaban en los ojos. Zev la rodeó con su amor, porque en aquellos momentos no podía hacer otra cosa, no podía abrazarla físicamente.

Primero abrimos su regalo. Eran unos brazaletes que él mismo había hecho.

¡No!, exclamó él bruscamente, consciente de que se iba a tocar la muñeca, el lugar donde puso aquel brazalete. Había notado el movimiento involuntario iniciarse en su mente.

Branislava se cuadró mentalmente. Tenía que controlarse. Si Zev no la hubiera detenido, habría llamado la atención del gusano y la habría atacado. Su tamaño seguía aumentando, seguía alimentándose de la sangre del muerto.

Dime, Branka, pero piensa, solo necesito que recuerdes la forma de matar a esa cosa.

Ojalá hubiera sido tan fácil. Ella se quedó mirándola a los ojos. Tenía unos ojos bonitos. Tranquilos. Firmes. Nunca había miedo en ellos. ¿Cómo podía existir un hombre así? Pero a pesar de todo, no tenía más remedio que recordar la secuencia de hechos, porque necesitaba ver a Xaviero en un segundo plano cuando arrojó el conjuro sobre la cuerda y cuando más tarde destruyó al gusano de sangre.

Xavier nos dio a cada una una bola de cristal. Abrimos el resto de regalos y los fuimos dejando sobre el suelo. Recuerdo que reíamos. Nunca habíamos tenido regalos, ni un pastel. Xavier nos dio el pastel cuando estábamos abriendo el regalo de Xaviero. Era una daga ornamentada. La empuñadura estaba cubierta de joyas y la hoja tenía tres diamantes en su parte central. Me pareció tan bonita que pensé que era de mentira.

La tensión dentro de Branislava podía palparse. Zev trató de sostenerla, utilizando la calma de su mirada. *Pasó hace mucho tiempo, Branislava. Entonces eras una niña. Ahora no puede hacerte daño. Yo estoy entre los dos.*

Su voz siempre la tranquilizaba. Y aquellos ojos. Respiró hondo y se sumergió en los ojos de Zev. Allí estaba segura.

Tatijana levantó la daga en alto. Xaviero le dijo que se hiciera un corte en la palma y dejara caer la sangre sobre el papel y la cuerda. Su voz era risueña, aquella risa cruel que nunca olvidaré, y supe que algo malo iba a pasar. Mi hermana se negó. Trató de soltar la daga, pero Xayvion estaba detrás y la obligó a hacerse una equis en la mano. Aún tiene la cicatriz.

Zev no miró hacia Tatijana como ella pensaba. Ni tan siquiera pestañeó. Su mirada siguió clavada en ella, reteniéndola en el momento presente, cuando hubiera podido fácilmente escurrírsele.

Branislava tragó. *La obligaron a verter su sangre sobre el papel. Xaviero cogió el cuchillo y me lo entregó a mí. Yo no quería que Xayvion me tocara, así que hice lo que me decía. No me hice un corte tan profundo como el que le obligaron a hacerse a Tatijana. No esperé a que me dijeran lo que tenía que hacer. Simplemente, dejé que mi sangre se mezclara con la de mi hermana sobre el papel.*

Debíais de estar muy asustadas.

Sabíamos que iba a pasar algo terrible. A aquellas alturas, el cumpleaños, los regalos, el pastel, todo había quedado olvidado. Al principio nos quedamos mirando el papel, para ver qué pasaba, pero entonces la cuerda empezó a absorber la sangre y cobró vida. Los tres, Xaviero, Xayvion y Xavier estaban contentísimos. Se restregaban las manos por la expectación. Recuerdo que pensé que lo hacían en el mismo momento y que sus expresiones se volvieron exactamente iguales.

Zev le envió otra onda tranquilizadora y Branislava se dio cuenta de que el pánico estaba empezando a apoderarse de ella. No quería recordar más. Respiró hondo para tranquilizarse y trató de distanciarse de aquello.

Cuando vio que aquella cosa doblaba su tamaño, Tatijana se movió, y la cosa giró la cabeza hacia ella. Podíamos ver los dientes, afilados y aserrados. Xavier le dijo que no se moviera, porque si lo hacía se la comería viva, empezando por los pies. Las dos nos quedamos petrificadas. Y también Jules. Durante unos minutos, los tres nos quedamos allí sentados, sin atrever-

nos ni a respirar, viendo cómo aquella espantosa criatura se hacía más grande. Consumió toda la sangre enseguida.

Zev la miró con el ceño fruncido, pero no movió ni un músculo. ¿Los magos podían hablar sin atraer su atención?

Y moverse. Era como si aquella criatura fuera parte de ellos y por eso no les atacaba. Cada uno se colocó detrás de uno de nosotros. Xaviero me eligió a mí. Notaba su presencia a mi espalda, y sabía que algo iba a pasar. Me susurró que estábamos jugando a un juego, que en las fiestas de cumpleaños siempre había juegos. Yo no podía moverme, ni hablar. El que se moviera perdía y sería devorado por el gusano.

Branislava sabía el esfuerzo tan grande que Zev tenía que hacer para no cerrar los ojos o apartar la mirada. Era un hombre que siempre protegía a las personas que amaba. Acababa de perder a dos de ellas, y una estaba tirada en el suelo ante él. Y ahora no podía evitar que aquel recuerdo volviera a torturarla. Pero se mantuvo a su lado, lo revivió con ella. Y en aquellos momentos se sentía destrozada por el dolor.

«No te muevas, Tatijana. Si te mueves te juro que me pondré a dar saltos. Lo digo en serio. No te muevas.» No dejaba de repetirlo en su mente, mientras ellos nos torturaban. Y ella sabía que lo haría. Traté de evitar que se concentraran en ella. Y no pensé en Jules.

Branka, la voz de Zev era puro amor. *Eras una niña que luchaba por sobrevivir. Por mantener a su hermana con vida. No hiciste nada malo, y tu amigo Jules habría sido el primero en decírtelo.*

Él gritó y el gusano saltó sobre él, se le enganchó a la pierna y empezó a devorarlo con rapidez. Se enroscó en torno a su pierna como una serpiente, y cada segmento y cada hebra parecía tener dientes que le mordían. Sus gritos eran terribles. Al principio Tatijana y yo nos quedamos paralizadas, viendo cómo aquella cosa se lo comía vivo, tal como habían dicho. No podíamos soportarlo. Yo cogí la daga y empecé a apuñalarle, y Tatijana no dejaba de golpearla con la bola de cristal, pero no se moría, y no dejaba de comer.

¿Se volvió contra vosotras?

El gusano estaba tan absorto en aquel frenesí que ni siquiera nos miró. Podía oír a los tres hermanos riendo mientras nos miraban y miraban al pobre Jules. Él pataleaba y se resistía, pero nada detenía a aquella máquina de matar. Y no dejábamos de oír sus risas, diabólicas, perversas. Contuvo un sollozo. *Zev*, susurró, porque le necesitaba.

Podemos saltarnos esta parte. Ya sabemos que Jules muere. Pero la criatura sigue viva. ¿Cómo se deshicieron de ella?

Ellos la llamaron. Recuerdo las palabras. Y entonces le ordenaron que muriera. Creo que pudieron hacerlo porque fueron ellos quienes la crearon. Tú sabes cómo hacerlo. No les necesitas. Puedes utilizar cualquier tono, cualquier palabra en el idioma que quieras. Conoces la voz de Xaviero, su tono exacto. Incluso si Xayvion estuviera vivo, no habría venido con Xaviero. Se habría quedado en algún sitio seguro mientras esperaba para ver si la trampa para salvar a Xavier funcionaba. Esta criatura fue creada por Xaviero, y puedes usar su tono y sus palabras para eliminarla.

La sangre del suelo casi había desaparecido, y la criatura hinchada se había enroscado en torno a la pierna de Arno. Branislava miró a su hermana sin moverse. Tatijana contemplaba horrorizada al gusano de sangre. Fen era quien más cerca estaba del animal, y seguramente tenía miedo de que fuera a por él.

Branislava intentará matar a esa cosa, informó Zev a los otros. *Que nadie se mueva ni hable. Dadle la oportunidad de hacer esto bien.*

Ella no se atrevía a esperar más. Cerró los ojos y encontró la voz y la entonación de Xaviero. Zev estaba allí con ella, perfeccionando el tono en su cabeza antes de abrir la boca para hablar.

Criatura nacida de la sangre y la tierra,
a ti te llamo.
repta hasta mí,
y no hagas caso de nadie.

Su voz era autoritaria, reverberaba por la habitación. Tatijana pestañeó en su mente, pero permaneció totalmente inmóvil, con los ojos abiertos como platos. Sin embargo, su mano estaba puesta sobre el cuchillo que llevaba al cinto.

El gusano se quedó paralizado, y dejó escapar un chillido agudo que dolía en los oídos. Entonces repitió la orden, asegurándose de que cada inflexión fuera exactamente igual que cuando los tres magos llamaron a la criatura.

Criatura nacida de la sangre y la tierra,
a ti te llamo.
Repta hasta mí,
y no hagas caso de nadie.

La criatura siguió protestando, debatiéndose, pero sin dejar de chupar la carne del muerto. Branislava apretó los labios. *Algo no está bien. No me ataca, o sea, que supongo que el tono y la inflexión son correctos, pero no responde.*

Eso no es cierto. Te escucha, pero parece confuso. Ahora que lo pienso, seguro que Xaviero preparó esa cuerda en algún otro sitio. Solo tuvo que cambiarla por la que Arno llevaba cuando lo mató. Y es muy probable que Xayvion estuviera con él. Tengo mucho oído para los diferentes tonos y acentos, y hablo varios idiomas a la perfección. Es un don con el que he nacido. Comparte conmigo la voz de Xayvion y haré lo posible para reproducirla.

Branislava no quería arriesgarse a que Zev atrajera sin querer el ataque del gusano, pero no tenía elección. La confusión no duraría mucho y el gusano querría matar. Repitió la voz y la entonación de Xayvion, una réplica casi exacta de la de Xaviero, solo que algo más profunda.

Luego le hizo un gesto casi imperceptible con la cabeza a Zev y juntos entonaron las palabras.

Criatura nacida de la sangre y la tierra,
a ti te llamo.
Repta hasta mí,
y no hagas caso de nadie.

Esta vez el gusano reaccionó y al instante giró y se deslizó hacia ellos como un perrito faldero. Se detuvo entre los dos, tocando casi la bota de Zev. No tenía ni idea de si la sangre le llamaba o si notaría la diferencia. No quería arriesgarse. Lanzó el siguiente conjuro a la mente de Zev, y lo repitió varias veces.

Estoy listo. Matemos a esta cosa.

Zev la hacía sentirse segura. Es lo que más le gustaba de él, que creía en sus capacidades, y en la capacidad de los dos como pareja.

Entonces respiró hondo y asintió. Una vez más sus voces llenaron la habitación, no, no sus voces, las voces combinadas de los dos magos.

De la sangre naciste,
y yo apelo a tu rastro.
Veo lo que está oculto,
que tu camino se acabe.

Como fuiste creado,
que así mueras.
Lo que fue formado,
así se deshaga.

El gusano levantó la cabeza y chilló mientras empezaba a deshacerse. La sangre manaba de él a borbotones, y la cuerda que lo formaba se desintegró, dejando al descubierto una carcasa vacía sin otra cosa que dientes y sangre. La criatura seguía profiriendo sonidos espantosos, hasta que la cabeza también se deshizo y cayó al suelo en mitad de un gran charco como lo que era, una cuerda.

Hubo un largo silencio. Branislava dejó escapar el aire lentamente y retrocedió, se apartó de la cuerda de aspecto inocente y del charco cada vez más grande de sangre. Se llevó una mano al estómago. Aquello era demasiado, los recuerdos, el cuerpo de Arno, el gusano desintegrándose.

Al momento, Zev estaba allí con ella, tomándola en sus brazos, protegiéndola con su cuerpo de los otros.

—Vamos fuera, *cheri* —dijo con suavidad—. Necesitas un poco de aire fresco.

—Pero tienes asuntos que arreglar aquí —protestó ella, aunque todo en ella le pedía a gritos que salieran de aquella habitación y se alejaran de la sangre y la muerte.

—Arno puede esperar. Preparar los cuerpos para la pira funeraria requiere su tiempo. Todos los licántropos presentes y los miembros del consejo querrán presentar sus respetos. Y un miembro del Círculo Sagrado deseará pronunciar algunas oraciones antes de que los cuerpos sean quemados. —Zev rozó su cabeza con un beso—. En estos momentos, para mí no hay nada más importante que sacarte de aquí para que podamos respirar. Tenemos tiempo antes de que empiece la ceremonia.

Le agradeció que se hubiera incluido. Asintió, y él la rodeó por la cintura, la acercó a la protección de su hombro y salió con ella de la habitación, del pasillo, llevándola al exterior, a aquella noche que ya acababa. En cuanto estuvieron fuera, ella respiró hondo en un intento por aplacar su estómago revuelto.

—Ha sido terrible... ese gusano de sangre.

Él asintió, y la acercó más a sí.

—Lo ha sido. No deja de sorprenderme las cosas que puede maquinar una mente malvada.

—Jules murió, ¿sabes? Tuvo una muerte terrible. —Lo miró con expresión desolada—. No pudimos salvarle, y ellos se reían. Disfrutaron de su dolor y de su miedo. Él les había servido, les admiraba y les respetaba. No tenía ni idea de cómo eran en realidad hasta que se dio cuenta de que nos tenían prisioneras en el cuerpo de unos dragones y detrás de una pared de hielo.

Él deslizó los dedos por su pelo sedoso.

—Lo sé, *mon bébé*. Le encontraremos y le destruiremos. No dejaremos que siga haciendo daño a la gente.

—Xavier era un monstruo, de verdad que lo era, pero aunque disfrutaba del sufrimiento de los demás, lo que a él le interesaba eran sus experimentos. No me malinterpretes, le encantaba causar dolor, pero no como a Xaviero. Xaviero necesitaba torturar. Era lo único que le hacía feliz. Xavier despreciaba a los carpatianos y estaba decidido a acabar con ellos, a eliminarlos de la faz de la Tierra. Pero normalmente las torturas que infligía le dejaban más bien indiferente.

—Por lo que dices debía de ser despreciable.

Ella asintió, enlazó sus dedos con los de él y caminó con mayor premura, como si con ello pudiera dejar atrás la conversación.

—Era despreciable, sí. Pero Xaviero era peor. Él necesitaba torturar, sobre todo a mujeres y niños. Le entusiasmaba. Ninguna otra cosa le hacía feliz. Y enseguida se notaba cuando llevaba más tiempo del que podía soportar sin machacar a nadie. Se mostraba malhumorado e irritable, incluso con sus hermanos, y Tatijana y yo nos quedábamos tan quietas y calladas como podíamos. Al final Xavier o Xayvion le decían que fuera a divertirse, y todos sabíamos lo que eso significaba. Hubiera sido imposible que viviera en el mundo de los licántropos sin torturar a otros. No habría podido evitarlo.

—Te creo. —Zev se pasó la mano por el pelo—. Han ido apareciendo cuerpos en otras manadas, en otros países. Lo sé, porque yo investigaba. La mayoría de mujeres, algunos niños. Siempre lo atribuíamos a vampiros que acechaban a las manadas. O renegados. Ha pasado antes. Y hasta se me pasó por la cabeza que pudiera tratarse de un asesino en serie, un humano. Pero nunca encontramos pruebas suficientes. Testigos, pistas, nunca había nada, pero siempre sospeché que muchos de aquellos asesinatos estaban relacionados.

—Xaviero consideraba que llevarse a los niños delante de las narices de sus padres era emocionante. Se divertía torturando al niño o a la niña y después permitía que los padres encontraran el cadáver. Quería ver su pesar. Otras veces el cadáver no aparecía y dejaba que vivieran con la culpa y que su dolor acabara haciendo que se odiaran entre ellos.

Por un instante Zev no dijo nada.

—Rannalufr daba consejo a las personas que habían perdido un hijo. Desde luego, la tasa de suicidios subió mucho, pero nadie sospechó nunca que fuera el amable Rannalufr quien empujaba a los torturados padres a la muerte.

—Debió de disfrutar enormemente de ese poder.

—¿Y Xayvion? —preguntó Zev, pues notaba que ella necesitaba hablar.

Siguieron caminando, y se alejaron de la aldea, en dirección al bosque, donde él sabía que ella se sentía más segura. Los árboles se cerraron en torno a ellos, las ramas se elevaban al cielo de la noche. Unas pocas estrellas habían aparecido tras la extraña y violenta tormenta que se había formado un rato antes. Las últimas nubes se disiparon y dejaron que la media luna volviera a aparecer.

Sabía que Fen había llamado a Makoce y Daciana, los dos licántropos en los que más confiaba, para que se ocuparan de los cuerpos de Arno y Arnau. Los carpatianos pronto tendrían que recogerse bajo tierra. Branislava estaba agotada y, a decir verdad, él también. Viajar fuera del propio cuerpo tenía un precio, sobre todo si era para luchar contra demonios en el otro mundo. Si un año antes alguien le hubiera dicho que acabaría haciendo eso, se habría reído.

—Xayvion era más tranquilo. No hablaba mucho, y Xavier siempre era el que lo dirigía todo, pero si Xaviero se descontrolaba, era Xayvion quien le detenía, a veces con una simple mirada. Cuando pasaba era raro. Casi increíble. Era curioso. Xayvion realizaba los experimentos con sus hermanos, pero era como si siempre estuviera desconectado de todo. No nos veía ni a nosotras ni a las otras víctimas como a seres vivos. Cuando se reía, nunca sonaba auténtico. Parecía una risa hueca. Muerta. No sabría explicarlo, tendrías que verle en acción para entenderlo.

La guió hasta su casa. De haber tenido tiempo, la hubiera llevado hasta su cráter en las montañas nevadas, pero ella tenía que ocultarse ya bajo tierra, y él tendría que levantarse lo antes posible para ir a ayudar a los licántropos a prepararse para el servicio. Quería que aquello se hiciera antes de que el mago tuviera tiempo de averiguar qué iban a hacer y dónde.

—Zev, ¿por qué has insistido en que Arno y Arnau sean incinerados en un servicio sabiendo lo arriesgado que es que todos estén reunidos en un mismo sitio?

Él pestañeó. Hubiera tenido que imaginarlo. Branislava era lo bastante lista para saber que eso era lo último que haría si quisiera mantener a los otros miembros del consejo a salvo. Tenía la esperanza de que no le hiciera la pregunta.

—Ya están en peligro. Si puede matar a Arnau, uno de mis mejores hombres, y también a Arno, que desconfiaba de todo el mundo, es que puede acceder a todos. Mejor atraerle a un lugar donde le estén esperando todos los licántropos y los carpatianos.

—No le atraparán.

—No, no lo harán —concedió él—, pero si se acerca a la pira funeraria, y por lo que has dicho estoy seguro de que lo hará, no podrá resistirse a ver la culpa y el dolor de todos, y entonces podré seguir su rastro. Mi sangre es mestiza, soy un cazador de élite. Sé lo que tengo que buscar. Puedo seguir su rastro hasta su guarida.

Branislava lo miró con sus ojos verdes muy abiertos.

—Eso pensaba —dijo con suavidad.

Capítulo 18

Bajo tierra, los ojos de Zev se abrieron de golpe y se puso en alerta. Algo había perturbado su sueño. Agitó la mano y abrió la tierra por encima de su cuerpo, de modo que pudo ver el sótano como un techo sobre su cabeza. Estaba intacto. Permaneció tumbado, escuchando el sonido de su propio corazón. No había nada fuera de lo normal. Ningún sonido. Ningún movimiento. Solo aquella sensación extraña en la tripa.

A su lado, Branislava yacía inmóvil, con la cabeza apoyada en su pecho, con un brazo echado sobre su cintura y una pierna sobre la de él. Era como su apodo decía, una fiera gatita, dulce y cariñosa un momento, y con unas uñas mortíferas al siguiente. Zev deslizó la mano sobre aquel rostro tan asombrosamente hermoso.

Verla hizo que se relajara, que la tensión abandonara su cuerpo. Parecía un ángel, un ser celestial y no de la tierra, atrapado en un mundo de sangre y muerte. Volvió a pasarle la mano por el rostro y luego la tocó con reverencia con las yemas de los dedos, maravillándose por el contraste entre aquella piel tan suave y sus manos rugosas.

Branislava se movió ligeramente, y abrió los ojos, mostrándole aquellas preciosas esmeraldas. Y le sonrió, con una sonrisa suave y afectuosa que lo dejó sin aliento y despertó el hambre y la necesidad en su cuerpo.

¿Qué tienes? ¿Me necesitas?

La parálisis carpatiana estaba en su momento de mayor intensidad, y sin embargo ella se las arregló para volver con él. De nuevo, se sintió asombrado por su suerte. *Solo me estaba preguntando cómo un hombre de guerra como yo ha tenido la suerte de conseguir una mujer tan buena como tú.*

Las largas pestañas de Branislava descendieron, pero no antes de permitirle ver la expresión divertida y complacida de sus ojos.

Soy yo la afortunada, lobito mío, y lo sé bien. Duerme. Necesitas descansar.

Así es como le llamaba cuando sentía que la desbordaba el amor por él y quería restar intensidad al momento. Él no pudo por menos que sonreír. Feliz. Satisfecho. Salvo por el hecho de que estaba despierto cuando hubiera debido estar profundamente dormido. Y estaba aquella sensación persistente de inquietud. No tenía más remedio que salir a comprobarlo.

Branka, voy a dar una vuelta para asegurarme de que todos están bien. Sigue descansando. Volveré en cuanto haya acabado la ronda.

Su rostro se puso algo serio. Y Zev no pudo evitar rozar con el dedo sus labios carnosos y disgustados. Sus pestañas aletearon, pero no se levantaron. Unas alas muy distintas aletearon en el estómago de él a modo de respuesta, incitando a lo que tenía en su entrepierna a aumentar en longitud y grosor.

Eres carpatiano, no puedes salir a esta hora del día.

Siempre he podido salir durante el día. ¿Por qué iba a ser diferente solo porque los antiguos guerreros me han reconocido?

El ceño de ella se hizo más profundo. El corazón de Zev dio un salto mortal en su pecho, y esta vez deslizó los dedos entre sus cejas.

Había olvidado que eres del linaje de los sangre oscura. Son los únicos que pueden hacerlo. Si combinas eso con tu sangre de licántropo, ahí lo tienes. No es buena cosa cuando tu compañera eterna no puede hacerlo también.

Su tono petulante le hizo sonreír. *¿Y eso por qué?*, preguntó, inclinándose para rozar su boca con suavidad contra la de ella.

A saber en qué líos te vas a meter cuando yo no esté.

Zev rió, sintiéndose una vez más más feliz que nunca antes en su vida. Poco importaban las circunstancias, el peligro o las batallas, lo único que importaba era aquella fiera mujer que tenía acurrucada a su lado.

Le apoyó la mano en el pecho y acarició el pezón con el pulgar. Ella se estremeció y el pezón se puso tieso. Él ya lo sabía, sabía que incluso durante el periodo en que los carpatianos no pueden moverse ella iba a responder a sus caricias. Su cuerpo le fascinaba, su forma, aquellas curvas tan suaves, la piel sedosa y satinada.

Um, susurró ella. *Cuando me tocas siempre haces que mi cuerpo cante.*

Desde luego debía de estar medio dormida para decirle algo así. La sonrisa de Zev se hizo más amplia. *Me gusta que tu cuerpo cante por mí. ¿Has soñado alguna vez que harías el amor durante el periodo en que se supone que no te puedes mover? Tu cuerpo me parece totalmente vivo.*

Y para provocarla, deslizó la mano sobre su vientre plano hasta la zona entre las dos piernas. Allí parecía arder un fuego, aunque el resto del cuerpo se notaba fresco al tacto. *Creo que estás soñando conmigo.* Oprimió el vello púbico con la mano y notó que el cuerpo de Branislava respondía con una pequeña descarga de líquido.

Ella le dedicó un gesto altanero, y sus labios esbozaron una sonrisa.

Pues no. ¿Con un hombre lobo? ¿Por qué iba a hacer tal cosa?

Porque, querida mía, inclinó la cabeza otra vez para tomar un pecho en el calor de su boca, *si soñaras con otro hombre y respondieras de este modo, mojada y con tu cuerpo listo y encendido, tendría que darle caza y matarlo.*

Y, poniendo la lengua plana, acarició y provocó, utilizando el borde de los dientes mientras chupaba, para enseñarle al lobo que esperaba al acecho.

Ella rió con suavidad, y su risa resonó por el cuerpo de Zev, incitándolo como si fueran unos dedos. *A veces eres un lobo malo.*

No tienes ni idea de lo malo que puede llegar a ser un lobo. Estás aquí indefensa, y no tengo ningún reparo en aprovecharme de ti.

Sus dientes fueron jugueteando hasta el ombligo, mientras la lengua aliviaba su contacto. Metió un dedo bien adentro y notó que estaba lista, que lo esperaba con el mismo anhelo de siempre.

¿He de tener miedo? Creo que mi cuerpo te pertenece. Me lo está diciendo en este mismo momento.

La risa de Branislava resonó por su entrepierna, como si su boca estuviera ahí, rozando con su aliento caliente el miembro cada vez más grande y la cabeza sensible. Hubiera podido jurar que notaba el tacto de su lengua encima. El pene se levantó y él lo rodeó con la mano, sintiendo que ardía.

Vuelves a jugar con fuego, le dijo ella con voz suave e íntima en su mente. Su tono era pura seducción. Una tentación que lo llamaba con su cuerpo y lo tocaba en su mente con sus dedos, su lengua y su boca.

El deseo es algo salvaje. Y se adueñó de él súbitamente como le pasaba a menudo cuando estaba junto a Branislava. El olor de aquella mujer llamaba al lobo que había en él, y su cuerpo respondió con un anhelo apremiante y brutal. Metió dos dedos dentro de ella, tratando de prepararla, porque sabía que no podría esperar.

Siempre estoy lista para ti, amor mío, siempre. Te miro y mi cuerpo se humedece para darte la bienvenida. Mis pechos están impacientes por sentir tu boca y tus manos. Estoy más que preparada.

Zev no perdió más tiempo. Le separó las piernas y movió su cuerpo para poder entrar en ella con un fuerte golpe y clavarse hasta el fondo. Y entró tan adentro que pudo notar el útero, aquel lugar cálido y acogedor donde se gestaría su hijo. A pesar de la hora, por dentro la notaba caliente y vibrante, mojada, preparada para él. Se abría a desgana y después se cerraba y apretaba con fuerza como un puño de puro fuego.

Su aliento seguía salía en un resuello cuando empezó a empujar, sujetándola por las caderas para que no se moviera mientras él empujaba para sumergirse en aquel fuego abrasador una y otra vez. Branislava no podía moverse, no podía impedir que le hiciera lo que quisiera, y lo más asombroso es que no quería hacerlo. Podía tocarla donde quisiera, besarla, probarla, explorarla, porque ella siempre se ponía a su merced.

Entonces se dejó llevar por las sensaciones que lo desbordaban. Le maravillaba poder ser siempre lo que era, un lobo, un macho alfa, un predador que reclamaba a su hembra. Branislava no se quejó en ningún momento porque empujar demasiado fuerte o la manipular con rudeza, y respondía a su fuego con fuego.

Esta vez, como ella no podía moverse, con el amor y la lujuria había también cierta sensación de poder. La combinación resultaba embriagadora. Saber que confiaba en él de aquella forma, que le permitiría utilizar el santuario de su cuerpo durante aquella hora, era lo más sensual de todo.

Sus manos se deslizaban sobre ella, acariciando, masajeando, sintiendo cómo sus músculos se cerraban con fuerza en torno a él. Le levantó las nalgas para empujar con más fuerza, y cada golpe que daba hacía que sus pechos se bambolearan.

Su boca formó una pequeña o, los ojos se le pusieron vidriosos. Zev veía las señales de su posesión por toda su piel, todos aquellos pellizcos y bocaditos, la presión de sus dedos, marcándola, reclamándola como algo suyo. La satisfacción brotó junto con la primitiva necesidad de dominarla. Un lobo siempre elegía a su compañera con inteligencia, y Branislava siempre sería su hembra. Su destino.

A cada momento que pasa eres más lobo, jadeó ella, con la mente alterada por el placer cada vez más intenso. Sus manos parecían estar por todas partes, y hacían que su cuerpo cobrara vida cuando el sol la había despojado de toda su fuerza. Tenía el poder de un mago, como una bestia empeñada en destruirla con aquel placer que le nublaba el entendimiento. Y ella estaba más que dispuesta a entregarse, a permitir que los dos se consumieran con su fuego.

Zev empujaba con golpes fuertes y regulares, como una máquina, como un pistón de acero recubierto de terciopelo que penetraba en su vagina. Ahora entendía lo que quería decir duro como el acero, suave como el terciopelo. La fricción convirtió su cuerpo en un remolino de fuego, caliente y anhelante, que buscaba un viento que avivara las llamas. Y notaba que él se hinchaba más, una gesta asombrosa. Parecía imposible que pudiera acomodar algo tan grande y, sin embargo, cada vez sentía más placer, la tensión se enroscaba interminablemente en su interior, hasta que el miedo se deslizó por su columna y temió que los arrastraría a los dos al precipicio de la locura.

Sería una forma increíble de morir, comentó él, inclinándose para morderle el pecho y después chupar con fuerza. *Podría comerte entera. Lo he pensado montones de veces. Podría pasarme las horas devorándote con toda esa miel y canela.*

Branislava se retorció ante la idea, mientras su interior lo ahogaba con un líquido caliente. *No pienso discutir contigo. Consigues todo lo que quieres, y estoy loca por ti.*

Él rió con suavidad. *Estás loca por lo que mi cuerpo le hace al tuyo.*

Vale, aquello también era cierto. Y en aquellos momentos necesitaba desesperadamente que su cuerpo pudiera llegar al orgasmo, pero no podía moverse, no podía levantar las caderas. Ahora Zev estaba utilizando los brazos para sostenerse mientras seguía empujando. Branislava casi podía oír las llamas chisporroteando a su alrededor. El resplandor del suelo se hizo más intenso.

Zev. Solo su nombre. Un milagro. El hombre que podía eliminar cada feo pedazo de su pasado y sustituirlo por experiencias y recuerdos tan memorables. *Necesito...*

Sé lo que necesitas, amoureux, *siempre lo sé.* Se movió dentro de ella, llenándolo todo, aumentando la frición sobre aquel punto suyo más sensible, hasta que su cuerpo pareció estallar en llamas y el orgasmo la sacudió como un fuego incontrolado, saltando de entre sus piernas a su vientre, los pechos, los muslos.

Zev echó la cabeza hacia atrás y aulló como el lobo que era mientras el cuerpo de ella lo aferraba en aquel apasionado paseo por la felicidad más pura. Entonces se quedó mucho rato en su interior, como si fueran un solo cuerpo, una piel, completos el uno en el otro.

Bésame y deja que me vuelva a dormir.

De nuevo, la voz de Branislava sonaba sensual y somnolienta, lo bastante para que el pene de Zev volviera a levantarse pensando en despertar. Ella abrió un ojo y consiguió esbozar una leve risa. *Eres insaciable. Tienes suerte de que me gustes así.*

Zev pensó en todas las cosas que podía hacer con ella. Estaba adormecida y necesitaba descansar y rejuvenecerse en la tierra. Y él seguía notando aquella molesta inquietud que no le dejaba, y sin embargo, la tentación de aquel cuerpo...

—¿No te molesta saber que no eres carpatiano cuando a tu alrededor todo el mundo lo es? —preguntó Travis Amiras a Paul Chevez mientras la pelota volaba a un lado y al otro en el jardín frontal de la casa donde los niños carpatianos se alojaban durante las horas que los adultos dormían.

Paul tenía veinte años, y ya era un hombre recio, de hombros anchos y músculos marcados. A pesar de su edad, ya tenía cicatrices de guerra. Había luchado contra vampiros, había ayudado a dirigir un inmenso rancho de ganado, le habían disparado y recientemente había ayudado a salvar a Dimitri de la muerte por plata. Travis lo idolatraba.

—Aún no estoy preparado para eso —dijo Paul—. Los carpatianos envejecen a un ritmo mucho más lento que nosotros. Mi amigo Josef está en la veintena, pero se le considera un niño. Yo trabajo mucho en el rancho y cuido de mi hermana. Me molestaría que me trataran así. Además, me tomo muy en serio mis obligaciones para con Ginny. No quiero estar bajo la tierra mientras ella está fuera.

Travis asintió.

—Lo entiendo. Solo tienes una hermana. Ahora que Sara ha tenido a la pequeña Isabella, nosotros somos siete. —Su voz se suavizó cuando mencionó a la pequeña—. Para Sara y Falcon también es duro tener que descansar bajo tierra y dejarnos a todos aquí. Pero confían en mí.

Paul asintió.

—Falcon siempre habla de ti. Le preocupaba que Gary ya no pudiera seguir a tu lado durante el día.

Travis se encogió de hombros.

—He de reconocer que a mí tampoco me gusta. Gary es genial. Me enseña cosas interesantes. Marie, la niñera, puede ser bastante aburrida. Cuida de los pequeños y a veces quiere mandarme a mí también. Me pone malo.

—Pero Slavica y Mirko, los posaderos, tienen esa preciosa hija, Angelina. He notado que te gusta su compañía —comentó Paul con una leve sonrisa.

Travis trató de poner cara de inocente y entonces se echó a reír.

—Ella también es genial, sí. Y tampoco me trata como si fuera un crío.

—Sí, ya sé que es genial. —Cogió la pelota y miró con inquietud hacia el oeste—. Travis, vamos dentro.

La sonrisa desapareció del rostro del joven. Sus ojos adoptaron una expresión madura y miró con atención a su alrededor.

—Notas algo ¿verdad? Algo no va bien.

Aún faltaban al menos dos horas para que los adultos carpatianos despertaran, y él también se sentía un tanto inquieto. No sabía por qué. Tenía once años, casi doce, y ya se había adaptado a los hábitos de su padre carpatiano de adopción, Falcon. Caminaba como él, llevaba el pelo largo como él.

—¿Te sientes inquieto?

Paul subió los escalones que llevaban a la pequeña casa. Solo había otros dos adultos con ellos para proteger a los niños y aquella responsabilidad le pesaba. Había luchado contra vampiros y licántropos, pero aquello era diferente. No sabía si eran imaginaciones suyas o no... hasta que miró a Travis a los ojos. El joven era un psíquico, y era especialmente perceptivo.

—No sé si es que los dos estamos un poco tensos o nos estamos dejando llevar por la imaginación por todo lo que ha pasado —confesó Paul—, pero es mejor asegurarse. Llevemos a los niños a la habitación sellada que Mikhail y Gregori han preparado. Luego podemos volver a salir y hacer un reconocimiento por la zona. Pediré a Jubal que venga.

—Me siento raro sabiendo que Gary no volverá a estar con nosotros —dijo Travis—. Durante el día siempre estaba cerca para protegernos y siempre sentí que él podría enfrentarse a cualquier cosa.

—Seguramente no es nada —repitió Paul, aunque se sentía el estómago revuelto y estaba convencido de que había motivo de alarma. Pero no quería asustar al crío—. Llevemos a los niños abajo.

—Falcon me ha enseñado a luchar. Peter y Lucas son mucho mejores de lo que nadie se imagina. Son muy bromistas, pero si hace falta también pueden ayudar.

—Diles que contamos con ellos para defender a los demás —dijo Paul—. Y asegúrate de que te toman en serio.

Travis asintió. Entró en la primera sala de juegos. Marie estaba allí con el bebé y sus dos hermanas pequeñas, Chrissy y Blythe. Chrissy tenía ocho años, Blythe era seis meses más joven. Chrissy estaba leyendo en voz alta. Se detuvo cuando él entró y al momento su expresión se volvió grave. Corrió junto a Blythe y la rodeó con un brazo.

—Paul cree que es mejor que os reunamos a todos abajo, en la habitación protegida —dijo Travis tratando de hablar con tono pragmático—. Como precaución. Seguramente no es nada, pero por si acaso.

Marie se puso en pie al momento.

—Chrissy, necesitaremos esas dos bolsas de ahí. Corre y haz lo que dice tu hermano.

Travis esperó hasta que Chrissy y Blythe cogieron las bolsas que Marie había dicho antes de abandonar la habitación.

—Trav, espera —exclamó Blythe. La voz le temblaba—. ¿Tú también vienes?

—En unos minutos. Voy a buscar a los chicos. Peter y Lucas estarán con vosotras hasta que yo vuelva. Jubal viene hacia aquí. Paul y yo solo vamos a echar un vistazo.

Travis trataba de tranquilizarla, pero la niña tenía los ojos muy abiertos y parecía que se iba a echar a llorar.

Volvió a entrar en la habitación y le dio un torpe abrazo sin mirar a Marie. Le incomodaba un poco mostrar su afecto, pero amaba a sus hermanos y hermanas, y Falcon le había dicho muchas veces que los hombres de verdad demuestran sus sentimientos a sus seres queridos y que eso no significaba que fueran poco varoniles. Blythe se aferró a él y Chrissy se apuntó al abrazo.

Al cabo de un momento, Chrissy tomó a Blythe de la mano.

—Ayúdame a llevar las bolsas de Marie. Es mejor que el bebé no se despierte.

Travis las dejó para ir a buscar a sus hermanos. Peter y Lucas habían atado a una silla a Jase, su hermano de seis años, y en aquellos momentos corrían a su alrededor gritando como posesos. Travis tardó unos minutos en conseguir llamar su atención. Y si lo hizo fue porque se plantó en medio y toparon contra él mientras corrían.

—Tenemos problemas —anunció muy serio.

Peter desató inmediatamente a Jase para que pudiera levantarse. Lucas rodeó al pequeño con un brazo y lo acercó a su lado.

—¿Qué quieres que hagamos? —preguntó Peter.

—Voy a buscar a Anya, a Anastasia, a Stefan y a Alexandru para llevármelos abajo. Jennifer está con ellos, y también Angelina y Ginny. Sabrán que algo va mal, pero tenéis que actuar como si todo fuera a ir bien. Si Marie y Angelina os dicen que hagáis algo, lo hacéis, no os portéis mal, dure lo que dure. Si pasa algo, Peter, tú y Lucas tenéis que defender a los pequeños del peligro.

Peter asintió. Travis aferró a su hermano por los antebrazos en el saludo tradicional de los guerreros, y con ello convirtió aquello en un ritual solemne y trató de hacerles entender que el peligro estaba cerca. Cuando estuvo seguro de que pondrían a Jase a salvo y se tomarían su misión en serio, fue a la última habitación a avisar a Angelina.

Angelina, Ginny y Jennifer estaban jugando con los más pequeños. Las risas cesaron en el momento en que ellos entraron. Stefan se puso en pie y se situó delante de Alexandru. Las mellizas, Anya y Anastasia, se colocaron cada una a un lado del hijo del príncipe. Todos miraron a Travis con expresión sombría.

Él se obligó a sonreír, pero la sensación de su estómago se había hecho más intensa y sabía sin género de duda que algo iba mal.

—Solo como precaución, tenéis que bajar todos a la habitación protegida. No deis problemas a Marie ni a Angelina, aunque tardemos. Recordad que hay un nuevo bebé, y no queremos que se asuste. Jubal viene hacia aquí, seguro que todo irá bien, pero tenemos que asegurarnos de que todos estáis en la cámara de seguridad por si acaso.

Ginny cogió a Alexandru de la mano y Angelina a las mellizas. Jennifer se ocupó de Stephan. Obedecieron enseguida sin hacer preguntas.

Travis volvió a comprobar las habitaciones para asegurarse de que todos los niños estaban a salvo en la cámara que Gregori y Mikhail habían preparado. Volvió a la sala de estar. Paul estaba en el porche, andando arriba y abajo. Había reunido algunas armas, y se las había echado al hombro o las llevaba sujetas al cinto. Travis sintió que la boca se le secaba pero, antes de reunirse con él en el porche, siguió su ejemplo y preparó las armas que se necesitaban para enfrentarse a un vampiro o a alguna de sus marionetas. Para derrotar a una manada de hombres lobo renegados necesitaban estacas y cuchillos de plata. Así que los incluyó también entre sus pertrechos.

La sensación de peligro inminente era cada vez más fuerte, y aquel oscuro temor pareció engullirlo. Lanzó una rápida ojeada a Paul, con la esperanza de ver en él algo que le ayudara a disipar sus miedos, pero parecía tan asustado como él.

—Están todos en la cámara de seguridad —informó, y consiguió mantener una voz firme.

—Jubal está detrás de la casa. Él también lo siente.

—¿Un vampiro? —preguntó Travis casi esperanzado.

—Ningún vampiro puede estar en el exterior a esta hora del día. Ni siquiera los *sange rau*. Nuestros mestizos de sangre lo han logrado alguna vez, pero tienen que pagar un precio. Y luchar a plena luz del día... no sé el efecto que podría tener sobre ellos. —Paul meneó la cabeza—. Solo tenemos que aguantar hasta que el sol se ponga.

—¿A qué nos enfrentamos? ¿Una manada de renegados?

Los licántropos podían estar en el exterior durante el día, y desde luego una manada de hombres lobo también.

El viento sopló con fuerza hacia ellos, trayendo consigo el olor del azufre, un hedor a sulfuro muy parecido al de unos huevos podridos al quemarse. Paul aferró a Travis por el brazo.

—Ve adentro, corre. No me discutas, y haz lo que te digo.

Travis quería protestar, pero también proteger a los más pequeños, y el tono apremiante de Paul le asustó. Se replegó al interior y se colocó junto a una ventana, y preparó su arco con una flecha con la punta de plata.

—Jubal —llamó Paul—. ¿Hueles eso? ¿Qué es?

—Perros del Hades —contestó Zev, y apareció en el jardín dando grandes zancadas, con su largo abrigo oscuro ondeando alrededor de sus botas—. Perros del infierno. Magia.

Jubal se detuvo en seco y sus ojos se abrieron desmesuradamente ante la imagen de un carpatiano caminando a plena luz del día. Travis también salió de la casa y se quedó plantado con expresión indecisa en el porche.

—Después de todo lo que Branislava me ha dicho sobre el gran mago, era de esperar que vendría a por los niños —dijo Zev—. Noté su olor en el viento y lo he empujado hacia vosotros para que estuvierais preparados.

—¿Y cómo nos tenemos que preparar? —preguntó Jubal.

—No es la primera vez que me encuentro con ellos. Necesitamos aceite. Aceite de hisopo. —Zev miró a su alrededor, encontró una vieja cazuela e hizo aparecer el aceite—. Sumergid vuestras flechas en esto. Que recubra todas las armas que tenéis. Si es necesario, echároslo también por encima. El aceite no dejará de fluir mientras lo necesitemos.

»Serán más rápidos de lo que podáis imaginar. Cuando les disparéis, apuntad bastante por delante. Algunos tendrán más de una cabeza. Son muy grandes y atemorizadores. Con brillantes ojos rojos o amarillos. Intentad no mirarles directamente.

—Perros del infierno —musitó Paul—. Heraldos de la muerte. Cualquiera que mire...

Zev le lanzó una mirada y Paul cerró la boca.

—Son lo que son porque el mago les ha lanzado un conjuro y los utiliza para castigar a aquellos a quienes quiere ver muertos. No dejéis que su saliva os toque, ni su sangre. Llevan la peste en los dientes y las garras. Disparadles a los ojos, y si no podéis, apuntad a la garganta. No les matará, pero hará que vayan más lentos.

El suelo vibraba. El cazo con el aceite de hisopo se sacudió, y se formaron ondas en el líquido.

—Poneos a cubierto —ordenó Zev—. Tomaos vuestro tiempo para cada disparo, y apuntad por delante de ellos. Y recordad, si hay más de una cabeza, tenéis que disparar al ojo de todas. —Volvió su atención hacia Travis—. Dispara a la garganta, eso te dará el tiempo que necesitas para conseguir un tiro certero. No te dejes llevar por el pánico, porque no podrías disparar. Yo estoy aquí.

Zev utilizó su tono más calmado y firme, suave, pero cargado de autoridad y saber.

Travis asintió y se apoyó sobre una rodilla detrás de una de las pesadas columnas del porche. El olor a azufre era ahora más intenso, y con él llegó el olor a fuego, o más bien a follaje quemado, como si en su trayecto los perros estuvieran dejando un rastro de tierra yerma.

Zev se volvió hacia el oeste, con su largo abrigo ondeando al viento. El primero de los perros apareció en terreno abierto. Era inmenso... un enorme perro negro con ascuas ardientes por ojos y unas garras y colmillos muy grandes, y corría a toda velocidad hacia ellos. Detrás, varios perros más salieron de entre los árboles, como una manada de bestias al galope, unos monstruos tan repugnantes que solo podían haber sido concebidos en el infierno, o en la mente de alguien malvado.

Con una mano, cogió la cazuela y se echó el aceite de hisopo sobre la cabeza, de modo que le cayó sobre el pelo, la cara, los hombros. Con un solo movimiento, la dejó, levantó su ballesta y encendió la primera flecha.

Esta dio en el blanco, fue directa al ojo izquierdo del perro que iba el primero. El animal saltó en el aire, rugiendo, gruñendo, dando dentelladas al aire. Una sangre negra le caía por la cara cuando cayó pesadamente sobre suelo; y entonces sacudió la cabeza y siguió avanzando.

Zev oyó el siseo asustado de Travis, pero el chico no huyó.

—Tranquilo. No dispares aún. Yo me encargaré de su líder —le indicó con suavidad, con la esperanza de que su voz calmada y sus maneras indiferentes dieran valor al joven.

Volvió a levantar la ballesta y disparó una segunda flecha sumergida en aceite de hisopo, y acertó de lleno en el ojo derecho. El inmenso perro negro casi había llegado al porche. Gruñó, dejando al descubierto sus caninos largos y afilados, casi como sables. Su cuerpo se estremeció, dio dos pasos más, más despacio, y pareció irse para un lado. Las garras de sus patas traseras trataban de darle apoyo para impulsarse y saltar. El morro del animal golpeó el suelo con fuerza casi a los pies de Zev. Entonces se sacudió violentamente, aullando y dando dentelladas al aire.

—Elegid a uno —indicó Zev a los otros—. Disparad a los ojos. Aseguraos de estar bien cubiertos de aceite, y si uno de esos perros os hiere con las uñas o los dientes, gritad. Yo me encargaré de la herida. Travis, si no estás seguro... —Disparó al perro que estaba más cerca de la casa y una vez más acertó de lleno en el ojo izquierdo. El animal corría a toda velocidad, con un cuerpo casi tan grande como el de un pony. La cabeza era inmensa, el morro tenía unos dientes gigantescos—. Apunta a la garganta. Tómate tu tiempo. Puedes hacerlo.

Paul disparó al perro que corría a la derecha del animal al que había disparado Zev. La flecha impactó justo en medio de los ojos y rebotó. Maldijo por lo bajo, respiró hondo y volvió a disparar, esta vez con mayor tino, pues acertó el ojo derecho de la bestia. Los dos perros corrían como el rayo, y el veneno mortal rezumaba en largos hilos desde sus morros. Entonces viró hacia un lado y topó con el de Zev. Por un momento los dos animales trastabillaron, cayeron uno encima del otro, gruñendo y mordiendo.

Jubal y Travis dispararon contra un monstruo de dos cabezas casi simultáneamente. La flecha de Travis le acertó en la garganta y se clavó muy adentro. La de Jubal tocó uno de los ojos. El perro del infierno saltó por encima de los dos perros que estaban peleando y cayó contra el pasamanos del porche, destrozando la madera; aterrizó casi encima de Travis.

Este se levantó, ballesta en mano, mirando a los malévolos ojos amarillos del perro de dos cabezas. La bestia lo miraba furiosa, con la sangre negra cayendo de uno de los ojos de la cabeza izquierda y la garganta.

Entonces retrajo los labios en una mueca mortífera, haciendo que las tiras de veneno se multiplicaran por diez. El chico dejó escapar el aliento, y, mientras el animal daba un paso lento y amenazador hacia él, disparó su ballesta directa al otro ojo de la cabeza izquierda.

Zev echó el brazo hacia atrás en cuanto disparó otra flecha contra el perro, que había conseguido ponerse en pie. Cogió la cazuela de aceite y arrojó su contenido sobre aquella bestia, que en aquel instante saltaba sobre Travis. El muchacho retrocedió a toda prisa dando un traspiés, tratando de poner una nueva flecha en la ballesta, y disparó.

Zev notó la bocanada de aliento negro del perro, caliente y salvaje, tan sucia como el mal, cuando se interpuso entre la bestia y el niño. Disparó tranquilamente al ojo de la cabeza derecha. La flecha de Travis había acertado en la garganta una vez más. El aceite se escurría desde las dos cabezas del animal, y caía desde su pelaje a chorros, llevándoselo consigo, y dejando largos fragmentos de piel desnuda y cubierta de ampollas.

Loco de dolor, el perro empezó a sacudirse y entonces se golpeó la cabeza contra una de las columnas, sacudiendo el techo y agrietandoló. Un lado del techo se desplomó parcialmente sobre el porche, mientras el animal chocaba contra la baranda y luego contra el lado de la casa. La bestia de dos cabezas empezó a girar en círculos, dando dentelladas a todo lo que encontraba en su camino.

Zev arrojó a Travis a su espalda, fuera del porche, cuando el perro al que Jubal disparaba se levantó del suelo y echó a correr hacia ellos a una velocidad increíble. Entonces disparó con rapidez, tres flechas en rápida sucesión, por delante del perro. La bestia saltó el último metro, con sus brillantes ojos puestos, no en él, sino en el chico. De uno de los ojos sobresalían dos flechas, pero el segundo veía con claridad. La tercera flecha le había dado en la nariz.

Zev soltó la ballesta y cogió a la bestia con sus manos, y de un tirón desvió la cabeza de Travis.

—Mi cuchillo —siseó por encima del hombro al chico.

Daba gracias por su sangre mestiza, porque le daba una fuerza extraordinaria, aunque la bestia le quemaba a través de los finos guantes. Haciendo palanca consiguió derribar al animal, pero su brazo estaba peligrosamente cerca de los dientes.

Notó que Travis se acercaba por detrás, sacaba el cuchillo de su vaina y, sin que tuviera que decirle nada, sin vacilar, clavó la hoja bañada en aceite en el ojo de la bestia. Jubal estaba totalmente concentrado en el perro al que Zev había disparado antes, y estaba tratando de impedir que llegara al porche.

Zev y Travis saltaron para apartarse del que estaba moribundo, pues no dejaba de sacudirse, y volvieron al porche. Estaba vacío. Donde antes había una ventana, ahora había un enorme agujero. Con el corazón encogido, Zev cogió su ballesta, entró por la ventana con una voltereta y corrió hacia el pasillo.

El rastro de sangre negra llevaba hasta la cocina, donde encontró otro enorme agujero en el lugar que hubiera debido estar la puerta que bajaba al sótano. El perro había sido entrenado para encontrar y matar a los niños y estaba siguiendo su rastro.

Bajó las escaleras de dos en dos y saltó por encima de la baranda cuando aún le faltaban la mitad, y aterrizó en cuclillas a medio metro de él. Una de las cabezas colgaba a un lado y dos chorros de sangre negra brotaban de los ojos ciegos. El pelaje negro había desaparecido de la cabeza, cuello y hombros y la piel parecía en carne viva, ampollada, como si por debajo el aceite estuviera disolviendo todo lo que tocaba.

La bestia utilizaba sus garras mortíferas para desgarrar la pared y arrancar largas franjas de su estructura. Pero por más deprisa que intentaba desgarrar, la pared volvía a regenerarse enseguida. Cada vez que las garras se clavaban allí, levantaba la cabeza y aullaba de dolor, porque el muro generaba una electricidad que lo sacudía visiblemente. A su alrededor empezó a levantarse humo, y el hedor a podredumbre, a huevos quemados, se hizo más intenso, pero ni siquiera el dolor hizo que el animal se detuviera.

—Travis, ¿estás conmigo? —preguntó Zev.

—Sí.

La respuesta era débil pero firme.

—Te voy a pedir una cosa que te dará un poco de miedo y además es muy peligrosa. ¿Estás dispuesto?

—Si ayuda a alejar a esa cosa de mi familia.

Zev sacó su espada.

—Voy a cortar las dos cabezas. Tú tienes que vigilar la que tiene el ojo intacto. No será fácil. Cuando pierda las cabezas, el perro nos atacará con rabia. Seguramente me atacará a mí. Las cabezas caerán rodando y habrá sangre negra por todas partes. No debes mirar a nada que no sea el ojo que hay que cerrar. Dispara tu flecha y procura dar en el blanco.

—¿Y si fallo?

La voz de Travis temblaba.

—No puedes fallar. ¿Lo entiendes? No puedes fallar. Sabes disparar. Falcon te ha enseñado. Acertarás.

—Sí, señor —dijo Travis.

Zev cogió aire, lo dejó escapar y se acercó al inmenso perro del infierno. Blandió su espada con dureza, utilizando la fuerza combinada del licántropo y el carpatiano, utilizando sus siglos de experiencia en el combate. La espada cortó limpiamente la carne de aquella espantosa criatura y rebanó las dos cabezas, que cayeron al suelo.

Una bocanada de calor humeante se elevó desde el cuello, mientras la sangre negra iba cayendo.

Las dos cabezas rodaron, dejando un rastro de sangre venenosa por el suelo. Un ojo amarillo brillaba como un faro cada vez que la cabeza daba una vuelta y volvía a quedar hacia arriba. Travis no se paró a mirar lo que el cuerpo sin cabeza del perro gigante le hacía a Zev. Hizo lo que Falcon le había enseñado. Respiró hondo, expulsó el aire, contó en su cabeza para coger el ritmo de su objetivo. Visualizó la flecha yendo directa al blanco. Esperó, y mientras la cabeza rodaba, disparó y al instante colocó una segunda flecha en la ballesta, como Falcon siempre decía.

La flecha dio de lleno en el ojo, que le miraba con maldad, bien abierto, con la flecha sobresaliendo. La cabeza siguió rodando, acercándose más. Él no apartó la vista de su objetivo. Cuando el ojo volvió a quedar en la parte de arriba, Travis volvió a disparar y colocó una nueva flecha en la ballesta.

La cabeza se quedó quieta, con el ojo abierto, mirando, pero ahora el amarillo parecía apagado, hueco, sin vida ni inteligencia. Aún así, Travis no fue capaz de apartar la mirada, por miedo a que la criatura volviera a cobrar vida. Le daba miedo mirar atrás, le daba miedo que Zev ya no estuviera y que aquella bestia de dos cabezas resucitara para despedazarlo con aquellas espantosas garras.

—Travis. —La voz suave de Zev llegó a él a través del rugido que oía en sus oídos—. Gracias. Le has matado. Tenemos que volver y ayudar a Jubal. Si necesitas un momento, puedes unirte a los otros en la cámara de seguridad y decirles que aquí ya casi hemos terminado. Jubal y yo limpiaremos todo esto.

La voz de Zev era un milagro de calma y firmeza, de total seguridad. En aquellos momentos ya estaba subiendo la escaleras con rapidez, en una huida fluida, pero huida al fin. Travis sabía que el cazador de élite tenía que asegurarse de que Jubal seguía con vida y había matado al último perro. No quería quedarse solo en la misma habitación que aquella macabra bestia de dos cabezas, por muy muerta que pareciera. Y no pensaba abrir la puerta de la cámara de seguridad hasta que tuviera la certeza absoluta de que no había peligro. Corrió tras de Zev.

Zev detestaba tener que dejar solo al chico después de haber demostrado tanta valentía, y se alegró cuando oyó sus pasos detrás, pero su mente ya estaba en aquellos rufianes del infierno que intentaban llegar a los niños. Eran cinco. Él había matado al líder. El monstruo de dos cabezas estaba muerto. Los dos perros que habían chocado también habían muerto. Eso dejaba uno. Habían tenido suerte. Jubal tenía muy buena puntería, también Paul y Travis. El aceite les había sido muy útil. Sin él, las bestias les hubieran atacado una y otra vez a pesar de las flechas. Sin el aceite, no había ninguna forma real de matar a un perro del infierno. Para ellos era como veneno.

Zev irrumpió en el porche, preparado para cualquier cosa... menos para lo que vio. Paul y Jubal estaban sentados en el suelo, a unos centímetros del perro muerto, riendo casi eufóricos. Levantaron la vista cuando se acercó. El perro y los dos hombres estaban cubiertos de aceite, y había charcos por todas partes.

—¿Estáis heridos? ¿Os ha mordido? ¿Os ha clavado las garras? ¿Habéis estado en contacto con su sangre?

—No —contestó Jubal. Miró a Paul y los dos se echaron a reír de nuevo—. Pero estamos bien rebozados, listos para ir a la freidora. ¿Y tú?

Zev se permitió relajarse, aunque estaba bastante seguro de que aquellos dos estaban al borde de la histeria.

—Yo también estoy cubierto de aceite. —Se dejó caer en el suelo junto a ellos y escrutó los cuatro inmensos cuerpos—. Y ellos también. ¿Qué habéis hecho?

Paul sonrió y se pasó el dorso de la mano por la cara y se manchó más aún.

—Yo no dejaba de tirarles cubos de esa cosa mientras Jubal no dejaba de disparar. Y al final el bicho cayó, pero tuvimos que tirarle como unas diez flechas y cinco cubos de aceite. No me puedo creer que pudieras conjurar un contenedor de aceite que se rellenaba solo.

Travis llegó y se sentó entre Paul y Zev. Miró a los tres hombres.

—Prefiero luchar contra un vampiro —declaró con un pequeño estremecimiento.

—No eres el único —concedió Paul.

—Tenemos mucho que limpiar —dijo Zev—. Aunque creo que me está entrando sueño.

Jubal le arrojó un puñado de tierra.

—No se te ocurra dejarnos tirados.

Zev bostezó.

—En serio, el sol me está afectando.

—Nosotros sí te vamos a afectar —declaró Paul y se movió como si le fuera a hacer un placaje.

Zev se levantó con rapidez, y casi resbala con el aceite.

—Vale, vale. Os ayudo. Pero, la verdad, habéis puesto esto perdido.

—Hemos salvado la jornada —anunció Jubal solemnemente—. Estábamos hablando sobre medallas al valor.

Zev arqueó una ceja.

—¿Medallas? —repitió como si no estuviera muy seguro de lo que eran.

—Al valor —dijo Paul—. Trav puede participar si quiere. Hasta hemos diseñado una.

Miró a Jubal y los dos se pusieron a reír como locos.

Zev meneó la cabeza.

—Joven Travis, esto es lo que pasa cuando se acerca uno demasiado a los perros del infierno. Se han trastocado.

Travis asintió.

—Ya lo veo. Mejor los dejamos y nos vamos a limpiar ahí abajo para que los niños puedan salir. Estarán muy asustados.

Se dieron la vuelta y Paul gritó asustado.

—¡Esperad! ¡No te puedes ir! Tienes que quemar todo esto.

Zev volvió atrás, riéndose de la cara de espanto de Jubal y Paul. Hasta Travis rió.

—O sea, que yo hago el trabajo y vosotros os lleváis las medallas.

Invocó al rayo y lo dirigió hacia los cuerpos, y los incineró, junto con la sangre negra y brillante que estaba por todo el jardín.

—Como debe ser —musitó Paul por lo bajo, pero lo bastante fuerte para que Zev lo oyera.

Un rayo impactó a unos metros de los pies de Paul e hizo desaparecer los últimos rastros de sangre del suelo. Paul por poco no salta encima de Jubal para huir de aquella descarga chisporroteante.

—Se lo pienso decir a Branislava —dijo, echando mano de aquella última baza para igualar el marcador.

Capítulo 19

Una niebla antinatural se extendió por el bosque, deslizándose entre los árboles muy cerca del suelo. De aquel banco de niebla empezaron a salir zarcillos, largos tentáculos que avanzaban centímetro a centímetro entre los arbustos y las hojas para enroscarse como serpientes y encaramarse a los árboles. Un extraño olor a azufre acompañaba a aquel denso vapor. El olor era tenue, y sin embargo los animales del bosque se apartaban de la niebla trepadora, en cuanto notaban que se acercaba giraban y huían como si sus vidas estuvieran en peligro.

Un lobo se sentó sobre sus cuartos traseros y levantó el morro al cielo, y dejó escapar una larga nota de aviso. Otro lobo se unió a su llamada.

¡A mí, ahora!, ordenó Dimitri a los dos alfas. *Deprisa. Skyler, espabila. No tenemos tiempo. ¡Zev! ¡Fen! Estamos rodeados. Los lobos llaman. ¿No los oyes?*

Dimitri extendió los brazos para que sus lobos saltaran a bordo. Llegaron corriendo desde el bosque para saltarle encima, y él sintió la sacudida cuando se transformaron en el último momento. La pequeña hembra ya empezaba a coger el truco, y aún así le golpeó con más fuerza de la necesaria. Él la reprendió automáticamente, y le recordó que tenía que mudar más deprisa.

Moonglow, la loba de Skyler, corrió hacia ellos y ella se volvió con los brazos bien abiertos para que le resultara más sencillo saltar a bordo. Dimitri no apartaba los ojos de la niebla, que avanzaba lentamente hacia el claro donde se estaba celebrando la ceremonia para despedir con honores a Arno y a su hijo Arnau.

Ya no podía seguir considerando aquello como niebla, era demasiado densa, y emitía un fantasmagórico resplandor gris amarillento. Le indicó a Skyler que empezara a moverse en dirección al claro. La niebla se estaba adueñando del bosque, y no quería que ella o los lobos estuvieran allí.

Los animales empezaron a aullar desde diferentes puntos del bosque. Skyler dio un respingo y lo cogió de la mano.

—Los salvajes nos avisan para que salgamos —tradujo.

Dimitri levantó la cabeza y aulló también, emitiendo una serie de notas y gritos, idénticos a los de un lobo, en respuesta a los avisos de las bestias salvajes.

Ivory y Razvan llegaron desde el oeste, con sus lobos ya montados encima.

—¿Estáis bien? —preguntó Razvan, mirando a Skyler con detenimiento.

Ella asintió.

—Uno de mis lobos, *Frost*, no ha vuelto todavía. Dimitri les ha avisado para que regresen.

—He advertido a los lobos salvajes que se mantengan alejados de esta parte del bosque y eviten la niebla —dijo Dimitri—. Ellos lo sabían, nos estaban avisando, pero quería asegurarme de que saben lo peligrosa que es.

Razvan señaló a aquel vapor amarillento.

—Parece que está trepando a los árboles. Mira cómo se enrosca por el tronco y sube. Se encarama a los árboles que encuentra en su camino antes de seguir avanzando por abajo.

Ivory y Skyler avanzaron hacia la niebla, decididas a encontrar al lobo ausente. Dimitri cogió a Skyler del brazo para detenerla.

—Puede que vuelva o puede que no, *csitri*, pero no puedes acercarte a esa cosa. Si todos los animales del bosque huyen, tienes que escuchar lo que te dicen.

Ivory también se había detenido y vuelto a mirar a Razvan como si le hubiera dicho algo en privado. Sus largas pestañas ocultaban su expresión, pero agachó la cabeza haciendo un gesto de negación. Él la rodeó con el brazo un instante como si quisiera reconfortarla.

—No podemos abandonarle —protestó Skyler.

—Desde el principio has sabido que algún día perderíamos a algún lobo —dijo Dimitri con voz amable, aunque sus palabras no admitían discusión—. No puedes sacrificar tu vida por encontrar a un lobo perdido. Esta niebla es peligrosa. Tenemos que irnos.

—Volverá. Siempre se aleja mucho por su cuenta, pero vuelve —dijo Skyler apoyándose un momento en Dimitri—. Le he regañado muchas veces por lo mismo, pero cuando anda libre siempre se despista, pierde la noción del tiempo y se le olvida lo que tiene que hacer.

Los insectos salían del suelo, corriendo por delante de la niebla, que no dejaba de avanzar hacia el claro. Hormigas, termitas, escarabajos, todos los insectos que se refugiaban en el suelo o en los árboles caídos, convirtieron la vegetación en un manto vivo.

Dimitri le tiró de la mano.

—Nos vamos *ahora*.

Skyler vaciló.

—Dimitri, la atmósfera parece muy pesada, como si hubiera un oscuro conjuro en la niebla. —Miró a su padre natural, Razvan—. ¿Lo notas?

Razvan asintió.

—La naturaleza ha sido retorcida y doblegada por deseo de alguien.

—Pero hay más —siguió diciendo Skyler—. Es más que eso. Es algo oscuro. El mal. Como si en la niebla hubieran entretejido cosas que vienen de otro mundo.

Dimitri levantó la mano para que callaran. No dejaba de captar pequeños murmullos, sonidos, pero era evidente que los otros no los oían. Meneó la cabeza y retrocedió un par de pasos mientras la niebla seguía avanzando.

Frost llegó corriendo frenético de la misma dirección por donde habían llegado Razvan e Ivory, con mirada enloquecida. Dimitri extendió los brazos y el lobo errante saltó a la seguridad de la espalda del líder de su manada.

—Hay algo en la niebla, se mueve, habla, puedo oírlo —dijo Dimitri a los otros—. No solo está trepando a los árboles, conforme avanza por el bosque, su espesor al nivel del suelo también aumenta. Regresemos al claro y ayudemos a todos a salir de allí.

Gregori, lleva al príncipe a un lugar seguro. Hay algo aquí que escapa a mi entendimiento, pero sin duda es peligroso. Sea lo que sea, se dirige hacia allí. Avanza despacio, pero oculto en su interior lleva algo perverso.

Dimitri envió la advertencia, y encargó a Gregori la tarea de poner al príncipe a salvo.

Gregori Daratrazanoff suspiró con pesadez. Mikhail había asistido a la ceremonia para honrar a Arno y su hijo como habría hecho cualquier buen diplomático. A pesar de las advertencias, los licántropos insistían en que el miembro caído del consejo tuviera una ceremonia completa y fuera despedido con honores. En lugar de celebrar el funeral al siguiente despertar, Rolf había insistido en preparar la tierra y esperar tres días y tres noches. Ningún argumento había conseguido hacerle cambiar de opinión.

—Ya has oído a Dimitri. Tengo que sacarte de aquí, Mikhail. Dimitri ha avisado a Zev. Él se encargará de convencer a los licántropos para que se vayan, pero tú no puedes correr ese riesgo.

—¿Tienes idea de cuántas veces me has dicho eso mismo? —preguntó Mikhail con un leve suspiro.

—Ya has pronunciado tu discurso y has presentado tus respetos —dijo Gregori—. Los niños han sido atacados. De no ser porque Zev es un sangre oscura, podríamos haberlos perdido. Nuestra última defensa eres tú. Y lo sabes. Mejor proteger a nuestros hijos que quedarnos y proteger a los licántropos porque se obstinan en quedarse. Si las cosas se ponen feas, siempre podemos mandar refuerzos.

—¿Qué pretende ese tal Xaviero? ¿Por qué descubrirse de pronto ante todos? Los hermanos se ocultaron entre las diferentes especies e hicieron tanto daño como pudieron en secreto. ¿Por qué es tan importante que sigan atacándonos? Es evidente que carpatianos y licántropos no vamos a ir a la guerra. No puede exterminarnos a todos, al menos no aquí. Estamos por todo el mundo. Necesitamos conocer la respuesta, Gregori. Sea lo que sea que quiere Xaviero, es demasiado importante para que no lo sepamos.

Mikhail se levantó a desgana. Indicó a Zev que se acercara.

—¿Te ha avisado Dimitri?

Zev respiró hondo y dejó escapar el aire al tiempo que asentía. No era habitual que chocara con Rolf, jefe del consejo de los licántropos, pero el hombre había insistido en despedir a Arno y a su hijo con honores. Insistía en esperar los tres días prescritos para que aquellos que vivieran lejos pudieran asistir. Cosa que daba a Xaviero más tiempo para prepararse. Después del ataque a los niños, Zev estaba convencido de que Xaviero atacaría durante la ceremonia. No se equivocaba. Y detestaba no equivocarse.

—Sí, he hablado con Rolf en numerosas ocasiones y se niega a escucharme. He intentado decirle que nadie está seguro aquí, pero él no hace más que señalarme la gran cantidad de licántropos y carpatianos que han venido a presentar sus respetos. Cree que tenemos un ejército y que no hay necesidad de huir.

—Quizá si vuelvo a hablar con él… —se ofreció Mikhail.

Ya lo había hecho una vez, después del ataque a los niños. Era evidente que Xaviero no se detendría hasta lograr su objetivo... fuera cual fuese.

Zev negó con la cabeza.

—Esta ceremonia está profundamente arraigada en nuestra cultura. Tiene un sentido muy especial para todos los licántropos, sobre todo para Rolf. Él es el cabeza del consejo. Y Arno un miembro caído del consejo, asesinado por un enemigo. Si hace falta se quedará aquí solo.

Desde el momento en que había entrado en el claro, Zev supo que algo iba muy mal. Notaba una sensación extraña en la misma tierra. En el aire. Se sentía inquieto y atrapado. Había acudido inmediatamente a Rolf y trató de convencerle de que al menos cambiara el lugar de la ceremonia, pero la tierra ya había sido purificada y habían levantado la pira.

Entonces le dijo que cuando tenía una sensación tan visceral nunca se equivocaba y eso le había ayudado a seguir con vida durante muchos años..., y que estaba seguro de que Xaviero les atacaría. Pero Rolf le había dado la espalda y se fue hecho una furia, negándose en redondo a escuchar.

—Aún así tengo que intentarlo —dijo Mikhail sin hacer caso de los penetrantes ojos plateados de Gregori.

Se abrió paso a través de la multitud de licántropos para llegar al cabeza del consejo. Un hombre, uno de los muchos presentes a quienes Mikhail no había visto nunca, estaba hablando en el podio. Llevaba una larga túnica marrón con capucha y hablaba en un tono suave y poderoso. Hablaba de Arno y el cazador de élite caído con expresión desolada. No solo se sentía destrozado, sino que lo transmitía con tanta fuerza que hasta Mikhail se sintió así.

Estuvo a punto de darse la vuelta, consciente de que en aquel momento todos los licántropos lloraban la pérdida del amado miembro del consejo y de su hijo, pero Gregori esperaba con los brazos cruzados, con aquella mirada ineludible. Rolf se levantó a desgana cuando Mikhail le hizo señas para que se acercara, y buscaron un lugar donde hablar a un lado.

—Rolf —Mikhail hablaba con voz baja—, nos informan que se avecinan problemas. La opinión de uno de nuestros más experimentados guerreros es que deberíamos partir de inmediato. Y yo estoy de acuerdo. Tenemos que poner a todo el mundo a salvo.

Una instantánea expresión de irritación cruzó el rostro de Rolf y miró hacia Zev, como si fuera él el motivo de su irritación. Cuando volvió a mirar al príncipe de los carpatianos, sus facciones se vistieron con su habitual máscara de calma.

—Zev no tenía derecho a pedirte que vinieras a hablar conmigo —dijo haciendo chocar los dientes, y revelando con ello lo cerca que su lobo estaba de la superficie.

—No me lo ha pedido —respondió Mikhail—. Mi personal de seguridad lo ha hecho. Zev nos ha explicado que esta ceremonia es importante para los licántropos y lo respeto. Respetaba a Arno. Pero tú y yo somos responsables de nuestra gente, y he pensado que debías saber que el tiempo es esencial. Tenemos que poner a todo el mundo a salvo.

Rolf apretó los labios.

—Quizá nunca has estado en una zona de guerra, pero como miembro del consejo que soy, yo sí. Asumimos el riesgo.

—El riesgo para tu vida —concedió Mikhail—. Pero ¿y la de los demás? Mira cuántos licántropos hay que han venido de muy lejos para presentar sus respetos. Ellos también están en peligro.

—Arno ha servido a esta gente durante más de cien años. Se ha ganado su respeto y merece que lo honren con su presencia. Era un miembro condecorado y reverenciado del Círculo Sagrado. Creía en las antiguas costumbres y códigos de honor. Así es como él habría hecho las cosas. Es lo que él creía. No pienso deshonrarle porque tema por mi vida —dijo Rolf con firmeza—. Ni ningún otro licántropo. Agradezco tu interés, pero esto es asunto nuestro. Tú y tu gente podéis hacer lo que consideréis más oportuno. Nosotros nos quedamos.

Se dio la vuelta y volvió a toda prisa a su sitio al frente de las manadas de licántropos, con los hombros bien cuadrados y la expresión seria.

Mikhail lanzó una mirada a Gregori. Imposible convencer al líder del consejo de los licántropos. Había tomado una decisión y no cambiaría de opinión. Rolf no solo estaba desolado, la culpa lo consumía.

—Avisa a los nuestros. Se acercan problemas y tenemos que irnos.

—Zev no dejará a los licántropos —dijo Gregori—. Lleva años encargado de su protección, no importa si Rolf está siendo irrazonable. Además, forma parte de su cultura y, aunque desde el punto de vista de la seguridad le gustaría sacarlos de aquí, los entiende. Sus hermanos le apoyarán. Raz van e Ivory también.

Mikhail asintió.

—No esperaba menos. De no ser por la responsabilidad que tengo para con los míos, yo también me quedaría para apoyarles. Xavier casi avocó a nuestra especie a la extinción. Xayvion casi ha acabado con los jaguares. Y Xaviero está decidido a exterminar a los licántropos. Hay que detenerles.

Gregori y Mikhail se apartaron un poco. Acababan de llegar otros dos miembros del consejo para honrar a Arno, acompañados por sus guardias. Y llegaron también los líderes y representantes de muchas otras manadas. Gregori utilizó el canal carpatiano común para avisar a los guerreros del peligro inminente que Dimitri y Skyler habían detectado en el bosque.

Mikhail y Gregori se acercaron a Zev. Mikhail meneó la cabeza cuando el cazador lo miró arqueando una ceja. Avanzó hasta él y lo aferró por los antebrazos en el saludo tradicional de los guerreros carpatianos. Y le gustó ver que Zev correspondía al gesto de modo instintivo.

—¿Estás preparado?

Él asintió lentamente.

—Hemos tratado de pensar en todas las posibilidades. Creo que estamos todo lo preparados que podemos estar.

Porque ¿quién podía estar del todo preparado para enfrentarse a la magia? Y no a la de un mago cualquiera, sino a la de un gran mago.

La sensación de urgencia crecía en su interior. Quería que Mikhail se alejara de allí y de aquella niebla extraña. Si eliminaban a buena parte de los carpatianos, entonces solo habría esperanza mientras su líder siguiera con vida. Tal vez él se quejara a veces de las cadenas que le tenían prisionero de su pueblo, pero conocía sus obligaciones y Zev sabía que no discutiría ni con él ni con Gregori. Se iría.

¿Puedes oírlos? No son solo nuestros lobos, Zev, son los lobos salvajes. Les he mandado que se vayan.

Lo oigo. La ceremonia ha empezado. ¿Qué está pasando ahí? Zev mantuvo la calma. El pánico solo servía para hacerle perder a uno la capacidad de pensar. Él era el responsable de los miembros del consejo, sus guardias licántropos y todos los machos alfa y representantes de las diferentes manadas que estaban allí.

Hizo unas señas a sus cazadores de élite. Daciana tenía los ojos hinchados y enrojecidos, algo que él nunca había visto en todos los años que llevaban juntos. No podía reprochárselo. Haber perdido a Arnau era terrible, y el hecho de que también hubiera muerto el padre solo hacía que aumentara su tristeza... y el sentimiento de culpa.

La niebla es antinatural, no puede haberla creado ningún carpatiano, informó Dimitri utilizando el canal carpatiano común. *Hay algo repugnante en ella. Skyler dice que detecta un conjuro oscuro en su interior. Todas las criaturas salvajes huyen de ella, incluso los pájaros. Los insectos salen del suelo.*

Un humo blanco se elevó en el aire, las hojas purificadoras ardían despidiendo un dulce olor a jazmín en preparación para la incineración de los cuerpos. Arno y Arnau yacían entre las flores y las ramas de la pira funeraria, allá en lo alto, para que sus espíritus tuvieran una ascensión más fácil.

Daciana, Makoce y Lykaon se reunieron con él.

—Estamos a punto de ser atacados. Rolf y los otros no quieren escucharme. Insisten en completar la ceremonia. Estad preparados. Permaneced cerca de los miembros del consejo. Si hay algún guardia en quien confiéis, avisadles para que nos ayuden a proteger al consejo.

Ellos no preguntaron. Zev tampoco lo esperaba. Él era el macho alfa de su manada y sus órdenes eran ley. Asintieron y se perdieron entre la multitud que rodeaba la pira funeraria.

Branislava extendió el brazo y lo sujetó por la muñeca cuando se acercó a ella.

—Está aquí, Zev —susurró, inclinándose hacia él—. Noto su presencia.

Aquel ligero contacto hizo que sintiera que tenía un hogar. Un puerto seguro. Cuando Branislava lo miraba de aquella forma todo estaba bien, incluso si a su alrededor el mundo se estaba desmoronando.

—Ya sabíamos que vendría, Branka, aunque solo fuera para ver el dolor que ha causado. Sabíamos que no podría evitarlo.

Ella miró a su alrededor, a las complejas medidas de seguridad que los carpatianos habían utilizado para proteger a los licántropos en aquel servicio.

—Está aquí con un propósito. No solo para burlarse y demostrar su superioridad. Sé que tú también lo sientes. Y ahora Dimitri ha encontrado la niebla. Llegará arrastrándose desde el bosque y nos rodeará, y Xaviero podría hacer aparecer muchas cosas espantosas que matan.

—Tú le conoces mejor que nadie, Branislava. Tú estudiaste a los tres magos durante siglos cuando nadie más sabía que existían. Eres una autoridad en la materia. Dime qué crees que va a hacer.

Él confiaba en su capacidad para derrotar a Xaviero. Tenía las habilidades necesarias y la ventaja. Ella le había visto lanzar conjuros, y conocía cada hechizo, porque los tres magos nunca la consideraron una amenaza, y no sabían que estaban enseñando a la pupila más brillante. Ahora solo necesitaba creer en sí misma. Tenía que sobreponerse al terror que había sentido desde su nacimiento.

Branislava se mordió el labio inferior con nerviosismo.

—Querrá acercarse a la pira funeraria tanto como pueda. Seguramente querría poder dar un discurso... —dejó la frase sin acabar y sus ojos se encontraron con los de Zev. Pero meneó la cabeza enseguida—. Pero no se atrevería.

—Seguro que sí —contestó él—. ¿Te imaginas lo satisfecho que se sentiría si pudiera salirse con la suya? ¿Presentarse delante de licántropos y carpatianos y dar un discurso en honor a los dos hombres que él mismo ha matado? No necesitaría vengarse... por sí solo eso ya le serviría para reafirmarse en su superioridad.

Dimitri, ¿a qué velocidad avanza la niebla hacia aquí? Necesitaba hacerse una idea del tiempo que tenían. Había que evacuar a los civiles y preparar a los guerreros disponibles para la batalla.

Avanza muy despacio. Es espesa. Y muy, muy apestosa.

Branislava miró con nerviosismo a los bosques que los rodeaban. *Eso no es bueno. Tampoco es buena señal que los insectos huyan del interior de la tierra. Tiene algo en mente, algo mucho más mortífero de lo que pensábamos.*

La niebla empieza a unos treinta centímetros del suelo y se está elevando hasta las copas de los árboles enroscándose en los troncos como una serpiente, añadió Skyler.

Manteneos alejados, les advirtió Branislava. *No dejéis que toque vuestra piel. Y, por encima de todo, no entréis en ella.*

Veo ojos encendidos. Rojos. Amarillos. Y estamos empezando a oír voces... al menos yo sí, dijo Dimitri. *Skyler nota movimiento, pero ella no ha oído nada.*

El corazón de Zev pareció detenerse. *Su ejército. Los* sange rau. *Sabíamos que estaba creando un ejército. Dimitri puede sentirlos porque también tiene la sangre mezclada. Xaviero tiene un ejército de* sange rau *y perros del infierno esperando para aniquilarnos.*

Pero, si lo que dices es cierto, ¿por qué no están ya aquí?, preguntó Branislava. *¿Por qué enviar la niebla? Estamos en mitad de un claro.*

Zev frunció el ceño. *Los está conteniendo. ¿Con qué propósito?*, meditó, invitando a los otros a especular. *¿Por qué se arriesga a que les descubramos antes de que tenga la oportunidad de lanzarlos sobre nosotros?*

—¿Quién está programado que dé el discurso en representación del Círculo Sagrado? —preguntó Branislava girando con rapidez hacia la pira funeraria.

—Roberto Hans —contestó Zev muy despacio, evitando mirar demasiado abiertamente a aquel licántropo, a quien se consideraba uno de los grandes líderes del Círculo Sagrado—. Está hablando ahora.

Zev lo tenía por uno de los miembros más importantes del Círculo. Hacía apenas unos instantes, lo había visto hablando con Rolf. El rostro y el cuerpo parecían los de Roberto, y también la voz profunda, pero para su oído entrenado, en aquella voz faltaba algo. Como si fuera una grabación y no una voz en directo.

No tenía manera de demostrar que tenía razón, y sin embargo estaba seguro. Zev recordaba que Roberto y el licántropo conocido como Rannalufr eran buenos amigos. Si Xaviero, disfrazado de Rannalufr, se había acercado a Roberto para hablar de la muerte de su viejo amigo Arno, le habría dejado entrar sin vacilación.

Branislava vio que Zev volvía hacia el grupo de licántropos que se apiñaban en torno a la pira funeraria. No le gustaba que estuvieran tan cerca de Xaviero, si es que era él el gran mago, aunque estaba casi segura de que sí. Y no quería mirarlo, para que no se diera cuenta de que le habían descubierto. Estaba buscando un sitio mejor desde donde poder ayudar a Zev si hacía falta, cuando de entre la multitud le llegó un olor peculiar, un olor muy tenue. Y sin embargo lo notó y la hizo detenerse al instante, muy rígida.

Zev. La voz le temblaba, pero no pudo evitarlo. La idea de que los dos magos estuvieran tan cerca entre una multitud tan grande la aterraba. *Creo que los dos están aquí. Xayvion y Xaviero. He notado un olor a incienso, una poderosa combinación de hierbas que se utilizan para enviar a un espíritu a su viaje. Solo ha sido un momento, pero Xayvion siempre lanzaba conjuros en los que se ayudaba de ese incienso. Sea lo que sea que van a hacer, será aquí.*

¿Y no podría ser que otra persona haya utilizado el incienso que dices para ayudar a Arno y a Arnau en su viaje?

No es eso, Zev. Es la combinación de aromas. Es la misma que Xavier utilizó en el laboratorio cuando apuñaló a Xaviero. Su corazón se aceleró al pensar en aquello. *Aquella noche había una espesa niebla en el laboratorio. Cuando el cuerpo de Xaviero cayó al suelo no podía verlo. Vi que Xavier lo cogía de los pies y lo arrastraba fuera, pero en realidad no vi el cuerpo porque la niebla era espesa y se elevaba a unos treinta centímetros por encima del suelo.*

Branka, escucha. Puedes hacerlo. Puedes encontrar la solución. Pase lo que pase, tienes que concentrarte en lo que crees que es el objetivo último de Xaviero.

Branislava veía a Zev avanzando hacia el frente y desde el otro lado Fen hacía otro tanto. La voz calmada de él siempre la tranquilizaba. Tenía una forma de mirarla y de hablar, siempre con aquellas maneras serenas y confiadas, que ella se serenaba también. Pero esta vez no. Esta vez estaba bastante segura de lo que pretendían los dos magos.

Van a cambiar el espíritu de los vivos por el de los muertos. Por eso he notado el olor del incienso sobre el cuerpo de Xayvion cuando ha pasado entre la gente. Tienen un cuerpo vivo aquí, un cuerpo en el que quieren introducir el de Xavier. Necesitan muertos, almas y espíritus. Cuantos más mejor. Van a abrir las puertas del infierno.

Hubo un breve silencio. Notaba la presencia de Zev a su alrededor. En su mente. Como siempre, era firme como una roca. El pánico no se había adueñado de él. Tal vez porque no sabía lo feas que se iban a poner las cosas.

Dimitri, Skyler, Ivory y Razvan llegaron corriendo desde el bosque y su atención se desvió hacia ellos. Justo detrás, un cascabel de las rocas se enroscó en un árbol particularmente grande. Cuando había subido la mitad del tronco, se echó hacia atrás y lo golpeó, clavando sus dientes en la corteza. El color se extendió por el tronco, y pasó del habitual gris oscuro a un blanco malsano. Después se extendió a las ramas, a las hojas.

Branislava dio un respingo y se volvió a mirar a su espalda. En el otro lado del claro, justo enfrente, otro árbol estaba iluminado con aquel aspecto tan fantasmal. Sin necesidad de mirar, supo que habría otro árbol frente a la pira funeraria y dos por encima, y que formarían un pentagrama invertido.

Varios licántropos empezaron a apartar sus miradas de la pira funeraria, inquietos, intuyendo el mal que se extendía por el claro. Los cazadores de élite se cerraron en torno al grupo para proteger a los miembros del consejo. *Han empezado, Zev. Tienes que encontrar a su víctima sacrificial. Tiene que estar cerca de la pira. Quieren su cuerpo, y eso significa que tendrán que expulsar su espíritu en el momento exacto en que las puertas se abran para poder hacer el intercambio. Y matarán a todos los que haga falta para conseguir su objetivo.*

La niebla, un vapor denso y gris amarillento, salió por entre los árboles al espacio abierto alrededor del claro. Los tentáculos se enroscaban por los troncos y trepaban hacia el cielo. La franja de niebla del suelo era amplia, de unos dos metros de grosor, como una gran pared que avanzaba hacia ellos, por bien que despacio. Branislava no podía más. Miró hacia el orador que estaba en el podio. Sus ojos se encontraron. Habría reconocido aquella mirada perversa y maligna en cualquier sitio. Xaviero. El mago se echó la capucha hacia atrás y extendió los brazos como si suplicara, justo en el momento en que Zev le disparó.

La bala iba directa a la frente, entre los ojos. Xaviero sonrió, con una expresión maliciosa y repulsiva de puro regocijo.

En su mente compartida con Zev, Branislava gritó asustada. *Zev, agáchate. Tírate al suelo.* Apartó la mirada de Xaviero y se puso a entonar con frenesí un conjuro de protección.

Tú que estás hecha de plomo,
para disparar y matar,
yo te quito tu fuerza
y ahora debes parar.

La bala topó con una especie de barrera y se detuvo justo entre los ojos de Xaviero. Durante unos instantes quedó allí suspendida y luego dio la vuelta y regresó directa a quien la había disparado. Zev se arrojó al suelo y rodó, y en el último momento el proyectil obedeció la orden de Branislava y cayó inocentemente al suelo.

Xaviero le hizo una pequeña reverencia, con una sonrisa cada vez más amplia que casi resultaba grotesca, la sonrisa de un monstruo impío de otro mundo. Y entonces comprendió que él había estado en el mismo lugar donde Xavier estaba atrapado. Los tres hermanos se habían preparado para el inevitable momento en que alguno de ellos fuera asesinado.

Zev, encuentra a su víctima. Date prisa. Están a punto de abrirse las puertas del infierno. Necesitaba ayuda enseguida. *Pase lo que pase, que no se acerquen a nosotras. Tatijana, Skyler, Ivory, os necesito. Estamos en la batalla de nuestras vidas. Xaviero y Xayvion nos atacan. Somos las únicas que pueden detenerlos. Tenéis que protegernos. Necesitamos tiempo para contrarrestar sus conjuros.*

El conjuro del pentagrama invertido había sellado el claro. Branislava sabía que ahora nadie podía entrar ni salir. La niebla que trepaba por los árboles hacia el cielo estaba formando un denso banco sobre sus cabezas para impedir que los carpatianos pudieran invocar a la tormenta o se elevaran al cielo.

Los tres hermanos habían tenido mucho tiempo para perfeccionar su encerrona y conocían la forma en que cada especie luchaba. Sin duda se habrían preparado para cualquier posible eventualidad. Zev no se había equivocado cuando dijo que tres días era dar demasiado tiempo a los magos... y menos cuando llevaban siglos preparándose.

El banco de niebla salió del bosque y rodeó el claro como un gran ejército. Branislava veía ojos iluminados. Rojos y amarillos.

Perros del infierno, Zev. Lanzará a los perros del infierno sobre nosotros.

Y los perros llegaron. Salieron de la niebla. Gruñendo. Babeando largos hilos de veneno. Los labios estaban retraídos, y dejaban al descubierto unos dientes grandes y afilados. Las cabezas eran inmensas, y muchos de ellos las tenían en número de dos. Uno tenía tres. Los cuerpos eran del tamaño de ponys, recios y musculosos. El pelaje negro aparecía erizado y de punta, y daba la sensación de que uno podía resultar gravemente herido solo con tocarlos. Se acercaron lentamente. A su paso, el suelo se teñía de negro, la hierba se marchitaba y se consumía bajo sus patas. Detrás de cada perro había un hombre, o más bien una criatura, mitad hombre mitad lobo.

Sange rau. Branislava susurró el nombre en su mente.

Aquello era la peor pesadilla de un licántropo, un ejército de *sange rau*, mestizos de sangre, más rapidos, más fuertes, más inteligentes que nadie.

Elimina las barreras que ha construido, dijo Zev. *No pienses en ninguna otra cosa. Estamos preparados para los perros del infierno. Y ya sabíamos que tenía un ejército de* sange rau.

Como siempre, la voz de Zev la tranquilizó. Era un hombre pragmático. No se dejaba arrastrar por el miedo o el pánico. Y se dio cuenta de que esa era la faceta de su personalidad en la que más confiaban todos. Podía hacer frente al peligro sin pestañear. Su mente siempre estaba trabajando, siempre encontraba la manera.

Alguien gritó, un grito agudo de terror. Branislava se dio la vuelta. Del suelo empezaron a brotar insectos, y detrás de los insectos llegaron unos sapos mutados con rayas rojas y dientes aserrados, y con veneno que resbalaba por sus barbillas. Los sapos capturaban a los insectos, pero cuando la gente empezó a transformarse, el movimiento atrajo su atención.

Los sapos empezaron a saltar sobre los cuerpos más próximos y les inyectaban un veneno paralizante. Cada vez que uno de ellos clavaba sus dientes en su presa, croaba llamando a los otros, que acudían y saltaban sobre la víctima indefensa, y se aferraban a pantorrillas y muslos, y desgarraban la ropa para llegar a la carne que había debajo. La acumulación de veneno hacía que la presa cayera al suelo bastante rápido.

En el momento en que la presa caía, docenas de sapos saltaban sobre ella como un enjambre en una película de terror. El suelo se cubría de sangre. Pero la mayoría de víctimas tenían tal cantidad de sapos encima que Branislava no podía verlas. Para su horror, los sapos parecían aumentar de tamaño, o tal vez solo es que estaban hinchados por el atracón.

Otros licántropos trataban de ayudar a los compañeros caídos, pisoteando a aquellas criaturas babosas, intentando hacer que se incorporaran. Pero los que habían recibido el veneno de los sapos quedaban paralizados, y lo único que podían hacer era mirar, porque no podían moverse, ni hablar, ni siquiera gritar mientras les devoraban.

Tatijana, tienes que ocuparte de esos sapos, ordenó Zev. *Branka, elimina esa barrera y luego deshazte de la niebla.*

Tatijana hubiera querido gritarle. Pero ¿qué se creía, que podía hacer milagros? A su alrededor todo era un caos, y veía carpatianos que se echaban aceite de hisopo por encima, se volvían, apuntaban con cuidado y disparaban flechas bañadas en aceite contra los perros.

—Jefes de manada, ocupad vuestro sitio y defended posiciones —ordenó Zev mientras corría.

Branislava lo vio desaparecer tras la pira humeante. El humo ya no era blanco, su olor no era puro. Y se elevaba al encuentro del banco de niebla que había allá en lo alto. En el punto donde se encontraban, el humo de la pira tiñó el vapor gris amarillento de un negro perverso y oscuro. Las llamas lamían la madera y las flores, y quemaron la primera capa de la pira, prendiendo los troncos y ramas que sostenían los cuerpos de Arno y Arnau.

La idea de que Zev estuviera tan cerca de Xaviero hizo que su corazón se acelerara. El mago estaba encerrado en un círculo de protección, y ella aún no sabía dónde estaba el hermano. Pero si lo que pretendían era abrir las puertas del infierno, tendría que formar un triángulo con él y la pira ceremonial, donde tendría lugar el sacrificio... y Zev iba directo hacia allí.

Entonces se obligó a bloquear los gritos y los sonidos de lucha y los terribles aullidos y ladridos de los perros. Ni siquiera podía mirar a aquellos sapos y sus víctimas. Su trabajo era eliminar el pentagrama invertido. La zona que los magos habían acotado era la clave de su poder. Sin ella, no podrían abrir las puertas y no podrían hacer el intercambio de cuerpos y espíritus.

¿Puedes deshacerte de ellos, Tatijana? ¿De los sapos? ¿Puedes destruirlos?

Me ocuparé de los sapos, sí, le aseguró Tatijana. *Tú sigue con eso.*

Tatijana se colocó espalda con espalda con su hermana. Cerró los ojos un momento. A su alrededor el ruido era espantoso, los gritos de los heridos y los moribundos. Podía oír la respiración rasposa de aquellas personas, como cuando era niña y veía a su padre y a sus tíos hacer experimentos con seres vivos. Tuvo que obligarse a concentrarse en el presente, en contrarrestar el ataque de los sapos.

Sabía que lo de los sapos solo era una distracción. Necesitaban cadáveres y caos por doquier. Cuantas más almas y espíritus quedaran atrapados en su red, mayor sería el poder que se generaría y que los dos magos podrían utilizar. Aún así, los sapos hacían su trabajo, saltaban a las piernas y acababan por derribar a sus presas. Sus cuerpos se hinchaban y se volvían más lentos, pero eso no les hacía parar.

Estaba en mitad del claro y, tras alzar las manos, empezó a tejer en el aire. Justo en ese momento, notó un desgarrón en la pierna y una intensa sensación de quemazón que subía pasando de un nervio a otro.

Dimitri le arrancó el sapo de la pierna de una patada. Aquella abominable criatura salió volando por los aires, y se llevó un buen trozo de carne entre los dientes.

Tatijana no trató de ver dónde caía. Los sapos estaban muy cerca, la rodeaban. La buscaban. Dimitri, Skyler, Ivory y Razvan tomaron posiciones para protegerla. Y mientras ella seguía tejiendo, Dimitri retiró el veneno de su cuerpo.

Su voz era firme, baja, y sin embargo sus notas repetitivas llegaron a todos los rincones del claro.

Criaturas de la tierra,
de diseño corrompido,
cuando alcéis vuestras voces,
que la tierra os consuma.

Los sapos abrieron la boca para protestar. Los dientes aserrados empezaron a caer al suelo con cada nota que brotaba de sus bocas. Cada vez que trataban de llamar a los otros para que les ayudaran, perdían más dientes. El veneno corría abundantemente sobre la tierra.

Criatura de sangre fría,
que moras bajo la tierra,
a ti te invoco, serpiente,
para que limpies de sapos.

De los agujeros por donde habían salido los sapos empezaron a emerger serpientes que se lanzaron a capturar a aquellas criaturas viles y abotagadas. Eran largas, de color verde oliva, con medias lunas amarillas a cada lado de la cabeza. Unas franjas negras les recorrían el flanco. La culebra de collar era considerada por algunos una protección, no una amenaza. Golpeaban con rapidez. Y los sapos estaban demasiado hinchados para moverse y huir.

Tatijana dejó escapar un suspiro de alivio y caer los brazos, dando gracias por haber podido acabar al menos con una de las amenazas. Oyó que Razvan gruñía y al mirar vio que un enorme perro del infierno saltaba sobre su pecho y lo derribaba. Al momento los lobos saltaron desde Ivory sobre la inmensa bestia, todos ellos bañados en aceite de hisopo, y se pusieron a morder y desgarrar la barriga, la garganta y las patas del perro. Ellos eran rápidos, pero aquella bestia lo era más, y tras soltar a Razvan se volvió y clavó su mandíbula gigante en el macho.

Razvan rodó y, tras incorporarse bajo la barriga del perro, le hizo un corte con el cuchillo bañado en aceite. El animal abrió la boca y soltó al lobo. Entonces, cuando volvió a rodar, más lobos saltaron de su espalda para unirse al grupo que estaba atacando al perro. Pero, más que el cuchillo, los lobos o Razvan, fue el aceite de hisopo lo que empezó a debilitar a la criatura demoníaca. Trató de girarse dando dentelladas al aire y trastabilló.

Ivory sostuvo su cuchillo, que estaba al rojo, y apretó la hoja contra las marcas de mordedura de Razvan para cauterizar la herida. Él le dedicó una mirada agónica y se volvió hacia el perro, que en aquel instante saltaba de nuevo sobre el lobo herido, y se interpuso entre los dos. Ivory puso una flecha en la ballesta y disparó a la bestia al ojo. El animal empezó a dar dentelladas una vez más, sin ver por dónde iba, topó con Razvan y el golpe le hizo caer sobre el lobo herido. Ella se acercó y le arrojó su cuchillo a su compañero, el de la hoja roja encendida, y desde su posición en el suelo, Razvan lo presionó contra la mordedura que tenía el lobo.

Farkas, el lobo, aulló, sumando su voz al caos de la terrible batalla. Empezaron a oírse gritos cerca de la pira funeraria. Tatijana volvió la cabeza para mirar. Xaviero tenía los brazos extendidos y dio una orden. Dos licántropos avanzaron obedientemente hacia las llamas, mientras otros muchos esperaban en fila a que les llegara el turno.

El pánico se adueñó de ella. Notó que Branislava la tomaba de la mano, y cuando miró por encima del hombro vio que estaban rodeadas, no solo de perros del infierno, sino de *sange rau*. Cuatro *sange rau*.

Detrás de la barrera de perros y *sange rau*, apareció una figura ataviada con una túnica. Se echó la capucha hacia atrás y esbozó una sonrisa grotesca. Estaba mirando a Xayvion.

Capítulo 20

Branislava giró con rapidez y aferró la mano de su hermana. Apenas sí se permitió ver a los perros del infierno con sus ojos encendidos clavados en el pequeño grupo, o a los cuatro *sange rau* que tenían detrás. Su mirada estaba clavada en las llamas que subían al cielo.

Xaviero estaba recolectando almas, seres atormentados que no podían sino obedecer sus órdenes. Y él los mandaba a la muerte, muerte por fuego, una putrefacta mezcla de incienso que había mezclado con ramas venenosas y había ocultado entre las flores y las ramas una vez que estuvo hecha la pira.

Aún no había conseguido descubrir lo que había hecho exactamente para crear su pentagrama invertido. Pero no podía seguir concentrada en resolver aquel misterio y salvar a la gente a la vez, y en aquellos momentos ver cómo los echaba al fuego para reclamar sus almas era más de lo que podía soportar.

Branka, no puedo detenerlos.

Era Zev, que apareció de pronto y derribó a los dos licántropos que estaban los siguientes en la cola para saltar al fuego. Los dos cayeron al suelo, a cierta distancia, pero volvieron a levantarse y se colocaron de nuevo al final de la cola, a pesar de sus esfuerzos.

Ayúdame, dime qué debo hacer.

Aquellos eran sus amigos, a algunos los conocía desde que nacieron. Pero contrarrestar esos conjuros no era tan fácil como lo que había hecho Tatijana con los sapos. Cada conjuro estaba formado por diferentes capas, y había que ir pelándolo como una cebolla. ¿Cómo se podía detener a un maestro?

Dimitri, Fen, tengo que llegar al fuego ahora mismo. Tenía sus esperanzas puestas en ellos. Fen luchaba tratando de llegar hasta ellas, pues sabía que debía protegerlas mientras trataban de anular los conjuros demoníacos de Xaviero. Branislava tenía que librarse de aquel círculo de perros del infierno y *sange rau* para poder ayudar a los que avanzaban indefensos hacia el fuego.

Trataré de abrirte una vía, pero no aguantará más que unos pocos segundos.

Tatijana, Skyler e Ivory no tendrían más remedio que enfrentarse a Xayvion. Era evidente que estaba allí para entretenerlas e impedir que interfirieran con la ceremonia que Xaviero estaba realizando.

Branislava trató de ahogar los sonidos de la batalla, los gritos de los moribundos, los gritos de miedo, la imagen de los perros del infierno con sus ojos brillantes y las fauces babeantes. No debía pensar en los *sange rau* que las bestias tenían detrás. Eran altos, de hombros anchos, salvajes, casi imposible matarlos; necesitaba a Dimitri y a Fen para que interceptaran los posibles ataques si quería tener alguna posibilidad de pasar.

Enmascarad mi energía para que no se den cuenta de que me transformo. Un pequeño truco. Los *sange rau* y los licántropos podían percibir los cambios en un campo energético. Tenían que sincronizarse bien. Los perros del infierno se estaban cerrando en torno al grupo, el círculo era cada vez más pequeño.

Ahora, respondió Dimitri.

Branislava saltó en el aire, sobre los perros, casi delante de uno de los *sange rau*, y adoptó su forma de dragón. Reconoció a Sandulf por los recuerdos de Lyall. El *sange rau* era mucho más rápido de lo que esperaba y saltó tras ella, cambiando al hacerlo a su forma mitad hombre, mitad lobo, enganchándose al vientre del dragón con sus temibles zarpas, empezándola a desgarrar en un intento por eviscerarla.

Grandes gotas de sangre llovieron sobre los perros del infierno y, por un momento, dejaron de atacar a los que estaban en el estrecho círculo. De hecho, abandonaron su empeño para saltar también en el aire, tratando de llegar al dragón. La sangre fresca los había enloquecido, hasta tal punto que ni siquiera obedecían las órdenes de Sandulf.

Dimitri se transformó también en mitad hombre, mitad lobo, y saltó sobre Sandulf, que se aferraba al dragón y trataba de arrastrarlo hacia abajo. Sus cuerpos chocaron con tal violencia, que del golpe el *sange rau* se soltó y eso permitió que Branislava se elevara lo suficiente para quedar fuera del alcance de los perros del infierno. Dimitri aterrizó sobre la espalda de una de aquellas bestias, y Sandulf cayó sobre el cuello de otro, entre las dos cabezas.

Pero como él estaba embadurnado de aceite de hisopo, y el contacto quemó la espalda y el pelaje del animal e hizo que se pusiera a aullar de dolor y empezara a lanzar dentelladas, incluso a los otros perros. Entonces rodó y se colocó a horcajadas sobre el animal y le clavó una flecha en uno de sus ojos amarillos, utilizando la fuerza que le daba su sangre mezclada para llegar al cerebro.

El perro de dos cabezas, atacado por un perro vecino que no dejaba de morderle y con aquel hombre grande y pesado encima, bajó las cabezas y miró con malicia a derecha e izquierda, y acto seguido clavó los dientes en los dos perros que tenía más cerca. Dimitri consiguió clavar una segunda flecha en el otro ojo del monstruo sobre el que estaba. El perro se estremeció, dio dos pasos y se desplomó.

Sandulf se levantó lentamente para enfrentarse a Dimitri, limpiándose la boca con la mano. Se miró la sangre que teñía sus dedos y escupió con desprecio. Era un hombre bruto, como su tío Randall, pero allí donde Randall era amable y bondadoso, Sandulf disfrutaba del poder que le daba su físico. Sus ojos brillaban llenos de ira cuando arremetió contra él.

Dimitri no se movió, se quedó esperando, como un matador ante el toro. En el último momento, se desvió a un lado y aprovechó el impulso de los dos ataques para clavar la estaca de plata con fuerza contra la cavidad pectoral y hundirla hasta el corazón. Y entonces giró al tiempo que sacaba su espada y le rebanó la cabeza.

El dragón de Branislava se elevó lo justo para que no pudieran alcanzarla, giró y dirigió su cola contra los perros y los *sange rau* que rodeaban a sus compañeros. Con un coletazo resentido, los apartó a todos de Skyler, Tatijana y Ivory. Pero no podía quedarse para protegerlas, no cuando Zev y los licántropos estaban en peligro. Así que las dejó, y rezó para que Fen, Dimitri y Razvan pudieran hacerlo.

Zev seguía arrojando licántropos fuera de la fila, obligándolos a volver al final de la cola para seguir esperando su turno antes de saltar al fuego. Estaba sudado, acalorado, furioso. Por más que lo intentaba, no conseguía hacerles reaccionar. Era una tarea difícil y agotadora. Xaviero estaba muy cerca, a escasos metros, alimentando el fuego con combustible vivo para poder culminar su propósito. Estaba muy cerca, y sin embargo Zev no podía tocarlo, porque se había rodeado de un círculo de protección.

El dragón descendió sobre el límite del gran fuego, cuyas llamas se elevaban hacia la espesa niebla que cubría sus cabezas. Un humo negro corría por debajo, y teñía la niebla de un tono carbón. Entonces levantó su cabeza con forma de cuña y arrojó sobre el círculo de protección una llamarada que encendió el suelo e hizo que las llamas rodearan a Xaviero. Aquel fuego no podía tocarle, pero sí podía incomodarle e impedir que viera lo que pasaba a su alrededor. Y lo mejor, le obligaría a interrumpir lo que hacía para contrarrestar sus movimientos, como le había pasado a ella mientras trataba de deshacer el pentagrama invertido.

Branislava no podría aguantar mucho tiempo metida en el fuego, tratando de evitar que los licántropos se arrojaran a las llamas, tenía que neutralizar como fuera el conjuro de Xaviero. Lo conocía muy bien, lo había estudiado con mucha atención. Incluso aunque hubiera creado un millar de conjuros nuevos en aquellos años, su estilo seguía siendo el mismo: arrogante y egoísta.

Zev hacía cuanto podía por apartar a cada licántropo del fuego. Era como si no fueran más que cuerpos vacíos, sin espíritu, aunque podía ver el terror en sus ojos cuando entraban en el fuego. De momento solo había perdido a cuatro, pero había tenido que mostrarse muy agresivo, e incluso utilizar los puños para derribar a algunos de ellos. Eso no había sido suficiente con los más decididos, con los que estaban más dominados por las órdenes de Xaviero.

Date prisa, Branka. Se están desplazando hacia el otro lado.

Sabía que Branislava se daba tanta prisa como podía. Debía de estar pasándolo muy mal allí, en el fuego, incluso en su forma de dragón, pero aquello eran hombres y mujeres reales que se arrojaban tranquilamente a las llamas por orden del gran mago. *En cierta manera, saben lo que están haciendo. Xaviero les ha privado de su voluntad, pero pueden ver lo que tienen por delante y no pueden evitarlo.*

Branislava notaba el tono angustiado de la voz de Zev. Aquello era muy típico de Xaviero. No le bastaba con sacrificar a todos los licántropos para sus planes nefastos, tenía que saber que sufrían emocional y mentalmente. Y habría apostado hasta su último dólar a que también sufrían físicamente, solo que no podían gritar.

Decisiones tomadas,
sin una voluntad,
yo apelo a aquello que ocultas en ti.
Apelo al fuego de la pasión,
apelo al espíritu,
para que rompa las cadenas que te doblegan,
y tu libre albedrío reine de nuevo.

Los licántropos volvieron en sí con un fiero grito de guerra, dieron la espalda al fuego y miraron a Xaviero con odio y rabia. Ocho de los guerreros se separaron del grupo para rodear el círculo de protección.

No, Zev, debes detenerlos. No pueden atacarle.

Aterrada al pensar en lo que el gran mago podría hacer con los lobos furiosos, consciente de que aprovecharía su odio y su ira para sus propósitos, abandonó su forma de dragón, al tiempo que saltaba lejos de las llamas y corría trazando dibujos en el aire en un intento por encontrar un conjuro que frenara a los guerreros licántropos.

Tiempo que es movimiento,
ánclalos,
sujétalos al suelo,
congélalos y que no haya más muertos.

Su conjuro llegó demasiado tarde para los más rápidos y fuertes. Cuatro de ellos saltaron a las llamas alrededor del odiado mago y toparon con la barrera de protección. Uno trató de llegar a su cuello desde detrás, decidido a utilizar a su lobo para cortar la médula. Otros dos quisieron atacar desde los flancos, y el último intentó un ataque frontal y saltó sobre la garganta.

Las llamas que rodeaban el círculo de protección desaparecieron en un soplo azul. Xaviero atrapó al licántropo que venía de frente, le partió el cuello y lo arrojó a las llamas tranquilamente. Y le sonrió a ella, con aquella expresión despectiva y maligna que recordaba de hacía tantos años. Jamás olvidaría la imagen macabra de sus dientes y los ojos mortecinos que se encendían con aquella especie de felicidad cuando hacía daño a alguien.

El licántropo que saltaba contra su cuello quedó atrapado en el aire por unas runas ardientes, y entonces, con aquella mueca demoníaca, el mago estiró el brazo, lo sujetó del cuello y lo arrojó al fuego detrás del primero.

Los dos licántropos gritaron cuando las llamas prendieron en sus cuerpos, y no dejaron de girar tratando de librarse de aquello. El fuego los calcinó, como si los hubieran embadurnado con un acelerador, mientras gritaban y aullaban, con un sonido difícil de olvidar.

Los dos últimos guerreros atravesaron el círculo de protección y las runas se extendieron sobre sus cuerpos, subieron por sus piernas y sus caderas, la espalda y el torso, cada vez más arriba, hasta que llegaron al cuello. Los dos hombres, en su forma de licántropos, se llevaron las manos con garras al cuello, tratando de respirar, con los ojos que parecía que se les iban a salir de las órbitas. Fue un estrangulamiento lento y cruel, y aquellos que lo vieron no pudieron hacer nada. Como si estuvieran realizando una danza macabra, los dos cayeron lentamente a los pies del mago.

A su alrededor, la batalla seguía encarnizada entre los carpatianos y licántropos, dirigidos por Daciana, Makoce y Lykaon, y el ejército de perros del infierno y *sange rau* que los magos habían creado. Y, aún así, en aquel instante era como si estuvieran solo Xaviero y Branislava, mirándose.

Ella se humedeció los labios y agitó la mano para devolver a los licántropos a los que había paralizado la capacidad de moverse.

—Os está utilizando. No podéis derrotarle —dijo en voz alta—. No podéis. Uníos a los otros para combatir a su ejército y a él dejádmelo a mí.

Se obligó a poner un tono seguro y confiado, como Zev le había enseñado. Zev creía en ella y eso la ayudó a vencer el terror que sentía por aquel hombre.

El mago la miró con la mirada turbia por la ira, en una clara advertencia. Si intentaba detenerle habría represalias.

Zev dio un paso hacia el mago y así llamó su atención. Ella meneó la cabeza pero no dijo nada. Zev no era hombre que librara sus batallas con ira o con movimientos impetuosos e irreflexivos. Había llamado la atención del mago deliberadamente para que pudiera concentrarse en derribar la barrera y eliminar el pentagrama invertido de Xaviero y la niebla demoníaca.

Con la vista clavada en Zev, el mago se metió las manos en la túnica y extrajo dos piedrecillas de aspecto inofensivo. Tendrían el tamaño de los ojos de un hombre, y estaban tan lisas como si las hubieran pulido y pulido. Con una lentitud deliberada, Xaviero abrió las manos y dejó que las piedrecillas cayeran sobre el pecho peludo de los dos licántropos que tenía muertos a sus pies. Ni siquiera bajó la vista para ver si había acertado. Se limitó a mirar a Zev con una mueca de absoluto desprecio.

Él vio que las piedras caían justo sobre el corazón de los licántropos. No rebotaron ni resbalaron sobre el grueso pelaje. Las piedrecillas ardieron con una curiosa llama púrpura y azul y se hundieron en el pecho de los dos muertos. Entonces sintió que se atragantaba cuando vio que los dos guerreros se sacudían. Tenían convulsiones. Aumentaban de tamaño. Donde antes había pelo, grandes espinas brotaron de la piel, y las espinas cubrieron el pecho, la espalda, los brazos e incluso las piernas. Los morros se extendieron para acomodar una segunda hilera de dientes aserrados. Las dos criaturas se levantaron, y sus garras crecieron hasta hacerse tan grandes que doblaban el tamaño de las de un oso pardo.

Zev suspiró y miró a su alrededor, a los otros licántropos, que contemplaban aquello sin acabar de creerse lo que estaban viendo. Poco quedaba de aquellos dos hombres que pudieran reconocer bajo su blindaje monstruoso.

—Voy a necesitar que Fen y Dimitri me ayuden con estos puercoespines —dijo con voz poderosa, tratando de dar una nota de humor cuando parecía que estaban todos condenados.

Algunos de los líderes de manada sonrieron. Hizo una señal a Branislava para que se apartara del círculo de fuego y entrara en el círculo de los licántropos.

—Por encima de todo, debéis proteger a las mujeres. Ya sabéis cómo matar a los perros del infierno, y debéis atacar a los *sange rau* en grupo, como manada. Nosotros les superamos en número. Hacedlo como queráis, pero eliminadlos. Y proteged a las mujeres. Ellas tienen que enfrentarse a los magos.

Branka, tienes que romper su círculo de poder. Aún no he podido encontrar a su víctima. Creo que debo ir al otro lado de la pira, que es allí donde la tiene, pero Xaviero no deja de ponerme obstáculos.

Volverá a lo suyo cuando piense que estás ocupado con los puercoespines gigantes. Veré qué puedo hacer.

No, tienes que buscar la forma de anular el pentagrama invertido y la barrera de niebla. Intuyo la presencia de Gregori y Mikhail del otro lado, con refuerzos, pero no pueden pasar.

Los grandes monstruos que Xaviero había creado se sacudieron y volvieron sus ojos vacíos y negros, no hacia Zev, sino hacia Branislava. Era evidente que el mago sabía cuál de los dos era su verdadero enemigo.

Sal de aquí, Branka. Ahora. Quédate dentro de ese círculo y trata de llegar a los carpatianos, porque ellos ayudarán a protegerte.

Zev, no sé cómo, pero tienes que arrancarles esas piedras del pecho. No podrás matarlos de ninguna otra forma. Son las piedras lo que les da la vida.

Vale. Y ahora vete. Y mantente a salvo.

Zev se concentró en los puercoespines. Cada uno dio un paso vacilante, como si estuvieran probando el funcionamiento de sus cuerpos. El primero sacó una pierna del círculo de protección y él, haciendo uso de su velocidad de mestizo de sangre, saltó hacia delante, le rebanó la extremidad y saltó fuera de su alcance con un movimiento.

El puercoespín aulló y se inclinó hacia delante en una caída aparatosa, mientras una sangre negra se derramaba en el suelo a su alrededor. Para disgusto de Zev, la criatura lamió la sangre y trató de incorporarse sobre la pierna que le quedaba.

Él giró y saltó desde arriba en el último momento. Su espada destelló, cortando la cabeza, y aterrizó acuclillado a unos metros. La cabeza rodó por el suelo, derramando más sangre negra. Se sintió aliviado. Aquello no era más que una táctica dilatoria, pero tal como estaban las cosas, los puercoespines eran lo que menos le preocupaba. Branislava no se había parado a pensar que Xaviero también quería entretenerlos a ellos.

—Zev, ¿qué demonios...?

Fen estaba a su lado. Dimitri se situó a su otro lado. Los tres se quedaron mirando con fascinación y espanto los miembros cortados de la criatura. La pierna se sacudió y tembló. El cuerpo hizo otro tanto. La cabeza se extendió de modo grotesco.

—No creo que partirlos en trocitos sea buena idea —dijo Fen con cierto humor—. Necesitamos otro plan.

Zev, quizá yo puedo ayudaros, dijo Branislava, con la voz llena de pánico.

Tú eres su objetivo. Mantente lejos de su vista. Tienes que mantenerte a salvo, Branka, eres nuestra única esperanza de salir de este lío.

Branislava pestañeó ante aquel ramalazo de autoridad. Era imposible no obedecerle cuando hablaba así. Sabía que él dirigía ejércitos, y en aquellos momentos, carpatianos y licántropos por igual estaban bajo sus órdenes. Se manejaba en el campo de batalla como un general y era evidente que sabía lo que hacía. Solo que él no entendía de magos como ella, o al menos no de esos magos. No podía evitar sentir miedo por él.

Y a pesar de todo, no pensaba ponerse a discutir en mitad de una batalla y distraerle de los tres puercoespines que iban hacia él. O del segundo puercoespín aún entero que en aquel momento salía tambaleándose del círculo de protección. Xaviero había dejado de prestarles atención y volvía a estar de cara al fuego con los brazos extendidos y concentrado.

Zev musitó por lo bajo. Hubiera dado lo que fuera por conocer algún conjuro.

—Necesitamos saber cuál de los tres era antes el torso. Branka dice que tenemos que sacar las piedras que, por cierto, se convirtieron en llamas azules antes de entrar en los cuerpos. Vamos, que está chupado.

Dimitri le dedicó una mueca traviesa.

—Como siempre, ¿no?

—No se mueven tan rápido como los perros del infierno o los *sange rau* —señaló Fen frunciendo levemente el ceño—. De modo que, aparte de dientes y garras ¿qué tienen que sea tan letal?

—Si parecen puercoespines —dijo Zev con una pequeña mueca—, cabe esperar que las púas sean peligrosas. ¿Ves todas esas púas? Solo es una suposición.

Fen le lanzó una mirada. Los cuatro puercoespines se acercaban, tratando de rodearlos.

—Son exactamente iguales, ¿cuál de los tres tiene la piedra que buscamos?

—Fen, el que tienes justo delante es el que se ha partido en tres, pero ese con esos salientes tan raros era el torso. Mucho cuidado con cortar nada. No nos interesa que aparezcan más. Doy por sentado, y esto podría hacer que acabemos muertos, que si conseguimos las dos piedras los otros dos caerán.

—Esperemos que tengas razón —dijo Fen, y saltó en el aire, por encima del puercoespín que tenía delante.

Como si el movimiento hubiera activado algún mecanismo, los cuatro licántropos convertidos en marionetas empezaron a disparar púas mortíferas. Eran casi como flechas, pero más aerodinámicas y con la punta envenenada. Los tres cazadores veían el veneno brillando en la punta, y eso significaba que los cuerpos de los puercoespines producían el veneno y este circulaba por el interior hueco de la púa hasta la punta.

Si algo salvó a Zev y a Dimitri de quedar atravesados por púas venenosas fue su rapidez de mestizos de sangre. Los dos saltaron en el aire, y aún así Zev notó un dolor punzante porque una de las púas le atrevesó el tobillo. Un dolor punzante y feo, como un tren sin control, que lo dejó sin aliento.

—Expulsa el veneno por los poros —le indicó Dimitri con los ojos puestos en su hermano.

Fen, que había saltado en el aire, aterrizó sobre el puercoespín que Zev había dicho que llevaba dentro la piedra de Xaviero. Sus piernas rodearon a la bestia por el cuello, el único lugar del cuerpo que no estaba cubierto de púas. El ataque fue tan rápido que derribó a la marioneta y la dejó inmovilizada en el suelo.

Entonces le clavó con fuerza el cuchillo en el pecho, y su mano entró en el cuerpo detrás del arma. Y aunque no dejó de maldecir por lo bajo en su idioma materno porque el veneno le quemaba la piel, sus dedos consiguieron encontrar la pequeña piedra. La cogió y la sacó, aunque la bestia le atacaba y se defendía sin dejar de arañarle los brazos y los hombros con sus garras. Fen se aferró a su trofeo con tenacidad, sin prestar atención a lo que le sucedía a su cuerpo.

Dos de los puercoespines corrieron a ayudar, pero se movían con torpeza, y Dimitri los frenó rebanándoles las piernas. Fen cortó la cabeza de su presa, con la piedra aún en la mano. Estaba sorprendentemente lisa y limpia, y fría, cuando hubiera debido estar caliente y cubierta de sangre.

Branka, ¿qué hacemos con la piedra? Preguntó Zev, *siguen vivos y nos atacan.*

No le gustaba la fascinación de Fen por aquel objeto. En lugar de tirarla y huir para evitar que le atacaran, Fen se había quedado mirando aquella cosa como si estuviera hipnotizado.

Utilizad un paño para cogerla. No la toquéis con las manos desnudas.

Cuando oyó aquello, Zev se arrancó la camisa y le arrebató la piedra a Fen, al tiempo que lo empujaba a un lado fuera del alcance de uno de los puercoespines. Fen pestañeó con rapidez, frunció el ceño y se miró los brazos destrozados con perplejidad.

La tengo. ¿Qué hago con ella? Las marionetas ahora se dirigían hacia él, sin hacer caso de Fen ni de Dimitri. Se alegró de haber expulsado el veneno de su cuerpo como le había indicado este. Nunca lo había hecho antes, pero el truco le hubiera venido muy bien en algunas de las batallas en las que había participado.

Arrójasela a Xaviero. Como la vez que le disparaste. Apunta entre los ojos y no falles.

Está dentro de un círculo de protección.

Exacto. Será su magia la que destruya la piedra.

—Coge la otra e intenta no tocarla. Si lo haces te arriesgas a convertirte en un zombie. Aunque Fen parecía encantado —señaló Zev.

Dimitri utilizó el mismo sistema que Fen, saltó en el aire, haciendo tijera con las piernas alrededor del cuello de la marioneta y derribándolo al suelo para inmovilizarle las piernas mientras le clavaba el puñal en el pecho. Se había liado la mano en un trapo, y cuando notó la piedra, utilizó dos dedos para situarla en mitad de la tela, sobre su palma.

El puercoespín le atacaba. A pesar del dolor que le causaba, mientras trataba de desgarrarle los brazos y clavarle las púas, a Dimitri le dio pena. Aquella criatura había sido un guerrero licántropo, leal a su pueblo, rápido y fiero. No estaba bien hacerle algo así.

—Te daré la paz que mereces —susurró con suavidad mientras extraía la piedra de su pecho.

Se apartó de un salto y corrió junto a Zev.

—¿Y ahora qué?

—Las arrojamos contra la frente de Xaviero. Apunta entre los ojos. Branislava dice que no debemos fallar. Así que no lo hagas —le advirtió Zev—. Justo después de mí. Uno detrás el otro, muy seguidos, para que no tenga tiempo de contestar.

Dimitri asintió. Zev arrojó la primera piedra, tan fuerte que casi cantaba en su trayecto por los aires. Dimitri hizo otro tanto, y los dos acompañaron a las piedras hasta el círculo de protección con un silbido bajo. Las dos piedras golpearon con fuerza la barrera protectora, dirigidas exactamente a la frente de Xaviero. Una llama azul apareció un instante en la barrera, chisporroteó y se extinguió. Por un momento el círculo que rodeaba al mago se encendió y el hombre dio un traspiés, como si le hubieran golpeado con fuerza.

Los miró con expresión furiosa, con las llamas de la ira en la mirada. Sus marionetas se desplomaron sobre el campo de batalla. Zev le dedicó un saludo.

Está hecho, Branka. Vamos hacia ti.

¿Estáis todos bien?

Un poco magullados, pero bien, le aseguró. *Los licántropos a los que había convertido en marionetas ya descansan.*

Era imposible que el alma de nadie que muriera allí pudiera escapar, Xaviero se había asegurado de que así fuera con su niebla repugnante y el humo negro y ávido de la hoguera, pero prefirió no señalarle aquel detalle a Zev. Branislava empezó a alejarse poco a poco del fuego, pues sabía que cuanto más cerca estuviera del centro de poder de Xaviero, más interferiría con el suyo. Tenía que ser tan poderosa como él por derecho propio... por el bien. Allí donde estaba el mal, siempre estaba el bien. Donde había oscuridad, podía encontrarse luz. Ninguno podía existir plenamente sin el otro.

Tatijana, ¿estás bien?

Antes de bloquear todo lo demás, quería asegurarse de que las otras tres mujeres podían ocuparse de Xayvion.

Tatijana oyó a su hermana como si estuviera muy lejos, no conectada a su mente. Estaba totalmente concentrada en Xayvion. Él ya había neutralizado su conjuro, y había convertido a sus útiles y saludables culebras en víboras venenosas que se deslizaban por la zona esperando a que algún incauto carpatiano o licántropo pisara donde no debía.

A quienes rebosan veneno,
con un encantamiento yo sano,
con música os llamo, oíd mi voz curativa.
A cada serpiente yo digo, vuelve a ser lo que eras,
olvida cómo hacer daño,
borra el miedo,
disuelve el veneno y deja que se evapore.

Xayvion solo intenta distraernos, advirtió Ivory. *Se ha ido desplazando y pronto llegará a la posición que necesita para formar el triángulo con su hermano y el fuego.*

Entre las tres podemos expulsarlo, frenar sus conjuros mezquinos, dijo Skyler. *Está jugando contigo, Tatijana. No le interesa la batalla, ni hacer ninguna otra cosa que no sea añadir almas al fuego para que Xaviero pueda abrir las puertas.*

Si lo dejamos fuera de juego, añadió Ivory, *eso frenará a Xaviero y dará a Branislava la oportunidad de desentrañar la fuente de poder.*

Las tres se habrían sentido mucho más seguras teniendo cerca a Dimitri, a Fen y a Zev para controlar a los rapidísimos *sange rau*, pero las manadas que ocupaban sus posiciones se habían entrenado para el supuesto de que alguna vez toparan con aquellas criaturas. Al igual que los carpatianos, utilizaban aceite de hisopo para proteger sus cuerpos y sumergieron también en aceite sus flechas y cuchillos.

Tatijana consiguió bloquear los sonidos de la batalla y el aliento caliente de algún perro del infierno que a veces se acercaba demasiado.

—Probemos —musitó, y tendió las manos a Skyler e Ivory.

Las tres inclinaron la cabeza mientras Ivory rezaba una pequeña oración antes de convertirse en una unidad de poder. Tatijana levantó la cabeza y miró directamente a Xayvion.

Apelo al poder de la tierra,
la madre que nos creó.
Apelo al poder del aire,
dame tu fuerza.
Apelo al poder del agua,
protege de aquello que quema.
Apelo al poder del fuego,
canaliza a través de mí tu fuerza explosiva.

Xayvion no esperaba que le atacaran directamente. La fuerza del conjuro lo golpeó justo en la cintura y lo impulsó en el aire doblado por la mitad como una muñeca de papel, para hacerle caer en el infierno que Xaviero había estado alimentando con licántropos. Entonces gritó, girando como una peonza, tratando de controlarse para poder repeler el conjuro. Y aunque consiguió salir del fuego, con las ropas chamuscadas y los cabellos blancos quemados, Tatijana estaba esperándole.

Gira y gira, rueda y rueda,
de vuelta a la niebla,
que lo que hay dentro no se vea
y que no veas por dónde vas.

Fuera lo que fuese que había en la niebla, el espesor de aquel humo envolvente no era mejor para el mago que para los carpatianos o los licántropos. Habían liberado cosas espantosas en aquella densa barrera para que les ayudara cuando llegara el momento de sacrificar las almas que Xaviero había arrebatado a los muertos. Las tenía a todas reunidas en el humo, apretadas contra la niebla.

Xayvion sintió que los espíritus furiosos trataban de aferrarlo, cerrando sus garras ávidas sobre el suyo en un intento por arrastrarlo al reino de oscuridad y desesperanza a donde esperaban con impotencia que Xaviero los arrojara.

Y entonces contraatacó, furioso por la fuerza de las tres mujeres. Tatijana no era más que forraje... comida para mantener a los tres hermanos con vida. No había nada en ella, no tenía cerebro, ni cualidades ni capacidades. No era más que una niña tonta a la que recurrir cuando uno tenía hambre. ¿Cómo podía contrarrestar sus movimientos y mostrarse tan combativa? Reconoció a Ivory. Él había ayudado a Xavier a secuestrarla para satisfacer el oscuro deseo de Draven, aquel muchacho estúpido, primero en la línea de sucesión antes que Mikhail, y que no tenía ni idea del poder que podía haber conseguido de no haber tenido aquella obsesión por una sola mujer. Fue Xaviero quien ayudó al vampiro, la había partido en pedazos y había dejado su cuerpo repartido por el prado para que los lobos la devoraran. No la mató a propósito, porque sabía que sufriría terriblemente. Si los lobos no se la comían, el sol acabaría con ella, y sin embargo, allí estaba, sumando su poder al de Tatijana. La tercera mujer era una desconocida para él, pero notaba su impronta, y de pronto la reconoció horrorizado.

Xaviero, su hija está viva. Ya sabes a quién me refiero. La matamos, ¿no es cierto? Xavier dijo que estaba muerta y sin embargo vive. Esta es hija suya y de Razvan. Hablaba dominado por el pánico. Pero trató de controlarse para poder salir de la columna de humo.

Mátalas. ¡Mátala ahora!, ordenó Xaviero, y muy a su pesar, el miedo se notaba en su voz.

Une tus fuerzas a la mías, insistió Xayvion.

Esperó hasta que Xaviero se volvió hacia él y le envió un flujo continuo de energía. Levantó los brazos y respondió al ataque de las tres mujeres, pero por primera vez tenía miedo.

Gusano gigante bajo la tierra,
ven desde tu guarida,
devóralo todo, no dejes nada,
y que nuestra magia de ti se valga.

Bajo sus pies, el suelo se elevó ominosamente y se abrió, como si lo hubieran partido en dos y se hubiera formado un enorme socavón. Un gusano gigante apareció, y con sus dientes aserrados cogió a las tres mujeres y se elevó con ellas nueve metros, para volver a desaparecer rápidamente por el agujero.

Este gusano es una de sus mascotas, les advirtió Ivory. *No os resistáis. Tiene sacos de veneno por todas partes, y ese veneno no nos dejará transformarnos. Yo lo utilizo mezclado con otras sustancias para sumergir mis armas en ellos e impedir que los vampiros se transformen. Intentad relajaros. Razvan vendrá*, añadió muy segura. *Nos hemos enfrentado a ellos antes.*

Branislava notó el instante en que la energía de Xaviero cambiaba y golpeó el primero de los árboles donde había sujetado su entramado de magia negra. Había utilizado múltiples capas, todas ellas poderosas y repulsivas, un claro testimonio de los años que había dedicado a trabajar en el pentagrama invertido y la barrera que le permitirían conseguir una fuerza tan extraordinaria. No, eso no era cierto. Ella podía percibir la mano de cada uno de los hermanos. Ahora podía distinguirlos. Si conseguía distanciarse de cuanto la rodeaba, podía concentrarse en lo que habían hecho. Y cada vez tenía más confianza.

Había conseguido eliminar varias de las capas sin llamar la atención de Xaviero. Una a una. Retirándolas con mucho cuidado. Era como si hubiera creado una telaraña gigante y ella tuviera que ir retirando los hilos uno a uno sin que la araña que estaba allí colocada esperando para darse un festín se diera cuenta.

Sin el poder sostenido que alimentaba su red, podía trabajar más deprisa, aunque poniendo el mismo cuidado. Ahora estaba convencida de que encontraría la manera de detenerle.

Invoco al aliso,
el mago de la lucha,
el hielo traicionero y calmante de Isa,
concentra mi voluntad,
escucha mi llamada,
zorro del bosque, es este un día de batalla,
muévete en silencio por este camino desconocido.
Apelo a aquello que no se ve,
guía mis pasos por esta red de oscuridad,
esencia cristalina, ilumina mi camino,
para que pueda deshacer lo que se ha hecho.

El árbol se estremeció. El enfermizo blanco grisáceo de la corteza y las ramas perdió intensidad. Branislava respiró hondo y envió más energía a la primera de las cinco puntas. Diminutas chispas saltaban alrededor del árbol como luciérnagas bailarinas. Estaba rodeada de fuego. De pasión. No podía contener lo que era. Tenía suerte de que Zev fuera tan apasionado como ella y pudiera aceptar su calor intenso y sus anhelos salvajes. Y vertía ese mismo fuego en sus conjuros, utilizando su amor, sin permitir nunca que se colara en ellos el odio o el miedo.

Protégeme, aliso, entre una forma y la otra,
Fuego, a tu espíritu llamo,
escucha mi llamada,
que aquella que sangra alimente el fuego de la vida.
Como una araña teje su tela,
así deshago yo el encantamiento.
Lo que se tejió entre las sombras,
que el fuego de la luz lo absorba y desarme.

La corteza del árbol pasó de un blanco enfermizo a un tono más oscuro y natural. Las ramas y las hojas adoptaron un color más normal y la niebla retrocedió, empujada por las luciérnagas. Las chispas danzaban con alegría alrededor del árbol, en rojo y naranja, parpadeando entre las hojas, devolviéndole la vida.

Xaviero echó la cabeza hacia atrás y rugió de rabia. El suelo se sacudió. Casi todo el mundo se cayó. Los brazos del mago se extendieron, abarcando el prado. El aire resonaba con su ira. La electricidad chisporroteaba y restallaba sobre sus cabezas como un látigo. El fuego saltó, con llamas furiosas.

—Deleitaos, mis mascotas. Matadles. Matadlos a todos. Despedazad a la mujer. Devoradla y no dejéis nada. Deleitaos. Matad. Devorad.

Los perros del infierno saltaron sobre los licántropos que se interponían entre ellos y Branislava. Saltaron en el aire y aterrizaron sobre los carpatianos y los licántropos que tenían más cerca, sujetándolos contra el suelo con sus grandes zarpas mientras sus afilados dientes arrancaban la carne. Las víboras clavaban sus dientes en los tobillos, a pesar de que ya no tenían veneno. Los *sange rau* se arrojaron sobre Branislava, decididos a pasar por encima de sus guardianes y matarla como su amo deseaba.

Zev, por su parte, utilizó a tres perros del infierno como tabla para impulsarse y saltar sobre el *sange rau* que estaba más cerca de Branislava. Y le acertó de lleno en el pecho con los dos pies. Utilizó su fuerza y su velocidad de mestizo de sangre junto con el impulso y la velocidad del *sange rau*. La colisión fue tan fuerte que él notó todos los huesos del pecho del *sange rau* romperse por el impacto. Él mismo sintió el dolor de aquella fuerte sacudida en las piernas, pero aparte de eso, aterrizó en cuclillas, totalmente ileso.

Un perro del infierno cayó sobre él, pero le rajó el vientre cuando aterrizaba. Cuando la bestia abrió el morro para gritar, le rebanó la garganta. Rodó por el suelo y se incorporó y le clavó una flecha en el ojo derecho, y dejó que Fen acabara el trabajo para correr junto a Branislava.

Fen también utilizó un perro del infierno para impulsarse, rodó sobre la espalda y clavó una estaca de plata en el pecho del *sange rau* al que Zev había derribado. Cuando pasó corriendo ante el perro con una flecha en el ojo y el pelaje quemado, clavó una segunda flecha en el ojo izquierdo y siguió corriendo.

Dimitri llegó detrás y utilizó su espada de plata para cortar la cabeza del *sange rau* que Zev y Fen habían herido. El perro del infierno había caído, pero el que Fen había utilizado para impulsarse y que ahora tenía la espalda quemada por culpa del aceite de hisopo, gruñía preparado para atacar, con las fauces abiertas, mostrando la espantosa dentadura. Un pedazo de carne le colgaba de un lado de la boca, junto con hilos de veneno mezclados con sangre.

Pero él no se molestó en aminorar el paso, clavó su espada bañada en aceite de hisopo por la garganta de la bestia, haciéndola salir por el otro lado. Y así, los tres se reunieron, Fen, Dimitri y Zev, mientras Razvan trataba de llegar hasta ellos para para poder defender a Branislava y evitar que nada ni nadie pudiera hacerle daño.

Dimitri entrecerró los ojos. ¿Dónde está Skyler?, preguntó tratando de ver algo en medio de aquel caos.

Tatijana tampoco está, añadió Fen con el corazón encogido.

Razvan señaló al gran agujero por donde habían desaparecido las tres mujeres.

Xaviero les ha enviado un gusano. Retrocedió y se apartó del agujero, aunque era lo más difícil que había hecho en su vida. *Tenemos que proteger a Branislava. Sin ella estamos perdidos, y ahora los dos magos pueden unirse para matarla. Confía en Ivory. Se ha enfrentado antes a estos gusanos y las traerá de vuelta.*

Cerró los ojos un instante. *Ivory, ten cuidado. Vuelve a mí sana y salva.*

Capítulo 21

Ivory contuvo una exclamación de dolor cuando los dientes del gusano se cerraron sobre ella. *Nos va a llevar al agujero. No os resistáis. Cuanto más luchéis, más veneno inyectará en vuestro cuerpo. Quedaos muy quietas, por mucho que os duela, por mucho miedo que tengáis,* advirtió a las otras.

Nos está llevando hacia arriba, no hacia abajo, hacia esa niebla hedionda, musitó Skyler tratando de no moverse, aunque se sentía como si aquella cosa le estuviera serrando el cuerpo.

Está subiendo muy deprisa, pero volverá a bajar. Vosotras aguantad.

Ivory trató de dar un tono tranquilo a su voz. Había visto gusanos antes, se había enfrentado a ellos, y había salvado a Razvan de las fauces de uno.

Tatijana se estremeció. *Me lleva de vuelta a la guarida del mago. Prefiero morir antes que regresar allí.*

No te resistas, reiteró Ivory. *Sé lo que hay que hacer. Mantened la calma. Cuando entremos en el agujero, el gusano podrá moverse deprisa bajo tierra. El túnel ya está hecho. Solo tiene que deslizarse. El trayecto será mucho más relajado. Tengo algunas armas que nos pueden servir, pero cuando caiga contra el suelo dolerá como un demonio. No puedo arriesgarme a perderlas.*

El gusano se elevó unos nueve metros, lo suficiente para que percibieran el hedor repulsivo del techo de niebla y oyeran los gritos y los lamentos de los espíritus atrapados en el humo negro. Se detuvo un momento y entonces volvió atrás a una velocidad sorprendente, a la tierra, donde se sentía más en su elemento.

He tratado de transformarme, dijo Tatijana. *Es imposible.*

El gusano tiene un veneno que impide las transformaciones. He extraído veneno a estos gusanos y lo he mezclado con otras sustancias que uso para potenciar sus efectos. Sumerjo mis armas en la mezcla cuando salgo a cazar para impedir que los vampiros se transformen. Ivory se esforzaba por parecer tranquila.

Ahora que estaban deslizándose por los aires a una velocidad de vértigo, la presión sobre sus cuerpos se suavizó. A pesar de su ferocidad, el gusano siempre actuaba con delicadeza cuando llevaba prisioneros al mago. Ivory sabía muy bien lo difícil que resultaba para Skyler y Tatijana no resistirse. Cuando los dientes de la criatura tocaban la carne, inyectaba su veneno para retenerla en su forma. Dejarse arrastrar por un túnel bajo tierra sabiendo que el destino era mucho peor que el gusano no solo era doloroso, era aterrador.

Skyler era muy joven y todo aquello era nuevo para ella. Su compañero eterno hacía muy poco que la había reclamado. Antes era una humana que vivía con padres adoptivos carpatianos y que la protegieron de ese tipo de cosas. Tatijana había estado prisionera durante casi toda su vida en los laboratorios del mago. Por supuesto que no quería regresar. Y a pesar de ello, ninguna de las dos se resistió, y recurrieron a su férrea disciplina para hacer lo que les pedía.

Luchar contra un gusano es muy peligroso. Todo en ellos es venenoso. Sobre todo, los pinchos que utiliza para impulsarse hacia delante y cavar. Tiene una púa en el extremo de la cola. Cuando os soltéis, cuidado con ella.

La clave del éxito estaba siempre en la formación. Cuanta más información tenía uno, mayores eran sus probabilidades de derrotar al enemigo. Ivory se sacó un arma circular con un cristal en el centro del cinturón. Con mucho cuidado, le puso una en las manos a Tatijana y otra a Skyler, y después extrajo una tercera para ella.

Su boca tiene una doble hilera de dientes aserrados, y dentro esconden los sacos de veneno. Tenemos que entrar. Si por lo que sea os encontráis fuera, recordad que puede partiros todos los huesos del cuerpo de un coletazo, y que su piel es tan dura que os cortará la piel si entráis en contacto con ella.

Los había visto antes, admitió Tatijana. *Xavier les daba humanos como alimento.*

Skyler se estremeció y tuvo que contener un grito de dolor.

Voy a desorientar al gusano con un sonido. Intentad cerrar los oídos. Solo la vibración ya bastaría para haceros daño, pero el sonido es peor. No conozco otro modo de distraerlo. Se sacudirá un poco y entonces abrirá la boca, que es lo que nosotras queremos. Y solo tendremos unos segundos. Necesito que lo tengáis muy claro. Se recuperará enseguida. Expulsad el veneno de vuestros cuerpos y transformaos en moléculas. Skyler, ¿lo has hecho alguna vez? ¿Expulsar el veneno o transformarte en algo tan pequeño?

Tenía que saber si su joven hijastra podía hacer aquello por sí misma.

Por supuesto, Ivory. Puedo hacerlo. Y lo haré.

La joven voz temblaba, pero Ivory oía el acero en ella. ¿Estáis listas? En el momento en que la boca se abra, seguidme adentro. Tened vuestra arma lista y no toquéis nada.

Rezó para que pudieran lograrlo, y entonces, utilizando una frecuencia que producía vértigo y notas que desorientaban y resonaban hasta en las mismas entrañas del gusano, empezó a entonar un canto repetitivo.

Invoco al elemento del aire, que forma el sonido,
retumba al son del latido del mal que excava en la tierra.
Frecuencia, armonías, combinadas, alineadas,
luchad atacando la retorcida mente del mal.

Ivory se había enfrentado muchas veces a los gusanos, pero siempre con el corazón en la boca, con un miedo terrible que casi la dominaba. Tenía una profunda fe y rezó con urgencia para no quedar indefensa, no cuando tenía otras dos vidas a su merced.

Siguió cantando, pero la melodía cambió cuando la Madre Tierra respondió a sus notas discordantes y transformó aquellas vibraciones haciéndolas suyas. La tierra se estremeció, tembló al paso de aquella onda de sonido. El túnel empezó a desplomarse sobre el gusano. Tierra, rocas y escombros empezaron a caer a su alrededor.

Un sonido atronador se extendió por el agujero, justo detrás del gusano, y este vaciló, hasta casi detenerse. El cuerpo entero se estremeció. Ivory volvió a cantar, con una voz que reverberaba por la tierra y les hacía daño a ellas igual que hacía daño al gusano. Las notas penetraron en sus cuerpos, sacudieron sus mentes y convirtieron sus entrañas en una masa temblorosa de gelatina coagulada.

El gusano se detuvo, desorientado, y abrió su boca en un terrible chillido que resonó por la tierra e hizo que las tres quedaran libres.

Ivory expulsó el veneno de su interior y se transformó en vapor, sujetando aún su arma, que parecía flotar en el aire. *Deprisa, deprisa. No os separéis del arma y seguidme al interior.* No tenía tiempo para pararse a comprobar si sus compañeras la seguían, pero intuyó su presencia detrás cuando se lanzó por la boca abierta del gusano.

Skyler y Tatijana notaron que el disco que llevaban en la mano vibraba cuando siguieron a Ivory al interior de la boca de la criatura. Pasaron entre lo que parecía una doble fila de dientes de tiburón y después unos colmillos que goteaban y los gruesos sacos de veneno ambarino, y bajaron por la garganta.

Ivory había hecho aquel disco con elementos naturales, minerales y gemas que la Madre Tierra le había cedido. Lo había utilizado en numerosas ocasiones contra el gusano, y al igual que las veces anteriores, era casi una parte más de su cuerpo. Por la forma en que Skyler y Tatijana sujetaban sus discos, se veía que también ellas eran hijas de la Tierra.

Tenemos que buscar tejido cicatricial en algún lugar de la garganta. Los gusanos solo tienen dos puntos débiles, y el segundo está bastante más abajo en el cuerpo, o sea que, definitivamente, no nos interesa. Hagáis lo que hagáis, no raspéis las paredes del cuerpo del gusano. No toquéis nada, porque por dentro todo está saturado de veneno. El tejido cicatricial es donde su amo puede adherirse para darle instrucciones.

En la garganta del gusano estaba oscuro y había mucha humedad. Enormes tiras de ámbar colgaban como carámbanos del cielo de la boca, y goteaban sin cesar. A su alrededor veían membranas recubiertas de extraños salientes, profundos valles de cicatrices y grandes montículos informes.

El gusano volvió a chillar, y el sonido resonó por la garganta, arrastrándolas casi contra sus paredes. La criatura se puso histérica, porque el túnel seguía desmoronándose a su alrededor, y trataba desesperadamente de llegar al otro lado, retorciéndose, debatiéndose, girando como un taladro.

Las tres mujeres buscaban el punto en el interior del gusano desesperado. Mientras la criatura giraba enloquecida tratando de salir de allí, el veneno empezó a salir a chorros por su garganta. Y si las tres mujeres no quedaron bañadas en él fue solo porque estaban en forma de vapor.

¿Es esto?, preguntó Skyler.

Tatijana no se había apartado de su lado, con la idea de protegerla si había problemas, aunque resultaba difícil imaginar que las cosas pudieran ir peor. Miró las extrañas marcas que había en el interior de la garganta. Pequeñas heridas elevadas y manchas aparecían formando un diseño de siete espirales con profundas hendiduras circulares. Estaba convencida de que aquello lo había hecho un mago.

Skyler tiene razón, esta tiene que ser la marca, Ivory. Aquí hay una herida reciente.

Ivory examinó el pequeño círculo. *Perfecto. Bien visto, Skyler. El disco que os he dado es iolita,* les explicó. Ya había un fino hilo de luz azul violácea que emanaba de él.

Es una piedra violeta que potencia la visión en el plano astral, explicó Tatijana a Skyler, por si no lo sabía.

Es muy volátil bajo determinadas condiciones, agregó Ivory. *Haced lo mismo que yo haga y salid de aquí corriendo.*

Ivory no esperó, recuperó su forma natural, procurando no tocar las hebras de veneno que rezumaban desde el cielo de la boca mientras estaba suspendida en el centro de la garganta del gusano.

Skyler dio un respingo cuando vio que unas fibras se extendían hacia Ivory como tentáculos siguiendo una fuente de calor. Ivory era rápida, las evitó y utilizó la luz como si fuera una de sus flechas, la clavó con fuerza en la carne del gusano. Cuando soltó el disco, el arma siguió la luz y topó con fuerza contra el entramado de cicatrices.

Skyler y Tatijana la siguieron sin vacilar, utilizaron primero la luz como si fuera una flecha e inmediatamente después soltaron el disco. Las tres armas emitían una luz parpadeante y entonces estallaron en un destello de violeta que iluminó las paredes de la garganta del gusano con vívidos colores. Oyeron entonces un sonido agudo y penetrante, unas notas tan hirientes como para aniquilar sus sentidos, de modo que las tres se apresuraron a bloquear el sonido.

Deprisa, deprisa, las apremió Ivory dirigiéndose ya hacia la boca.

El cuerpo gigante y cavernoso de la criatura volvió a rodar. Se contrajo. Empezó a sacudirse con violencia. Tatijana y Skyler seguían a Ivory, esquivando el veneno, evitando tocar las paredes. Cuando la luz violeta se extendió como una marea humeante y roja que a su paso lo teñía todo de un púrpura azulado, se formó una extraña bruma de condensación.

Las tres mujeres flotaban justo detrás de la doble hilera de dientes aserrados. La sensación de urgencia era intensa en las tres, como si compartieran una misma mente… y un mismo objetivo.

El gusano volvió a sacudirse con violencia mientras la luz violeta y humeante seguía emanando de los tres discos y se enroscaba en forma de vapor flotando en todas direcciones. Ivory parecía muy concentrada.

Tres, dos, uno, contó, y entonces saltó hacia delante.

La garganta del gusano se contrajo. Se cerró. Las paredes se estrecharon detrás de ellas tres. La boca del gusano se abrió para toser, y todos sus músculos se contrajeron con violencia.

No hizo falta que Ivory les dijera que corrieran. Ellas también trataron de llegar desesperadamente a la superficie. El suelo temblaba y se sacudía con intensidad mientras el gusano saltaba enloquecido por la quemazón de su garganta. Las ondas de choque reverberaban por el suelo como anomalías sísmicas. La tierra se desmoronaba a su alrededor.

Puedo sacarnos a las tres de aquí más deprisa, se ofreció Tatijana. ¿Me dejáis?

Tatijana se adelantó y cambió a su forma de dragón para poder cavar más deprisa. Su cabeza en forma de cuña asomó en la superficie y siguió subiendo, para proteger a sus compañeras con su cuello y sus garras de la batalla campal de allá afuera.

Branislava vio aparecer la cabeza de dragón de Tatijana y sintió que se serenaba. Detrás del dragón apareció Ivory, luego Skyler. No estaba sola en su lucha contra los dos magos, quizá tres. Su compañero eterno y los otros estaban conteniendo al ejército del mago para que ella tuviera la oportunidad de derribar el eje de poder de Xaviero, y estaba cerca. Ya podía sentir el sabor de la victoria. No debía cometer ningún error.

Las tres mujeres acababan de pasar por un duro combate, pero habían salido de él vivas y victoriosas. Y corrieron por el campo de batalla para estar a su lado. Con la excepción de Ivory, las otras tres tenían la sangre de los Dragonseeker. Ivory era compañera eterna de uno de ellos y con los años su sangre se había convertido en la sangre de ella, de modo que técnicamente, en aquellos momentos, los magos se enfrentaban a cuatro poderosas cazadoras de dragones.

Tatijana, necesito que tú e Ivory os encarguéis de los dos árboles de aquel lado. Branislava señaló el que quedaba justo enfrente del que ella había liberado. *Ivory, si pudieras ocuparte del que queda en la base del pentagrama, me ayudaría mucho. Skyler, tú y yo vamos a ponernos con los que están a cada lado de Xaviero. Está tratando de formar un triángulo con su hermano y el fuego. Puedes ver su posición.*

Con la punta del pie dibujó un pequeño diagrama en la tierra. *Creo que entiendo lo que está haciendo y cómo ha creado su red de poder. Tenemos que abrir nuestras mentes y unirlas para hacer esto bien.*

Ivory era una solitaria. Con la excepción de Razvan, no compartía su vida ni su mente con nadie. Pero si querían que aquello funcionara tendrían que hacerlo juntas.

Ella lo entendió enseguida y se limitó a asentir. *Por encima de todo, soy una guerrera, haré lo que haga falta.*

Branislava dejó escapar un suspiro de alivio. Había colocado a su hermana cerca de Ivory para que la ayudara si hacía falta. Ella estaría cerca de Skyler. Las dos podían generar una cantidad enorme de energía por sí mismas, y si se conectaban las cuatro, tenían grandes posibilidades de derrotar a los dos magos. Trató por todos los medios de transmitir seguridad mientras les indicaba cómo retirar las capas de magia que Xaviero había tejido.

Lo único que Branislava vio fue que los ojos de Skyler se abrían desorbitadamente. Al momento siguiente, se encontró en el suelo, con un inmenso perro del infierno encima y una gigantesca boca de dientes tratando de clavarse en su garganta. Trató de evitar los dientes defendiéndose con las manos, flaca defensa, porque el aliento caliente de la bestia le cayó en la cara y los dientes seguían allí. Pero se resistió con tanto empeño que, en el último momento, los dientes acertaron sobre su hombro y no sobre la garganta.

Branislava se oyó gritar, un grito asustado de dolor que le salió del alma, aunque se había prometido no dar ninguna muestra de debilidad. Era evidente que Xaviero iba a tratar por todos los medios de hacerles daño a ellas, a las mujeres. Pero estaba tan enfrascada en su tarea que no se le había ocurrido mantenerse alerta ante a algún posible ataque.

El perro le arrancó un buen pedazo de carne del hombro, y volvió a morder una segunda vez sobre el hueso. Cerró los dientes con fuerza y la sacudió como si fuera una muñeca de trapo. Ella no podía transformarse, no podía llegar al cuchillo que tenía en el cinto.

Skyler rodó por el suelo hasta situarse bajo el perro, con el cuchillo en el puño, puesto hacia arriba. Cortó las patas de aquella bestia, desgarrando tendones y ligamentos, y rodó hasta el otro lado. Cuando se incorporó en cuclillas, clavó la hoja en el ojo del animal y se apartó de un salto antes de que pudiera soltar a Branislava para atacarla a ella.

De pronto, apareció Razvan, cubierto de sangre, con una expresión determinada en el rostro y los ojos llameantes. Saltó sobre un perro del infierno y le clavó la flecha en el ojo, derribó a un *sange rau* y sin siquiera pararse saltó en el aire y aterrizó sobre la espalda del perro que estaba atacando a Branislava.

Le rodeó el cuello con el brazo, obligándole con ello a echar la cabeza hacia atrás, y le clavó el cuchillo en el ojo que le quedaba. La bestia se estremeció. Dio un paso y se desplomó sobre ella. Razvan la ayudó a salir de debajo de aquel pesado animal, y tanteó la herida del hombro con los dedos tratando de valorar su gravedad.

—Gracias. A los dos —dijo incluyendo a Skyler—. Gracias.

Razvan asintió.

—El hueso no se ha roto, pero debes eliminar las bacterias ahora mismo. Tendrás que cauterizar la herida lo antes posible.

Por más que intentaba ahuyentar el dolor, seguía doliendo. Incluso eliminar las bacterias le dolió. Y cauterizar la herida con fuego le dolió aún más. Apretó los dientes y miró a Razvan haciendo un gesto de asentimiento para que supiera que estaba bien y podía seguir con su tarea. Una parte de su ser daba gracias por tenerlo allí velando por ellas cuatro. La idea de que otro perro del infierno pudiera atraparla le aterraba. Con un estremecimiento, volvió a su trabajo eliminando capas de la magia que protegía la red de poder del mago.

El fuego pareció rugir, como si estuviera vivo, y tal vez fue con la ayuda de los magos. Las llamas se tornaron azules en la zona central, como una tormenta de color desafiante en medio de las intensas llamaradas rojas. Ahora subían cada vez más alto, llegaban casi al techo de niebla, y el humo negro se extendía como un cáncer sobre sus cabezas. El calor era tan intenso que todos se alejaban cuanto podían, y no porque los carpatianos no pudieran controlar su temperatura corporal, sino porque aquel calor derretía todo lo que quedaba en su radio de acción.

El suelo se sacudió, y aquello hizo que prácticamente todos se detuvieran. Incluso los pocos perros del infierno que quedaban lo hicieron con inquietud. Xaviero salió del círculo de protección, inflexible, sin miedo, rodeado por un halo de luz azul. Su hermano se acercó desde el otro lado, tan imponente como él, envuelto en el mismo aire de misticismo que los distinguía del resto del mundo.

Se mantuvieron en la sombra, sin decir nada, y sin embargo llamaron la atención de hasta el último combatiente. Los perros corrieron hacia ellos, arrastrándose como mascotas a las que han golpeado pero que obedecen ciegamente a sus amos. Los dos magos agitaron sus manos y a cada lado del triángulo que formaban con el fuego una vela cobró vida, con una llama azul, como el centro del fuego más grande.

El suelo tembló una segunda vez, y una enorme grieta apareció en el interior del triángulo, en el centro exacto de poder que los magos habían creado entre los árboles. La tierra voló por los aires como un géiser y volvió a caer, dejando un socavón de unos pocos metros de diámetro.

Las velas que había a los lados bailaban con alegría, con sus llamas azules, igual que los cristales azules que los magos esparcieron por el suelo alrededor del socavón. Una vaharada de calor se elevó desde aquel agujero, como si un gran volcán acechara bajo la superficie. Sobre sus cabezas, la niebla se tiñó de rojo anaranjado en un reflejo de la roca fundida que se avistaba dentro.

Se hizo el silencio en el campo de batalla. Los dos magos salieron de entre las sombras, rodeados por sus perros del infierno, que los protegerían mientras durara el ritual. Los dos alzaron sus brazos, ataviados con sus túnicas púrpura. Y entonaron un canto de la peor magia negra, en perfecta sincronía, pidiendo que las puertas del infierno se abrieran.

Invoco al demonio de las profundidades de la roca negra,
que estas almas vayan al corazón del demonio,
como ofrenda a la oscuridad,
y que nadie pueda deshacerlo.

Que estas almas sean tu sustento,
como come el hambriento.
Que su sangre selle el acuerdo,
que su sangre selle esta necesidad.

Branislava pestañeó horrorizada ante aquel encantamiento espantoso y diabólico, al ver el pacto que estaban haciendo. Ordenaban y adulaban. Mandaban y sin embargo también suplicaban. La arrogancia de los dos magos la sorprendió. Lo que traerían desde la muerte sería mucho peor que lo que Xavier fue en su momento. Se estremeció al pensar en el reinado de terror que impondría. Las voces de los magos subieron de volumen mientras seguían con sus esfuerzos por liberar a su hermano.

Cada alma la envío,
a cambio de la vida.
Firmo ahora con sangre, firmo con vida,
yo por siempre más te serviré.

Y que sea siempre inmortal,
por lo que he servido.
Con espíritu, y sangre, carne y hueso,
firmo este pacto de inmortalidad.

Xaviero hizo una señal hacia el fuego, cerrando el meñique, para que trajeran la ofrenda. El prisionero estaba enrollado de la cabeza a los pies en una cadena de plata. Un *sange rau* alto y de hombros anchos lo arrastró desde detrás de la pira y lo arrojó al triángulo con tanta fuerza que cayó de bruces sobre el suelo. El *sange rau* se retiró rápidamente, pues era evidente que no deseaba estar cerca del mago. El prisionero quedó con el rostro contra la tierra. Por un momento no se movió, no profirió ningún sonido. Se volvió muy despacio y, a pesar de las cadenas, consiguió sentarse en el suelo.

El corazón de Zev se sacudió. Se quedó petrificado. *Branka, ese es mi abuelo. Es Hemming. Lo reconocería en cualquier sitio, aunque la plata le ha quemado la piel y lo han torturado más allá de lo tolerable. Es Hemming.*

No te muevas. No hables ni llames la atención sobre ti mismo de ninguna forma, le advirtió Branislava. *Eres un macho alfa. Por encima de todo, no debes permitir que perciba tus emociones o le darás más poder. Tu abuelo lleva la misma sangre que tu abuela. Ahora es un mestizo de sangre, igual que tú, y tiene la fuerza de un sangre oscura.*

Zev no se había parado a pensarlo. Los carpatianos le habían dicho en numerosas ocasiones que era un sangre oscura, pero nunca había entendido realmente lo que eso significaba. Él se consideraba licántropo. Y si se veía en algún sentido como carpataino, solo era en tanto que hermano de Fen y Dimitri. En cambio, ahora que veía a su abuelo encadenado y a punto de ser sacrificado para que su cuerpo y su alma fueran al infierno a cambio de Xavier, se dio cuenta de que ese había sido el plan de los magos desde el principio.

Querían el cuerpo y la sangre de un sangre oscura, y su abuelo seguramente había ido directo a la trampa. Había salido en busca de los asesinos de su compañera, y les dio caza uno a uno. Xaviero debió de oír rumores. No debió de resultarle muy difícil engañarlo para que fuera hasta él.

No pueden llevárselo, dijo Zev con determinación.

Por supuesto que no. Estamos a punto de desmontar su entramado de poder, pero deshacer lo que han creado lleva su tiempo. Acércate muy des-

pacio al flanco más débil, el del fuego. No esperarán un ataque por ahí, aconsejó Branislava.

Desde luego que no, porque es imposible. El fuego es tan intenso que funde todo lo que queda en un radio de unos metros. Y las llamas son azules. Mi cuerpo no puede soportar una temperatura tan alta. He tratado de regularla, pero ese fuego se alimenta de magia.

Amor mío, su voz lo abrumó por su ternura, *confía en mí. Arrópate en mí. Mi espíritu está ligado al tuyo. Mi cuerpo te pertenece. Mi alma es la mitad de tu ser. Yo soy fuego. Camúflate con mis escamas de dragón y busca a tu abuelo en la oscuridad. Se puede hacer.*

Tendrías que haber sido general, mon chaton féroce. Tenía mucho que aprender sobre lo que significa ser carpatiano. Su compañera era brillante.

Fen. Dimitri, dijo. *Poneos muy lentamente ante mí. Pero despacio, no debéis llamar la atención de ninguno de los hermanos diabólicos.*

Fen se movió el primero, se deslizó sin que se notara, y se colocó en ángulo de modo que Zev pudiera ponerse tras él. Dimitri cambió el peso del cuerpo de una pierna a la otra, y con ello tapó a Zev de la vista. Y entonces este se transformó, se volvió invisible. Se movió entre la multitud con sigilo, procurando no alertar a ningún perro ni poner nervioso a ninguno de los *sange rau* que quedaban.

Se dio cuenta de que las manadas habían hecho un buen trabajo en su lucha por eliminar al ejército de los magos. Quedaban muy pocos con vida. Los magos habían creado la ilusión de que había muchos más, pero no contó más de doce vivos, incluyendo al que había arrojado a su abuelo contra el suelo.

Entonces transmitió la información a Fen y a Dimitri. Ellos harían correr la voz y los carpatianos se encargarían de eliminar a aquellos *sange rau* si hacía falta. Tenía la esperanza de que si conseguía matar a los magos y frustrar sus planes, los mestizos de sangre comprenderían para quién estaban trabajando. Quizá se encontraran bajo alguna suerte de conjuro. Ciertamente, no eran miembros del Círculo Sagrado, aunque había reconocido a un par de los que había matado porque en su momento los conoció en sus manadas. Habían empezado siendo licántropos.

Avanzó muy lentamente entre la gente, tan pegado al suelo como pudo, dirigiéndose al fuego. Incluso sin su cuerpo, sentía el poder destructor de aquel fuego azul. Y era consciente de que aquella llama era parte del entramado de poder que Branislava y las otras mujeres estaban tratando de derrocar.

Zev envolvió su cuerpo con el de su compañera eterna. Podía sentir sus escamas sobre la piel, protegiéndole incluso del calor de una llama azul mágica. Y le envió el amor tan grande que sentía por ella, su fe en ella, y por encima de todo, su gratitud. A pesar de lo ocupada que estaba tratando de destruir la red de poder de Xaviero, lo envolvía con su amor. No pasaría solo por aquel fuego.

Entonces se enfundó aquellas escamas rojo doradas como una cota de malla con capucha. Se movía despacio aunque notaba aquel calor infernal. Las escamas desviaban las llamas azules y, para su sorpresa, descubrió que podía respirar mientras se acercaba a su abuelo.

Por primera vez se sentía realmente agradecido por la sangre mezclada que corría por sus venas. Con aquellas cadenas de plata, Hemming no podría correr. Tendría que echárselo sobre el hombro y llevárselo a cuestas lejos del triángulo y el inquietante agujero en el suelo. No se atrevía a mirar allá abajo.

Mientras se acercaba a su objetivo, Xaviero se aproximó a Hemming con el cuchillo ceremonial en alto. Era un cuchillo mucho más grande que ninguno que hubiera visto en ninguna ceremonia, y parecía más apropiado para matar a un gran animal. Las runas bailaban sobre su hoja de plata, sin dejar de moverse, como si estuvieran ansiosas por beber la sangre del sangre oscura a quien el mago pretendía matar, aunque no le cortaría la cabeza, pues quería preservar el cuerpo intacto para Xavier.

Hemming no trató de apartarse, ni apartó la vista de Xaviero. Las cadenas de plata tenían que ser una agonía, y estaban tan incrustadas en la carne que Zev apenas veía que quedara piel que quemar. El prisionero era plenamente consciente de cuanto le rodeaba y de las intenciones del mago, pero no pestañeó, no dejó de mirar con expresión desafiante a Xaviero, que entonaba sus cantos junto con Xayvion.

Las cuatro mujeres habían arrojado su círculo de protección delante de las narices de los perros guardianes de los magos. Cada vez que un *sange rau* o un perro del infierno se acercaba a ellas, la manada de Daciana, junto con Tomas, Andre, Lojos, Mataias y Razvan, los mantenía a raya. Fen, Dimitri o Zev habían llegado para eliminar cualquier otra posible amenaza.

Branislava alzó los brazos, sin preocuparse por si alguno de los magos o sus centinelas la veían. Era ahora o nunca. Tatijana, Skyler e Ivory imitaron sus movimientos.

Aliso, brujo de la batalla, escucha mi llamada,
es hora de luchar, el mal debe caer.
Cedro, árbol de la vida,
a ti te invoco, ahora que las puertas del infierno se abren.

Las cuatro mujeres unieron sus energías, fusionaron sus mentes y se convirtieron en una sola entidad, un corazón, un objetivo... para frenar los negros manejos del mago.

Conflicto de endrino, oscuro brujo del bosque,
necesito tu poder, ven y degolla,
antiguo roble Dagda,
Dominio del poder te llamo ahora, engulle este negro poder.

Ahora, susurró Branislava en su mente. *Deprisa.*

Zev confiaba en ella, no vaciló. Las llamas de las dos velas parpadearon, saltaron y se apagaron. Los otros cuatro árboles que ayudaban a formar el pentagrama invertido empezaron a cambiar, empezando por el sistema radicular. Una corteza saludable y moteada fue sustituyendo el malsano blanco desde la base hasta las ramas, y finalmente las hojas se tornaron de un verde plateado.

Zev irrumpió en el triángulo cuando la fuente de poder se desvaneció, con cuidado de no tocar al mago, y robó literalmente el cuerpo encadenado de debajo del cuchillo que estaba a punto de clavarse en su corazón. Entonces rodó con su abuelo, lejos del mago y del triángulo, y al incorporarse se echó el cuerpo al hombro como un bombero.

Los perros del infierno reaccionaron, gruñendo, y cargaron contra él, a una velocidad asombrosa. Zev corrió hacia ellos, acortando con rapidez la distancia que les separaba, y cuando estaban apenas a un metro, saltó por encima utilizando su fuerza de mestizo de sangre, la habilidad de licántropo para saltar y la velocidad que le daba la combinación de las dos especies.

Fen y Dimitri cerraron filas para enfrentarse a los perros que perseguían a Zev. Cubiertos de heridas de combate, cortes y mordeduras, Andre, Tomas y Lojos se unieron a ellos, mientras Mataias acudía junto a Zev para protegerle mientras trataba de llegar con su abuelo al círculo de protección que las cuatro mujeres habían creado.

La llama azul del fuego chisporroteó y se apagó, quedó ahogada por el exuberante rojo dorado de las llamas naturales. Al momento el color del humo cambió, y el fuego se extinguió, de modo que ya no había llamas que buscaran aquel antinatural banco de niebla sobre sus cabezas. Cuando el humo blanco se mezcló con el negro y lo empezó a devorar, el denso muro de niebla empezó a desintegrarse en fragmentos más pequeños.

La barrera de niebla hedionda que rodeaba el claro y lo hacía impenetrable empezó a perder espesor, porque un viento refrescante lo calaba. Los espíritus atrapados en el humo flotaron con el humo purificado y se elevaron hacia las nubes y el viento se los llevó.

Xaviero rugía de rabia mientras la lava fundida brotaba del agujero del suelo. El olor a azufre lo saturaba todo, y ahogaba incluso el olor a sangre. Por un momento se oyeron voces. Lamentos. Chillidos. Diabólicos. Empezó a llover lava en el interior del triángulo, y eso obligó a Xaviero y Xayvion a abandonar la seguridad de su refugio.

Las cuatro mujeres se volvieron como una sola para hacer frente a los magos a la fuga. Xaviero levantó las manos y trazó un dibujo de destrucción, convirtió la lava en bolas de magma y las arrojó contra sus enemigos. Como si fueran una sola persona, las cuatro mujeres levantaron las manos y se pusieron a dibujar símbolos y a cantar en voz baja para convertir las bolas en una lluvia inofensiva.

La tierra se sacudió con violencia y todos cayeron al suelo. Una vez. Dos. Y aún tres veces. Un espíritu solitario apareció muy cerca de la superficie y quedó allí suspendido, en medio del humo que se disipaba, con la boca abierta en un grito silencioso de protesta. Sus ojos vacíos miraban con expresión acusadora. No era difícil reconocer a Xavier, que intentaba escapar desesperadamente.

Ivory se adelantó unos pasos e impulsó el aire contra el humo, un aire limpio y fresco, justo hasta la aparición. No había rastro de malicia en su rostro. Ni odio. Solo una certeza absoluta de lo que debía hacerse.

Invoco al caos y la destrucción,
flemática energía del viento,
sopla contra la sombra,
dispérsala toda con sumo cuidado.

El rostro se distorsionó de forma grotesca. Aparecieron pequeños agujeros en él, y el viento atravesó aquella máscara casi con serenidad. Xavier estaba allí suspendido, tendiendo los brazos hacia sus hermanos a través del humo. Los dos dieron un paso hacia él como si quisieran arrancarlo del abismo. Algo surgió de las profundidades y aferró con sus perversas zarpas al espíritu y lo arrastró hacia abajo. El aullido desesperado de Xavier hirió sus oídos, y entonces la tierra se cerró con decisión y estrépito.

Xaviero levantó la vista lentamente hacia las mujeres. El odio podía verse en cada facción, en cada línea de su rostro. Sus labios se contrajeron en una mueca. Alzó los brazos al cielo e hizo un gesto como de arrojar. Una inmensa roca de púas de cristal salió de la tierra y se precipitó sobre ellas.

Skyler empujó el aire contra la roca y la detuvo antes de que pudiera alcanzarlas. *Eres demasiado viejo para tener estas pataletas*, le reprendió. *Somos hijas de la Tierra. ¿Crees que nuestra madre permitiría que nos hicieras daño? Elige otra arma, porque esta no funcionará.*

La roca cayó al suelo inofensiva. Skyler no la arrojó contra él ni contra los perros del infierno que lo rodeaban. Simplemente, la dejó caer, sin demostrar la más mínima animosidad.

La ira de Xaviero empezaba a desbocarse. *Tú*, musitó el mago entre dientes con la vista clavada en ella. *No tendrías que haber nacido. La hija de todas las especies. Mago, jaguar, carpatiana, licántropa y humana. Tu madre nos engañó. Era demasiado poderosa y tuvimos que matarla. No podíamos arriesgarnos a que se volviera contra nosotros como sin duda habría pasado. Pero nuestro hermano cometió la estupidez de utilizar el cuerpo de Razvan para impregnarla. Fue un error. Su último error.*

Skyler lo miraba a los ojos, sin pestañear. Sin miedo. Su madre le había advertido que se mantuviera alejada de los magos, que ocultara lo que era, y sus capacidades. Pero ya no era aquella niña indefensa y no volvería a serlo. *No le dabais miedo a mi madre, y a mí tampoco. Dais pena, con vuestros grandiosos planes y vuestra necesidad de controlarlo todo. No tenéis nada, no sois nada.*

Tu madre no era nada. Se arrastraba a nuestros pies, nosotros la creamos, una niña maga, jaguar y humana, para nuestros propósitos. Nuestros. Bailaba al son que nosotros marcábamos. No era más que una marioneta, gritó.

Skyler comprendió que estaba tratando de enfurecerla. Que estaba utilizando el pasado de su madre para avivar su ira y convertir sus emociones en algo feo. Ella meneó la cabeza. *Teníais miedo de su poder y de su bondad, o de lo contrario no habríais querido matarla. De nuevo, me dais pena.* Levantó las manos en el aire y empezó a trazar un dibujo.

Que vuelva la voluntad
a quienes la perdieron,
que vuelvan sus poderes,
y recuperen su libertad.
El mal no prevalecerá.
Estos hombres ya no te pertenecen,
igual que mi madre nunca te perteneció.

La mayoría de los mestizos que habían estado sirviendo a Xaviero de pronto dejaron de luchar, con expresión confusa y desorientada. Algunos se sentaron en el suelo y escondieron el rostro entre las manos.

Xayvion se escurrió entre las sombras. *Hermano, vámonos. No podemos derrotarlas.*

Son mujeres. No son nada. Xaviero escupió al suelo. *Esos guerreros no pueden tocarme. Los perros del infierno obedecerán. Las voy a matar a las cuatro.*

Hermano, te lo pido. Vámonos. La voz de Xayvion se apagó.

Con el rostro enrojecido, sin dejar de expulsar saliva, Xaviero golpeó el suelo con fuerza con los pies y arrojó dos esferas de cristal que se sacó de los bolsillos de la túnica a los huecos que había hecho en la tierra. Le ponía furioso que su hermano pudiera pensar que combinando sus poderes aquellas mujeres eran más poderosas que ellos, y eso hizo que le dieran ganas de despedazarlas.

El agua borboteaba en las hendiduras que sus pies habían hecho, saltó hacia el cielo y cayó luego sobre las cuatro mujeres en una lluvia ácida que amenazaba con consumirlas.

Tatijana se transformó parcialmente en su dragón azul, con su cabeza en forma de cuña levantada al cielo y la boca abierta mientras sus manos seguían un complejo diseño.

Lluvia ácida, sustancia en el agua,
yo me bebo tu fuerza.
Sacia mi sed, dame voluntad,
yo transmuto esta agua en un líquido inerte.

Cuando la última gota desapareció y Xaviero se quedó mirándola boquiabierto, ella volvió a transformarse y le sonrió casi con bondad. *Me enseñaste ese truco cuando tenía diez años. ¿Lo has olvidado? Mi dragón es un dragón de agua, y siempre me utilizabas, me obligabas a consumir lluvia ácida. Por lo visto a mi dragón acabó por gustarle.* Sonrió con calma y saludó con el gesto al mago.

Xaviero giró en redondo, sin hacer caso de los perros dispersos que aullaban como almas perdidas sin saber qué quería que hicieran. Empezaron a morderse entre ellos. Dos se enzarzaron en una cruenta pelea mientras los otros corrían a morder y arañar a los combatientes.

Pero estaba tan concentrado en destruir a las cuatro mujeres que habían malbaratado sus planes que no se dio cuenta. Siguió girando, con la túnica ondeando a su alrededor en un amplio círculo, esparciendo una lluvia de chispas por el suelo. Llamas azules brotaban de sus dedos, de modo que parecía como si estuviera rodeado por una llama azul única. Levantó un viento furioso y el viento avivó las llamas moribundas de la pira y las convirtió en un fuego atemorizador.

Las manos del mago fluían, su voz se elevó y envió el fuego azul directo a Branislava. Ella no hizo caso de las voces que le advertían que se agachara, se mantuvo firme, manteniéndole la mirada, aunque la miraba con desprecio, convencido de que la llama las devoraría a las cuatro.

Cuando el misil cayó sobre ellas, Branislava dio un paso al frente y levantó los brazos sobre la cabeza como si se estuviera poniendo un vestido. Sus manos se movieron con fluidez en el aire, como una bailarina contando una historia.

Nacida en el fuego, afilada en el hielo,
invoco a las cuatro esquinas.
Que tus enemigos sean los míos.
Yo invoco al fuego, mi hermano,
y absorbo sus habilidades,
las hago mías.

Se volvió para abarcar con los brazos el campo de batalla.

Invoco a las hojas de Psionics,
combustión espontánea,
magia.
Toma el mal,
devuélvelo a su sitio,
enciérralo con tu fuego,
para que no vuelva.

Su cuerpo resplandecía en rojo y dorado, y entonces la llama azul la golpeó. Su cuerpo entero se iluminó con aquella luz y el fuego pareció engullirla.

Xaviero rió con regocijo, con un sonido agudo en el silencio del campo de batalla. No pareció reparar en las grandes bestias que por un momento se quedaban muy quietas y luego escondían la cola entre las patas y salían huyendo. Cuando llegaron al bosque, lejos de la vista y la mente del mago, se disolvieron en la nada.

La llama azul bailó por un momento en torno al cuerpo de Branislava como si jugara. A través del azul brilló el dorado, luego el rojo, después el naranja. Los colores giraban a su alrededor, de la cabeza a los pies, y luego lentamente se desvanecieron contra su cuerpo como si hubiera absorbido todo el fuego.

En serio, Xaviero, ¿estás perdiendo la cabeza?, se burló. *¿Intentas hacernos daño utilizando los elementos? Tendrás que hacerlo mucho mejor si no quieres que te mandemos con tu hermano al infierno. Firmaste un pacto de sangre con el demonio. Creo que tienes el papel en el bolsillo, y te obligará a cumplirlo.*

Xaviero la insultó en diferentes idiomas. *Estáis muertas, las cuatro. Toda la gente a la que améis está muerta. Aunque aún no lo saben*, prometió.

Branislava le sonrió, en absoluto afectada por su ira o sus palabras, levantó las manos en el aire y empezó a trazar símbolos entre ellos. Los símbolos se quedaron suspendidos, runas de llama. Xaviero se puso rígido, mientras intentaba leer las palabras. Sus manos se alzaron en el aire para una nueva ronda en su batalla.

Y en ese instante, Zev lo golpeó desde atrás. Los ojos de Xaviero se abrieron exageradamente por la sorpresa. No se había dado cuenta de que los perros se habían ido y ya no estaba dentro de un círculo de protección. No se le había ocurrido pensar que Branislava solo estaba tratando de llamar su atención, que las cuatro mujeres solo querían distraerle, que jugaban con él, mientras el verdadero ataque llegaba desde otro lado.

En su forma de licántropo, Zev mordió el cuello delgado y desgarró la espalda del mago, para arrancar la médula. La arrojó al fuego, giró el cuerpo y hundió el puño en su pecho, buscando el corazón. También lo arrojó al fuego. Luego recuperó su forma natural, sacó su espada, y le cortó la cabeza. La arrojó al fuego. El cuerpo fue detrás.

Bueno, es una forma de hacerlo, susurró Branislava en la mente de Zev.

—¿Te sientes mejor? —le preguntó él.

—¿No te has pasado un pelín? —sugirió Dimitri algo divertido.

—Pues piensa que me he contenido —contestó Zev. Miró a su alrededor—. Hay mucho que limpiar aquí, pero tengo que ocuparme de mi abuelo. No está muy bien.

—Nosotros nos encargamos —dijo Fen.

Capítulo 22

Zev corrió al lugar donde había dejado a su abuelo. Dimitri andaba arriba y abajo a su lado. Daciana, Makoce y Lykaon lo protegían. Los tres tenían una expresión grave cuando se apartaron para que pudiera arrodillarse junto a Hemming.

Las cadenas de plata que lo envolvían de arriba abajo estaban incrustadas en su piel. Se veía claramente que en algunos puntos la piel había crecido por encima de ellas y las había convertido en parte del cuerpo. Dimitri había pasado unas semanas liado en una cadena de plata y recordaba cada segundo de agonía. No quería ni pensar el tiempo que llevaría el abuelo de Zev soportando aquella tortura.

—Quítamelas —dijo el hombre jadeando a modo de saludo—. Zev, quítame estas cadenas, por favor.

Zev respiró hondo y a punto estuvo de negar con la cabeza, pero Dimitri le sujetó con el brazo para que no dijera nada. *Skyler puede hacerlo. Deja que la llame. Ella me quitó las cadenas a mí.*

Entonces llámala. Deprisa.

Zev pasó la mano por los cabellos de su abuelo en un extraño gesto de afecto.

—La mujer que te puede librar de esas cadenas viene hacia aquí. No sabía que seguías con vida. Pensé que habías muerto después de alguna de tus cacerías.

Branislava apareció a su lado; Skyler, Tatijana e Ivory venían detrás.

Las he traído por si pueden ayudar en la sanación.

Zev daba gracias por tenerla allí, por tenerla. Cuando estaba con ella, se sentía capaz de soportar cualquier cosa, incluso perder a su abuelo por segunda vez.

Skyler se arrodilló al otro lado de Hemming y pasó las manos sobre las cadenas que tenía incrustadas en el cuerpo. Miró a Dimitri con expresión horrorizada. Él le puso la mano en el hombro con suavidad.

Zev, si quito las cadenas morirá. Lleva demasiado tiempo con ellas. Ahora están incrustadas en su cuerpo, forman parte de él. Su vida es una tortura, pero... Y dejó la frase sin acabar, con los ojos arrasados en lágrimas. Volvió a mirar a Dimitri, como si de alguna forma su compañero eterno pudiera cambiar la situación. *Pero quizá me equivoco. ¿Bronnie? ¿Tatiana? ¿Ivory?*

Branislava colocó las manos por encima del cuerpo de Hemming y deslizó una de la cabeza a los pies. Zev notó su reacción y supo que la valoración de Skyler era correcta.

Zev inclinó la cabeza un momento antes de mirar a su abuelo.

—Abuelo, si quitamos las cadenas, morirás.

Hemming le sonrió. Por primera vez su rostro pareció distenderse bajo las terribles cadenas de plata.

—Necesito encontrar la paz, Zev. Y volver a estar con Catalina. La añoro cada momento de mi vida. Quítame las cadenas.

Skyler meneó la cabeza.

—No quiero ser yo quien lo haga, Zev. No. ¿Y si acabas viéndome como la persona que mató a tu abuelo? No, no puedo hacerlo.

Hemming volvió la cabeza lentamente para mirarla.

—Eres tan joven. Ya ni siquiera me acuerdo de como era ser tan joven. Las cadenas son... —Hizo un esfuerzo por encontrar la palabra—. Dolorosas.

Zev sintió que el corazón se le encogía. Si Hemming no podía recordar la palabra para describir el dolor, es que llevaba demasiado tiempo sufriendo la tortura de la muerte por plata. El mago no le había puesto los ganchos en el cuerpo como solía hacerse para que la plata líquida acabara llegando al corazón y lo matara. No, Xaviero era demasiado listo para eso. Se había limitado a envolverlo en las cadenas, para dejarlo totalmente indefenso y sufriendo una agonía terrible.

Entonces sintió que Branislava se preparaba mentalmente y supo lo que iba a hacer. Y fue tal el amor y la gratitud que sintió por ella que casi le estalla el corazón.

—Yo le quitaré las cadenas —dijo ella con firmeza—. Skyler puede decirme cómo se hace.

Skyler asintió con el gesto varias veces.

—Por supuesto. Si es lo que él quiere.

Hemming le sonrió.

—Más que nada en el mundo. Necesito sentirme libre de estas cadenas, volver a experimentar lo que es la libertad una última vez. Por supuesto, también me gustaría recordar lo que es vivir sin dolor.

Branislava deslizó su mano en la de Hemming.

—Soy la compañera eterna de Zev. Branislava. Él me llama Branka.

Hemming escudriñó su rostro con mirada perspicaz.

—Por supuesto. Tiene mucha suerte de tenerte. Espero que le cuidarás bien.

—Siempre —contestó ella.

Y lanzó una ojeada a Skyler.

Zev notó que su compañera se atragantaba. No se lo podía reprochar. Estando tan cerca de Hemming no era difícil sentir su poder. Había resistido a las exigencias del mago y había sufrido torturas durante muchos años. Había aguantado donde otros hubieran sucumbido.

—Primero trataré de soltar las cadenas. Las otras sanadoras se unirán a mí para que la energía sea más extensiva. Pero los eslabones están incrustados en tu cuerpo y podría resultar muy doloroso. Trataremos de reducirlo al mínimo.

Una sombra cayó sobre ellos. Branislava levantó la vista y vio a Mikhail y a Gregori, que se apostaron junto a Fen y Dimitri como guardianes. Por alguna razón, la imagen del príncipe acercándose para rendir homenaje al abuelo de Zev hizo que las lágrimas volvieran a atragantársele y le escocieran en los ojos.

Hemming acarició con sus dedos bastos la palma de ella.

—Me estás salvando, estás salvando mi alma y mi corazón. Podré irme con honor.

Ella asintió, sin atreverse a hablar.

—Si se me permite decirlo —comentó Gregori acuclillándose junto a la cabeza de Hemming—. No puedo salvarte la vida, pero sí puedo aliviar tu dolor.

Hemming no apartaba los ojos de Zev. Su nieto asintió casi imperceptiblemente. Gregori colocó las manos a ambos lados de la cabeza del hombre y miró a Branislava.

Ella respiró hondo.

Cadenas de plata encastada,
cadenas bajo la piel clavadas,
cadenas de plata al hueso ligadas,
cadenas que se deshagan.

Su mirada saltó a los ojos de Hemming. El hombre cerró la mano con fuerza en torno a la suya. Pequeñas gotas de sangre rezumaban entre las cadenas. Había sufrimiento en su rostro. Branislava apoyó el peso del cuerpo sobre los talones, atormentada por lo que estaba viendo. Skyler había hecho bien en rechazar aquella tarea.

—No —dijo Hemming con voz ronca—. No te detengas.

—Los cincos podemos unirnos para aliviar el dolor —dijo Gregori—. Enviadme vuestra energía.

Las cuatro mujeres obedecieron sin vacilar y Gregori, con las manos aún a los lados de la cabeza de Hemming, agachó la cabeza.

Invoco a la valeriana, que calme y alivie,
que el salguero abrace y apacigüe;
que la plata tóxica
abandone su misión,
y lo que viene de la tierra
alivie lo que está roto y magullado.

La agonía desapareció de la mirada de Hemming. Le sonrió a su nieto.

—Tienes unos amigos muy útiles... consérvalos.

—Lo haré —concedió Zev. *Quítaselas,* mon chaton féroce. *No soporto verle así ni un minuto más.*

Branislava volvió a respirar hondo y dejó escapar el aire. Sabía que si conseguía quitarle las cadenas, no tardaría mucho en morir. Era imposible reparar el daño que la plata había hecho en la carne, los órganos y el hueso, porque se había convertido en una parte de su organismo.

Estoy contigo, Branka, le aseguró Zev. *Ligados en alma y espíritu. Es nuestra decisión conjunta liberarle y mandarlo de vuelta con la mujer que le espera.*

Agradecida por las palabras de apoyo de Zev, ella oprimió la mano de Hemming para avisarle antes de empezar.

Cadena de plata que estás incrustada,
que envuelves como una piel de serpiente.
Cadena que corta hasta el hueso,
muéstrame tu forma para que la conozca.

Hemming le apretó la mano con tanta fuerza que Branislava casi gritó. Cuando lo miró a la cara, lo vio sereno, mirando aún a los ojos de su nieto, como si le dieran fuerza. Ella sabía muy bien lo que era confiar en Zev. Era firme como una roca, siempre, pasara lo que pasara. Había algo en él, algo tan fuerte, tan profundo, que sabía que siempre podría contar con él. Era inflexible en sus obligaciones, su lealtad y sus maneras tranquilas. Tenía la capacidad de guiar en cualquier circunstancia... incluso si se le estaba partiendo el corazón.

Sigo tu diseño y tu camino,
retiro tus raíces mientras sello y curo.
En cada valle y quemadura, yo aplico un bálsamo,
para que tu veneno cese y no cause más daño.

Las cadenas se aflojaron. Branislava veía sangre en los eslabones de plata, y trocitos de carne y hueso. Cerró los ojos un instante y se calló un sollozo. Ya lo sabía, por supuesto, pero aquella evidencia convertía la muerte inminente de aquel hombre en algo demasiado real.

Zev, Dimitri y Fen levantaron las cadenas para que pudieran cortarse y ser retiradas. Zev las arrojó lejos. A Branislava le resultaba difícil mirar a aquel hombre que en otro tiempo fue como Zev... fuerte, musculoso, un hombre de honor. Su cuerpo había sufrido los estragos del dolor, el hambre y la falta de ejercicio. Sus músculos estaban atrofiados. Cada centímetro de su cuerpo estaba ensangrentado. La plata había quemado la piel y estaba todo en carne viva.

Gregori seguía sujetándole la cabeza, ayudando a aliviar su sufrimiento. Ella le sujetaba de la mano, pero era a Zev a quien él miraba.

—Nací siendo licántropo y me enamoré y emparejé con quien yo pensé que era de mi especie, tu abuela. Ella también creía que era licántropa. Sus padres la encontraron en un campo de batalla, después de que el *sange rau* destruyera a casi toda la manada.

Hemming tosió y un hilo de sangre se escurrió por la comisura de su boca.

Mikhail, Fen y Dimitri se acercaron más, con gesto protector casi, aunque poco había que pudieran hacer por aquel hombre.

—Ella lo era todo para mí. —Los ojos de Hemming se iluminaron—. Era una hermosa criatura en el campo de batalla, y siempre estábamos juntos. Nunca nos separábamos. Tuvimos una bonita hija, Aubrey. —Por su expresión parecía como si estuviera mirando al pasado y sus recuerdos fueran agradables—. Los dos estábamos encantados con nuestra pequeña.

Tosió de nuevo y más sangre se le escurrió por la boca. Zev la limpió con el dedo. Branislava ocupó el lugar de Gregori para que el hombre pudiera tener la cabeza apoyada. Le apartó los cabellos del rostro con dedos temblorosos.

—Tu compañera procedía de un linaje carpatiano muy respetado —dijo Mikhail con voz baja y tranquilizadora. Casi un canto. Una voz que fácilmente podía acompañar a una persona al más allá—. Era la última en la línea de los sangre oscura. Sus padres fueron asesinados por el *sange rau* cuando trataron de defender la manada. Estaban viajando por aquella zona y seguramente se encontraron por casualidad en el campo de batalla.

Hemming asintió.

—Ella no lo recordaba entonces. No era más que una niña cuando sus padres licántropos la encontraron. Ninguno de nosotros, y menos aún ella, pensaba que pudiera ser otra cosa más que licántropa. Pero un día empezó a tener sueños inquietantes. Visiones del futuro. De una escisión entre licántropos y carpatianos. Y hasta mandó mensajes avisando a los carpatianos de estas visiones, pero fue asesinada poco después y nunca supimos si sus mensajes habían llegado a su destino. Fue entonces cuando comprendimos que era más que solo licántropa... que quizá antes era carpatiana y ahora, por mi causa, era las dos cosas. Se había convertido en una detestable *sange rau*.

—No, no en una *sange rau* —le corrigió Mikhail con aquella afabilidad suya—. Ella era una *hän ku pesäk kaikak*, que en nuestro idioma significa «guardián de todos». No era una renegada ni un vampiro, Hemming, era una gran guerrera.

Hemming asintió, agradecido por aquella aclaración.

—Cuando resultaba herido durante las cacerías o las batallas, ella me daba sangre con frecuencia. Y me di cuenta de que me estaba convirtiendo en lo mismo que ella.

Branislava le oprimió la mano.

—Zev es un *hän ku pesäk kaikak*. Fen y Dimitri también. Hoy han luchado con honor. Habrías estado muy orgulloso de tu nieto.

—Siempre he estado orgulloso de mi nieto. Siempre ha sido la espinita que Xaviero tenía clavada, desde el día en que oyó por primera vez hablar de un cazador de élite que asesoraba al consejo de los licántropos. Xaviero no conseguía que el consejo lo rechazara, ni siquiera los miembros del Círculo Sagrado.

Un nuevo acceso de tos. El cuerpo de Hemming estaba resbaladizo, tal era la cantidad de sangre que manaba de las heridas que habían dejado las cadenas. Branislava miró a Gregori, con una pena tan profunda que no podía ni respirar.

Ya no siente dolor, su cuerpo está adormecido, le aseguró Gregori. *¿No notas su alegría? Pronto se reunirá con su compañera. Están ligados, aunque no lo estén sus almas. Está impaciente por volver a verla.*

Branislava sabía que Gregori decía la verdad. La cabeza de Hemming volvió a recostarse contra su regazo y su mirada volvió enseguida a su nieto.

—Nunca supo que eras mi nieto. Ni siquiera lo sospechaba... hasta hace poco. Ha sido divertido verle rabiando y teniendo pataletas porque no podía mataros a los seis. Utilizó mi sangre para crear siervos, pero nunca entendió que para crear un auténtico *sange rau*, o más bien, un *hän ku pesäk kaikak*, se necesita tiempo. Esperaba que los licántropos a los que creaba fueran más rápidos, más listos y mejores que los que encontraban.

Extendió la mano hacia Zev. Una mano temblorosa. Débil. Había perdido una cantidad de sangre importante, y se atragantó varias veces mientras trataba de respirar. A Branislava le daba igual si su cuerpo sentía o no. No soportaba pensar que se estaba ahogando con su propia sangre y él lo sabía.

Invoco a la fuente del agua de la vida,
reforma y doblega a mi antojo,
tomo la sangre y la dejo a un lado,
para que el aire fluya.

—No tengo miedo, mi pequeña nieta. El dolor de las cadenas ha desaparecido, soy libre. Me siento como si flotara por el cielo. Y tengo estos momentos para estar con mi nieto y conocerte a ti y a sus amigos. Nadie podría pedir más en su lecho de muerte. Te agradezco tu preocupación.

Era evidente que el pequeño hechizo había funcionado, y Hemming encontró la forma de seguir respirando y hablando mientras su tiempo se consumía. Branislava se llevó la mano libre a la boca para contener un sollozo. Hemming quería librarse por fin de aquella vida, y ella no deseaba estropearle sus últimos momentos con su llanto.

—Esos hombres. Los licántropos a los que Xaviero obligó a servirle —dijo Hemming—. Son buena gente. Buenas personas. Algunos trataron de aliviar mi sufrimiento. Una vez que Xaviero les privó de su voluntad, no tuvieron elección. Se sentirán tremendamente culpables. Y la sociedad los repudiará por siempre, y sin embargo necesitan pertenecer a una manada.

—Te escucho, abuelo —contestó Zev con suavidad—. Y entiendo.

—No puedes permitir que se conviertan en renegados. Necesitan un macho alfa fuerte que los guíe.

—Tú trataste de ser su macho alfa, ¿verdad? —preguntó Zev, porque de pronto comprendió—. Incluso en tu prisión de cadenas de plata trataste de ayudarles.

—No podrán seguir sin una manada y tú lo sabes. Son buenos chicos, y quizá algunos hayan sobrevivido.

Desde luego, no el que había arrojado a su abuelo de bruces delante de Xaviero. Ese *sange rau* no había sobrevivido. Dimitri lo había liquidado con discreción mientras todos contemplaban horrorizados cómo Xaviero y Xayvion abrían las puertas del infierno.

—Una docena tal vez.

—Tan pocos... Xaviero ha tomado tantas vidas... Era cruel, Zev. Muy cruel. Si el licántropo al que quería a su servicio no se unía a él, el mago capturaba y mataba a su familia. Y luego, para hurgar en la herida, adoptaba su apariencia de licántropo en la forma de Rannalufr y consolaba a los miembros de la familia que quedaban. Y les hacía sentirse tan culpables que muchos se suicidaban. Siempre bailaba de felicidad por el laboratorio cuando conseguía arruinar completamente una familia.

Ahora la tos era continua. El hilo de sangre siempre estaba ahí, por más que Zev lo limpiara.

Ya no queda mucho, mi vida, dijo Branislava. *Está muy cerca. No sé por qué sigue aferrándose a la vida.*

Pero Zev intuía el motivo.

—Rannalufr significa «lobo saqueador». Supongo que si alguno de nosotros se hubiera parado a pensar que el nombre no encajaba con la imagen que daba quizá le habríamos mirado con más atención.

Hemming hizo un movimiento, como si quisiera menear la cabeza, pero el esfuerzo fue excesivo y tuvo un nuevo acceso de tos. Zev le tomó la mano libre.

—Quieres que me responsabilice de esos licántropos desplazados. Que forme una manada con ellos y sea su macho alfa. No otra persona. Quieres que yo sea su líder.

Hemming asintió, demasiado agotado para hablar.

—Tienes mi palabra, abuelo. Cuidaré de ellos. —Por dentro Zev suspiró. Sabía lo que su abuelo quería. Pero tantos *sange rau* relativamente nuevos, rechazados por los licántropos y su consejo, iban a ser un problema—. Serán unos excelentes cazadores de élite una vez que reciban el entrenamiento adecuado. Si desean unirse a mi manada, serán bienvenidos.

Ahora sería maestro de escuela. Zev no pudo evitar suspirar. Un destello de humor brilló en los ojos de Hemming. Oprimió la mano de su nieto y entonces se permitió cerrar los párpados.

Tomó aire y expiró. Una expresión de paz se adueñó de sus facciones torturadas. De alegría. Sus labios se curvaron en una leve sonrisa, y se fue.

Branislava sujetó la mano del hombre unos instantes y entonces se apartó con suavidad, permitiendo que la cabeza reposara de nuevo en el suelo. Tendió los brazos hacia Zev, y él la rodeó con el suyo.

—Quería irse —dijo Gregori con voz más ronca de lo normal—. Lo siento, Zev. Era un buen hombre. Habría sido un placer poder compartir más tiempo con él, aunque solo fuera por lo mucho que podía enseñarnos.

Zev asintió. Miró detrás de Mikhail, a los cuatro centinelas silenciosos, Andre, Tomas, Lojos y Mataias, que montaban guardia entre Mikhail y los *sange rau* que había alineados detrás, observando en silencio. Escrutó el rostro de cada uno de aquellos mestizos. Parecían desolados. Confusos. Avergonzados. Todos ellos inclinaron la cabeza cuando Hemming murió. Dos llevaban el tatuaje del Círculo Sagrado, y uno se santiguó. Otro parecía estar rezando.

En el momento en que Zev alzó la vista, todos los ojos se posaron sobre él. Todos esperaban su juicio. Que dictara su sentencia. Él estaba cansado de sangre y de muerte. Cansado de luchar. Ese día había perdido amigos… todos los habían perdido. Pero aquellos hombres lo habían perdido todo. Ya no eran licántropos, y la mayoría de licántropos no los querrían entre ellos. Incluso si el consejo decidía levantar la sentencia de muerte que pesaba sobre ellos, la educación tardaría mucho tiempo en vencer los prejuicios de los mayores.

Les privaron de su libre albedrío. Trataron de oponerse a las órdenes de Xaviero. Algunos aceptaron su mandato, pero estos no. Puedes ver las marcas. Algunos fueron disciplinados. Y en eso el mago era brutal. Cruel, le explicó Branislava.

No les obligaré a unirse a mi manada. Ya han tenido que aguantar demasiado tiempo que otros decidieran por ellos. Quiero que decidan por sí mismos.

Sin duda habrían oído la conversación con su abuelo, pero era él quien había hecho la promesa, no ellos.

Zev se puso en pie lentamente y se dirigió hasta ellos. La fila de *sange rau*..., no, no eran *sange rau*, *hän ku pesäk kaikak*.

—A pesar de lo que os han dicho, a pesar de las antiguas creencias, un mestizo de sangre no es una abominación. Del mismo modo que un licántropo puede decidir libremente convertirse en un hombre lobo renegado, y un carpatiano puede convertirse en vampiro, vosotros podéis decidir cómo queréis vivir. En estos momentos, se os considera *hän ku pesäk kaikak*, que significa «guardián de todos». Yo soy *hän ku pesäk kaikak*. No me disculpo por ello. Me tomo mi papel muy en serio. Protejo a todas las especies. Licántropos. Carpatianos. Jaguares. Humanos, y sí, incluso a los magos.

Un hombre se adelantó.

—Soy Caleb —dijo a modo de presentación—. Luchamos para el mago y hemos cometido terribles crímenes.

Zev asintió con gesto grave. No tenía sentido negar las cosas que se habían hecho en la batalla.

—La guerra hace aflorar lo peor de cada uno —concedió—. Sobre todo si no tenemos elección. Xaviero os privó de vuestra voluntad. En cierto modo lo hizo con todos, y nos ha obligado a luchar entre nosotros. Era un mago poderoso y ha tenido siglos para planificar la caída de nuestro pueblo. Os utilizó como peones y os convirtió en aquello que se os había enseñado a odiar. Eso no significa que tenga que seguir gobernando vuestras vidas. Debéis tomar una decisión.

—¿Adónde podemos ir? —preguntó Caleb—. Mi manada jamás volvería a aceptarme. Y no tengo familia.

Los otros asintieron.

—Depende de vosotros. Yo puedo enseñaros a ser cazadores de élite. Con el tiempo, podéis aprender las costumbres de los carpatianos, y eso hará que vuestras habilidades mejoren aún más. Se esperará que comprendáis lo que significa ser un guardián de todos y que viváis con honor. Sois libres de marcharos y vivir como os apetezca. Si elegís el camino del *sange rau* y decidís convertiros en vampiros o renegados, os perseguiremos y os mataremos. Es algo que no puedo negar.

—¿Estás diciendo que nos aceptarías? —preguntó Caleb—. ¿A todos? ¿Después de lo que ha pasado aquí?

—Son Xaviero y Xayvion quienes han hecho esto. Vosotros habéis sido las víctimas de su magia cruel. Todos lo hemos sido. —Zev se encogió de hombros—. Mirad a vuestro alrededor. ¿Veis alguna expresión de condena? Los carpatianos no somos así. Y vosotros sois licántropos y carpatianos. Si os quedáis conmigo, vuestra lealtad será primero para con vuestra manada y después con las dos especies.

Gregori se movió, pero no dijo nada porque Mikhail le dedicó una mirada de advertencia.

Los doce hombres miraron a su alrededor. Los carpatianos habían invocado al rayo para que quemara a sus muertos, y los licántropos habían preferido añadir combustible a la pira para quemar a los suyos. Rolf y los otros miembros del consejo y los líderes de las manadas estaban juntos. Algunos lanzaban a aquellos doce miradas recelosas, pero nadie les amenazó mientras hablaban con Zev.

—Ellos no nos aceptarán —señaló Caleb.

Zev se encogió de hombros.

—Es su problema, no el nuestro. No les ha importado que luchemos por ellos... y volverán a llamarnos.

Los guardianes se miraron entre ellos como si no supieran qué hacer. Zev meneó la cabeza.

—Cada vez que os unís a una manada y juráis lealtad a la pareja alfa, es una decisión idividual. Como tiene que ser. Cada uno de vosotros debe decidir por sí mismo.

Lanzó una mirada a Gregori y luego miró a los demás.

—Debéis saber una cosa sobre el líder al que serviréis. Soy justo y leal, pero os exigiré siempre lo mejor. No tolero la insubordinación. En mi manada tengo mujeres que son tan buenas guerreras o mejores que cualquiera de vosotros, y espero que se las trate siempre con respeto. Si no podéis aceptar estas normas, no podéis formar parte de mi manada.

Se fijó en sus expresiones, sobre todo en las de los que lucían tatuajes del Círculo Sagrado. Muchos de los que creían en el código sagrado pensaban que una mujer no debería luchar junto a los hombres.

—También tenéis que saber que mi lealtad es para con Mikhail, príncipe del pueblo carpatiano. Yo soy carpatiano y soy licántropo. Soy guardián de todos y le defenderé con mi vida. Y espero que mi manada haga otro tanto.

Una vez más escrutó sus rostros. Dos de ellos tenían el ceño fruncido pero, si acaso, parecían desconcertados, no horrorizados.

—Nosotros somos licántropos y carpatianos —dijo Caleb con tono un tanto asombrado.

Zev asintió.

—Pensadlo y comunicadme vuestra decisión. Sois libres de ir a donde queráis. Y de poneros en contacto conmigo cuando hayáis decidido.

Caleb meneó la cabeza y se adelantó unos pasos, aferró a Zev con fuerza por los hombros.

—Yo no puedo estar sin un líder fuerte. Hemming era mi líder, aunque la mayor parte del tiempo no podía hacer lo que él quería. Me sentiría muy honrado si me aceptaras en tu manada.

Parece que vamos a tener una gran familia, dijo Branislava.

Lo sé, Branka. Lo siento. No quiero complicarnos la vida, pero no puedo dejarlos sin un líder.

Ella rió con suavidad, arropándolo con su amor. *Pedimos lobos, ¿lo recuerdas? A lo mejor resulta que el viejo dicho es cierto. «Cuidado con lo que deseas.»*

Él rió con suavidad en su mente, compartiendo con ella aquel momento de humor, mientras cada uno de aquellos doce guardianes le juraba fidelidad a él y a su nueva manada. Tuvo que aprenderse los nombres a toda prisa antes de presentarlos a su compañera eterna, su alfa, y Daciana, Makoce y Lykaon, y antes de llevarlos ante su príncipe.

Los cuatro guardias silenciosos que protegían a Mikhail se acercaron más a él, al igual que Gregori, pero nadie puso impedimento a las presentaciones.

—Queda mucho por hacer aquí —señaló Zev—. Daciana, Lykaon y Makoce os buscarán un alojamiento mientras os construimos una casa donde podáis estar más a gusto en el bosque.

Y vio cómo su manada se alejaba del campo de batalla. *La vida acaba de convertirse en algo mucho más complicado.*

No tengo ninguna duda de que podrás manejarlo.

—No pudimos llegar antes —se disculpó Gregori—. Trajimos refuerzos, pero las barreras nos impidieron entrar.

—Xayvion ha escapado, pero Xaviero está muerto. Esperemos que siga así.

Mikhail meneó la cabeza.

—Nosotros hemos perdido algún guerrero, pero los licántropos han sido golpeados con dureza.

—Los que estaban más próximos al mago han muerto —explicó Zev—. Necesitaba almas para hacer el intercambio. Los sapos solo eran una forma de ganar tiempo, pero los perros del infierno y los *sange rau* han matado a muchos. Y arrojó a algunos al fuego antes de que pudiéramos detenerle. —Miró el cuerpo de su abuelo—. Todo este tiempo Xaviero lo ha tenido prisionero y lo ha torturado, y yo no lo sabía.

—Lamento tu pérdida —dijo Mikhail sinceramente—. Y lamento que no hayamos podido llegar antes con más hombres. Quizá las pérdidas hubieran sido menores.

—Rolf tenía la opción de hacer marcharse a la gente —dijo Zev, sorprendido por el sentimiento de amargura que lo embargó—. Y eligió obligarles a quedarse sin avisarles debidamente ni darles la oportunidad de decidir. —Volvió la cabeza y localizó enseguida al líder del consejo—. Discúlpame, Mikhail. Tengo que hablar con Rolf.

—Llevaremos el cuerpo de tu abuelo a la cueva de los guerreros —se ofreció Gregori—. Nos gustaría ayudar.

Él inclinó la cabeza. Se inclinó sobre una rodilla junto a su abuelo y apoyó una mano en su frente en un gesto silencioso de tributo. Estaba cubierta de sangre y profundas cicatrices, por las cadenas.

—Le habrían condenado a muerte. El consejo le habría condenado a muerte. ¿Os dais cuenta? —Levantó la vista a Branislava—. Ellos mataron a mi abuela, no los magos, sino su propia manada. Y habrían hecho lo mismo con Hemming de no haber huido en plena noche con mi madre.

—Solo conocían al *sange rau* —le recordó ella con afabilidad—. No sabían nada de los *hän ku pesäk kaikak*. No sabían que había una diferencia.

Zev meneó la cabeza, y se puso en pie, y se pasó las manos por el pelo, con más aspecto que nunca de lobo salvaje.

—Me habrían matado, Branka. Aunque me conocen, me habrían matado. Y todos estos hombres —señaló con el gesto a los nuevos miembros de su manada, que seguían a Daciana lejos del claro—. No hay compasión para ellos ni en los rostros ni en los corazones de los miembros del consejo. Mikhail siente mucha más, y es un extraño. Caleb tenía razón. Y

Hemming. Nunca serán plenamente aceptados por nuestro pueblo. Yo tampoco. Y con el tiempo tampoco tú, Branka. Vieron lo que habían hecho a Dimitri, pero en vez de condenar sus costumbres medievales, solo trataron de hablar y buscar excusas. Nunca le miraron como si fuera una persona.

Branislava apoyó la mano con gentileza sobre su hombro.

—Ver a tu abuelo envuelto en cadenas, ver lo que la plata puede hacer en el cuerpo de un licántropo te ha afectado, Zev. Quizá tendrías que esperar un poco antes de hablar con Rolf.

—Ni siquiera se molestó en avisar a los suyos, Branka. Conocía el peligro y aún así no dijo nada. Si la ceremonia se hubiera celebrando inmediatamente después de la muerte de Arno y Arnau, Xaviero no hubiera tenido tiempo de preparar esta trampa. Se habría visto obligado a celebrar su ritual en otro sitio. Hubiera podido seguirle el rastro, pero Rolf se negó.

Ella le frotó el brazo.

—Lo sé.

¿Qué otra cosa podía decir? Zev había discutido con Rolf durante horas, tratando de convencerle de que despidieran al miembro asesinado del consejo y su hijo al siguiente despertar sin decir a nadie dónde iban a colocar la pira funeraria. Pero en la cara de Rolf había esa expresión obstinada que ella no recordaba haberle visto. Se había mostrado desdeñoso con Zev, casi maleducado.

De pronto él se inclinó sobre ella y la atrajo hacia sí, y se limitó a abrazarla mientras respiraba hondo tratando de dominar la ira. Ella lo rodeó con los brazos, dándole tanta fuerza como pudo. Todos estaban magullados por la batalla, pero ella sabía que aquella noche le había cobrado un precio muy alto a su lobo.

Entonces le rozó los labios con un beso.

—Te quiero —susurró. Tal vez no lo decía muy a menudo, pero lo sentía en cada aliento.

—Lo sé. Estaré esperándote.

Zev agradeció que no discutiera. Necesitaba hacer aquello esa misma noche. Era perfectamente capaz de mantener el control, pero no quería hacerlo. Quería darse el gustazo de estamparle el puño a Rolf en su pomposa cara.

Se dirigió a grandes zancadas hacia el grupo de licántropos y los líderes de manada, que estaban con Rolf y Randall. Este se puso a sonreír en cuanto lo vio.

—Como siempre, nos has salvado. No había visto nada igual en toda mi vida —dijo, y le tendió la mano.

Zev la aceptó casi a desgana. No podía culpar a Randall por la decisión de Rolf.

—Echaré en falta trabajar contigo, Randall —dijo muy sereno.

Al momento la conversación se interrumpió y los líderes se volvieron a mirarle con expresión sorprendida. Rolf le miró con el ceño fruncido.

—No lo entiendo —dijo Randall—. Por supuesto que vas a trabajar con nosotros. Eres nuestras fuerzas del orden. Nuestro cazador de élite. No tienes precio. Esto no ha sido culpa tuya. Nadie hubiera podido prever algo así. Perros del infierno. Un ejército de *sange rau*. Sapos venenosos. —Se estremeció—. Y pensar que Rannalufr ha sido siempre un mago perverso.

—Su plan era provocar el declive de los licántropos. Su hermano Xavier lo intentó con los carpatianos, y Xayvion ha aniquilado casi por completo la especie de los jaguares. Han estado muy cerca. Estuvimos a punto de permitir una guerra entre carpatianos y licántropos.

—¿Han sido puestos bajo custodia los últimos traidores, el ejército de *sange rau* de Xaviero? Les vi partir con Daciana y los otros —exigió saber Rolf.

Zev meneó la cabeza.

—Xaviero les privó de su voluntad. Se resistieron, pero él les dio sangre para convertirlos en mestizos. Asesinó a sus familias y les torturó cuando intentaban oponerse a él. Y al final les arrebató su voluntad porque era la única forma de conseguir que colaboraran. Son inocentes.

—No te corresponde a ti juzgar eso —señaló Rolf.

Zev le sonrió.

—Dimito. No seguiré ayudando a un consejo que no sirve a su pueblo o se guía por sus propios intereses. Por lo que se refiere a esos doce hombres, ahora necesitan apoyo y es evidente que no lo recibirán de su pueblo. Pero lo encontrarán en mí. Si queréis juzgarlos, tendréis que hablar primero con el jefe de su manada, como es la costumbre entre los licántropos.

—No puedes dimitir. No aceptamos tu dimisión —dijo Randall.

—Lo siento Randall. Eres un buen hombre. Pero di mi consejo a Rolf y no quiso escucharme. No acudió a los demás para discutir el asunto. Tomó la decisión arbitraria de poneros a ti y a los líderes de manada en peligro innecesariamente.

Randall arqueó una ceja.

—¿Es eso cierto, Rolf? ¿Por qué? Eso va en contra de todo lo que defiende el consejo.

—Tú te hubieras puesto de parte de Zev, y mi voto es siempre el determinante. Solo éramos dos —explicó Rolf a modo de defensa.

Los otros dos miembros del consejo que habían acudido a la ceremonia se miraron con las cejas arqueadas.

Rolf agitó la mano en un gesto de desdén.

—¿Por qué perder el tiempo discutiendo? Zev, piensa lo que haces. Si se ha cometido un error, y acepto que tal vez me equivoqué, eso no significa que tengas que dimitir.

Zev extendió las manos ante él.

—Los prejuicios contra los mestizos de sangre son tan fuertes entre los licántropos, que ni siquiera tú, Rolf, quisiste escucharme cuando te dije lo que iba a pasar.

Rolf meneó la cabeza.

—Eso no es cierto, Zev.

—Sí lo es. Durante todos los años que he sido cazador de élite para el consejo, cada vez que te daba un consejo basado en mis conocimientos y mi instinto, lo aceptabas. Pero esta vez no lo has hecho. Arno se sentía dividido respecto a los que tenemos la sangre mezclada porque cree en el código sagrado, pero al menos él lo admitía y trataba de hacer lo que consideraba más correcto. Esta vez tú no me hiciste caso porque descubriste que soy mestizo de sangre y ya no confiabas en mi criterio.

Rolf meneó la cabeza pero no lo negó.

—La cuestión es que siempre he sido mestizo de sangre. Mi madre era de ascendencia carpatiana. Todos los siglos que he servido al consejo, habéis tenido a un mestizo asesorándoos y luchando por vosotros. Os he protegido a todos. Pero incluso así me habrías condenado a morir. Rolf, esto podría haber sido una masacre. Hemos tenido suerte de que las cuatro mujeres carpatianas estuvieran aquí con nosotros para derrotar a los magos. Tendrías que haberme escuchado. Espero que harás más caso a la persona que elijáis para ocupar mi puesto.

Una vez más, tocó la mano de Randall, levantó una mano en un saludo a los jefes de manada y se dio la vuelta. Aquel ya no era su sitio. No hasta que aquella gente resolviera todo aquello y cambiara su política. Él era un mestizo, licántropo y carpatiano, y jamás se convertiría en renegado ni en vampiro. Habían visto a Dimitri, Fen y a él mismo luchando por ellos, y sin embargo ninguno había expresado sus condolencias por la muerte de su abuelo, ni había hecho ningún comentario sobre la crueldad que había demostrado Xaviero al utilizar la plata para torturar a un hombre durante años. No se les había ocurrido pensar que era un hombre. Un licántropo. Un carpatiano. O las tres cosas. Para ellos Hemming era un *sange rau* y no eran capaces de ver más allá.

Zev rodeó con el brazo a Branislava, y siguió andando en dirección al bosque, donde podrían transformarse en la intimidad y acudir a la cueva de los guerreros para reunirse con Gregori y Mikhail. Fen y Tatijana, Dimitri y Skyler, Razvan e Ivory les esperaban.

No tenía ninguna duda de que rendirían a su abuelo los honores que merecía antes de enterrarle. Aquella era la gente con la que quería estar. Era licántropo en su corazón, y siempre lo sería, pero también era *hän ku pesäk kaikak*, guardián de todos. En aquellos momentos lo único que quería era rendir homenaje a Hemming en la intimidad.

Capítulo 23

Zev despertó viendo la luna justo encima. Sus rayos lo iluminaban como si fuera un faro. El cielo estaba despejado y miles de estrellas parpadeaban en él como diamantes. Volvió la cabeza y Branislava le sonrió. Su corazón se derritió en esa especie de voltereta que daba cada vez que le sonreía de ese modo.

—Has abierto la tierra.

—Quería que despertaras viendo la noche. Es tan bonito, Zev.

El calor de su cuerpo le caldeaba también, su piel de seda caliente, rozando la suya, haciendo que se sintiera vivo. Su cabeza descansaba sobre su brazo y estaba acurrucada contra él, que la protegía con su cuerpo. Sabía que ella no solo estaba tratando de aliviar su dolor por la pérdida de su abuelo, sino la amarga realidad de que dos personas a las que había considerado amigos íntimos durante más años de los que podía contar le hubieran dado la espalda. Quizá no lo habían hecho abiertamente y aún no eran del todo conscientes de ello, pero en sus corazones habían empezado a mirarle de un modo diferente porque su sangre estaba mezclada.

—Zev —dijo ella con suavidad leyendo sus pensamientos—. Entrarán en razón. Rolf se sentía avergonzado y culpable. Randall no sabía que el hombre de las cadenas era tu abuelo. Mikhail ha hablado con los dos y están desolados por tu dimisión. Ellos serán los que convenzan a los licántropos para que acepten a los mestizos de sangre.

Él suspiró y rozó su cabeza con el mentón. Sus cabellos, que normalmente eran de un rojo dorado, estaban muy rojos y desordenados, como a él le gustaba.

—Quizá tengas razón.

Quería que tuviera razón. No podía evitarlo, apreciaba a aquellos dos hombres a los que había protegido durante buena parte de su vida. Le resultaba difícil aceptar que el sentimiento no fuera recíproco.

Ella le rozó los bíceps con un beso.

—Es recíproco. No saben cómo arreglar esto, pero lo harán. Dales tiempo, Zev.

—Tenías razón al insistir en que viniéramos a nuestro pequeño cráter —musitó contra sus cabellos desordenados, deseando poder sentirse de otro modo. Se sentía muy feliz con ella. Siempre se sentiría feliz a su lado, pasara lo que pasara en su vida—. Tendría que hacerte siempre caso.

Zev notó que sonreía contra sus bíceps. Sus pequeños dientes mordieron, haciendo que su cuerpo entero vibrara.

—Evidentemente. Lobo mío, en todo lo relacionado contigo, tengo intención de asegurarme de controlar cada detalle de tu felicidad y tu salud.

Él notó el leve tono de mordacidad de su voz.

—Lamento haber sido tan obtuso ayer noche. Tendría que haber permitido que curaras mis heridas antes de enterrar debidamente a mi abuelo. Sé que no te gustó.

La boca de Branislava se curvó contra su brazo. Notó la calidez de su aliento, el roce de sus labios.

—Y lo de venir a nuestra montaña especial ha sido una pequeña compensación, por supuesto.

Ella ya lo sabía, desde luego. Zev sabía que no le gustaba esperar, por eso cuando propuso que fueran a la montaña para pasar el día acurrucados en el cráter, bajo la rica tierra, rodeados por cumbres nevadas y una niebla refrescante, él accedió para apaciguarla.

—Me gusta cuidar de ti, Zev. Es importante para mí.

La sinceridad de su voz le hizo pestañear. No solo era importante, sino que, en tanto que compañera eterna, le preocupaba su felicidad y también su salud.

—Lo sé, Branka —admitió él, y volvió a rozar su coronilla con el mentón, disfrutando por el modo en que sus cabellos se enganchaban en su barba incipiente. Como hebras de seda que los enredaban en la intimidad. La imagen le gustó, pero era demasiado sentimental para decirlo.

—Tú insististe en curarme a mí —señaló ella.

La sonrisa brotó al instante por el tono ligeramente provocativo de su voz. Zev sintió que lo embargaba la alegría. Había entrado en la tierra con el peso del mundo sobre los hombros, preocupado todavía y dolido por la reacción de Rolf y Randall ante la muerte de su abuelo. Y, en cambio, había despertado junto a Branislava y todo volvía a estar bien.

—¿Eso hice? —No pudo evitar el tono de satisfacción. Sus ojos siguieron una estrella fugaz y enseguida volvió a besar sus sienes—. Lo siento.

Ella frunció el ceño.

—¿El qué?

—Te prometí que no tomaría decisiones arbitrarias que nos afectaran a los dos, y acepté a esos doce hombres, doce mestizos, en nuestro grupo sin plantearme siquiera consultártelo. Están traumatizados y no será fácil. Tendría que haberte preguntado qué querías hacer.

Branislava rodó hacia un lado y se apoyó sobre un codo para mirarle a los ojos.

—Lobo tonto. Evidentemente que tenías que aceptar a esos hombres en tu manada. Si no lo hubieras hecho me habría sentido muy decepcionada. Ese es el hombre al que amo, el hombre al que conozco y respeto. Aparte de que tu abuelo prácticamente te ordenó que lo hicieras. Quería que cuidaras de ellos. —Se inclinó hacia delante y al hacerlo el movimiento de sus pechos atrajo la mirada de Zev—. Es mi boca la que habla, y solo queda un poquito por encima del sitio a donde estás mirando.

—Lo sé —musitó él—, pero lo haces a propósito para distraerme.

Él se inclinó y se sirvió, lamiendo el pezón y tironeando después con los dientes hasta que oyó la respiración entrecortada de ella. Tomó el pecho con su boca caliente y descubrió que ella estaba aún más caliente, que todo aquel fuego tan maravilloso y natural volvía a aflorar solo para él.

Branislava deslizó sus dedos temblorosos por los cabellos de Zev en una larga caricia, disfrutando de la sensación mientras su boca devoraba su pecho.

—Me encanta mirarte —confesó—. Resulta muy erótico ver cómo deseas mi cuerpo.

Sí, notaba aquel anhelo de Zev. Su deseo siempre era intenso, casi tangible. Su boca tiraba con fuerza, succionaba, el calor húmedo, los dientes que arañaban seductoramente y los pequeños bocaditos que parecían enviar descargas directas a su yo más íntimo y mojado.

Zev levantó la cabeza y la miró a los ojos. Branislava se quedó sin respiración, porque en su rostro veía una expresión poderosa de posesión, por el fiero deseo que llameaba en las profundidades de sus ojos. En aquel momento era todo él lobo, una criatura desbordada por sus apetitos insaciables. Y ella era suya.

Entonces ella se incorporó sobre las manos y las rodillas y se colocó sobre él, para deslizar una serie de besos sobre su pecho marcado.

—Esta mañana he comido suficiente para los dos —le confió bajando la voz al susurro de un canto de sirena.

El cuerpo de Zev reaccionó visceralmente, cada músculo se contrajo, cuando ella dio un lametón en su pulso, provocando con la lengua un latido de respuesta en sus venas. La sensación era la de un placer puro e intenso que lo recorría, lo consumía. Imposible prepararse para el ramalazo de pura decadencia, de indulgencia erótica que sintió cuando sus dientes se clavaron para morder. La punzada de dolor se sumó a la intensidad de su deseo. Aquella mujer era una adicción, su gran baza, su amor. Enredó las manos en aquella masa exuberante de cabellos. Y la sensación sedosa en sus manos rugosas le hizo enloquecer de deseo.

Y aún así, una parte de él disfrutaba sintiendo cómo el deseo despertaba lentamente en su mente, cuando su cuerpo ya estaba ardiendo y duro. Notaba el sabor de ella en la boca, aquella asombrosa mezcla de canela y miel de su sangre, del líquido ardiente que brotaba de lo más profundo de su ser... para él. Solo para él.

Era lo bastante alfa, lo bastante lobo, para disfrutar sabiendo que él sería el único hombre que la tendría, que conocería aquel fuego, su necesidad de complacerle, y los pequeños detalles que utilizaba para darle placer. Cuando hacían el amor, Branislava se concentraba enteramente en él, nunca en sí misma. Daba y daba. Él estaba en su mente, en su corazón y su alma. Quería saciarle, quería que en cada unión quedara totalmente satisfecho.

Zev no deseaba decirle que eso no pasaría nunca. Cuanto más daba ella, más adicto se volvía él, más abrumador y posesivo se volvía su amor. Ella lamió los pequeños orificios del pecho para cerrarlos, y con eso añadió un nuevo estremecimiento de placer antes de colocarse sobre él.

Zev deslizó la mano por la cara interna de sus muslos de terciopelo y notó que los músculos se tensaban. Ella estaba cada vez más caliente, aquel jardín secreto en el que podía perderse. Introdujo un dedo y ella jadeó, y notó un líquido caliente y los músculos que se cerraban con ansia en torno a su dedo. Muy lentamente lo retiró y se lo llevó a la boca.

—No hay nada que sepa como tú —susurró, muy en serio.

Hubiera podido pasarse la vida entera deleitándose con su cuerpo.

Branislava deslizó la lengua sobre los orificios del pecho, mientras se sentía el cuerpo cada vez más caliente. Se echó hacia atrás, deslizando sus pechos sobre sus músculos, haciendo que él reaccionara y que cada gota de su sangre se concentrara en la entrepierna, hasta que sintió que iba a estallar. La sujetó por los brazos y materializó una suave capa de hierba para ella. Quería que la dura tierra la sujetara en su sitio cuando la tomara, pero no que estuviera incómoda.

Con un movimiento fluido, la giró y bajó la cabeza a la elevación de su pecho, donde el pulso latía con tanta fuerza, llamándole con frenesí. Su aroma especiado se elevaba hasta él, su compañera, con sus propias exigencias, allí en aquel nido de amor que habían creado. Zev veía aquel pequeño cráter en la montaña como su paraíso particular.

Con un lengüetazo levantó el pezón y le gustó la forma en que el cuerpo de ella se sofocaba, toda aquella pasión y aquel fuego que se levantaban como un volcán, como una marea, muy cerca de la superficie, a punto de explotar. Pero se demoró, disfrutando ociosamente de Branislava, mientras su propio cuerpo le pedía una satisfacción instantánea.

Subió a besos por el lado del pecho hasta el punto donde el corazón palpitaba y sin mayor preámbulo clavó los dientes. El cuerpo de ella se arqueó, y el suave gemido que brotó de sus labios sonó como música a sus oídos. Adoraba cada sonido, cada gemido, súplica, la forma en que cantaba su nombre. Sus manos rudas se deslizaron sobre la suave piel de Branislava, reclamando, explorando. Era suya, toda ella. Aquella mujer asombrosa y bella se entregaba a él, le entregaba su cuerpo para que jugara con él y lo adorara.

Branislava se debatía bajo su cuerpo, con la sangre caliente, y la piel sofocada y teñida de un bonito rosado. Zev levantó la cabeza y miró los dos hilillos de sangre rubí deslizarse por el pecho. Con una sonrisa, los persiguió y los lamió, antes de cerrar los dos orificios que él mismo había hecho. Al punto volvió a cerrar la boca sobre su pecho, mientras sus dedos jugueteaban con el pezón del otro. Ella gimió, esta vez algo más fuerte, mientras lo mordía suavemente.

Zev levantó la cabeza y la miró con satisfacción. Sus pechos estaban cubiertos de pequeñas fresas, claras marcas de su posesión, pequeños mordiscos y, sobre todo, los pezones estaban muy tiesos.

—Una vez vi a una mujer que solo llevaba puesta una cadena dorada que unía un pecho con el otro, de pezón a pezón, y entonces no entendí el porqué. Tienes unos pechos preciosos, Branka, realmente bonitos. Y puedo imaginarte con esas dos cadenas. Llevaba una de cinco piezas a la cintura, y nada más.

—¿Y dónde has visto tú eso?

Su mano acarició entre las piernas y notó el flujo de líquido ante la idea.

—Perseguía a un licántropo que había matado a su vecino en un club donde bailaban mujeres.

Ella rió con suavidad.

—Está claro que hacían más que bailar.

—Seguramente. Pero no tenía tiempo para quedarme a mirar. Aunque, si quieres bailar para mí, estaré más que encantado de sentarme a mirar y disfrutar del espectáculo.

—¿Crees que no me atrevería? —Le sujetó el rostro entre las manos—. Haría cualquier cosa por ti. Cualquier cosa que me pidas o quieras de mí.

—Entonces, baila para mí, *mon chaton féroce*. Me encantaría sentarme y ver cómo bailas.

Zev se quitó de encima, rodó sobre su gruesa moqueta de hierba y miró cómo Branislava se ponía en pie con movimientos gráciles. Se colocó de espaldas, y el sonido de la música empezó a flotar en su nido de amor, entre las hojas de los pocos árboles que había, un sonido exótico y sensual a juego con el ritmo de su corazón.

Sacudió la cabeza, haciendo que su melena volara hacia arriba en un intrincado movimiento, y los largos mechones que quedaron sueltos le llegaron hasta las nalgas. Cuando se dio la vuelta, a Zev el corazón se le paró y entonces se puso a latir a toda prisa. Llevaba una cadena decorativa, varios eslabones del oro más puro en un complejo diseño que iban de un pecho al otro. Las cubiertas que cubrían sus pezones estaban encastadas y unas diminutas campanillas colgaban de los aros de las cadenas.

Su pene, que ya estaba hinchado, casi le explota. Su mano bajó para rodear la erección mientras sus ojos examinaban las cadenas que rodeaban la cintura. Unas pequeñas hebras con unas campanillas colgaban como un ribete y casi le cubrían el vello púbico, pero cada movimiento le permitía vislumbrar un poco aquí y allá, provocándole.

Branislava se balanceó, con un movimiento provocativo, sinuoso, cargado de sensualidad. No apartaba sus ojos de él, y giraba a su alrededor, deslizando sus pequeños pies descalzos sobre la hierba sin hacer el más mínimo ruido. Casi parecía que bailaba en el aire.

Las campanillas tintineaban, sumando aquel sonido a la música. Y él se dio cuenta de que cada tintineo hacía vibrar su pene. Su puño apretó con más fuerza, y empezó a deslizarse arriba y abajo al ritmo de las vibraciones. No había visto nada tan sensual en toda su vida. Branislava bailaba con desenvoltura, pero cada uno de sus movimientos era una provocación, una invitación a que reclamara su cuerpo... una forma de reclamar el cuerpo de él.

El viento se deslizó por el pequeño cráter y agitó sus cabellos, jugó con las campanillas y llevó hasta Zev su atractiva fragancia. Le indicó con un dedo que se acercara y ella se acercó. Levantó la mano y sujetó la cadena y tiró con suavidad. Ella jadeó y se dejó caer de rodillas, con el aliento entrecortado, sus ojos verdes muy abiertos, porque el fuego se extendió con rapidez de sus pezones a su vientre. Él siguió tirando, la obligó a bajar más, hasta que su boca quedó por encima de su pene.

Ella rió con suavidad, un sonido de pura alegría, acariciando con su aliento la ancha cabeza, y Zev aspiró con fuerza cuando su lengua lamió las pequeñas perlas que la aguardaban. Branislava lo envolvió con su boca, benditamente caliente, deseosa de probarlo, de complacerle, contenta por haberle dado tanta felicidad con su baile. Él la sujetó por los cabellos con una mano y con la otra jugueteó con la cadena, mientras ella chupaba, con la boca apretada, y jugueteaba con la lengua. Echó la cabeza hacia atrás y contempló las estrellas.

—No puede haber un hombre más feliz que yo, Branka —susurró.

Los dedos de ella jugaban con el escroto, su boca era la perfección; había momentos en que se la metía tan adentro que la sensación de constricción le dejaba sin aliento, y rayaba casi el éxtasis. Cuando sintió que le haría llegar al límite, volvió a tirar de la cadena y la obligó a levantar la cabeza.

Las esmeraldas de sus ojos lo miraron. Y le puso morros.

—Tenía hambre.

—Yo también —contestó él casi en un gruñido. La hizo tenderse con suavidad en el suelo—. Yo también. Hambre de lobo.

Ella se estremeció y pareció que iba a quitarse las cadenas. Él le indicó que no con la cabeza.

—Déjalas. Las quitaré después. Me gustan las campanillas y el aire que te dan. —Volvió a tirar de la cadena que tenía entre los pechos, haciendo que aquellos dos montes se elevaran ligeramente—. Jamás pensé que un adorno se vería tan bonito contra tu piel. Tu piel es inmaculada, maravillosa, y de un color perfecto.

Esa piel de la que Zev hablaba Branislava la sentía como suaves pétalos de rosa arrebolados.

—Tengo cicatrices —dijo en voz baja, y su mano se movió para tocar la zona levantada que tenía entre los pechos.

Él le sujetó la mano y volvió a colocársela en el suelo.

—Este cuerpo me pertenece —le espetó, y agachó la cabeza a la vez que tiraba de la cadena para mordisquearle el lado del pecho—. Mío. Y es perfecto. No digas nunca nada ofensivo sobre él.

Y pasó la lengua sobre el relieve de la cicatriz desde un pecho al otro, jugando y tironeando.

Lo había dicho medio en broma. Le gustaba su cuerpo, y no quería que ella se sintiera nada que no fuera bonita. Bajó a besos desde las puntas enjoyadas de sus pechos a su intrigante ombligo. Se entretuvo un rato ahí, también jugueteando y dando bocaditos, y entonces siguió bajando para inspeccionar las misteriosas campanillas. Si Branislava se movía, si levantaba las caderas, ¿volvería a notar aquellas vibraciones en el pene? Se imponía un pequeño experimento. La música seguía sonando, flotando en el viento, y las ramas de los árboles se mecían suavemente como si siguieran el ritmo. La levantó por las caderas, y apoyó los hombros contra sus muslos para abrirla. Era una hermosa flor llena de néctar, y él lo quería todo.

Inclinó la cabeza y dio unos lametones a la miel que manaba de ella. Ella se sacudió con fuerza. Las campanillas tintinearon, acompañadas por el sonido de la cadena que iba de un pecho al otro. Las campanillas de sus caderas tintinearon con pequeñas notas musicales que resonaron por su miembro y le hicieron sentir como descargas por todo el cuerpo.

La sujetó con fuerza, como un lobo hambriento, e hizo lo que mejor se le daba... devorarla. Con su lengua extrajo el néctar que tanto anhelaba. Y valiéndose de los dientes tironeó de la sensible piel de su vagina para que las campanillas siguieran sonando. Chupaba con fuerza, acunado por el hermoso sonido de los jadeos de Branislava, mientras la hacía llegar más y más lejos, una y otra vez, haciendo que su cuerpo pasara por una serie de orgasmos violentos que la sacudieron.

Cada movimiento hacía que las campanillas tintinearan con frenesí y su pene casi estalló por la intensidad de las vibraciones. Volvió a cambiar de posición, y se arrodilló entre sus piernas, porque necesitaba entrar. Ella tenía los ojos entornados, y su verde se veía vidrioso y sensual. Sus labios carnosos estaba entreabiertos y la respiración brotó de ellos entrecortada cuando entró con un golpe brusco.

Ella gimoteó, pronunciando su nombre, porque al entrar Zev se detuvo y se quedó muy quieto, y se limitó a morder la cadena que unía sus pechos y a sujetarla entre los dientes. Y entonces empujó y empujó, más y más fuerte, y cada vez que lo hacía la cadena tiraba de sus pechos. Y en todo momento no dejó de estar fusionado con ella, mientras empujaba con fuerza, mente a mente, para experimentar mejor el placer ardiente que notaba en los pezones, en su vientre, y en su interior. Su yo más íntimo nunca había estado tan caliente, y se cerraba con tanta fuerza sobre él que la fricción casi los hizo estallar en llamas a los dos.

El fuego pasó de un pezón al otro cuando volvió a tirar de la cadena que sujetaba entre los dientes. Las campanillas sonaron y las llamas saltaron a su pene, chamuscándolo como un rayo. Podía sentir exactamente lo que sentía ella, el fuego que ardía por sus pechos, un delicioso ardor que recorrió su cuerpo como una tormenta para ir a concentrarse en torno a su pene.

Zev no quería que las sensaciones pararan, pero podía sentir que el cuerpo de Branislava estaba cada vez más caliente y que se cerraba en torno a su miembro de modo implacable, casi hasta el punto de la estrangulación. El suelo se tiñó de un sutil tono de rojo, porque el cuerpo de Branislava era como un imán, y atraía al mismísimo magma del centro de la Tierra mientras buscaba la semilla que él llevaba dentro.

Entonces ella susurró su nombre, en una suave súplica, y la llevó más allá del límite, volaron juntos en una caída libre, mientras sus músculos se cerraban con fuerza y le exprimían hasta la última gota, envolviéndole con su particular fuego. Zev no esperó a que cesaran las pequeñas sacudidas que siguen al orgasmo. Se inclinó y retiró con delicadeza una de las piezas que cubrían los pezones y se llevó el pecho al calor acogedor de su boca.

Ella dejó escapar el aliento con suavidad y entornó los ojos, con expresión de intenso placer. Él acarició el pezón una y otra vez con la lengua, y lo remató con unos besos antes de pasar al otro pecho. Los músculos de ella volvieron a apretar con fuerza cuando retiró la pieza del otro pezón y tomó el pecho con la boca. El suave gemido solo hizo que reforzar en él la convicción de que el fuego no hacía más que aumentar en Branislava, que por muy apasionados que fueran, por muchas veces que la tomara, o incluso independientemente de la forma en que lo hiciera, el fuego entre ellos sería cada vez mayor.

—¿Tienes idea de lo mucho que te quiero, Branka? —preguntó en voz baja, con un extraño nudo en la garganta.

Tuvo que carraspear varias veces.

—Sí —dijo ella con suavidad, rodeándole el cuello con sus brazos esbeltos—. Me quieres con la misma pasión que yo a ti. Y es más fuerte a cada momento que pasamos juntos.

—¿Te ha hecho daño la cadena?

Ella se rió.

—Soy carpatiana, lobo. Jamás jugaría con algo que me duela del modo al que tú te refieres. Sentía fuego, pero ya sabes que eso me encanta. Si la intensidad era excesiva, solo tenía que hacer bajar un poco el fuego. Tú estabas en mi mente, sintiendo lo mismo que yo, observando para asegurarte de que no me hacías daño. Podía sentirte, preocupándote por mí. Protegiéndome. Por eso confío tanto en ti, Zev. Siempre me pones primero.

—Eres mi compañera. El amor de mi vida. Mi todo. Por supuesto que me voy a esforzar por asegurarme de que no sientes otra cosa que placer.

—Por supuesto —concedió ella—, aunque tu naturaleza es la que dicta lo que eres y lo que haces. Pondrías mi salud, felicidad y placer por encima del tuyo aunque no fuéramos compañeros eternos. Es lo que más me gusta de ti. Lo que eres.

Levantó la cabeza hacia él, y lo besó lentamente, tomándose su tiempo, enviando con el fuego de su boca una flecha directa a su corazón. Él le devolvió el beso con la misma pasión, el mismo fuego, pero con una ternura infinita que le mostraba sin palabras lo que sentía por ella. Cuando levantó la cabeza ella le estaba sonriendo. Él también sonrió, y empezó a moverse de nuevo en su interior, esta vez más despacio y pausado. Tenían todo el tiempo del mundo.

Apéndice 1

Cánticos carpatianos de sanación

Para comprender correctamente los cánticos carpatianos de sanación, se requiere conocer varias áreas.

- Las ideas carpatianas sobre sanación
- El «Cántico curativo menor» de los carpatianos
- El «Gran cántico de sanación» de los carpatianos
- Estética musical carpatiana
- Canción de cuna
- Canción para sanar la tierra
- Técnica carpatiana de canto

Las ideas carpatianas sobre sanación

Los carpatianos son un pueblo nómada cuyos orígenes geográficos se encuentran al menos en lugares tan distantes como los Urales meridionales (cerca de las estepas de la moderna Kazajstán), en la frontera entre Europa y Asia. (Por este motivo, los lingüistas de hoy en día llaman a su lengua «protourálica», sin saber que esta es la lengua de los carpatianos.) A diferencia de la mayoría de pueblos nómadas, las andanzas de los carpatianos no respondían a la necesidad de encontrar nuevas tierras de pastoreo para adaptarse a los cambios de las estaciones y del clima o para mejorar el comercio. En vez de ello, tras los movimientos de los carpatianos había un gran objetivo: encontrar un lugar con tierra adecuada, un terreno cuya riqueza sirviera para potenciar los poderes rejuvenecedores de la especie.

A lo largo de los siglos, emigraron hacia el oeste (hace unos seis mil años) hasta que por fin encontraron la patria perfecta —su «susu»— en los Cárpatos, cuyo largo arco protegía las exuberantes praderas del reino de Hungría. (El reino de Hungría prosperó durante un milenio —convirtiendo el húngaro en lengua dominante en la cuenca cárpata—, hasta que las tierras del reino se escindieron en varios países tras la Primera Guerra Mundial: Austria, Checoslovaquia, Rumania, Yugoslavia y la moderna Hungría.)

Otros pueblos de los Urales meridionales (que compartían la lengua carpatiana, pero no eran carpatianos) emigraron en distintas direcciones. Algunos acabaron en Finlandia, hecho que explica que las lenguas húngara y finesa modernas sean descendientes contemporáneas del antiguo idioma carpatiano. Pese a que los carpatianos están vinculados a la patria carpatiana elegida, sus desplazamientos continúan, ya que recorren el mundo en busca de respuestas que les permitan alumbrar y criar a sus vástagos sin dificultades.

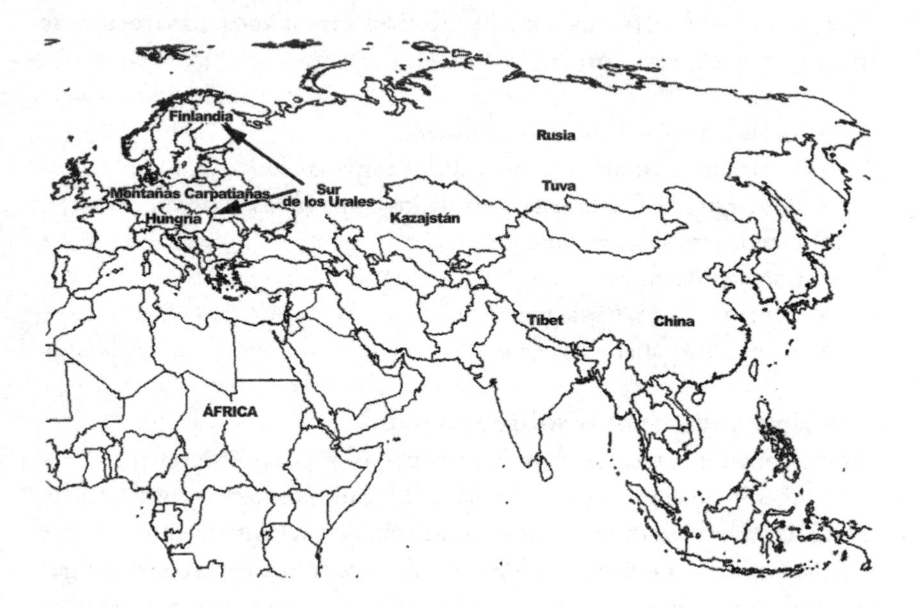

Dados sus orígenes geográficos, las ideas sobre sanación del pueblo carpatiano tienen mucho que ver con la tradición chamánica eruoasiática más amplia. Probablemente la representación moderna más próxima a esa tradición tenga su base en Tuva: lo que se conoce como «chamanismo tuvano». (Véase en el mapa.)

La tradición chamánica euroasiática —de los Cárpatos a los chamanes siberianos— consideraba que el origen de la enfermedad se encuentra en el alma humana, y solo más tarde comienza a manifestar diversas patologías físicas. Por consiguiente, la sanación chamánica, sin descuidar el cuerpo, se centraba en el alma y en su curación. Se entendía que las enfermedades más profundas estaban ocasionadas por «la marcha del alma», cuando alguna o todas las partes del alma de la persona enferma se ha alejado del cuerpo (a los infiernos) o ha sido capturada o poseída por un espíritu maligno, o ambas cosas.

Los carpatianos pertenecían a esta tradición chamánica euroasiática más amplia y compartían sus puntos de vista. Como los propios carpatianos no sucumbían a la enfermedad, los sanadores carpatianos comprendían que las lesiones más profundas iban acompañadas, además, de una «partida del alma» similar.

Una vez diagnosticada la «partida del alma», el sanador chamánico ha de realizar un viaje espiritual que se adentra en los infiernos, para recuperar el alma. Es posible que el chamán tenga que superar retos tremendos a lo largo del camino, como enfrentarse al demonio o al vampiro que ha poseído el alma de su amigo.

La «partida del alma» no significaba que una persona estuviera necesariamente inconsciente (aunque sin duda también podía darse el caso). Se entendía que, aunque una persona pareciera consciente, incluso hablara e interactuara con los demás, una parte de su alma podía encontrarse ausente. De cualquier modo, el sanador o chamán experimentado veía el problema al instante, con símbolos sutiles que a los demás podrían pasárseles por alto: pérdidas de atención esporádicas de la persona, un descenso de entusiasmo por la vida, depresión crónica, una disminución de luminosidad del «aura», y ese tipo de cosas.

El «Cántico curativo menor» de los carpatianos

El *Kepä Sarna Pus* (El «Cántico curativo menor») se emplea para las heridas de naturaleza meramente física. El sanador carpatiano sale de su cuerpo y entra en el cuerpo del carpatiano herido para curar grandes heridas mortales desde el interior hacia fuera, empleando energía pura. El curandero proclama: «Ofrezco voluntariamente mi vida a cambio de tu vida», mientras dona sangre al carpatiano herido. Dado que los carpatianos provienen de la tierra y están vinculados a ella, la tierra de su patria es la más curativa. También emplean a menudo su saliva por sus virtudes rejuvenecedoras.

Asimismo, es común que los cánticos carpatianos (tanto el menor como el gran cántico) vayan acompañados del empleo de hierbas curativas, aromas de velas carpatianas, y cristales. Los cristales (en combinación con la conexión empática y vidente de los carpatianos con el universo) se utilizan para captar energía positiva del entorno, que luego se aprovecha para acelerar la sanación. A veces se los usa como escenario para la curación.

El Cántico curativo menor fue empleado por Vikirnoff von Shrieder y Colby Jansen para curar a Rafael De La Cruz, a quien un vampiro había arrancado el corazón en el libro titulado *Secreto Oscuro*.

***Kepä Sarna Pus* (El Cántico curativo menor)**
El mismo cántico se emplea para todas las heridas físicas. Habría que cambiar «sívadaba» [«dentro de tu corazón»] para referirse a la parte del cuerpo herida, fuera la que fuese.

Kúnasz, nélkül sívdobbanás, nélkül fesztelen löyly.
Yaces como si durmieras, sin latidos de tu corazón, sin aliento etéreo.

Ot élidamet andam szabadon élidadért.
Ofrezo voluntariamente mi vida a cambio de tu vida.

O jelä sielam jörem ot ainamet és soŋe ot élidadet.
Mi espíritu de luz olvida mi cuerpo y entra en tu cuerpo.

O jelä sielam pukta kinn minden szelemeket belső.
Mi espíritu de luz hace huir todos los espíritus oscuros de dentro hacia fuera.

Pajńak o susu hanyet és o nyelv nyálamet sívadaba.
Comprimo la tierra de nuestra patria y la saliva de mi lengua en tu corazón.

Vii, o verim soŋe o verid andam.
Finalmente, te dono mi sangre como sangre tuya.

Para oír este cántico, visitar el sitio:
http://www.christinefeehan.com/members/.

El «Gran cántico de sanación» de los carpatianos

El más conocido —y más dramático— de los cánticos carpatianos de sanación era el *En Sarna Pus* (El «Gran cántico de sanación»). Esta salmodia se reservaba para la recuperación del alma del carpatiano herido o inconsciente.

La costumbre era que un grupo de hombres formara un círculo alrededor del carpatiano enfermo (para «rodearle de nuestras atenciones y compasión») e iniciara el cántico. El chamán, curandero o líder es el principal protagonista de esta ceremonia de sanación. Es él quien realiza el viaje espiritual al interior del averno, con la ayuda de su clan. El propósito es bailar, cantar, tocar percusión y salmodiar extasiados, visualizando en todo momento (mediante las palabras del cántico) el viaje en sí —cada paso, una y otra vez—, hasta el punto en que el chamán, en trance, deja su cuerpo y realiza el viaje. (De hecho, la palabra «éxtasis» procede del latín *ex statis*, que significa literalmente «fuera del cuerpo».)

Una ventaja del sanador carpatiano sobre otros chamanes es su vínculo telepático con el hermano perdido. La mayoría de los chamanes deben vagar en la oscuridad de los infiernos, a la búsqueda del hermano perdido, pero el curandero carpatiano «oye» directamente en su mente la voz de su hermano perdido llamándole, y de este modo puede concentrarse de pleno en su alma como si fuera la señal de un faro. Por este motivo, la sanación carpatiana tiende a dar un porcentaje de resultados más positivo que la mayoría de tradiciones de este tipo.

Resulta útil analizar un poco la geografía del «averno» para poder comprender mejor las palabras del Gran cántico. Hay una referencia al «Gran Árbol» (en carpatiano: *En Puwe*). Muchas tradiciones antiguas, incluida la tradición carpatiana, entienden que los mundos —los mundos del Cielo, nuestro mundo y los avernos— cuelgan de un gran mástil o eje, un árbol. Aquí en la Tierra, nos situamos a media altura de este árbol, sobre una de sus ramas, de ahí que muchos textos antiguos se refieran a menudo al mundo material como la «tierra media»: a medio camino entre el cielo y el infierno. Trepar por el árbol llevaría a los cielos. Descender por el árbol, a sus raíces, llevaría a los infiernos. Era necesario que el chamán fuera un maestro en el movimiento ascendente y descendente por el Gran Árbol; debía moverse a veces sin ayuda, y en ocasiones asistido por la guía del espíritu de un animal (incluso montado a lomos de él). En varias tradiciones, este Gran Árbol se conocía como el *axis mundi* (el «eje de los mundos»), Ygddrasil (en la mitología escandinava), monte Meru (la montaña sagrada de la tradición tibetana), etc. También merece la pena compararlo con el cosmos cristiano: su cielo, purgatorio/tierra e infierno. Incluso se le da una topografía similar en la *La divina comedia* de Dante: a Dante le llevan de viaje primero al infierno, situado en el centro de la Tierra; luego, más arriba, al monte del Purgatorio, que se halla en la superficie de la Tierra justo al otro lado de Jerusalén; luego continúa subiendo, primero al Edén, el paraíso terrenal, en la cima del monte del Purgatorio, y luego, por fin, al cielo.

La tradición chamanística entendía que lo pequeño refleja siempre lo grande; lo personal siempre refleja lo cósmico. Un movimiento en las dimensiones superiores del cosmos coincide con un movimiento interno. Por ejemplo, el *axis mundi* del cosmos se corresponde con la columna vertebral del individuo. Los viajes arriba y abajo del *axis mundi* coinciden a menudo con el movimiento de energías naturales y espirituales (a menudo denominadas *kundalini* o *shakti*) en la columna vertebral del chamán o místico.

***En Sarna Pus* (El Gran cántico de sanación)**

En este cántico, ekä («hermano») se reemplazará por «hermana», «padre», «madre», dependiendo de la persona que se vaya a curar.

Ot ekäm ainajanak hany, jama.
El cuerpo de mi hermano es un pedazo de tierra próximo a la muerte.

Me, ot ekäm kuntajanak, pirädak ekäm, gond és irgalom türe.
Nosotros, el clan de mi hermano, le rodeamos de nuestras atenciones y compasión.

O pus wäkenkek, ot oma śarnank, és ot pus fünk, álnak ekäm ainajanak, pitänak ekäm ainajanak elävä.
Nuestras energías sanadoras, palabras mágicas ancestrales y hierbas curativas bendicen el cuerpo de mi hermano, lo mantienen con vida.

Ot ekäm sielanak pälä. Ot omboće päläja juta alatt o jüti, kinta, és szelemek lamtijaknak.
Pero el cuerpo de mi hermano es solo una mitad. Su otra mitad vaga por el averno.

Ot en mekem ŋamaŋ: kulkedak otti ot ekäm omboće päläjanak.
Este es mi gran acto. Viajo para encontrar la otra mitad de mi hermano.

Rekatüre, saradak, tappadak, odam, kaŋa o numa waram, és avaa owe o lewl mahoz.
Danzamos, entonamos cánticos, soñamos extasiados, para llamar a mi pájaro del espíritu y para abrir la puerta al otro mundo.

Ntak o numa waram, és mozdulak, jomadak.
Me subo a mi pájaro del espíritu, empezamos a movernos, estamos en camino.

Piwtädak ot En Puwe tyvinak, ećidak alatt o jüti, kinta, és szelemek lamtijaknak.
Siguiendo el tronco del Gran Árbol, caemos en el averno.

Fázak, fázak nó o śaro.
Hace frío, mucho frío.

Juttadak ot ekäm o akarataban, o sívaban és o sielaban.
Mi hermana y yo estamos unidos en mente, corazón y alma.

Ot ekäm sielanak kaŋa engem.
El alma de mi hermano me llama.

Kuledak és piwtädak ot ekäm.
Oigo y sigo su estela.

Sayedak és tuledak ot ekäm kulyanak.
Encuentro el demonio que está devorando el alma de mi hermano.

Nenäm ćoro; o kuly torodak.
Con ira, lucho con el demonio.

O kuly pél engem.
Le inspiro temor.

Lejkkadak o kaŋka salamaval.
Golpeo su garganta con un rayo.

Molodak ot ainaja komakamal.
Destrozo su cuerpo con mis manos desnudas.

Toja és molanâ.
Se retuerce y se viene abajo.

Hän ćaδa.
Sale corriendo.

Manedak ot ekäm sielanak.
Rescato el alma de mi hermano.
[Rescatar-yo el hermano-mío alma-suya-de.]

Alədak ot ekäm sielanak o komamban.
Levanto el alma de mi hermana en el hueco de mis manos.

Alədam ot ekäm numa waramra.
Le pongo sobre mi pájaro del espíritu.

Piwtädak ot En Puwe tyvijanak és sayedak jälleen ot elävä ainak majaknak.
Subiendo por el Gran Árbol, regresamos a la tierra de los vivos.

Ot ekäm elä jälleen.
Mi hermano vuelve a vivir.

Ot ekäm weńća jälleen.
Vuelve a estar completo otra vez.

Para escuchar este cántico visitar el sitio
http://www.christinefeehan.com/members/.

Estética musical carpatiana

En los cantos carpatianos (como en «Canción de cuna» y «Canción para sanar la tierra»), encontraremos elementos compartidos por numerosas tradiciones musicales de la región de los Urales, algunas todavía existentes, desde el este de Europa (Bulgaria, Rumania, Hungría, Croacia, etc.) hasta los gitanos rumanos. Algunos de estos elementos son:

- La rápida alternancia entre las modalidades mayor y menor, lo cual incluye un repentino cambio (denominado «tercera de Picardía») de menor a mayor para acabar una pieza o sección (como al final de «Canción de cuna»).
- El uso de armonías cerradas.
- El uso del *ritardo* (ralentización de una pieza) y *crescendo* (aumento del volumen) durante breves periodos.
- El uso de *glissando* (deslizamiento) en la tradición de la canción.
- El uso del gorjeo en la tradición de la canción (como en la invocación final de «Canción para sanar la tierra»), de modo similar a los cantos tradicionales celtas, tan familiares para muchos de nosotros.
- El uso de quintas paralelas (como en la invocación final de la «Canción para sanar la tierra»).
- El uso controlado de la disonancia.
- Canto de «Llamada y respuesta» (típico de numerosas tradiciones de la canción en todo el mundo).
- Prolongación de la duración de un verso (agregando un par de compases) para realzar el efecto dramático.
- Y muchos otros.

«Canción de cuna» y «Canción para sanar la tierra» ilustran dos formas bastante diferentes de la música carpatiana (una pieza tranquila e íntima y una animada pieza para un conjunto de voces). Sin embargo, cualquiera que sea la forma, la música carpatiana está cargada de sentimientos.

Canción de cuna

Es una canción entonada por las mujeres cuando el bebé todavía está en la matriz o cuando se advierte el peligro de un aborto natural. El bebé escucha la canción en el interior de la madre y esta se puede comunicar telepáticamente con él. La canción de cuna pretende darle seguridad al bebé y ánimos para permanecer donde está, y darle a entender que será protegido con amor hasta el momento del nacimiento. Este último verso significa literalmente que el amor de la madre protegerá a su bebé hasta que nazca (o «surja»).

En términos musicales, la «Canción de cuna» carpatiana es un compás de 3/4 («compás del vals»), al igual que una proporción importante de las canciones de cuna tradicionales en todo el mundo (de las cuales quizá la «Canción de cuna», de Brahms, es la más conocida). Los arreglos para una sola voz recuerdan el contexto original, a saber, la madre que canta a su bebé cuando está a solas con él. Los arreglos para coro y conjunto de violín ilustran la musicalidad de hasta las piezas carpatianas más sencillas, y la facilidad con que se prestan a arreglos instrumentales u orquestales. (Numerosos compositores contemporáneos, entre ellos, Dvorak y Smetana, han explotado un hallazgo similar y han trabajado con otras músicas tradicionales del este de Europa en sus poemas sinfónicos.)

Odam-Sarna Kondak (Canción de cuna)

Tumtesz o wäke ku pitasz belső.
Siente tu fuerza interior.

Hiszasz sívadet. Én olenam gæidnod.
Confía en tu corazón. Yo seré tu guía

Sas csecsemõm, kuńasz.
Calla, mi niño, cierra los ojos.

Rauho joŋe ted.
La paz será contigo.

Tumtesz o sívdobbanás ku olen lamt3ad belső
Siente el ritmo en lo profundo de tu ser.

Gond-kumpadek ku kim te.
Olas de amor te bañan.

Pesänak te, asti o jüti, kidüsz.
Protegido, hasta la noche de tu alumbramiento.

Para escuchar esta canción, ir a: http://www.christinefeehan.com/members/.

Canción para sanar la tierra

Se trata de la canción curativa de la tierra cantada por las mujeres carpatianas para sanar la tierra contaminada por diversas toxinas. Las mujeres se sitúan en los cuatro puntos cardinales e invocan el universo para utilizar su energía con amor y respeto. La tierra es su lugar de descanso, donde rejuvenecen, y deben hacer de ella un lugar seguro no solo para sí mismas, sino también para sus hijos aún no nacidos, para sus compañeros y para sus hijos vivos. Es un bello ritual que llevan a cabo las mujeres, que juntas elevan sus voces en un canto armónico. Piden a las sustancias minerales y a las propiedades curativas de la tierra que se manifiesten para ayudarlas a salvar a sus hijos, y bailan y cantan para sanar la tierra en una ceremonia tan antigua como su propia especie. La danza y las notas de la canción varían dependiendo de las toxinas que captan las mujeres a través de los pies descalzos. Se colocan los pies siguiendo un determinado patrón y a lo largo del baile las manos urden un hechizo con elegantes movimientos. Deben tener especial cuidado cuando preparan la tierra para un bebé. Es una ceremonia de amor y sanación.

Musicalmente, se divide en diversas secciones:

- **Primer verso:** Una sección de «llamada y respuesta», donde la cantante principal canta el solo de la «llamada», y algunas o todas las mujeres cantan la «respuesta» con el estilo de armonía cerrada típico de la tradición musical carpatiana. La respuesta, que se repite —*Ai Emä Maye*—, es una invocación de la fuente de energía para el ritual de sanación: «Oh, Madre Naturaleza».
- **Primer coro:** Es una sección donde intervienen las palmas, el baile y antiguos cuernos y otros instrumentos para invocar y potenciar las energías que invoca el ritual.
- **Segundo verso**
- **Segundo coro**
- **Invocación final:** En esta última parte, dos cantantes principales, en estrecha armonía, recogen toda la energía reunida durante las anteriores partes de la canción/ritual y la concentran exclusivamente en el objetivo de la sanación.

Lo que escucharéis son breves momentos de lo que normalmente sería un ritual bastante más largo, en el que los versos y los coros intervienen una y otra vez, y luego acaban con el ritual de la invocación final.

Sarna Pusm O Mayet **(Canción de sanación de la tierra)**

Primer verso
Ai Emä Maye,
Oh, Madre Naturaleza,

Me sívadbin lańaak.
somos tus hijas bienamadas.

Me tappadak, me pusmak o mayet.
Bailamos para sanar la tierra.

Me sarnadak, me pusmak o hanyet.
Cantamos para sanar la tierra.

Sielanket jutta tedet it,
Ahora nos unimos a ti,

Sívank és akaratank és sielank juttanak.
nuestros corazones, mentes y espíritus son uno.

Segundo verso
Ai Emä Maye,
Oh, Madre Naturaleza,

Me sívadbin lańaak.
somos tus hijas bienamadas.

Me andak arwadet emänked és me kaŋank o
Rendimos homenaje a nuestra Madre, invocamos

Põhi és Lõuna, Ida és Lääs.
el norte y el sur, al este y el oeste.

Pide és aldyn és myös belső.
Y también arriba, abajo y desde dentro.

Gondank o mayenak pusm hän ku olen jama.
Nuestro amor por la tierra curará lo malsano.

Juttanak teval it,
Ahora nos unimos a ti,

Maye mayeval.
de la Tierra a la tierra.

O pirä elidak weńća.
El ciclo de la vida se ha cerrado.

Para escuchar esta canción, ir a http://www.christinefeehan.com/members/.

Técnica carpatiana de canto

Al igual que sucede con las técnicas de sanación, la «técnica de canto» de los carpatianos comparte muchos aspectos con las otras tradiciones chamánicas de las estepas de Asia Central. El modo primario de canto era un cántico gutural con empleo de armónicos. Aún pueden encontrarse ejemplos modernos de esta forma de cantar en las tradiciones mongola, tuvana y tibetana. Encontraréis un ejemplo grabado de los monjes budistas tibetanos de Gyuto realizando sus cánticos guturales en el sitio: http://www.christinefeehan.com/carpathian_chanting/.

En cuanto a Tuva, hay que observar sobre el mapa la proximidad geográfica del Tíbet con Kazajstán y el sur de los Urales.

La parte inicial del cántico tibetano pone el énfasis en la sincronía de todas las voces alrededor de un tono único, dirigido a la curación de un «chakra» concreto del cuerpo. Esto es típico de la tradición de cánticos guturales de Gyuto, pero no es una parte significativa de la tradición carpatiana. No obstante, el contraste es interesante.

La parte del ejemplo de cántico Gyuto más similar al estilo carpatiano es la sección media donde los hombres están cantando juntos pronunciando con gran fuerza las palabras del ritual. El propósito en este caso no es generar un «tono curativo» que afecte a un «chakra» en concreto, sino generar el máximo poder posible para iniciar el viaje «fuera del cuerpo» y para combatir las fuerzas demoníacas que el sanador/viajero debe superar y combatir.

Las canciones de las mujeres carpatianas (ilustradas por su «Canción de cuna» y su «Canción de sanación de la tierra») pertenecen a la misma tradición musical y de sanación que los Cánticos Mayor y Menor de los guerreros. Oiremos los mismos instrumentos en los cantos de sanación de los guerreros y en la «Canción de sanación de la tierra» de las mujeres. Por otro lado, ambos cantos comparten el objetivo común de generar y dirigir la energía. Sin embargo, las canciones de las mujeres tienen un carácter claramente femenino. Una de las diferencias que se advierte enseguida es que mientras los hombres pronuncian las palabras a la manera de un cántico, las mujeres entonan sus canciones con melodías y armonías, y el resultado es una composición más delicada. En la «Canción de cuna» destaca especialmente su carácter femenino y de amor maternal.

Apéndice 2

La lengua carpatiana

Como todas las lenguas humanas, la de los carpatianos posee la riqueza y los matices que solo pueden ser dados por una larga historia de uso. En este apéndice podemos abordar a lo sumo algunos de los principales aspectos de este idioma:

- Historia de la lengua carpatiana
- Gramática carpatiana y otras características de la lengua
- Ejemplos de la lengua carpatiana (incluyendo las palabras rituales y el cántico de los guerreros)
- Un diccionario carpatiano muy abreviado

Historia de la lengua carpatiana

La lengua carpatiana actual es en esencia idéntica a la de hace miles de años. Una lengua «muerta» como el latín, con dos mil años de antigüedad, ha evolucionado hacia una lengua moderna significativamente diferente (italiano) a causa de incontables generaciones de hablantes y grandes fluctuaciones históricas. Por el contrario, algunos hablantes del carpatiano de hace miles de años todavía siguen vivos. Su presencia —unida al deliberado aislamiento de los carpatianos con respecto a las otras fuerzas del cambio en el mundo— ha actuado y lo continúa haciendo como una fuerza estabilizadora que ha preservado la integridad de la lengua durante siglos. La cultura carpatiana también ha actuado como fuerza estabilizadora. Por ejemplo, las Palabras Rituales, los variados cánticos curativos (véase

Apéndice 1) y otras manifestaciones culturales han sido transmitidos durante siglos con gran fidelidad.

Cabe señalar una pequeña excepción: la división de los carpatianos en zonas geográficas separadas ha conllevado una discreta dialectalización. No obstante, los vínculos telepáticos entre todos ellos (así como el regreso frecuente de cada carpatiano a su tierra natal) han propiciado que las diferencias dialectales sean relativamente superficiales (una discreta cantidad de palabras nuevas, leves diferencias en la pronunciación, etc.), ya que el lenguaje más profundo e interno, de transmisión mental, se ha mantenido igual a causa del uso continuado a través del espacio y el tiempo.

La lengua carpatiana fue (y todavía lo es) el protolenguaje de la familia de lenguas urálicas (o fino-ugrias). Hoy en día las lenguas urálicas se hablan en la Europa meridional, central y oriental, así como en Siberia. Más de veintitrés millones de seres en el mundo hablan lenguas cuyos orígenes se remontan al idioma carpatiano. Magiar o húngaro (con unos catorce millones de hablantes), finés (con unos cinco millones) y estonio (un millón aproximado de hablantes) son las tres lenguas contemporáneas descendientes de ese protolenguaje. El único factor que unifica las más de veinte lenguas de la familia urálica es que se sabe que provienen de un protolenguaje común, el carpatiano, el cual se escindió (hace unos seis mil años) en varias lenguas de la familia urálica. Del mismo modo, lenguas europeas como el inglés o el francés pertenecen a la familia indoeuropea, más conocida, y también provienen de un protolenguaje que es su antecesor común (diferente del carpatiano).

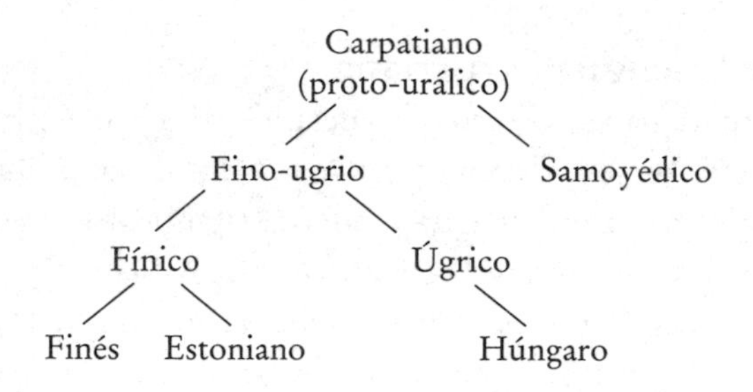

Esta tabla ayuda a entender ciertas similitudes en la familia de lenguas.

Nota: La «k» fínico-carpatiana aparece a menudo como la «h» húngara. Del mismo modo, la «p» fínico-carpatiana corresponde a la «f» húngara.

Carpatiano (proto-urálico)	Finés (suomi)	Húngaro (magiar)
elä —vivir	*elä* —vivir	*él* —vivir
elid —vida	*elinikä* —vida	*élet* —vida
pesä —nido	*pesä* —nido	*fészek* —nido
kola —morir	*kuole* —morir	*hal* —morir
pälä —mitad, lado	*pieltä* —inclinar, ladear	*fél, fele* —ser humano semejante, amigo (mitad; uno de dos lados) *feleség* —esposa
and —dar	*anta, antaa* —dar	*ad* —dar
koje —marido, hombre	*koira* —perro, macho *(de un animal)*	*here* —zángano, testículo
wäke —poder	*väki* —pueblo, personas, hombres; fuerza *väkevä* — poderoso, fuerte	*vall-vel*—con (sufijo instrumental) *vele* —con él/ella
wete —agua	*vesi* —agua	*víz* —agua

Gramática carpatiana y otras características de la lengua

Modismos. Siendo a la vez una lengua antigua y el idioma de un pueblo ligado a la tierra, el carpatiano se inclina a utilizar modismos construidos con términos concretos y directos, más que abstracciones. Por ejemplo, nuestra abstracción moderna «apreciar, mimar» se expresa de forma más concreta en carpatiano como «conservar en el corazón de uno»; el averno es, en carpatiano, «la tierra de la noche, la bruma y los fantasmas», etc.

Orden de las palabras. El orden de las palabras en una frase no viene dado por aspectos sintácticos (como sujeto, verbo y predicado), sino más bien por factores pragmáticos, motivados por el discurso. Ejemplos: *«Tied vagyok.»* («Tuyo soy.»); *«Sívamet andam.»* («Mi corazón te doy.»)

Aglutinación. La lengua carpatiana es aglutinadora, es decir, las palabras largas se construyen con pequeños componentes. Un lenguaje aglutinador usa sufijos o prefijos, el sentido de los cuales es por lo general único, y se concatenan unos tras otros sin solaparse. En carpatiano las palabras consisten por lo general en una raíz seguida por uno o más sufijos. Por ejemplo, «*sívambam*» procede de la raíz «*sív*» («corazón»), seguida de «*am*» («mi»), seguido de «*bam*» («en»), resultando «en mi corazón». Como es de imaginar, a veces tal aglutinación en el carpatiano puede producir palabras extensas o de pronunciación dificultosa. Las vocales en algunos casos se insertan entre sufijos, para evitar que aparezcan demasiadas consonantes seguidas (que pueden hacer una palabra impronunciable).

Declinaciones. Como todas las lenguas, el carpatiano tiene muchos casos: el mismo sustantivo se formará de modo diverso dependiendo de su papel en la frase. Algunos de los casos incluyen: nominativo (cuando el sustantivo es el sujeto de la frase), acusativo (cuando es complemento directo del verbo), dativo (complemento indirecto), genitivo (o posesivo), instrumental, final, supresivo, inesivo, elativo, terminativo y delativo.

Tomemos el caso posesivo (o genitivo) como ejemplo para ilustrar cómo, en carpatiano, todos los casos implican la adición de sufijos habituales a la raíz del sustantivo. Así, para expresar posesión en carpatiano —«mi pareja eterna», «tu pareja eterna», «su pareja eterna», etc.— se necesita añadir un sufijo particular («*-am*») a la raíz del sustantivo («*päläfertiil*»), produciendo el posesivo («*päläfertiilam*»: mi pareja eterna). El sufijo a emplear depende de la persona («mi», «tú», «su», etc.) y también de si el sustantivo termina en consonante o en vocal. La siguiente tabla enumera los sufijos para el singular (no para el plural), mostrando también las similitudes con los sufijos empleados por el húngaro contemporáneo. (El húngaro es en realidad un poco más complejo, ya que requiere también «rima vocálica»: el sufijo utilizado depende de la última vocal en el sustantivo, de ahí las múltiples opciones en el cuadro siguiente, mientras el carpatiano dispone de una única opción.)

Persona	Carpatiano (proto-urálico) Nombre acabado en vocal	Nombre acabado en consonante	Húngaro Contemporáneo Nombre acabado en vocal	Nombre acabado en consonante
1ª singular (mi)	-m	-am	-m	-om, -em, -öm
2ª singular (tú)	-d	-ad	-d	-od, -ed, -öd
3ª singular (suya, de ella/ de él/de ello)	-ja	-a	-ja/-je	-a, -e
1ª plural (nuestro)	-nk	-ank	-nk	-unk, -ünk
2ª plural (vuestro)	-tak	-atak	-tok, -tek, -tök	-otok, -etek, -ötök
3ª plural (su)	-jak	-ak	-juk, -jük	-uk, -ük

Nota: Como hemos mencionado, las vocales a menudo se insertan entre la palabra y su sufijo para así evitar que demasiadas consonantes aparezcan seguidas (lo cual crearía palabras impronunciables). Por ejemplo, en la tabla anterior, todos los sustantivos que acaban en una consonante van seguidos de sufijos empezados por «a».

Conjugación verbal. Tal como sus descendientes modernos (finés y húngaro), el carpatiano tiene muchos tiempos verbales, demasiados para describirlos aquí. Nos fijaremos en la conjugación del tiempo presente. De nuevo habrá que comparar el húngaro contemporáneo con el carpatiano, dadas las marcadas similitudes entre ambos.

Igual que sucede con el caso posesivo, la conjugación de verbos se construye añadiendo un sufijo a la raíz del verbo:

Persona	Carpatiano (proto-urálico)	Húngaro contemporáneo
1ª sing. (Yo doy)	-am (andam), -ak	-ok, -ek, -ök
2ª sing. (Tú das)	-sz (andsz)	-sz
3ª sing. (Él/ella da)	-(and)	—
1ª plural (Nosotros damos)	-ak (andak)	-unk, -ünk
2ª plural (Vosotros dais)	-tak (andtak)	-tok, -tek, -tök
3ª plural (Ellos dan)	-nak (andnak)	-nak, -nek

Como en todas las lenguas, encontramos en el carpatiano muchos «verbos irregulares» que no se ajustan exactamente a esta pauta. Pero aun así la tabla anterior es una guía útil para muchos verbos.

Ejemplos de la lengua carpatiana

Aquí tenemos algunos ejemplos breves del carpatiano coloquial, empleado en la serie de libros Oscuros. Incluimos la traducción literal entre corchetes. Curiosamente, las diferencias con la traducción correcta son sustanciales.

Susu.
Estoy en casa.
[«hogar/lugar de nacimiento». «Estoy» se sobreentiende, como sucede a menudo en carpatiano.]

Möért?
¿Para qué?

Csitri.
Pequeño/a.
[«cosita»; «chiquita»]

Ainaak enyém.
Por siempre mío/mía

Ainaak sívamet jutta.
Por siempre mío/mía (otra forma).
[«por siempre a mi corazón conectado/pegado»]

Sívamet.
Amor mío.
[«de-mi-corazón», «para-mi-corazón»]

Tet vigyázam.
Te quiero.
[Tú amar-yo]

***Sarna Rituaali* (Las palabras rituales)** es un ejemplo más largo, y un ejemplo de carpatiano coloquial. Hay que destacar el uso recurrente de *«andam»* («yo doy») para otorgar al canto musicalidad y fuerza a través de la repetición.

***Sarna Rituaali* (Las palabras rituales)**

Te avio päläfertiilam.
Eres mi pareja eterna.

Éntölam kuulua, avio päläfertiilam.
Te declaro pareja eterna.

Ted kuuluak, kacad, kojed.
Te pertenezco.

Élidamet andam.
Te ofrezco mi vida.

Pesämet andam.
Te doy mi protección.

Uskolfertiilamet andam.
Te doy mi fidelidad.

Sívamet andam.
Te doy mi corazón.

Sielamet andam.
Te doy mi alma.

Ainamet andam.
Te doy mi cuerpo.

Sívamet kuuluak kaik että a ted.
Velaré de lo tuyo como de lo mío.

Ainaak olenszal sívambin.
Tu vida apreciaré toda mi vida.

Te élidet ainaak pide minan.
Tu vida antepondré a la mía siempre.

Te avio päläfertiilam.
Eres mi pareja eterna.

Ainaak sívamet jutta oleny.
Quedas unida a mí para toda la eternidad.

Ainaak teród vigyázak.
Siempre estarás a mi cuidado.
[Por siempre tú yo-cuidaré.]

Para oír estas palabras pronunciadas (y para más información sobre la pronunciación carpatiana, visitad, por favor: http://www.christinefeeham.com/members/.

***Sarna Kontakawk* (Cántico de los guerreros)** es otro ejemplo más largo de la lengua carpatiana. El consejo de guerreros se celebra en las profundidades de la Tierra en una cámara de cristal, por encima del magma, de manera que el vapor es natural y la sabiduría de sus ancestros es nítida y está bien concentrada. Se lleva a cabo en un lugar sagrado donde los guerreros pronuncian un juramento de sangre a su príncipe y a su pueblo y reafirman su código de honor como guerreros y hermanos. También es el momento en que se diseñan las estrategias de la batalla y se discuten las posiciones disidentes. También se abordan las inquietudes de los guerreros y que estos plantean ante el Consejo para que sean discutidas entre todos.

***Sarna Kontakawk* (Cántico de los guerreros)**

Veri isäakank — veri ekäakank.
Sangre de nuestros padres, sangre de nuestros hermanos.

Veri olen elid.
La sangre es vida.

Andak veri-elidet Karpatiiakank, és wäke-sarna ku meke arwa-arvo, irgalom, hän ku agba, és wäke kutni, ku manaak verival.
Ofrecemos la vida a nuestro pueblo con un juramento de sangre en aras del honor, la clemencia, la integridad y la fortaleza.

Verink sokta; verink kaŋa terád.
Nuestra sangre es una sola y te invoca.

Akasz énak ku kaŋa és juttasz kuntatak it.
Escucha nuestras plegarias y únete a nosotros.

Para escuchar la pronunciación de estas palabras (y para más información sobre la pronunciación del carpatiano en general), ir a http://www.christinefeehan.com/members/.

Ver Apéndice 1 para los cánticos de sanación carpatianos, entre los cuales el *Kepä Sarna Pus* (Cántico curativo menor), el *En Sarna Pus* (Cántico curativo mayor), el *Odam-Sarna Kondak* (Canción de cuna) y el *Sarna Pusm O May et* (Canción de sanación de la tierra).

Un diccionario carpatiano muy abreviado

Este diccionario carpatiano en versión abreviada incluye la mayor parte de las palabras carpatianas empleadas en la serie de libros Oscuros. Por descontado, un diccionario carpatiano completo sería tan extenso como cualquier diccionario habitual de toda una lengua.

Nota: los siguientes sustantivos y verbos son palabras raíz. Por lo general no aparecen aislados, en forma de raíz, como a continuación. En lugar de eso, habitualmente van acompañados de sufijos (por ejemplo, «*andam*» - «Yo doy», en vez de solo la raíz «*and*»).

a: negación para verbos (prefijo)
agba: conveniente, correcto
ai: oh
aina: cuerpo
ainaak: para siempre
O ainaak jelä peje emnimet ŋamaŋ: que el sol abrase a esta mujer para siempre (juramento carpatiano)
ainaakfél: viejo amigo
ak: sufijo pluralizador añadido a un sustantivo terminado en consonante
aka: escuchar, prestar atención
akarat: mente, voluntad
ál: bendición, vincular
alatt: a través
aldyn: debajo de°
alə: elevar, levantar
alte: bendecir, maldecir
and: dar
and sielet, arwa-arvomet, és jelämet, kuulua huvémet ku feaj és ködet ainaak: vender el alma, el honor y la salvación, por un placer momentáneo y una perdición infinita
andasz éntölem irgalomet!: ¡Tened piedad!
arvo: valor (sustantivo)
arwa: alabanza (sustantivo)
arwa-arvo: honor (sustantivo)
arwa-arvo mäne me ködak: que el honor contenga a la oscuridad (saludo)
arwa-arvo olen gæidnod, ekäm: que el honor te guíe, mi hermano (saludo)

arwa-arvo olen isäntä, ekäm: que el honor te ampare, mi hermano (saludo)
arwa-arvo pile sívadet: que el honor ilumine tu corazón (saludo)
aššа: no (antes de sustantivo); no (con verbo que no esté en imperativo); no (con adjetivo)
aššatotello: desobediente
asti: hasta
avaa: abrir
avio: desposada
avio päläfertiil: pareja eterna
avoi: descubrir, mostrar, revelar
belső: dentro, en el interior
bur: bueno, bien
bur tule ekämet kuntamak: bien hallado hermano-familiar (saludo)
ćaδa: huir, correr, escapar
ćoro: fluir, correr como la lluvia
csecsemõ: bebé (sustantivo)
csitri: pequeña (femenino)
diutal: triunfo, victoria
ećі: caer
ek: sufijo pluralizador añadido a un sustantivo terminado en consonante
ekä: hermano
ekäm: hermano mío
elä: vivir
eläsz arwa-arvoval: que puedas vivir con honor (saludo)
eläsz jeläbam ainaak: que vivas largo tiempo en la luz (saludo)
elävä: vivo
elävä ainak majaknak: tierra de los vivos
elid: vida
emä: madre (sustantivo)
Emä Maγe: Madre Naturaleza
emäen: abuela
embε: si, cuando
embε karmasz: por favor
emni: esposa, mujer
emnim: mi esposa; mi mujer
emni hän ku köd alte: maldita mujer
emni kuŋenak ku ašštotello: chiflada desobediente
én: yo

en: grande, muchos, gran cantidad
én jutta félet és ekämet: saludo a un amigo y hermano
én mayenak: soy de la tierra
én oma mayeka: soy más viejo que el tiempo (literalmente: tan viejo como la Tierra)
En Puwe: El Gran Árbol. Relacionado con las leyendas de Ygddrasil, el eje del mundo, Monte Meru, el cielo y el infierno, etc.
engem: mí
és: y
ete: antes; delante
että: que
fáz: sentir frío o fresco
fél: amigo
fél ku kuuluaak sívam belső: amado
fél ku vigyázak: querido
feldolgaz: preparar
fertiil: fértil
fesztelen: etéreo
fü: hierbas, césped
gæidno: camino
gond: custodia, preocupación; amor (sustantivo)
hän: él, ella, ello
hän agba: así es
hän ku: prefijo: uno que, eso que
hän ku agba: verdad
hän ku kaśwa o numamet: dueño del cielo
hän ku kuulua sívamet: guardián de mi corazón
hän ku lejkka wäke-sarnat: traidor
hän ku meke pirämet: defensor
hän ku pesä: protector
hän ku piwtä: depredador; cazador; rastreador
hän ku saa kuć3aket: el que llega a las estrellas
hän ku tappa: asesino; persona violenta (sutantivo); mortal, violento (adjetivo)
hän ku tuulmahl elidet: vampiro (literalmente: robavidas)
hän ku vie elidet: vampiro (literalmente: ladrón de vidas)
hän ku vigyáz sielamet: guardián de mi alma
hän ku vigyáz sívamet és sielamet: guardián de mi corazón y alma

Hän sívamak: querido
hany: trozo de tierra
hisz: creer, confiar
ho: cómo
ida: este
igazág: justicia
irgalom: compasión, piedad, misericordia
isä: padre (sustantivo)
isäntä: señor de la casa
it: ahora
jälleen: otra vez
jama: estar enfermo, herido o moribundo, estar próximo a la muerte (verbo)
jelä: luz del sol, día, sol, luz
jelä keje terád: que la luz te chamusque (maldición carpatiana)
o jelä peje terád: que el sol te chamusque (maldición carpatiana)
o jelä peje emnimet: que el sol abrase a la mujer (juramento carpatiano)
o jelä peje kaik hänkanak: que el sol los abrase a todos (juramento carpatiano)
o jelä peje terád, emni: que el sol te abrase, mujer (juramento carpatiano)
o jelä sielamak: luz de mi alma
joma: ponerse en camino, marcharse
joŋe: volver
joŋesz arwa-arvoval: regresa con honor (saludo)
jŏrem: olvidar, perderse, cometer un error
juo: beber
juosz és eläsz: beber y vivir (saludo)
juosz és olen ainaak sielamet jutta: beber y volverse uno conmigo (saludo)
juta: irse, vagar
jüti: noche, atardecer
jutta: conectado, sujeto (adjetivo). Conectar, sujetar, atar (verbo)
k: sufijo añadido tras un nombre acabado en vocal para hacer su plural
kaca: amante masculino
kadi: juez
kaik: todo
kaŋa: llamar, invitar, solicitar, suplicar
kaŋk: tráquea, nuez de Adán, garganta
kać3: regalo
kaδa: abandonar, dejar
kaδa wäkeva óv o köd: oponerse a la oscuridad

kalma: cadáver, tumba
karma: deseo
Karpatii: carpatiano
Karpatii ku köd: mentiroso
käsi: mano (sustantivo)
kaśwa: poseer
keje: cocinar
kepä: menor, pequeño, sencillo, poco
kessa: gato
kessa ku toro: gato montés
kessake: gatito
kidü: despertar (verbo intransitivo)
kim: cubrir un objeto
kinn: fuera, al aire libre, exterior, sin
kinta: niebla, bruma, humo
kislány: niña pequeña
kislány kuŋenak: pequeña locuela
kislány kuŋenak minan: mi pequeña locuela
köd: niebla, oscuridad
köd elävä és köd nime kutni nimet: el mal vive y tiene nombre
köd alte hän: que la oscuridad lo maldiga (maldición carpatiana)
o köd belső: que la oscuridad se lo trague (maldición carpatiana)
köd jutasz belső: que la sombra te lleve (maldición carpatiana)
koje: hombre, esposo, esclavo
kola: morir
kolasz arwa-arvoval: que mueras con honor (saludo)
koma: mano vacía, mano desnuda, palma de la mano, hueco de la mano
kond: hijos de una familia o de un clan
kont: guerrero
kont o sívanak: corazón fuerte (literalmente: corazón de guerrero)
ku: quién, cuál
kuć3: estrella
kuć3ak!: ¡estrellas! (exclamación)
kuja: día, sol
kuŋe: luna; mes
kule: oír
kulke: ir o viajar (por tierra o agua)
kulkesz arwa-arvoval, ekäm: camina con honor, mi hermano (saludo)

kulkesz arwaval, joɲesz arwa arvoval: ve con gloria, regresa con honor (saludo)
kuly: lombriz intestinal, tenia, demonio que posee y devora almas
kumpa: ola (sustantivo)
kuńa: tumbarse como si durmiera, cerrar o cubrirse los ojos en el juego del escondite, morir
kunta: banda, clan, tribu, familia
kuras: espada, cuchillo largo
kure: lazo
kutenken: sin embargo
kutni: capacidad de aguante
kutnisz ainaak: que te dure tu capacidad de aguante (saludo)
kuulua: pertenecer, asir
lääs: oeste
lamti (o lamt3): tierra baja, prado; profundo; profundidad
lamti ból jüti, kinta, ja szelem: el inframundo inferior (literalmente: «el prado de la noche, las brumas y los fantasmas»)
lańa: hija
lejkka: grieta, fisura, rotura (sustantivo). Cortar, pegar, golpear enérgicamente (verbo)
lewl: espíritu (sustantivo)
lewl ma: el otro mundo (literalmente: «tierra del espíritu»). *Lewl ma* incluye *lamti ból jüti, kinta, ja szelem:* el inframundo, pero también incluye los mundos superiores *En Puwe*, el Gran Árbol
liha: carne
lõuna: sur
löyly: aliento, vapor (relacionado con *lewl*: «espíritu»)
ma: tierra, bosque
magköszun: gracias
mana: abusar; maldecir; arruinar
mäne: rescatar, salvar
maɣe: tierra, naturaleza
me: nosotros
meke: hecho, trabajo (sustantivo). Hacer, elaborar, trabajar (verbo)
mića: preciosa
mića emni kuɲenak minan: mi preciosa locuela
minan: mío
minden: todos (adjetivo)
möért: ¿para qué? (exclamación)

molanâ: desmoronarse, caerse
molo: machacar, romper en pedazos
mozdul: empezar a moverse, entrar en movimiento
muonì: encargo, orden
muonìak te avoisz te: te conmino a mostrarte
musta: memoria
myös: también
nä: para
nâbbŏ: tan, entonces
nautish: gozar
ŋamaŋ: esto, esto de aquí; eso; los de ahí
nélkül: sin
nenä: ira
nó: igual que, del mismo modo que, como
numa: dios, cielo, cumbre, parte superior, lo más alto (relacionado con el término «sobrenatural»)
numatorkuld: trueno (literalmente: lucha en el cielo)
nyál: saliva, esputo (relacionado con *nyelv*: «lengua»)
nyelv: lengua
ńiŋ3: gusano; lombriz
o: el (empleado antes de un sustantivo que empiece por consonante)
odam: soñar, dormir
odam-sarna kondak: canción de cuna
olen: ser
oma: antiguo, viejo; último; previo
omas: posición
omboće: otro, segundo (adjetivo)
ot: el (empleado antes de un sustantivo que empiece por vocal)
otti: mirar, ver, descubrir
óv: proteger contra
owe: puerta
päämoro: blanco
pajna: presionar
pälä: mitad, lado
päläfertiil: pareja o esposa
palj3: más
peje: arder
peje terád: así te quemes (maldición carpatiana)

pél: tener miedo, estar asustado de
pesä (n.): nido (literal), protección (figurado)
pesä (v.): anidar (literal); proteger (figurado)
pesäd te engemal: estás a salvo conmigo
pesäsz jeläbam ainaak: que pases largo tiempo en la luz (saludo)
pide: encima
pile: encender
pirä: círculo, anillo (sustantivo); rodear, cercar (verbo)
piros: rojo
pitä: mantener, asir; tener; poseer
pitäam mustaakad sielpesäambam: guardo tu recuerdo en un lugar seguro de mi alma
pitäsz baszú, piwtäsz igazáget: no venganza, solo justicia
piwtä: seguir, seguir la pista de la caza; cazar
poår: pieza
põhi: norte
pukta: ahuyentar, perseguir, hacer huir
pus: sano, curativo
pusm: devolver la salud
puwe: árbol, madera
rambsolg: esclavo
rauho: paz
reka: éxtasis, trance
rituaali: ritual
sa: tendón
sa4: nombrar
saa: llegar, obtener, recibir
saasz hän ku andam szabadon: toma lo que libremente te ofrezco
salama: relámpago, rayo
sarna: palabras, habla, conjuro mágico (sustantivo). Cantar, salmodiar, celebrar (verbo)
sarna kontakawk: canto guerrero
śaro: nieve helada
sas: chis (a un niño o bebé)
saγe: llegar, venir, alcanzar
siel: alma
sieljelä isäntä: la pureza del alma triunfa
sisar: hermana

sív: corazón
sív pide köd: el amor trasciende el mal
sívad olen wäkeva, hän ku piwtä: que tu corazón permanezca fuerte, cazador (saludo)
sívam és sielam: mi corazón y alma
sívamet: mi corazón
sívdobbanás: latido (literal); ritmo (figurado)
sokta: merzclar, remover
soŋe: entrar, penetrar, compensar, reemplazar
susu: hogar, lugar de nacimiento; en casa (adverbio)
szabadon: libremente
szelem: fantasma
taka: detrás; más allá
tappa: bailar, dar una patada en el suelo; matar
te: tú
Te kalma, te jama ńiŋ3kval, te apitäsz arwa-arvo: no eres más que un cadáver andante lleno de gusanos, sin honor
Te magköszunam nä ŋamaŋ kać3 taka arvo: gracias por este regalo sin precio
ted: tuyo
terád keje: que te achicharres (insulto carpatiano)
tõd: saber
Tõdak pitäsz wäke bekimet mekesz kaiket: sé que tienes el coraje de afrontar cualquier asunto
tõdhän: conocimiento
tõdhän lõ kuraset agbapäämoroam: el conocimiento impulsa la espada directa hacia su objetivo
toja: doblar, inclinar, quebrar
toro: luchar, reñir
torosz wäkeval: combate con fiereza (saludo)
totello: obedecer
tsak: solamente
tuhanos: millar
tuhanos löylyak türelamak saγe diutalet: mil respiraciones pacientes traen la victoria
tule: reunirse, venir
tumte: sentir, tocar
türe: lleno, saciado, consumado

türelam: paciencia
türelam agba kontsalamaval: la paciencia es la auténtica arma del guerrero
tyvi: tallo, base, tronco
uskol: fiel
uskolfertiil: fidelidad
varolind: peligroso
veri: sangre
veri ekäakank: sangre de nuestros hermanos
veri-elidet: sangre vital
veri isäakank: sangre de nuestros padres
veri olen piros, ekäm: que la sangre sea roja, mi hermano (literal); que encuentra a tu compañera eterna (figurado)
veriak ot en Karpatiiak: por la sangre del príncipe (literalmente: «Por la sangre del Gran Carpatiano»; maldición carpatiana)
veridet peje: que tu sangre arda (insulto carpatiano)
vigyáz: cuidar de, ocuparse de
vii: último, al fin, finalmente
wäke: poder, fuerza
wäke beki: valor; coraje
wäke kaδa: constancia
wäke kutni: resistencia
wäke-sarna: maldición; bendición (literalmente: «palabras de poder».)
wäkeva: poderoso
wara: ave, cuervo
weńća: completo, entero
wete: agua (sustantivo)